Géographie

1er cycle
du secondaire

Manuel A

Nathalie Boudrias

Danielle Marcheterre

Mélanie Langlais

Avec la collaboration d'**André Roy**, Ph. D. en géographie

Enjeux et territoires
Géographie, 1er cycle du secondaire
Manuel A

Nathalie Boudrias, Danielle Marcheterre et Mélanie Langlais

Édition : Ginette Lambert, Marie-Claude Côté, Ginette Létourneau
Coordination : Liane Montplaisir, Samuel Rosa, Geneviève Paiement-Paradis
Révision linguistique : Liane Montplaisir, Johanne Tremblay, Ginette Gratton, Bérengère Roudil
Révision scientifique : André Roy
Correction d'épreuves : Marthe Bouchard
Conception graphique : Accent tonique
Infographie : Norman Lavoie
Couverture : Accent tonique
Illustrations : Anne Villeneuve, Serge Rousseau, Pierre-Paul Parizeau
Recherche iconographique : Marie-Chantal Laforge, Patrick Saint-Hilaire
Cartes : Julie Benoît, Stéphane Bourelle

Remerciements

L'Éditeur tient à remercier Alain Parent, géographe ; François Turcotte-Goulet, géographe historien et Sophie Turbide, conseillère pédagogique.

Pour le soin qu'elles et qu'ils ont apporté à leur travail d'évaluation et pour leurs commentaires avisés sur la collection, nous tenons également à remercier tout particulièrement Lucille Asselin, enseignante, Lester-B.-Pearson School Board ; Jean-Philippe Boisvert, enseignant, C.S. de la Seigneurie-des-Mille-Îles ; Alain Boucher, enseignant, Académie Michèle-Provost ; Sébastien Campbell, enseignant, C.S. de la Vallée-des-Tisserands ; Francine Jégou, enseignante, C.S. du Lac-Abitibi ; Christian Labrèche, enseignant, Villa Maria ; Mario Laliberté, enseignant, C.S. des Hautes-Rivières ; Marie-Andrée Lalime, enseignante, C.S. de Montréal ; Philippe Leclair, enseignant, Collège Mont-Saint-Louis ; Sophie Loubert, enseignante, C.S. des Hautes-Rivières ; Michelle Pelletier, enseignante, Collège Dina-Bélanger ; Sylvie Perron, enseignante, C.S. des Premières-Seigneuries ; Guylaine St-Pierre, enseignante, C.S. des Grandes-Seigneuries ; Claude Tousignant, enseignant, C.S. de Laval ; Martin Tremblay, enseignant, C.S. de Laval ; Jean Turbide, enseignant, Académie Sainte-Thérèse ; Norbert Viau, enseignant, Collège de l'Assomption ; Donald William, enseignant, C.S.

GRAFICOR
CHENELIÈRE ÉDUCATION

7001, boul. Saint-Laurent
Montréal (Québec)
Canada H2S 3E3
Téléphone : (514) 273-1066
Télécopieur : (514) 276-0324
info@cheneliere.ca

ISBN 2-89242-983-8

Dépôt légal : 2e trimestre 2005
Bibliothèque nationale du Québec
Bibliothèque nationale du Canada

5 6 7 8 9 ITIB 12 11 10 09 08

Nous reconnaissons l'aide financière du gouvernement du Canada par l'entremise du Programme d'aide au développement de l'industrie de l'édition (PADIE) pour nos activités d'édition.

Chenelière Éducation remercie le gouvernement du Québec de l'aide financière qu'il lui a accordée pour l'édition de cet ouvrage par l'intermédiaire du Programme de crédit d'impôt pour l'édition de livres (SODEC).

Table des matières

Module 3

Module 4

Module 5

Ressources géo

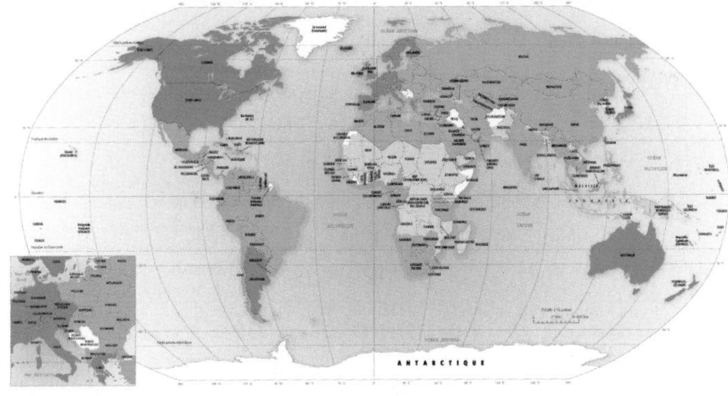

L'organisation du manuel

La structure du manuel

Module 1 Un territoire urbain : la métropole

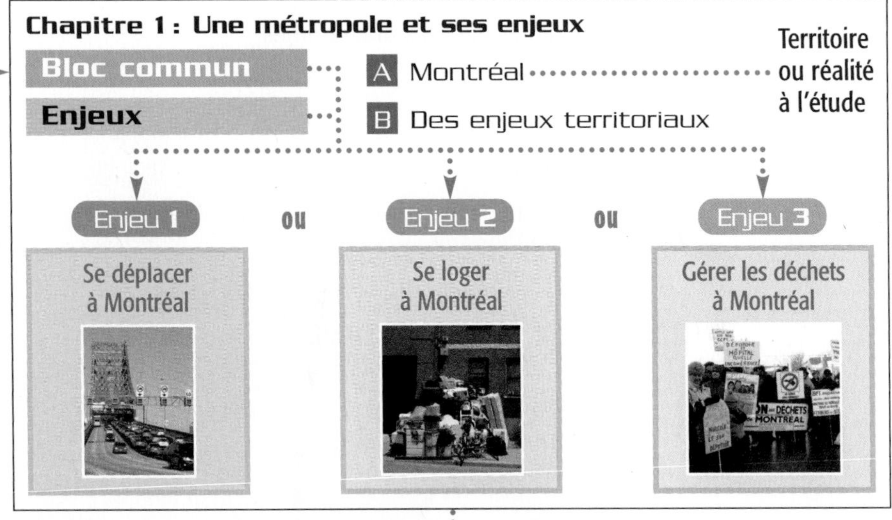

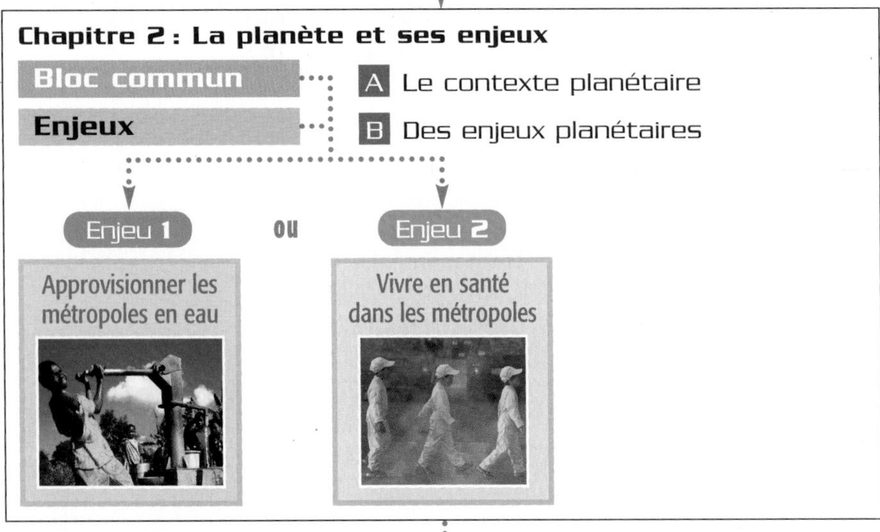

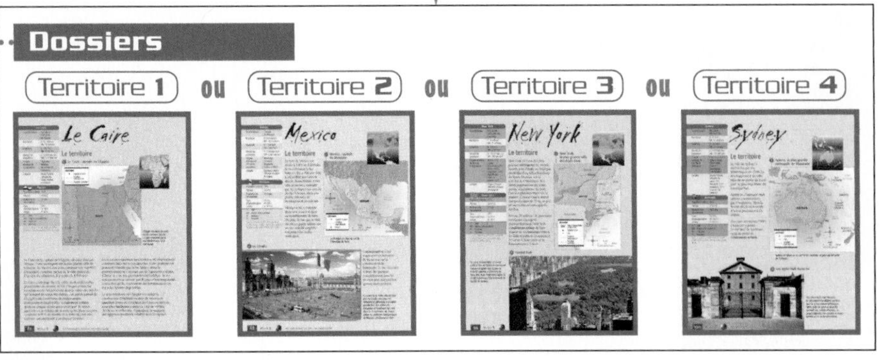

Bloc commun

Les blocs communs te donnent des clés de lecture pour comprendre l'organisation d'un territoire (ex. : Montréal, le territoire agricole du Québec) ou certaines réalités géographiques (ex. : l'urbanisation, les types de risques naturels, etc.).

Cette partie t'amène à développer une compétence particulièrement utile en géographie : *lire l'organisation d'un territoire*, de même qu'à acquérir des concepts qui t'aideront à décrire des réalités géographiques.

Enjeux

Les enjeux te présentent des problématiques d'ordre territorial (ville, région, etc.) ou planétaire. Ils te permettent de réinvestir ta compétence à *lire l'organisation d'un territoire.* À cette compétence s'ajoutent la compétence à *interpréter un enjeu territorial* (chapitres 1) et la compétence à construire ta conscience citoyenne à l'échelle planétaire (chapitres 2). Chaque module d'Enjeux et territoires t'offre la possibilité d'aborder un ou plusieurs enjeux.

Dossiers

Les sections Dossiers – Ailleurs te donnent des informations sur d'autres territoires de la Terre qui font face à des enjeux d'ordre territorial et planétaire. Ces sections te permettent de comparer un territoire présenté dans le chapitre 1 avec un territoire situé ailleurs sur la planète. De plus, tu as la possibilité de consulter un ou plusieurs Dossiers.

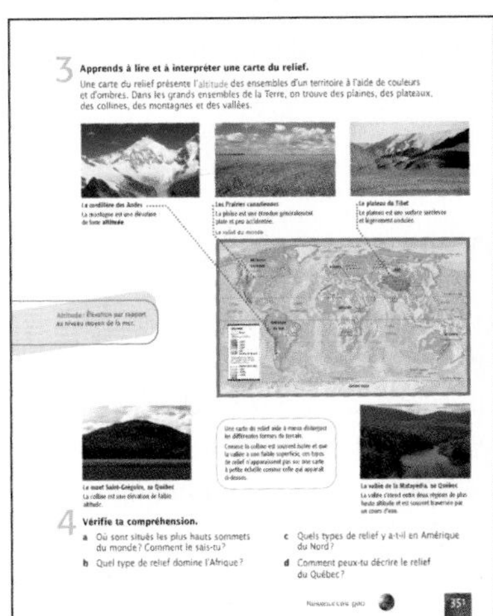

Ressources géo

La section Ressources géo te présente des activités qui te permettront de développer des techniques géographiques telles que lire et interpréter une carte, lire et interpréter un tableau ou un diagramme, observer une photo, recourir à une démarche de recherche, consulter un atlas, etc.

Carte à consulter pour situer les pays du monde (p. 386-387)

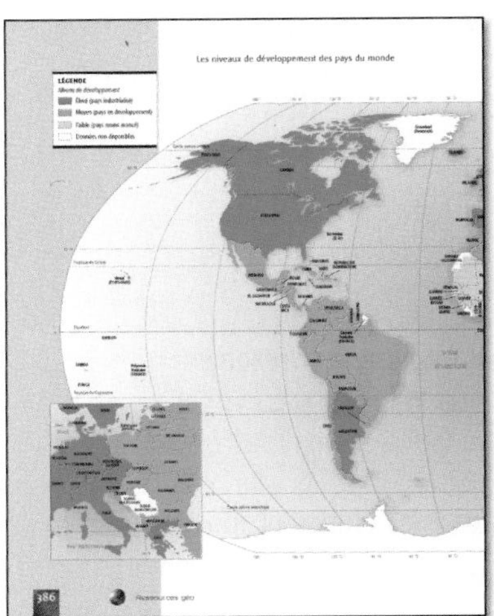

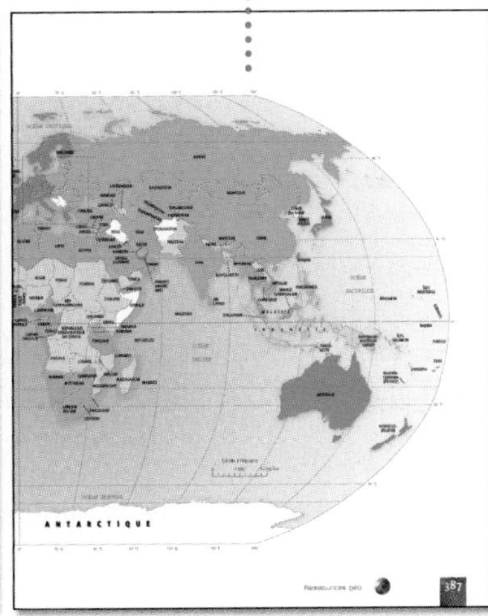

Les compétences transversales

Les activités qui te sont proposées dans ce manuel te permettront aussi de développer des compétences transversales qui te serviront dans toutes les matières ainsi que dans ta vie de tous les jours. Ces compétences sont les suivantes:

- *Exploiter l'information*
- *Résoudre des problèmes*
- *Exercer ton jugement critique*
- *Mettre en œuvre ta pensée créatrice*
- *Te donner des méthodes de travail efficaces*
- *Exploiter les technologies de l'information et de la communication*
- *Actualiser ton potentiel*
- *Coopérer*
- *Communiquer de façon appropriée*

Les modules

Phase de préparation

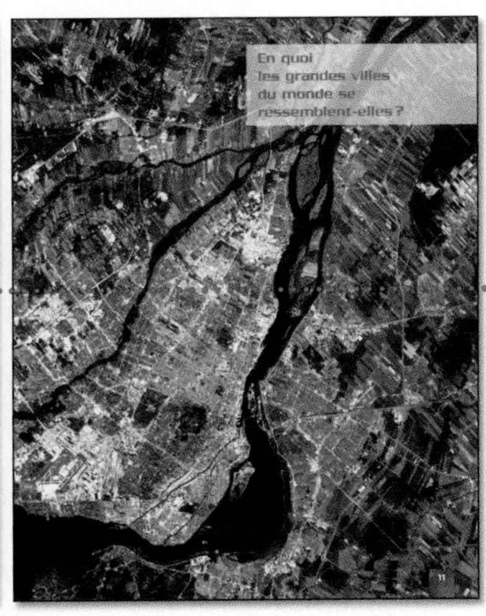

Prise de contact avec le type de territoire à l'étude dans le module

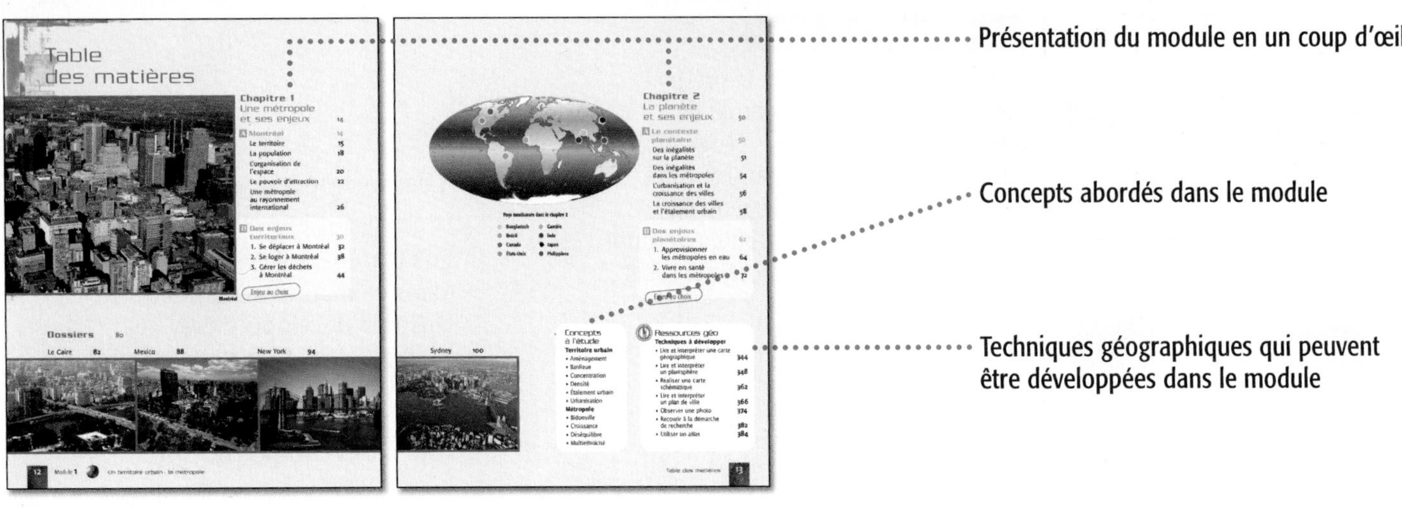

Présentation du module en un coup d'œil

Concepts abordés dans le module

Techniques géographiques qui peuvent être développées dans le module

Phase de réalisation

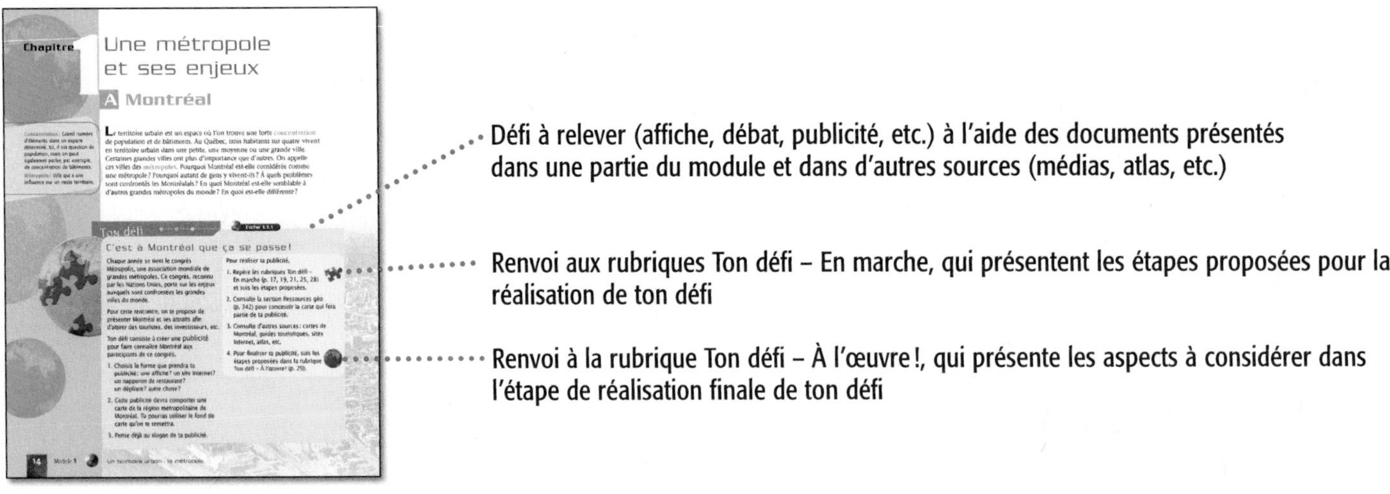

Défi à relever (affiche, débat, publicité, etc.) à l'aide des documents présentés dans une partie du module et dans d'autres sources (médias, atlas, etc.)

Renvoi aux rubriques Ton défi – En marche, qui présentent les étapes proposées pour la réalisation de ton défi

Renvoi à la rubrique Ton défi – À l'œuvre !, qui présente les aspects à considérer dans l'étape de réalisation finale de ton défi

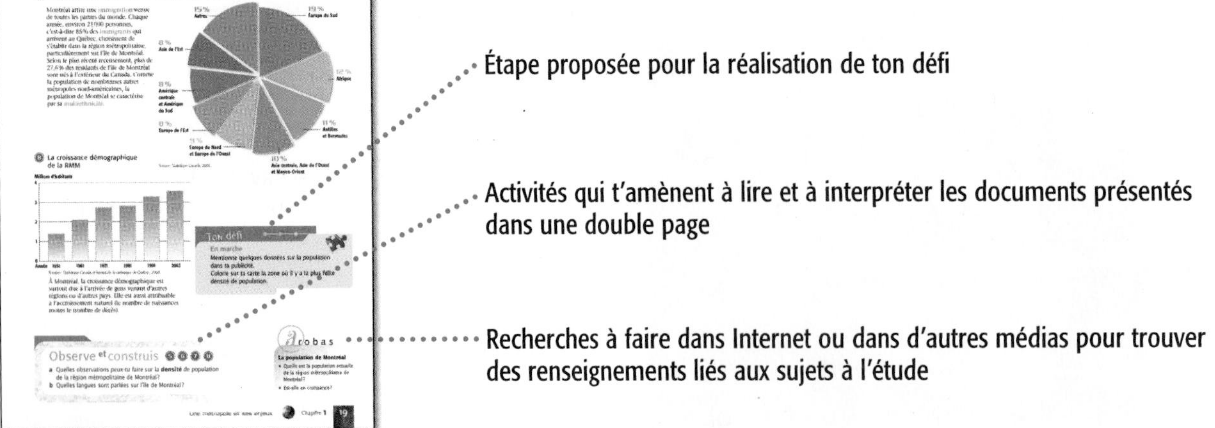

Étape proposée pour la réalisation de ton défi

Activités qui t'amènent à lire et à interpréter les documents présentés dans une double page

Recherches à faire dans Internet ou dans d'autres médias pour trouver des renseignements liés aux sujets à l'étude

Questions qui t'invitent à faire part de ce que tu sais déjà sur un sujet

Activité concrète qui vise à t'aider à mieux comprendre un enjeu

Définition de termes géographiques et scientifiques pour t'aider à mieux comprendre l'ensemble du texte
Ces termes sont rassemblés dans le glossaire du manuel (p. 388).
À sa première apparition, chaque mot clé est en bleu et défini dans la double page.
Par la suite, il apparaît en gras, ce qui t'indique que tu peux consulter le glossaire pour en connaître le sens.

Phase d'intégration et de réinvestissement

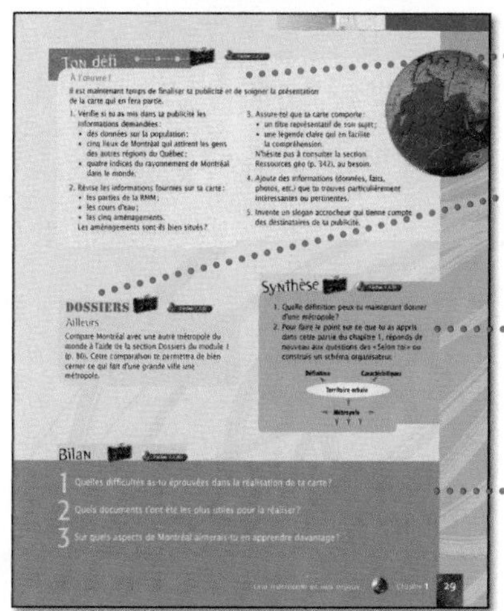

Aspects à considérer dans l'étape de réalisation finale de ton défi

Renvoi à la section Dossiers du module qui t'amène à réinvestir ce que tu as appris en comparant le milieu étudié précédemment avec un autre milieu de la Terre

Activité qui te permet d'organiser d'une façon personnelle ce que tu as appris dans le bloc commun

Questions qui t'invitent à faire un retour sur ce que tu as appris et sur les stratégies que tu as mises en œuvre pour y parvenir

Les pictogrammes

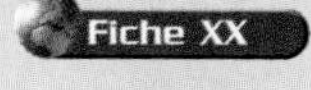

Ce pictogramme renvoie à une fiche reproductible fournie dans le guide d'enseignement.

Ce pictogramme désigne des documents que l'élève peut insérer dans son portfolio.

Ce pictogramme renvoie à la section Ressources géo.

Module 1

Un territoire urbain : la métropole

Ce module t'invite à découvrir la métropole et à mieux connaître les enjeux auxquels sont confrontées les populations des métropoles du monde.

Le **chapitre 1** t'entraîne au cœur d'un territoire urbain, celui de Montréal. Vivre à Montréal comporte des avantages. Cependant, comme les habitants d'autres grandes villes, les Montréalais subissent, entre autres, des problèmes liés aux déplacements, au logement et à la gestion des déchets.

Le **chapitre 2** t'offre une vue panoramique du contexte planétaire. Il te présente des inégalités entre les habitants du monde et deux enjeux qui touchent les citadins : l'approvisionnement en eau et la santé.

Enfin, la partie **Dossiers** te permet de comparer tes découvertes et d'élargir ta connaissance du monde.

Montréal, au Québec

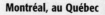

En quoi les grandes villes du monde se ressemblent-elles ?

Table des matières

Montréal

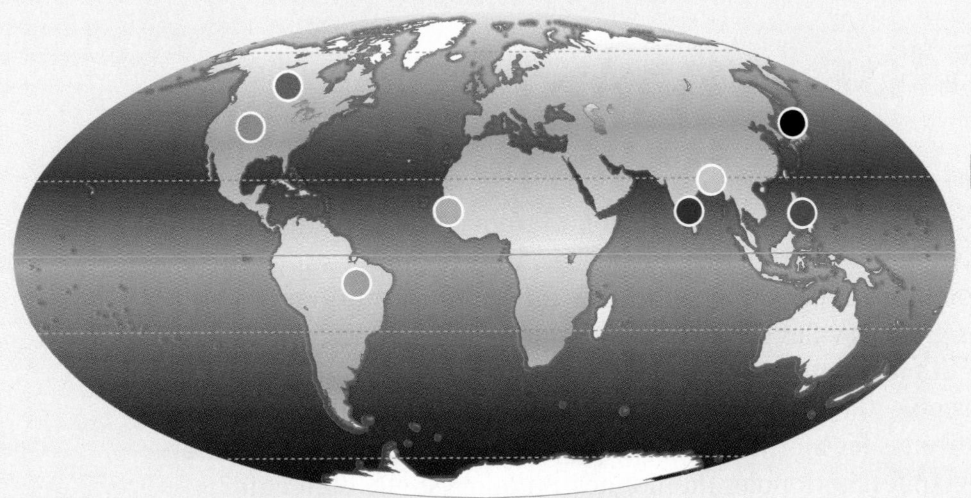

Pays mentionnés dans le chapitre 2

- Bangladesh
- Brésil
- Canada
- États-Unis
- Gambie
- Inde
- Japon
- Philippines

Chapitre 2 La planète et ses enjeux 50

Concepts à l'étude

Territoire urbain

- Aménagement
- Banlieue
- Concentration
- Densité
- Étalement urbain
- Urbanisation

Métropole

- Bidonville
- Croissance
- Déséquilibre
- Multiethnicité

Ressources géo

Techniques à développer

Chapitre 1

Une métropole et ses enjeux

A Montréal

Concentration : Grand nombre d'éléments dans un espace déterminé. Ici, il est question de population, mais on peut également parler, par exemple, de concentration de bâtiments.

Métropole : Ville qui a une influence sur un vaste territoire.

Le territoire urbain est un espace où l'on trouve une forte **concentration** de population et de bâtiments. Au Québec, trois habitants sur quatre vivent en territoire urbain dans une petite, une moyenne ou une grande ville. Certaines grandes villes ont plus d'importance que d'autres. On appelle ces villes des **métropoles**. Pourquoi Montréal est-elle considérée comme une métropole ? Pourquoi autant de gens y vivent-ils ? À quels problèmes sont confrontés les Montréalais ? En quoi Montréal est-elle semblable à d'autres grandes métropoles du monde ? En quoi est-elle différente ?

Ton défi

C'est à Montréal que ça se passe !

Chaque année se tient le congrès Métropolis, une association mondiale de grandes métropoles. Ce congrès, reconnu par les Nations Unies, porte sur les enjeux auxquels sont confrontées les grandes villes du monde.

Pour cette rencontre, on te propose de présenter Montréal et ses attraits afin d'attirer des touristes, des investisseurs, etc.

Ton défi consiste à créer une **publicité** pour faire connaître Montréal aux participants de ce congrès.

1. Choisis la forme que prendra ta publicité : une affiche ? un site Internet ? un napperon de restaurant ? un dépliant ? autre chose ?
2. Cette publicité devra comporter une carte de la région métropolitaine de Montréal. Tu pourras utiliser le fond de carte qu'on te remettra.
3. Pense déjà au slogan de ta publicité.

Pour réaliser ta publicité,

1. Repère les rubriques Ton défi – En marche (p. 17, 19, 21, 25, 28) et suis les étapes proposées.
2. Consulte la section Ressources géo (p. 342) pour concevoir la carte qui fera partie de ta publicité.
3. Consulte d'autres sources : cartes de Montréal, guides touristiques, sites Internet, atlas, etc.
4. Pour finaliser ta publicité, suis les étapes proposées dans la rubrique Ton défi – À l'œuvre ! (p. 29).

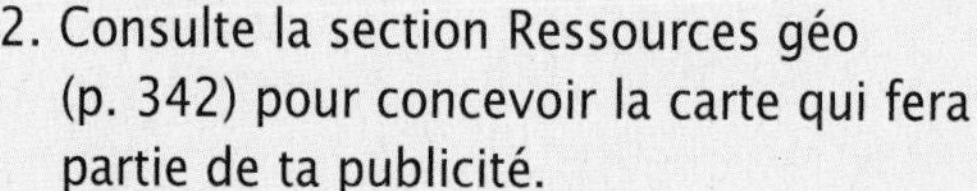

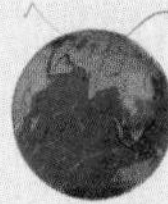

Le territoire

Selon toi,

- pourquoi les premiers colons ont-ils choisi de s'établir à Montréal plutôt qu'ailleurs ?
- qu'est-ce qui caractérise le territoire de Montréal ?

1 L'île de Montréal, le cœur de la région métropolitaine

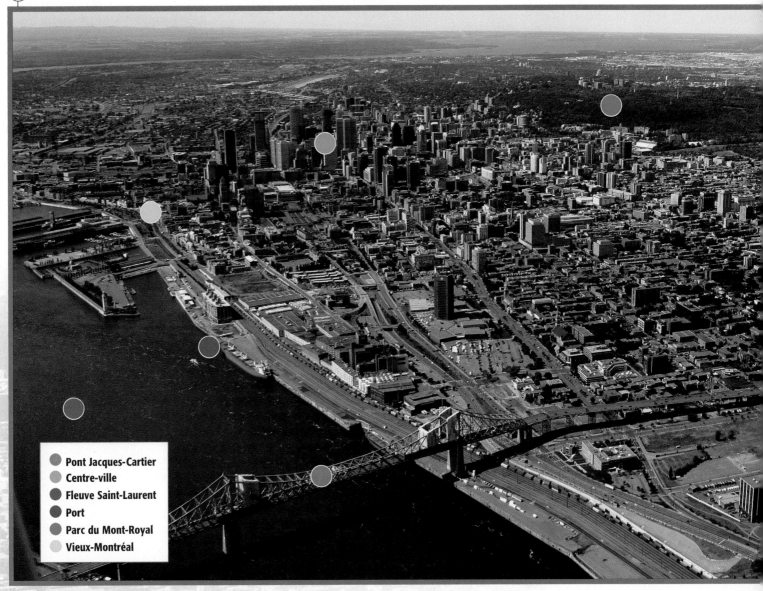

- Pont Jacques-Cartier
- Centre-ville
- Fleuve Saint-Laurent
- Port
- Parc du Mont-Royal
- Vieux-Montréal

Observe et construis 1

a Sur le document 1, que vois-tu au plan rapproché ? au plan moyen ? à l'arrière-plan ?
b Que reconnais-tu d'autre sur cette photo ?
c Complète la légende du croquis sur la fiche qu'on te remettra.

② La situation de la région métropolitaine de Montréal dans le Québec

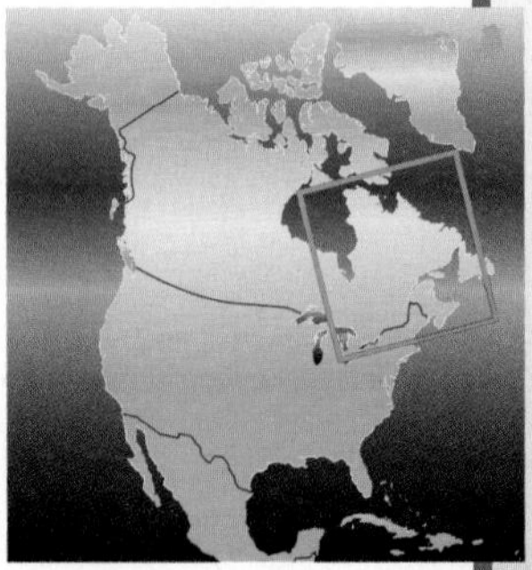

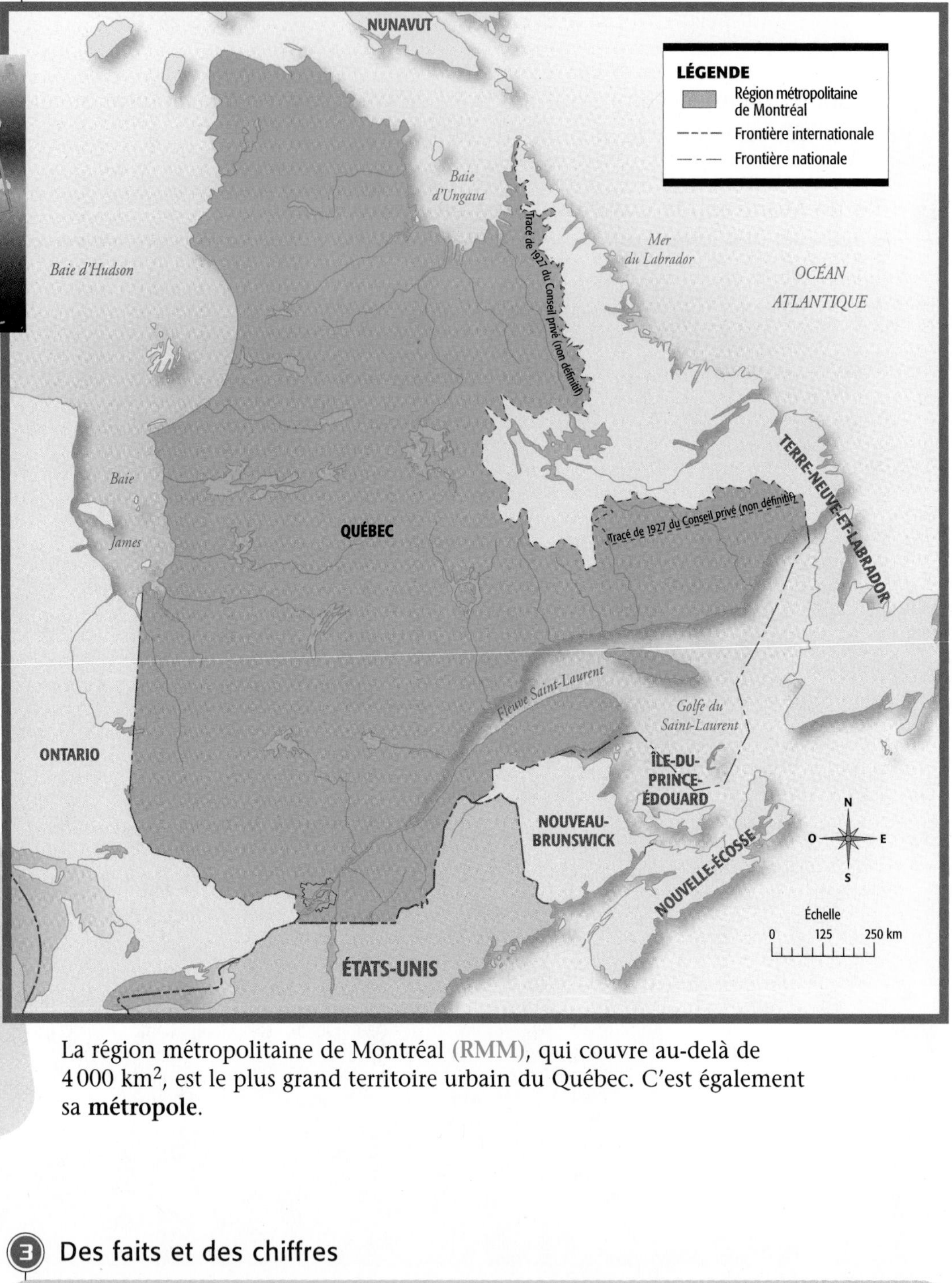

La région métropolitaine de Montréal (RMM), qui couvre au-delà de 4 000 km^2, est le plus grand territoire urbain du Québec. C'est également sa **métropole**.

Arrondissement : Division administrative d'une ville.

Confluent : Rencontre de deux cours d'eau.

Couronne : Partie d'une région métropolitaine en périphérie du centre d'une ville. Dans la grande région de Montréal, il y a une couronne sur la rive nord du fleuve et une couronne sur la rive sud.

Étalement urbain : Expansion du territoire urbain en périphérie d'une ville. Cet étalement est dû au développement des banlieues et à la construction des autoroutes.

RMM : Région métropolitaine de Montréal.

③ Des faits et des chiffres

- Montréal a été fondée en 1642 par Paul Chomedey de Maisonneuve. La ville est rapidement devenue un important poste de traite en raison de son site avantageux au confluent du fleuve Saint-Laurent et de la rivière des Outaouais.
- Les premiers colons ont trouvé dans la plaine du Saint-Laurent un sol fertile, un relief plat et des conditions climatiques favorables à l'agriculture.
- Montréal est devenue la ville la plus importante du Québec à cause de sa position stratégique sur le fleuve Saint-Laurent.

4 La région métropolitaine de Montréal

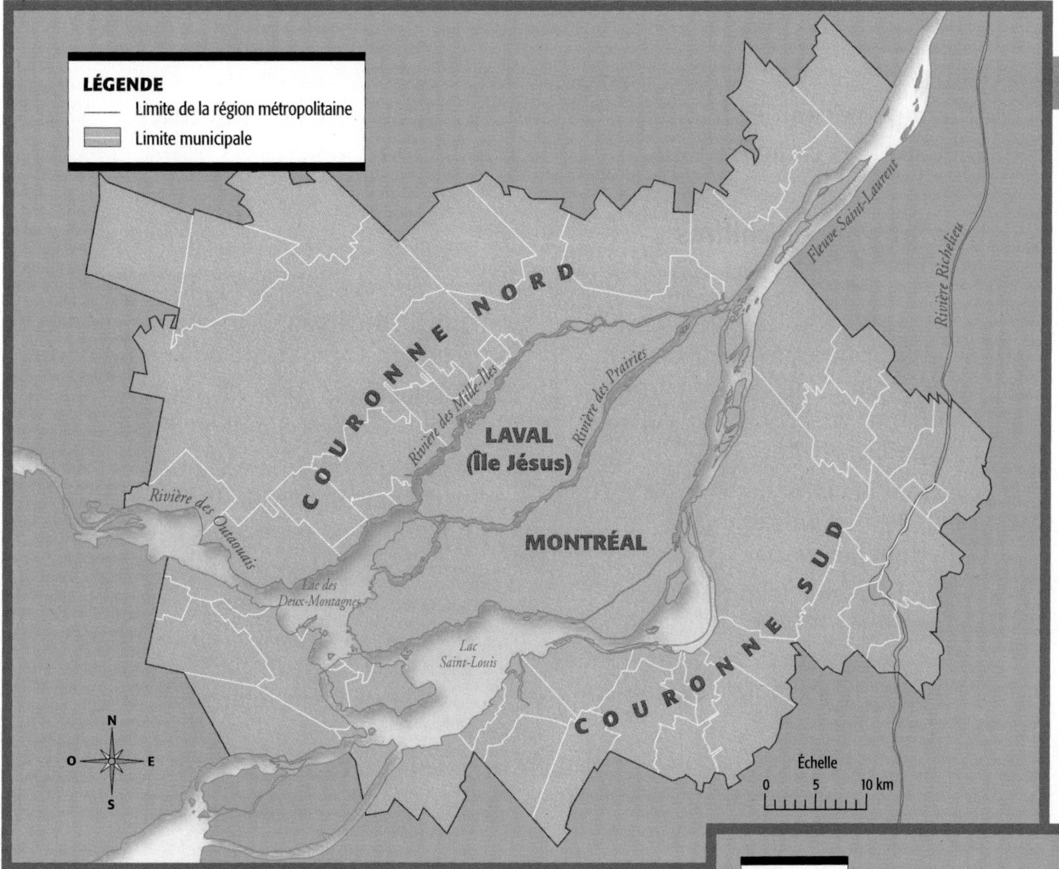

4A

Montréal, Laval et les villes de la couronne nord et de la couronne sud constituent les différentes parties de la région métropolitaine de Montréal. La RMM englobe plus de 60 municipalités et arrondissements. L'île de Montréal occupe un huitième de ce territoire (500 km²).

Ce découpage des municipalités correspond à celui de la RMM en 2004. La nouvelle division des territoires municipaux deviendra officielle en janvier 2006.

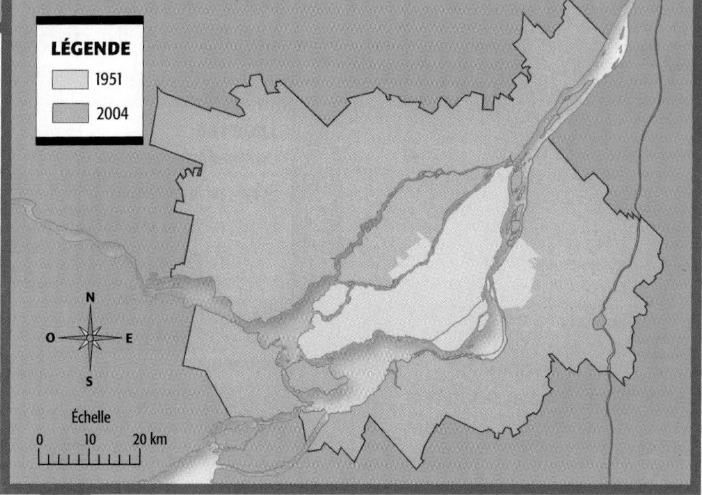

4B L'étalement urbain de la région métropolitaine de Montréal en 1951 et en 2004.

Source : Ville de Montréal, 2004.

Ton défi

En marche

Assure-toi de situer sur ton fond de carte de la région métropolitaine de Montréal :

- le fleuve Saint-Laurent, la rivière des Prairies, la rivière des Outaouais, la rivière Richelieu, la rivière des Mille-Îles, le lac Saint-Louis et le lac des Deux-Montagnes ;
- les différentes parties du territoire actuel de la RMM.

Observe et construis   

d Où est située la région métropolitaine de Montréal par rapport à l'ensemble du Québec ? En quoi est-ce un atout ?
e Quelles caractéristiques du territoire de la RMM ont été favorables à son développement ?
f Comment le document 4 B démontre-t-il qu'il y a eu un étalement urbain de la RMM ?
g Quelles parties du territoire de la RMM se sont ajoutées au cours des 50 dernières années ?
h Quelles étendues d'eau font partie du territoire de la RMM ?

La population 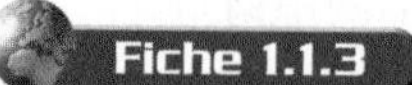

Selon toi,

- combien de personnes habitent la région métropolitaine de Montréal ?
- quelles sont les caractéristiques de cette population ?

Banlieue : Zone urbanisée éloignée du centre-ville.

Croissance : Augmentation d'un phénomène (ex. : la croissance démographique est la croissance de la population).

Densité : Rapport entre le nombre d'éléments et la superficie (ex. : il y a 200 hab./km² dans cette région).

Mégalopole : Vaste ensemble groupant plusieurs métropoles. Les **banlieues** des métropoles finissent par se rejoindre et s'étendent parfois sur des centaines de kilomètres (ex. : Tōkyō, au Japon, et New York, aux États-Unis).

Urbanisation : Processus de croissance de la population urbaine et d'expansion des villes.

5 Des faits et des chiffres

L'**urbanisation** est un phénomène planétaire auquel le Québec n'échappe pas. Ici comme ailleurs, la part de la population vivant dans les villes est en constante **croissance**.

- Le mot *Montréal* désigne à la fois une île, une ville et une région métropolitaine.
- Parmi les langues autres que le français (56 %) et l'anglais (26 %), les plus répandues à Montréal sont l'italien, l'espagnol, le chinois et l'arabe.
- Un Québécois sur deux vit dans la région métropolitaine de Montréal.
- La population de la ville de Montréal atteint plus de 1,8 million d'habitants.
- La population de la région métropolitaine de Montréal dépasse 3,5 millions d'habitants.
- Une métropole internationale compte en général plus de 3 millions d'habitants. Cependant, certaines d'entre elles, qu'on appelle **mégalopoles**, en comptent plus de 10 millions.

Sources : Ville de Montréal, 2001 ; Enquête origine-destination 2003.

6 La densité de population à Montréal

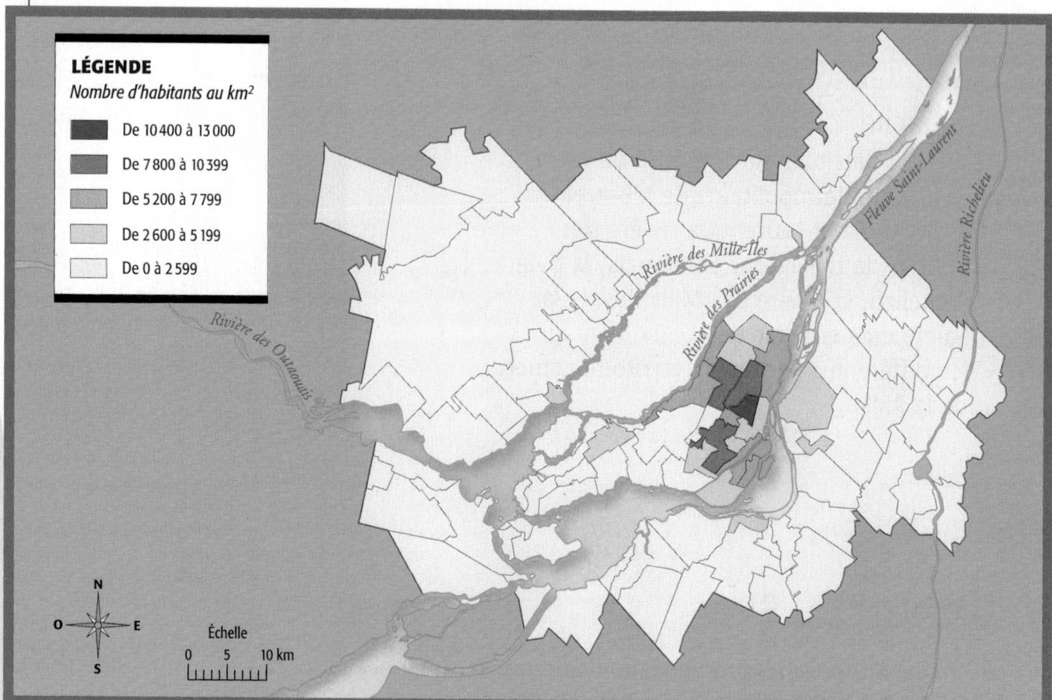

Au Canada, un territoire est considéré comme urbain lorsque sa **densité** de population moyenne atteint au moins 400 hab./km². Dans l'île de Montréal, elle atteint 3 625 hab./km².

Source : Statistique Canada.

Immigrant : Personne qui s'établit dans un pays différent de son pays d'origine (ex. : de nombreux immigrants italiens sont établis au Québec).

Immigration : Déplacement de populations qui s'établissent dans un pays différent de leur pays d'origine.

Multiethnicité : Caractéristique d'une population composée de personnes d'origines variées (ex. : Égyptiens, Espagnols, Irlandais).

7 Les populations immigrantes de la **RMM** selon leur lieu de naissance

Montréal attire une **immigration** venue de toutes les parties du monde. Chaque année, environ 21 000 personnes, c'est-à-dire 85 % des **immigrants** qui arrivent au Québec, choisissent de s'établir dans la région métropolitaine, particulièrement sur l'île de Montréal. Selon le plus récent recensement, plus de 27,6 % des résidants de l'île de Montréal sont nés à l'extérieur du Canada. Comme la population de nombreuses autres métropoles nord-américaines, la population de Montréal se caractérise par sa **multiethnicité**.

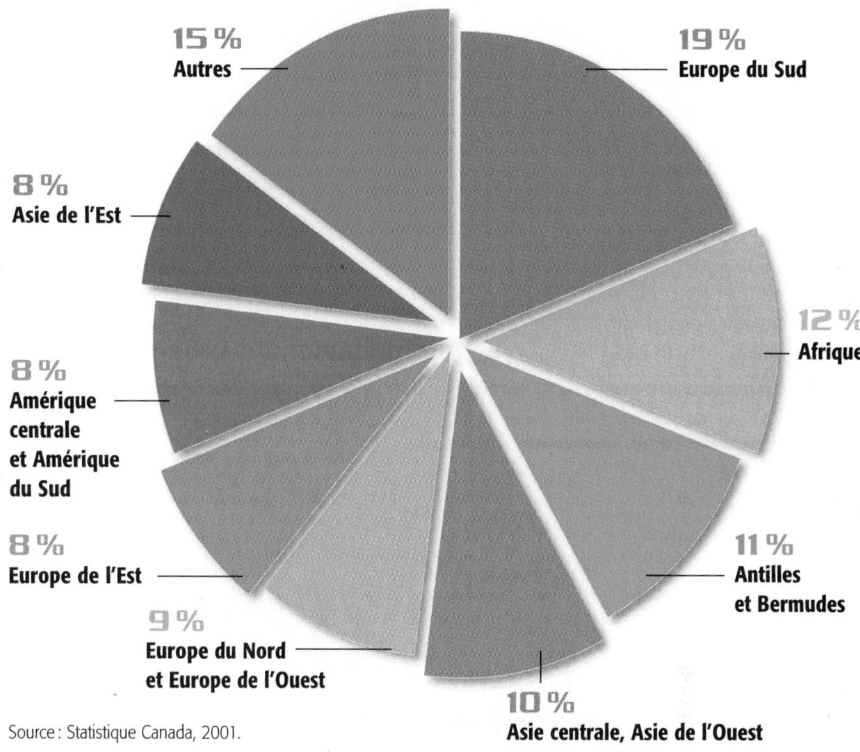

Source : Statistique Canada, 2001.

8 La croissance démographique de la RMM

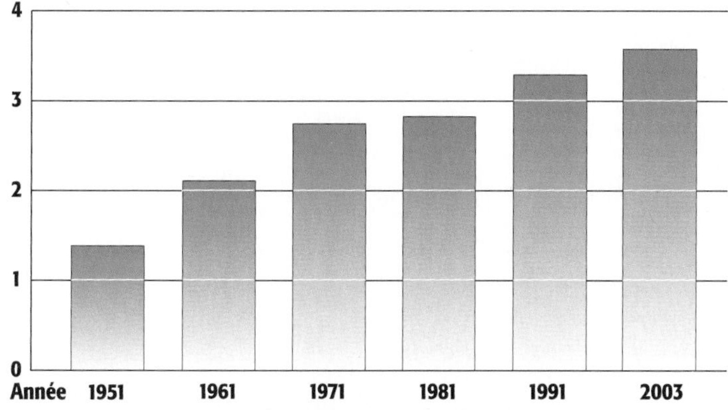

Sources : Statistique Canada et Institut de la statistique du Québec, 2003.

À Montréal, la croissance démographique est surtout due à l'arrivée de gens venant d'autres régions ou d'autres pays. Elle est aussi attribuable à l'accroissement naturel (le nombre de naissances moins le nombre de décès).

Ton défi

En marche

Mentionne quelques données sur la population dans ta publicité.
Colorie sur ta carte la zone où il y a la plus forte densité de population.

Observe et construis    

a Quelles observations peux-tu faire sur la **densité** de population de la région métropolitaine de Montréal ?

b Quelles langues sont parlées sur l'île de Montréal ?

Arobas

La population de Montréal

- Quelle est la population actuelle de la région métropolitaine de Montréal ?
- Est-elle en croissance ?

L'organisation de l'espace

Fiche 1.1.4

Aménagement : Modification du territoire faite par les êtres humains pour le rendre habitable et exploitable (ex. : rues, ponts, parcs, résidences, etc.).

Quartier : Partie d'une ville qui se distingue par certaines caractéristiques (ex. : quartier chinois, quartier des affaires) ; milieu de vie et d'activités.

Selon toi,

- comment l'espace est-il organisé dans une grande ville comme Montréal ?
- comment reconnaît-on les parties anciennes de la ville ? les parties récentes ?
- quels types d'habitations trouve-t-on dans la partie centrale de la ville ? en périphérie ?

9 L'aménagement urbain à Montréal

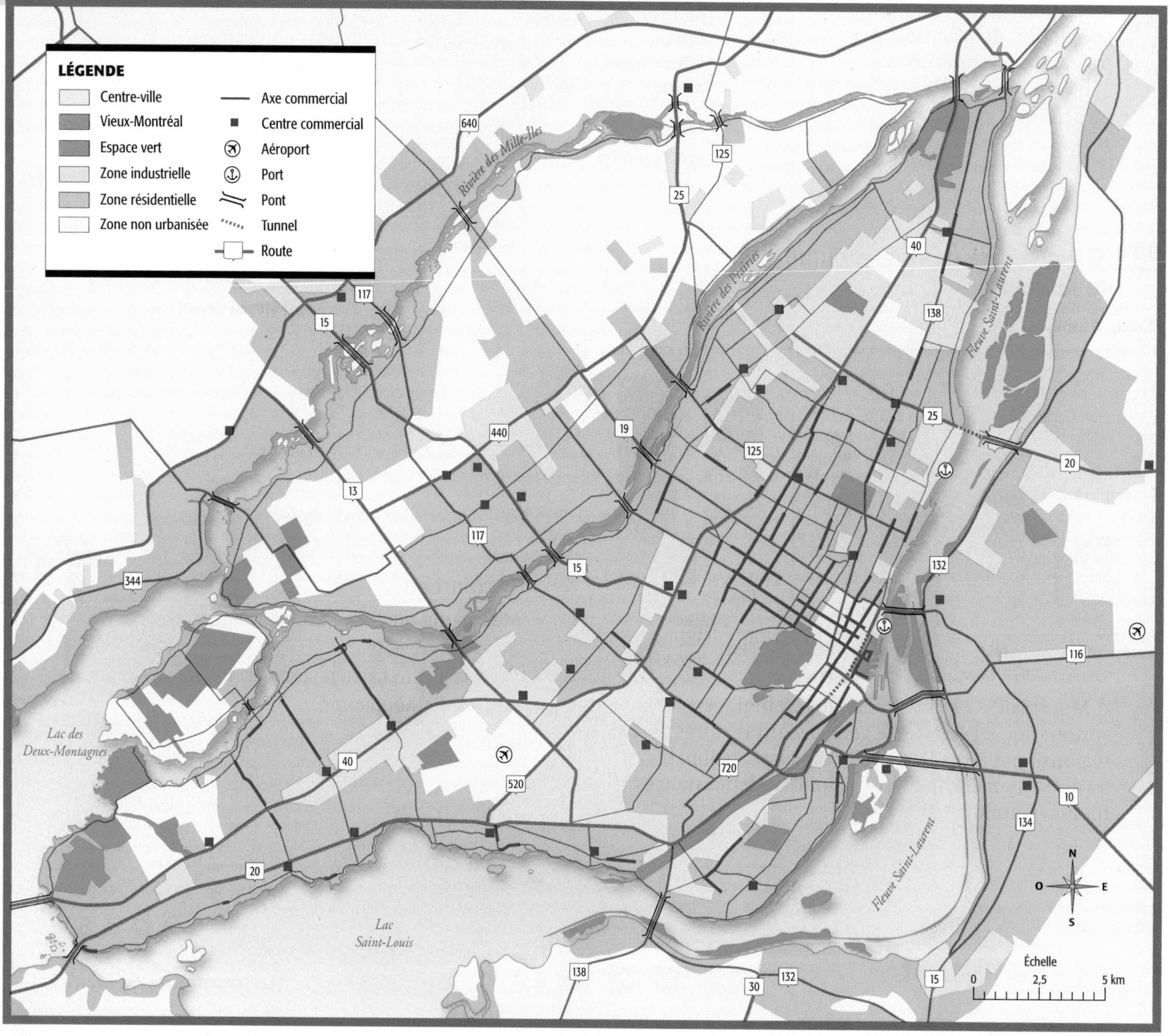

LÉGENDE
Centre-ville
Vieux-Montréal
Espace vert
Zone industrielle
Zone résidentielle
Zone non urbanisée
Axe commercial
Centre commercial
Aéroport
Port
Pont
Tunnel
Route
Rivière des Mille-Îles
Rivière des Prairies
Fleuve Saint-Laurent
Lac des Deux-Montagnes
Lac Saint-Louis
Fleuve Saint-Laurent
640
125
25
40
117
15
138
440
19
125
25
20
13
117
15
344
132
116
40
520
720
10
134
20
138
30
132
15
N
O
E
S
Échelle
0
2,5
5 km

Dans la **RMM**, l'**aménagement** a été conçu pour répondre aux besoins de la population et faciliter les liens entre différentes activités. Par exemple, les centres commerciaux sont construits à proximité des zones résidentielles.

10 Des quartiers de la région métropolitaine de Montréal

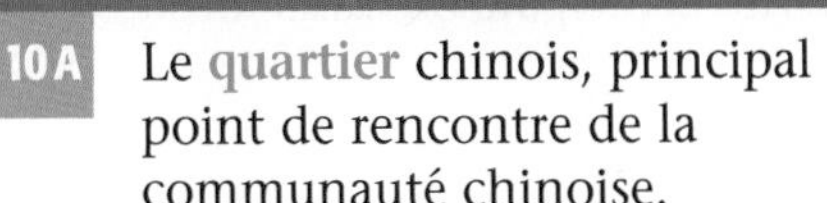

10 A Le quartier chinois, principal point de rencontre de la communauté chinoise.

10 B Les habitations unifamiliales se multiplient dans les **banlieues**.

10 C Le Plateau-Mont-Royal, l'un des quartiers les plus réputés de Montréal.

11 Le parc du Mont-Royal

À Montréal, 11 % du territoire est consacré à la fonction récréative. Le parc du Mont-Royal est l'un des plus grands espaces verts de Montréal.

Observe et construis 9 10 11

a Qu'arriverait-il dans une ville si l'aménagement de l'espace n'était pas planifié ?

b Dans la région métropolitaine de Montréal, où sont concentrées les zones industrielles ? les zones commerciales ? les zones résidentielles ?

c Où sont concentrées les zones résidentielles dans les **couronnes** ?

Ton défi

En marche

Situe sur ta carte cinq aménagements importants du territoire de la région métropolitaine de Montréal.

Le pouvoir d'attraction

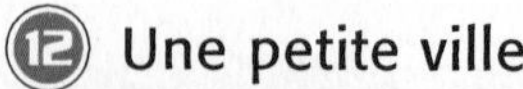

- pourquoi les gens fréquentent-ils une grande ville ?
- en quoi les grandes villes sont-elles différentes des moyennes et des petites villes ?

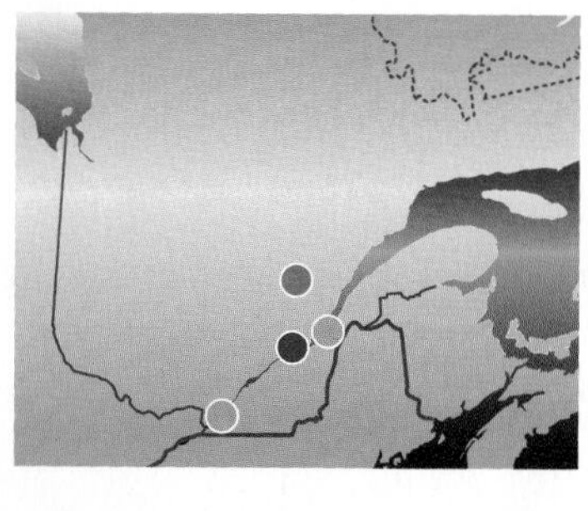

12 Une petite ville

Saint-Jean-Port-Joli

Dans les petites villes (3 000 à 10 000 habitants), on trouve généralement des biens et des services essentiels (ex. : stations-service, banques, dépanneurs, épiceries, écoles primaires et, parfois, une polyvalente) qui desservent la population locale. Les commerces sont groupés autour de la rue principale ou dans un petit centre commercial.

13 Une ville de taille moyenne

Saguenay

Dans les villes moyennes (10 000 à 100 000 habitants), en plus des biens et des services essentiels, on trouve des restaurants, des commerces spécialisés, des centres commerciaux, etc. De plus, ces villes offrent des services liés à la santé (hôpitaux, cliniques), à l'éducation (polyvalente, cégep, université), au sport (aréna) et à la culture (centre culturel, bibliothèques, salles de spectacles, etc.). En plus de la population locale, les villes de cette importance desservent les populations des petites villes environnantes.

14 Une grande ville

Québec

En plus des biens et des services disponibles dans les villes moyennes, les grandes villes (100 000 habitants et plus) offrent certains biens et services spécialisés dans les domaines de la santé (grands hôpitaux), de l'éducation (universités), de la culture (grandes salles de spectacles), de l'information (journaux, stations de radio, chaînes de télévision), etc. Les grandes villes approvisionnent et desservent les populations locales, environnantes et régionales.

15 Une métropole

Montréal

La **métropole** exerce un fort pouvoir d'attraction sur son territoire. Son importante **concentration** de population rend possible la présence d'une grande variété de commerces et de services spécialisés. Ainsi, on peut y goûter les cuisines du monde, consulter des spécialistes du domaine médical, visiter des boutiques luxueuses, etc.

16 Des faits et des chiffres

Comme métropole, Montréal exerce un fort pouvoir d'attraction sur son territoire, sur les régions environnantes et sur l'ensemble du Québec. On s'y rend pour se divertir, travailler, recevoir des soins de santé, étudier, magasiner, etc. Voici des exemples de biens et de services offerts dans la région métropolitaine de Montréal:

- Plus de 20 hôpitaux dont plusieurs offrent des soins spécialisés.
- D'importantes institutions d'éducation, dont quatre universités et 33 établissements d'enseignement supérieur.
- Environ 160 équipements culturels, dont près de 60 salles de spectacles, plus de 40 musées et salles d'exposition, et 50 bibliothèques.
- Environ 1,7 million d'emplois de toutes sortes. La métropole rassemble plus de 60 % des emplois de l'ensemble du Québec. À lui seul, le centre-ville de Montréal offre plus de 250 000 emplois.

Source: Région métropolitaine de recensement, 2001.

Centre-ville: Partie centrale d'une ville, généralement la plus vieille, où se concentrent les activités économiques et politiques.

Commerce spécialisé: Commerce qui s'exerce dans un domaine particulier (ex.: boutique de vêtements de haute couture, restaurant de cuisine marocaine).

Service spécialisé: Service qui s'exerce dans un domaine particulier (ex.: orthodontie, chirurgie esthétique).

Observe et construis 12 13 14 15 16

a À l'aide d'exemples, commente l'énoncé suivant: *Les gens sont prêts à parcourir de grandes distances pour se procurer des biens et des services rares ou spécialisés.*

b Pourquoi les grandes villes offrent-elles des commerces et des services spécialisés qu'on ne trouve pas dans les villes de plus petite taille?

17 Au cœur de Montréal

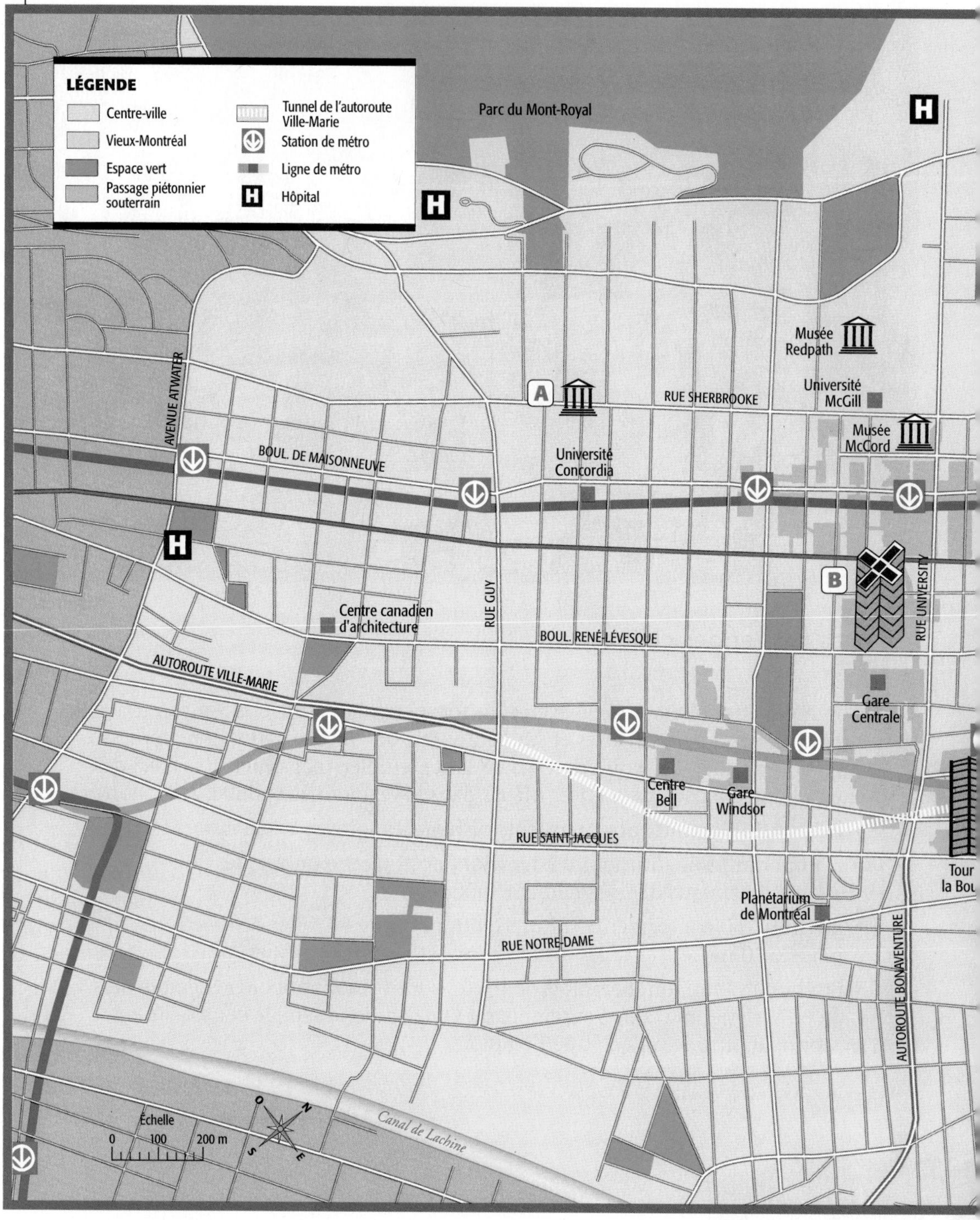

LÉGENDE

- Centre-ville
- Vieux-Montréal
- Espace vert
- Passage piétonnier souterrain
- Tunnel de l'autoroute Ville-Marie
- Station de métro
- Ligne de métro
- H Hôpital

Parc du Mont-Royal
Musée Redpath
Université McGill
Musée McCord
RUE SHERBROOKE
AVENUE ATWATER
BOUL. DE MAISONNEUVE
Université Concordia
Centre canadien d'architecture
RUE GUY
BOUL. RENÉ-LÉVESQUE
RUE UNIVERSITY
AUTOROUTE VILLE-MARIE
Gare Centrale
Centre Bell
Gare Windsor
RUE SAINT-JACQUES
Tour la Bou
Planétarium de Montréal
RUE NOTRE-DAME
AUTOROUTE BONAVENTURE
Canal de Lachine
Échelle 0 100 200 m

(A) Le Musée des beaux-arts de Montréal compte six expositions permanentes qui présentent plus de 30 000 œuvres.

(B) Reliée à la gare Centrale, la Place-Ville-Marie, où l'on trouve des bureaux et des boutiques, est à l'origine du réseau souterrain de Montréal. Ce réseau souterrain a environ 30 km de couloirs dans lesquels on trouve près de 2 000 boutiques. Ces couloirs relient plusieurs autres édifices à bureaux, des hôtels, des grands magasins, des stations de métro, etc.

(C) La rue Sainte-Catherine s'étend sur 15 km et compte plus de 1 200 magasins et restaurants.

La région de Montréal, et particulièrement le **centre-ville**, est le cœur culturel du Québec. Plus de 80 % des activités culturelles se déroulent dans la **métropole**. Par ailleurs, 87 % des équipements culturels (cinémas, salles de spectacles, etc.) de la région métropolitaine se trouvent sur l'île de Montréal. Montréal est également une porte d'entrée privilégiée pour les artistes, tant du Québec que de l'étranger.

Les métropoles régionales

Dans chaque région du Québec, il y a une ville plus importante que les autres.

- Quelle est la métropole de chaque région du Québec?

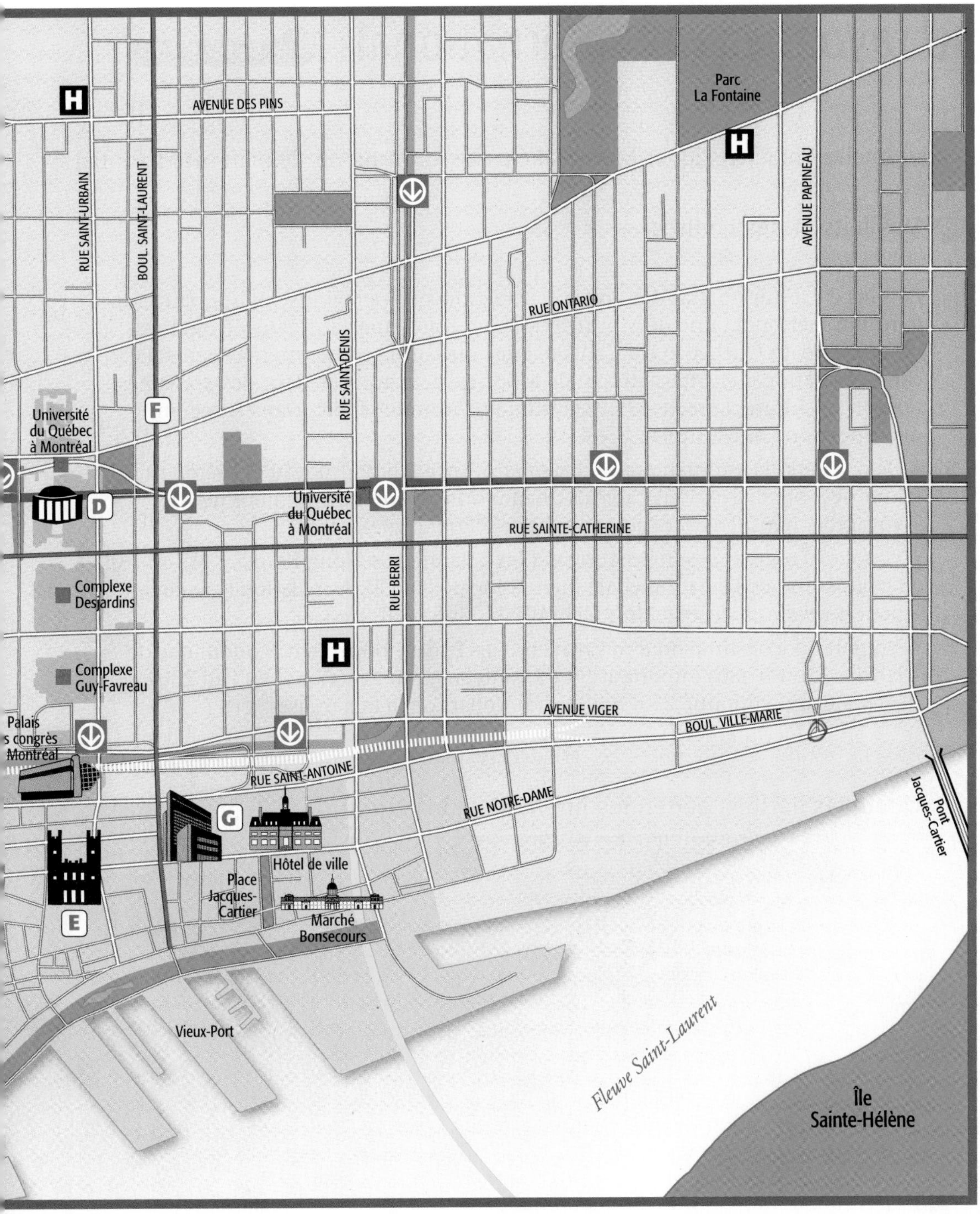

AVENUE DES PINS
Parc
La Fontaine
RUE SAINT-URBAIN
BOUL. SAINT-LAURENT
AVENUE PAPINEAU
RUE ONTARIO
RUE SAINT-DENIS
Université
du Québec
à Montréal
Université
du Québec
à Montréal
RUE SAINTE-CATHERINE
Complexe
Desjardins
RUE BERRI
Complexe
Guy-Favreau
AVENUE VIGER
BOUL. VILLE-MARIE
Palais
s congrès
Montréal
RUE SAINT-ANTOINE
RUE NOTRE-DAME
Pont
Jacques-Cartier
Hôtel de ville
Place
Jacques-
Cartier
Marché
Bonsecours
Vieux-Port
Fleuve Saint-Laurent
Île
Sainte-Hélène

D En 2003, la Place-des-Arts a accueilli plus de 870 000 spectateurs dans ses cinq salles. Au-delà de 800 représentations de spectacles variés y ont eu lieu.

E Située au cœur du Vieux-Montréal, la basilique Notre-Dame est un chef-d'œuvre de l'architecture du 19e siècle. Elle attire chaque année des centaines de milliers de visiteurs.

F Le boulevard Saint-Laurent marque le début de la numérotation civique vers l'est et vers l'ouest de la ville de Montréal.

G Le palais de justice, comme la Bourse et les grandes banques, fait partie des services administratifs concentrés à Montréal.

Observe et construis ⑰

c Note des **aménagements** qui démontrent que Montréal est un carrefour culturel, commercial et administratif.

Ton défi

En marche

Dans ta publicité, fais la promotion de cinq lieux pour attirer des visiteurs à Montréal. Situe ces lieux sur ta carte.

Une métropole au rayonnement international

Selon toi,

- pour quelles caractéristiques Montréal est-elle reconnue sur le plan international ?

18 Des faits et des chiffres

En plus d'exercer un grand pouvoir d'attraction sur les régions environnantes, la région métropolitaine de Montréal joue un rôle important dans l'ensemble du territoire du Québec et du Canada, ainsi que sur la scène internationale. Le caractère national et international de Montréal se manifeste dans des domaines tels que la culture, la recherche scientifique, l'économie, etc. Dans la région métropolitaine de Montréal, il y a :

- Deux aéroports internationaux : l'aéroport Pierre-Elliott-Trudeau et l'aéroport Montréal-Mirabel (avions-cargos). Chaque année, près de 9 millions de voyageurs transitent par l'aéroport Pierre-Elliott-Trudeau.
- Plus de 70 organismes internationaux (ex. : Banque de Hong Kong, Organisation de l'aviation civile internationale [OACI], Association canadienne pour les Nations Unies – Montréal [ACNU–Montréal], etc.).
- Un port qui constitue un atout majeur dans le développement économique de la ville. C'est le plus important port à conteneurs en Amérique : en l'an 2004, on y a manutentionné 23,6 millions de dollars de marchandises.

Sources : Port de Montréal ; Aéroports de Montréal, 2005 ; Palais des congrès de Montréal, 2005 ; *La Presse*, 2005.

19 Quelques liaisons aériennes internationales à partir de Montréal

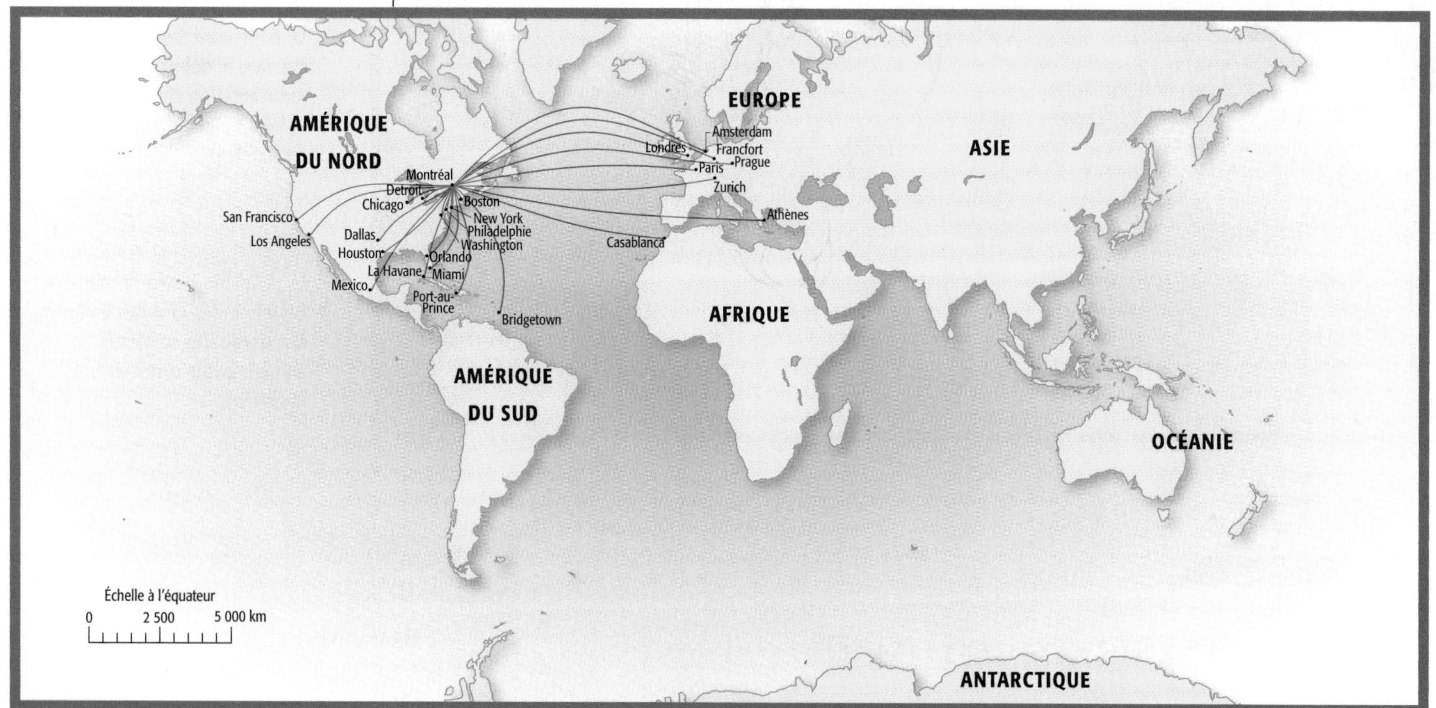

Source : Aéroports de Montréal, 2004.

En partance de l'aéroport international Pierre-Elliott-Trudeau, on peut atteindre plus de 100 destinations avec des vols directs.

20 L'origine des entreprises internationales à Montréal

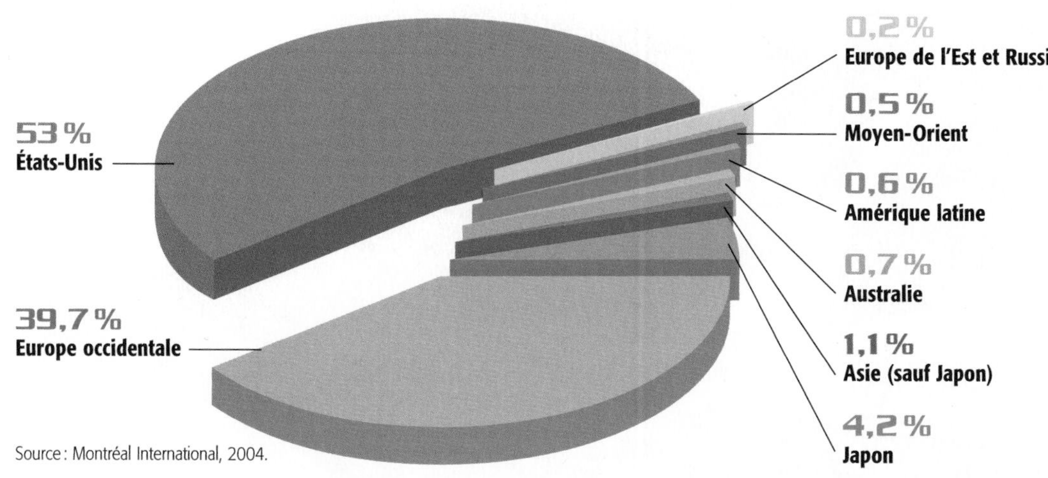

Source : Montréal International, 2004.

Plus de 1 300 entreprises internationales sont établies à Montréal. Elles emploient au-delà de 125 000 personnes.

21 Les pôles économiques à caractère international à Montréal

Un pôle économique à caractère international est une zone où sont concentrées des entreprises d'origines diverses qui attirent des entreprises internationales. Ces zones exercent un pouvoir d'attraction sur certaines entreprises locales, qui s'y établissent pour leur fournir des biens et des services.

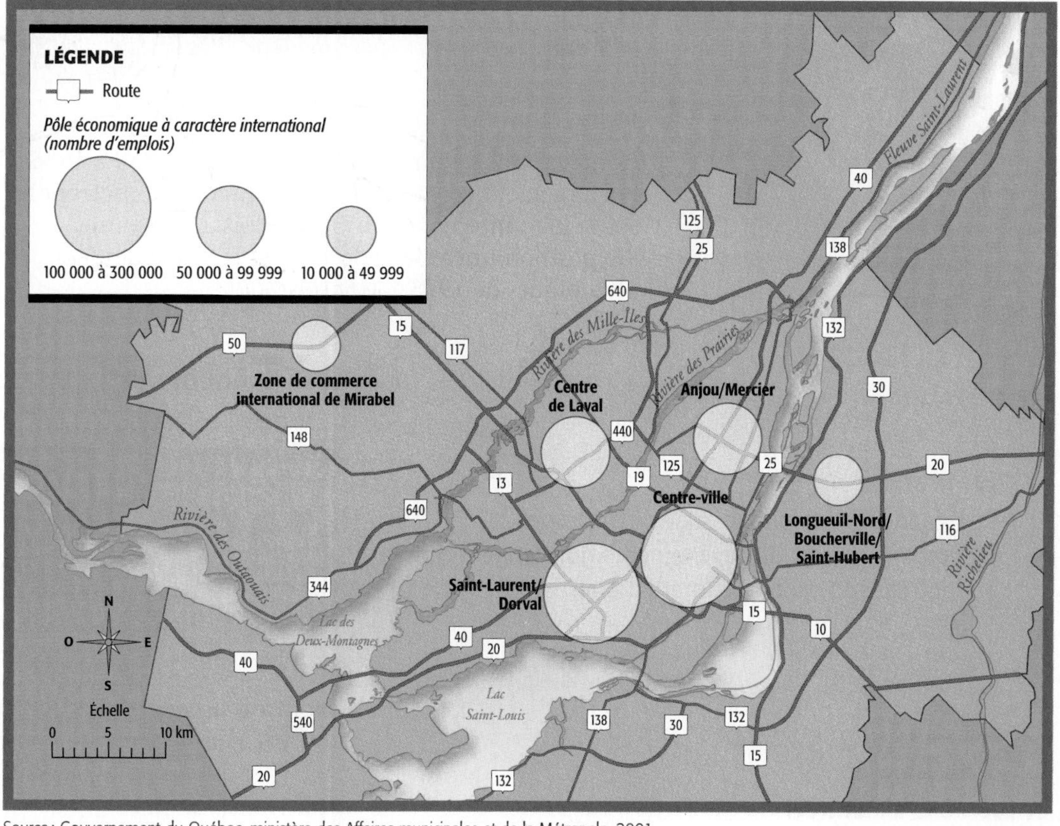

Source : Gouvernement du Québec, ministère des Affaires municipales et de la Métropole, 2001.

Observe et construis 18 19 20 21

a Où sont concentrées les entreprises d'origine étrangère dans la région métropolitaine de Montréal ?
b Quelles observations peux-tu faire sur les liaisons internationales aériennes à partir de Montréal ?

Le stade olympique de Montréal

Expo 67

Jean Drapeau

Jean Drapeau a été maire de Montréal de 1960 à 1986. Il a largement contribué à faire connaître la **métropole** sur le plan international. On lui doit, entre autres, l'Exposition universelle de 1967 et la tenue des Jeux olympiques de 1976 à Montréal.

Ton défi

En marche

Représente sur ta publicité des institutions, des organismes et des événements qui donnent à Montréal son caractère international.

Des événements internationaux

FESTIVAL MONTRÉAL EN LUMIÈRE

Montréal accueille plus de 7 millions de visiteurs par année, qui y dépensent près de 3 milliards de dollars.

Source : Tourisme Montréal, 2004.

Le tourisme à Montréal

Sur le plan touristique, Montréal est une ville connue dans le monde entier.

- Quels lieux montréalais attirent les touristes ?
- Trouve des noms de lieux sportifs (arénas, stades, etc.) et culturels (théâtres, musées, salles de spectacles, etc.) montréalais.

Observe et construis

c Pourquoi est-il important pour Montréal que des événements d'envergure se produisent sur son territoire ?

Ton défi

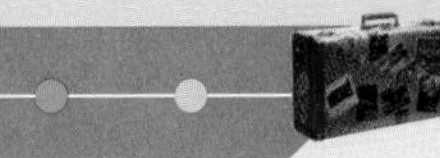

À l'œuvre !

Il est maintenant temps de finaliser ta publicité et de soigner la présentation de la carte qui en fera partie.

1. Vérifie si tu as mis dans ta publicité les informations demandées :
   - des données sur la population ;
   - cinq lieux de Montréal qui attirent les gens des autres régions du Québec ;
   - quatre indices du rayonnement de Montréal dans le monde.
2. Révise les informations fournies sur ta carte :
   - les parties de la RMM ;
   - les cours d'eau ;
   - les cinq aménagements.

   Les aménagements sont-ils bien situés ?
3. Assure-toi que ta carte comporte :
   - un titre représentatif de son sujet ;
   - une légende claire qui en facilite la compréhension.

   N'hésite pas à consulter la section Ressources géo (p. 342), au besoin.
4. Ajoute des informations (données, faits, photos, etc.) que tu trouves particulièrement intéressantes ou pertinentes.
5. Invente un slogan accrocheur qui tienne compte des destinataires de ta publicité.

DOSSIERS

Ailleurs

Compare Montréal avec une autre métropole du monde à l'aide de la section Dossiers du module 1 (p. 80). Cette comparaison te permettra de bien cerner ce qui fait d'une grande ville une métropole.

Synthèse

1. Quelle définition peux-tu maintenant donner d'une métropole ?
2. Pour faire le point sur ce que tu as appris dans cette partie du chapitre 1, réponds de nouveau aux questions des « Selon toi » ou construis un schéma organisateur.

Définition — **Caractéristiques**

Territoire urbain

Métropole

Bilan

1 Quelles difficultés as-tu éprouvées dans la réalisation de ta carte ?

2 Quels documents t'ont été les plus utiles pour la réaliser ?

3 Sur quels aspects de Montréal aimerais-tu en apprendre davantage ?

B Des enjeux territoriaux

Dans un territoire urbain, les citoyens et les dirigeants ont parfois des opinions différentes sur l'utilisation de l'espace. L'**aménagement** devient alors un enjeu territorial.

Pour comprendre ce qu'est un enjeu territorial, imagine que tu vis avec 12 personnes dans un logement de cinq pièces. Il est évident que l'utilisation de l'espace entraînera des problèmes. Certaines personnes voudront se reposer dans une pièce alors que d'autres désireront y écouter de la musique ou y manger. Tu vois déjà les conflits possibles !

Les citoyens des **métropoles** vivent les mêmes difficultés, mais à une plus grande échelle. Les actions des uns ont des conséquences sur la vie des autres. Il faut alors tenter de trouver une solution acceptable pour tout le monde.

Enjeu 1

Se déplacer à Montréal

Jour après jour, une foule de Montréalais et de banlieusards se trouvent coincés dans des bouchons de circulation au cours de leurs déplacements. Pourquoi en est-il ainsi ?

Comment régler le problème des déplacements à Montréal ?

page 32

Ton défi

Fiche 1.1.11

Un débat à l'hôtel de ville

Les participants au congrès Métropolis sont particulièrement intéressés par les enjeux de la région métropolitaine de Montréal, car ils souhaitent les comparer avec ceux de leur ville.

Ton défi est de simuler un **débat** qui porte sur un enjeu touchant les Montréalais.

Une fois l'enjeu choisi,

1. Note ce que tu sais sur cet enjeu.
2. Décris-le dans un tableau à l'aide des informations données dans ton manuel. N'hésite pas à recourir à d'autres sources.

Enjeu choisi :	
Ce que j'en sais :	Mon opinion :
Renseignements trouvés	**Sources**
Aspects importants du problème :	
Causes du problème :	
Solutions possibles :	
Maintenant, mon opinion est :	

4. Prépare ensuite les interventions que tu feras lors du débat à l'aide de la rubrique Ton défi – À l'œuvre ! (p. 49).

Trois enjeux liés au territoire urbain

Enjeu 2

Se loger à Montréal

Le 1er juillet de chaque année, de nombreuses familles doivent quitter leur logement avant d'avoir trouvé un nouvel endroit où habiter. Pour certaines d'entre elles, la recherche d'un nouveau logement est un véritable cauchemar. Pourquoi en est-il ainsi ?

Que faire pour régler le problème du logement à Montréal ?

page 38

Enjeu 3

Gérer les déchets à Montréal

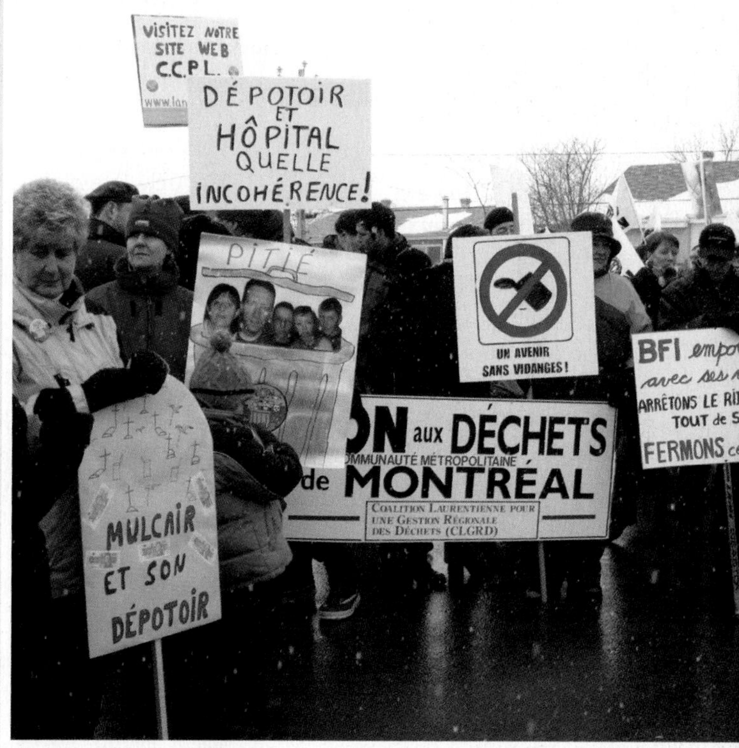

Des citoyens en colère s'opposent à l'installation ou à l'agrandissement de dépotoirs dans les régions environnantes de Montréal. Pourquoi s'y opposent-ils ? Pourquoi la ville de Montréal y envoie-t-elle ses déchets ?

Que peut-on faire pour réduire ou éliminer la grande quantité de déchets produits par Montréal ?

page 44

Enjeu 1

Se déplacer à Montréal

Les problèmes de circulation

Selon toi,

- comment est la circulation dans la région de Montréal ?
- comment expliques-tu cette situation ?

Fiche 1.1.13

Les bouchons de circulation à Montréal
Pour te sensibiliser aux problèmes de circulation, écoute un bulletin de circulation ou consulte celui qu'on te fournira. Note les causes des ralentissements et des embouteillages importants (réparations, accidents, etc.).

1 Les retards à destination du centre-ville de Montréal

Partie de la région métropolitaine	Retard (minutes)
Montréal Est	13 à 30
Montréal Centre	3 à 15
Montréal Ouest	10 à 24
Rive-Sud rapprochée	19 à 22
Laval	17 à 24
Couronne nord	23 à 28
Couronne sud	13 à 31

Source : AMT, Enquête origine-destination, 2003.

Dans une **métropole** comme Montréal, la forte **densité** de population et l'horaire de travail commun à la majorité des gens causent d'importants problèmes de circulation. La perte de temps, la pollution par les émissions de gaz carbonique et le stress occasionné par les retards sont des ennuis presque inévitables pour les citadins.

2 La répartition des travailleurs selon le mode de transport

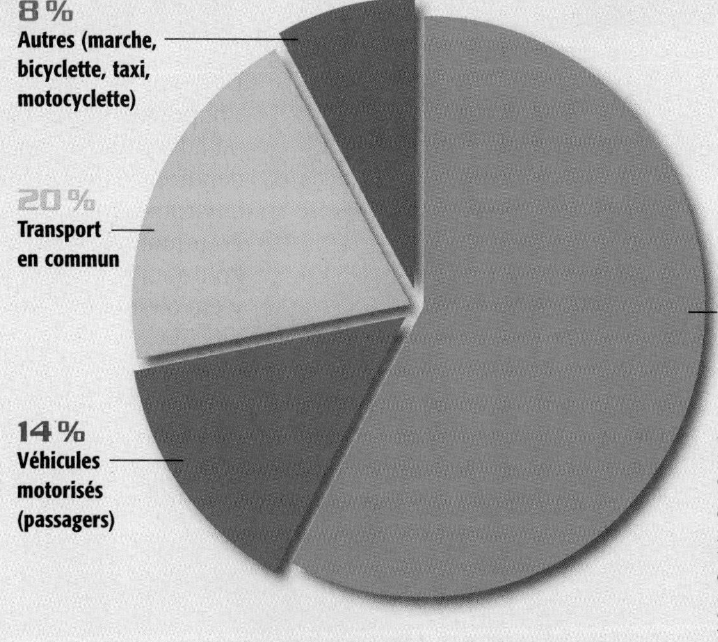

Source : AMT, Enquête origine-destination, 2003.

Près de deux millions de déplacements ont lieu chaque matin dans la région métropolitaine de Montréal. De 1998 à 2003, on a observé une hausse de près de 5 % des déplacements en automobile.

3 Les déplacements en automobile dans la RMM à l'heure de pointe du matin

Partie de la RMM	Nombre de véhicules (milliers)
Montréal	544
Laval	190
Couronne sud	309
Couronne nord	188

Source : AMT, Enquête origine-destination, 2003.

Dans la région métropolitaine de Montréal, le nombre d'automobiles augmente plus rapidement que la population. Selon l'Enquête origine-destination 2003, en 2007, près de 160 000 véhicules se seront ajoutés au 1,8 million déjà en circulation sur ce territoire.

4 Les points chauds de la circulation à Montréal

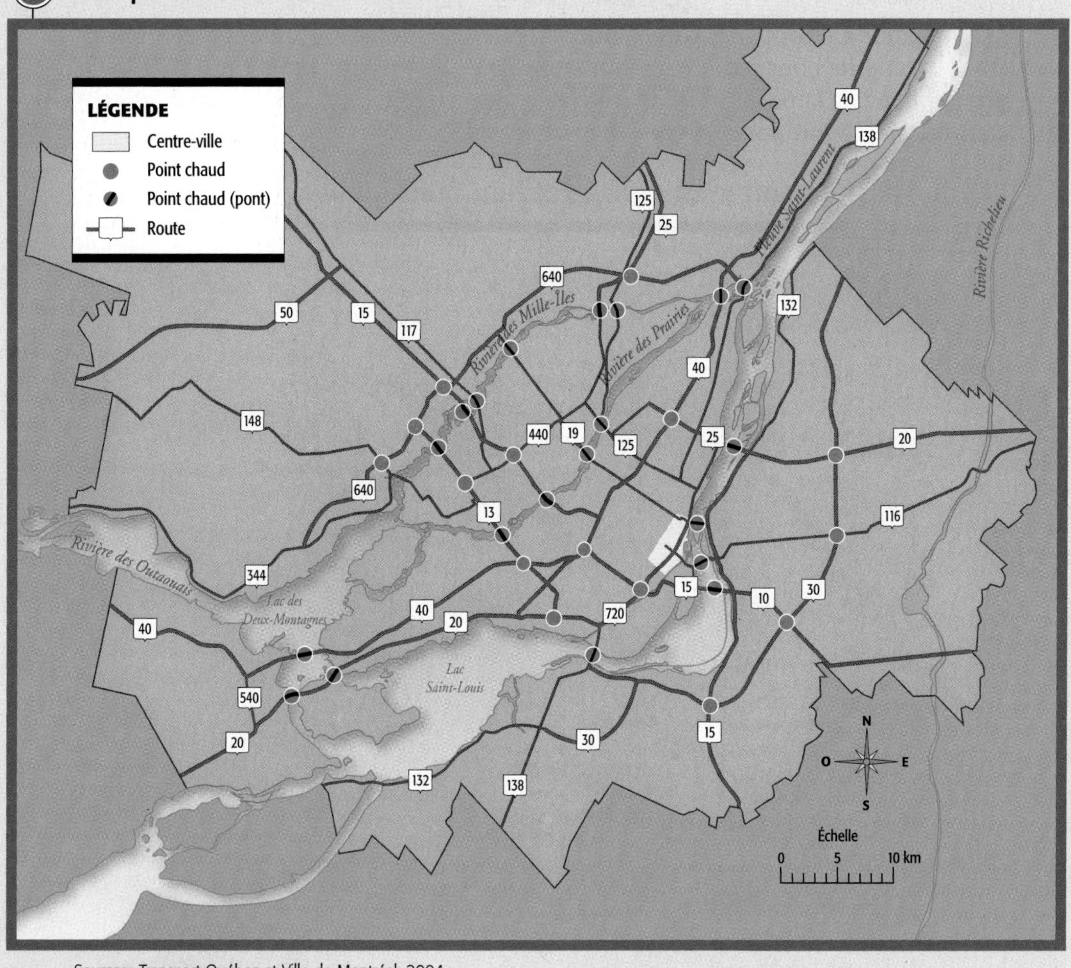

Sources : Transport Québec et Ville de Montréal, 2004.

Chaque jour, la radio signale aux automobilistes les endroits où la circulation est ralentie, les lieux où il y a des embouteillages et la durée prévue de la traversée des ponts de la région métropolitaine de Montréal. Lorsqu'un déplacement est effectué à partir d'une des **couronnes** jusqu'au **centre-ville** aux heures de pointe, il peut prendre le double ou le triple du temps requis aux heures « normales ». La circulation est tellement dense aux heures de pointe que le moindre accrochage peut causer un embouteillage monstre !

Observe et construis ① ② ③ ④

a Pourquoi y a-t-il des points chauds de circulation à certains endroits de la région métropolitaine de Montréal ? Où se situent ces points chauds ?

b Parmi les causes nommées, lesquelles sont particulières à certains jours ou à certaines heures ? lesquelles sont constantes ?

c Note sur la carte qu'on te remettra le nom des endroits où il y a des bouchons de circulation aux heures de pointe.

Des solutions au problème des déplacements

Selon toi,

- quels sont les avantages et les inconvénients de chacun des moyens de transport utilisés à Montréal ?
- quelles mesures pourraient faciliter les déplacements à Montréal ?

5 Agir à la source

Les déplacements motorisés sont responsables de près de 50 % des émissions polluantes dans la région métropolitaine de Montréal. Plusieurs organismes et citadins appuient des mesures économiques, écologiques et efficaces pour remplacer les véhicules motorisés.

Le programme Info-Smog, par exemple, incite la population à adopter certains comportements pour réduire les émissions de polluants atmosphériques. Ce programme fait la promotion de solutions moins polluantes tels le transport en commun, le covoiturage, le vélo, la marche, etc.

6 Le transport en commun dans la région métropolitaine de Montréal

LÉGENDE
Ligne de métro
Ligne de métro projetée
Ligne de train de banlieue
Station de métro
Gare

COURONNE NORD
COURONNE SUD
Blainville
LAVAL (Île Jésus)
Deux-Montagnes
Montmorency
Henri-Bourassa
Honoré-Beaugrand
Saint-Michel
Jean-Talon
Côte-Vertu
Berri-UQAM
Longueuil–Université-de-Sherbrooke
Mont-Saint-Hilaire
Snowdon
Lionel-Groulx
MONTRÉAL
Angrignon
Rigaud
Delson
Rivière des Mille-Îles
Rivière des Prairies
Fleuve Saint-Laurent
Rivière des Outaouais
Lac des Deux-Montagnes
Lac Saint-Louis
Échelle 0 2,5 5 km

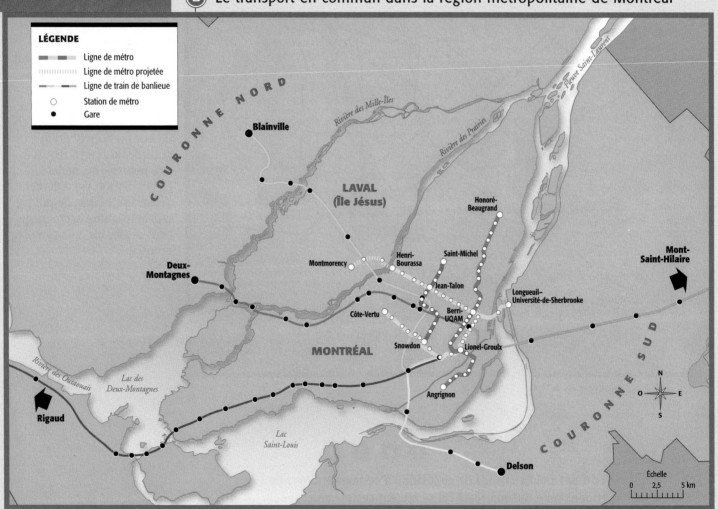

Source : Gouvernement du Québec, 2001.

Le transport collectif dans la **RMM**, c'est 4 lignes de métro et 65 stations qui jalonnent 61 km de voies, 1 600 autobus, 5 lignes et au-delà de 40 gares de trains de banlieue. De plus, des stationnements incitatifs ont été construits près des stations de métro, des gares de trains de banlieue et aux abords de certains accès à l'île de Montréal.

7 Les déplacements en transport collectif à l'heure de pointe du matin

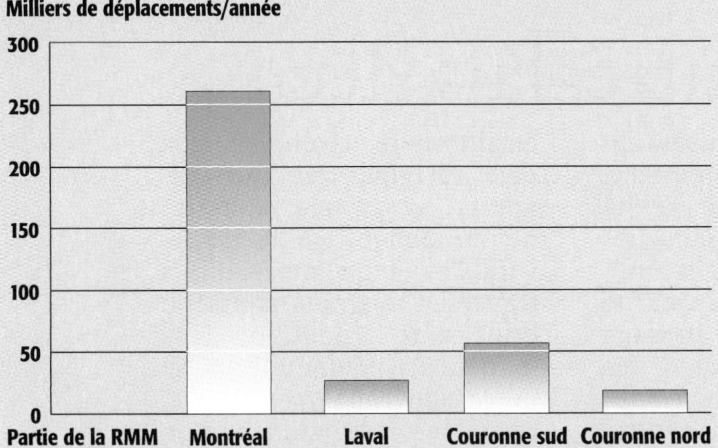

Source : AMT, Enquête origine-destination 2003.

L'Agence de transport de Montréal (ATM) gère l'ensemble des activités liées au transport collectif (métro, autobus, trains de banlieue et stationnements incitatifs).

8 Des solutions pas si compliquées !

Des messages affichés sur les ponts et les grandes artères rappellent aux automobilistes les avantages d'autres moyens de transport que l'automobile et du covoiturage.

9 L'automobile, un bon choix ?

Un autobus transporte autant de passagers que 50 automobiles, alors qu'une rame de métro déplace autant de personnes qu'une quinzaine d'autobus ou que 750 automobiles.

Observe et construis 5 6 7 8 9

a Quels moyens de transport, excluant l'automobile, peuvent être utilisés par un résidant de l'île de Montréal ? par une résidante de la couronne nord ou sud ? Quelle personne a le plus de choix ?

b À ton avis, pourquoi le transport collectif est-il davantage utilisé sur l'île de Montréal qu'ailleurs dans la RMM ?

Points de vue

10 A

Un Montréalais déçu

J'habite un logement situé au-dessus de mon commerce, près du centre-ville. J'évite presque tous les ennuis liés aux déplacements en automobile. Je dis presque, car je subis chaque jour le passage de milliers de voitures des résidants de banlieue qui viennent travailler au centre-ville. Plus ça va et plus je crains pour la sécurité de mes enfants lorsqu'ils vont à l'école ou au parc.

On parle de transformer le boulevard près de chez moi en autoroute urbaine ! Je peux déjà imaginer les inconvénients pour ma famille : détour obligé, car le boulevard deviendra impossible à traverser, augmentation du bruit et de la pollution dans le quartier, défiguration de notre environnement. Bref, nous serons victimes d'un projet destiné à améliorer le sort de ceux qui ont choisi d'aller habiter en périphérie, dans un milieu plus paisible.

Jean-Yves Parent
Résidant de Montréal

arobas

Le transport à Montréal

- En quelle année a été construit le métro de Montréal ? À l'occasion de quel événement international a-t-il été construit ?
- Trouve des organismes et des associations qui font la promotion du transport alternatif, c'est-à-dire d'autres moyens de transport que l'automobile. Quels sont leurs buts ? Quels moyens privilégient-ils ? Pourquoi ?

10 B

Pour le péage

J'habite Montréal et je suis choqué de voir le nombre de banlieusards qui utilisent les infrastructures que je paye avec mes taxes ! Les gens qui se servent de voitures génèrent des conséquences négatives pour l'environnement et le réseau routier. Le gouvernement devrait imposer un permis de circulation payant pour entrer au centre-ville comme l'a fait la ville de Londres, en Angleterre. Vivement le péage !

William Parker
Montréal

10 C

Contre le péage

Si les gouvernements veulent que les banlieusards utilisent le transport en commun, ils vont devoir l'adapter à nos besoins : horaires plus souples, baisse des tarifs, augmentation du confort, etc. Par ailleurs, j'ai peur que l'imposition d'un péage pour accéder au centre-ville de Montréal incite plusieurs entreprises à s'installer ailleurs. On ne réglera rien avec le péage : on videra la ville pour remplir la banlieue !

Marianne Rainville
Laval

10D

Le transport en commun : pour tout le monde ?

Chaque jour, je me sens interpellée par des slogans publicitaires m'incitant à moins utiliser mon auto, à voyager avec des collègues de travail. Mais je ne peux vraiment pas employer ces moyens !

Le matin, mon mari et moi nous allons reconduire les enfants à l'école, puis je laisse mon mari au stationnement incitatif. De là, il prend le transport en commun pour se rendre à son travail. Je poursuis mon trajet jusqu'à mon bureau, qui est situé dans un parc industriel, à l'autre bout de la ville. C'est tellement loin que je mettrais plus de deux heures matin et soir à me déplacer si j'utilisais le transport en commun ! Sans compter le détour par l'école pour aller chercher les enfants. Bien sûr, je pourrais choisir d'habiter en ville, mais quand on a de petits salaires et qu'on veut loger une famille de trois enfants dans une maison confortable, on doit s'éloigner de la ville, car les maisons y sont vraiment trop chères.

Minh Chan
Résidante de la couronne sud de Montréal

Le stationnement incitatif de la station de métro Longueuil – Université de Sherbrooke

10E

Des conditions de travail difficiles

Nous sommes des milliers de conducteurs de véhicules commerciaux circulant d'un bout à l'autre de Montréal quotidiennement. Le réseau routier, c'est notre lieu de travail. Depuis quelques années, sa détérioration est évidente : chaussée pleine de nids-de-poule, échangeurs qui tombent en ruine par endroits... De plus, le nombre de voies rapides est insuffisant.

On nous a promis la modernisation de la rue Notre-Dame en boulevard urbain, la prolongation de l'autoroute 25, l'élargissement de l'autoroute 20 et le réaménagement de plusieurs ronds-points. Ces projets sont essentiels pour réduire les problèmes de congestion routière dans la région métropolitaine. Imaginez quelque 120 000 déplacements de camions effectués chaque jour à Montréal. Imaginez le retard subi à chaque déplacement. Imaginez que ces pertes de temps se transforment en hausse du prix de vente des produits que nous transportons, mes confrères et moi !

André Lapierre
Camionneur

Observe et construis (10)

c Pour quelles raisons certaines personnes souhaitent-elles la construction d'installations supplémentaires de transport en commun sur les couronnes nord et sud de Montréal ?

Pour poursuivre, rends-toi à la page 49.

Enjeu 2

Se loger à Montréal

Le coût des logements dans la région de Montréal

Fiche 1.1.15

Selon toi,

- combien un **ménage** doit-il payer pour obtenir un logement sur l'île de Montréal ? Ce coût est-il le même dans toutes les parties de la ville ?

Fiche 1.1.16

La recherche d'un logement à Montréal
À l'aide de petites annonces d'un quotidien montréalais ou des descriptions qu'on te remettra, trouve le nombre de logements disponibles que pourrait louer un **ménage** composé d'une adulte et de deux enfants.

Pour y arriver, tu dois tenir compte des logements disponibles et du budget de ce ménage :

Revenu mensuel : 1 000 $
Dépenses mensuelles autres que le logement : 550 $

- Quels problèmes affrontera cette famille dans sa recherche de logement ? Pourquoi ?

Ménage : Personne ou groupe de personnes qui habitent à la même adresse (appartement, maison, etc.).

1 Les petites annonces

LONGUEUIL, 4 1/2 libre maintenant ou 1er mars, rénové, frais peint, 665 $ chauffé, éclairé, insonorisé, réf. exigées, pas d'animaux.

N.D.G, 5 min. métro, 6 1/2, 3 ch. fermées, 935 $ non chauffé, libre.

PLATEAU, 7 1/2, rue St-Hubert, stat., 1 600 $, 6 1/2 1 200 $, libres.

LASALLE, 5 1/2, 3 ch. fermées, haut duplex, entrée lav./séch., calme, pl. bois, 700 $/mois.

MÉTRO BEAUDRY, 5 1/2, 3 ch., style condo, frais peint, 2e, 950 $.

H.-BOURASSA, St-Michel, 4 1/2, beau secteur, propre, tranquille, 510 $.

ST-LAMBERT, app. grand, clair, nouveau design, 3 1/2, 4 1/2, pl. parquet, jardin, ascenseur, piscine, stat. disp., 650 $/mois.

MTL-NORD, grand 5 1/2, boul. Gouin, haut duplex, calme, 850 $ chauffé.

LONGUEUIL, 4 1/2, eau chaude, pl. bois, 650 $, libre maintenant.

MTL-NORD, Lacordaire, beaux 4 1/2, 2 ch. fermées, tranquille, 565 $, réf.

À PROXIMITÉ RADIO-CANADA, 4 1/2 victorien (boiseries, vitraux, foyer, lave-vaiss.), 825 $.

4 1/2, métro Parc, condo neuf, coin, 105 m^2, béton, pl. bois, terr., 1 100 $.

PLATEAU, beau 4 1/2, 1 ch. Marquette-Laurier, 3e, cachet, réno, soleil, calme, libre, 695 $ non chauffé.

MTL-NORD, grands 4 1/2, rénovés, ensoleillés, pl. bois, 550 $.

PLATEAU, Cherrier–St-Hubert, 5 1/2 rén. 115 m^2, 2 ch., r.-de-ch., refait à neuf, 1 1/2 s/bains, libre, 1 250 $.

N.D.G., 4 1/2 non chauffé, eau chaude incl., pl. bois, fenêtres neuves, 850 $.

C.D.N., grand 4 1/2 tout réno, près U de M, HEC, 3 électros, chauffé, eau chaude, stat. incl., pl. bois, 915 $.

ROSEMONT, 3 1/2 ensoleillé, 2 balcons, entrées lav./séch., libre févr., 470 $.

ANJOU, haut duplex, 5 1/2 non chauffé, entrées, pas d'animaux, réf., 760 $.

HOCHELAGA, 4 1/2, 1er étage, libre févr., entrées, 470 $.

LONGUEUIL, 2 1/2, demi-sous-sol, 1er févr., 385 $ tout compris.

PLATEAU, rue Roy, 5 1/2, 2 ch., réf., libre 1er févr., chauffé, pl. bois, 3e étage, 925 $.

ST-MICHEL, 3 1/2, haut duplex, calme, 360 $ non chauffé, non éclairé, libre.

N.D.G., haut duplex, 6 1/2 rénové, foyer, chauffé, eau chaude, stat., 1 300 $.

AHUNTSIC, rue Fleury près station métro, grand 3 1/2, pl. bois, boiseries, grande fenestration, électr. locataire, 395 $.

OUTREMONT, St-Joseph/Laurier, 3 1/2, 1 100 $ à 1 200 $, chauffés, tout équipés, piscine, sauna.

MÉTRO ROSEMONT, 5 1/2, 2 ch. 2e, style condo, cachet, réno, soleil, stat., terr., libre, 880 $ non chauffé.

PLATEAU, 5 1/2, 3e, métro Mt-Royal/Laurier, pl. bois, 2 ch., ensoleillé, repeint, balcons, 875 $, libre.

Un ménage ne doit pas consacrer plus du tiers de son budget au loyer. Si le coût est plus élevé, ce ménage devra probablement couper dans les biens essentiels.

2 Des logements vieillots

Sur l'île de Montréal, environ 65 % des logements ont été construits au cours des années 1940 ou avant. Plusieurs de ces logements sont vieillots, mais leurs propriétaires voient peu d'intérêt à les moderniser. Comme la demande de logements est très élevée, ils réussiront à les louer malgré leur manque de commodités.

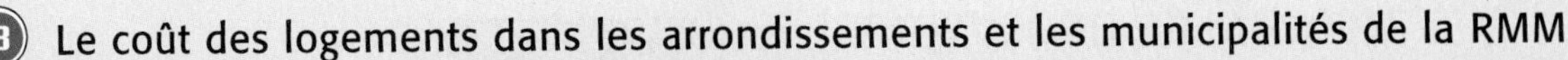

③ Le coût des logements dans les arrondissements et les municipalités de la RMM

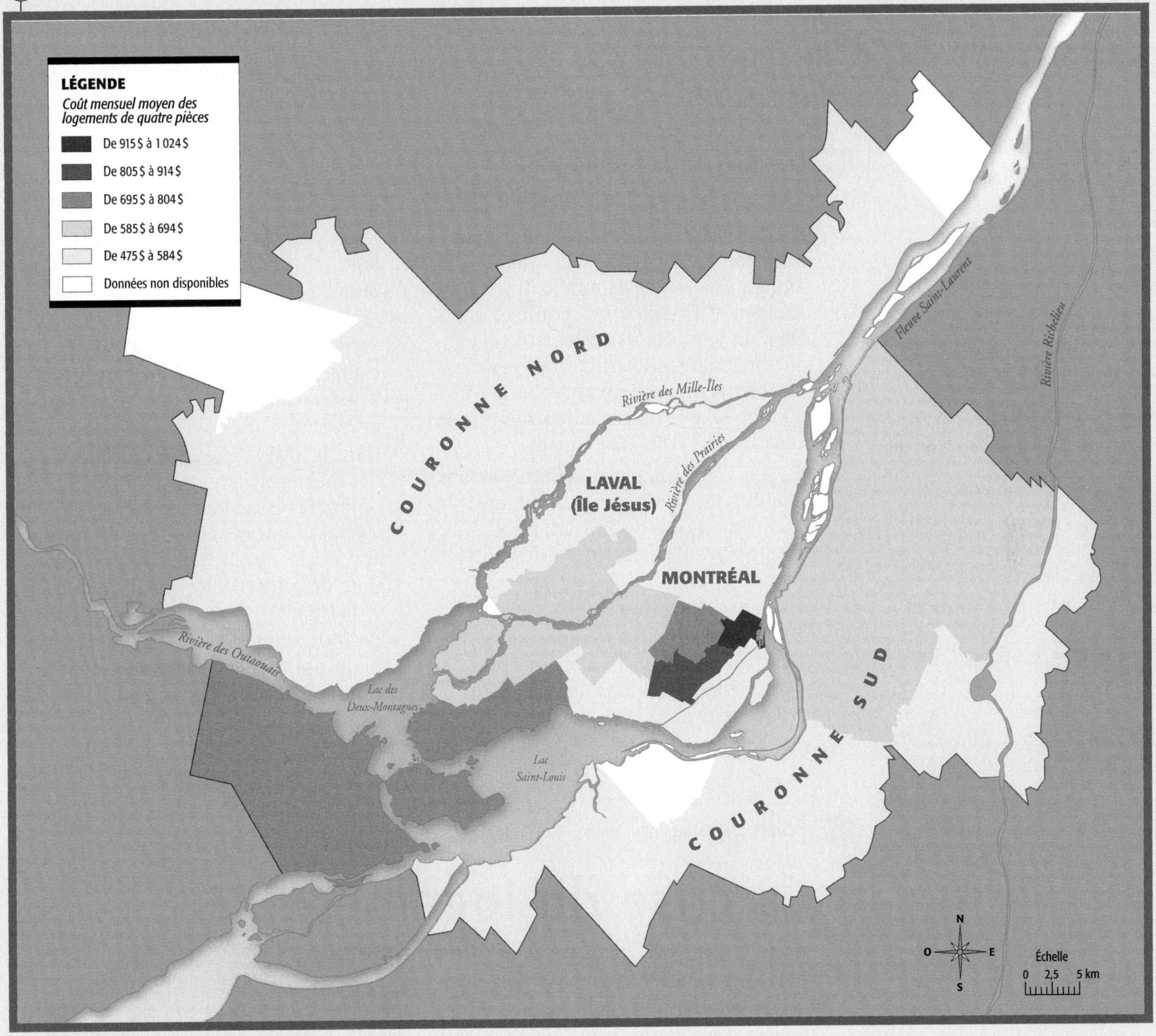

LÉGENDE

Coût mensuel moyen des logements de quatre pièces

- De 915 $ à 1 024 $
- De 805 $ à 914 $
- De 695 $ à 804 $
- De 585 $ à 694 $
- De 475 $ à 584 $
- Données non disponibles

COURONNE NORD
Rivière des Mille-Îles
Fleuve Saint-Laurent
Rivière Richelieu
Rivière des Prairies
LAVAL (Île Jésus)
MONTRÉAL
Rivière des Outaouais
Lac des Deux-Montagnes
Lac Saint-Louis
COURONNE SUD
N O E S
Échelle 0 2,5 5 km

Sources : Ville de Montréal et FRAPRU, 2003.

Sur l'île de Montréal, le coût moyen d'un logement de quatre pièces est de 710 $ par mois. Dans les **couronnes** nord et sud ainsi qu'à Laval, il est de 620 $ par mois.

Observe et construis ① ② ③

a Quelles observations peux-tu faire en comparant le coût des logements dans les différentes parties de Montréal ? Quelles sont les conséquences de ces coûts ?

b Pourquoi de nombreux locataires de la ville de Montréal ont-ils de la difficulté à trouver un logement dont le coût respecte leur budget ?

L'accessibilité au logement

Selon toi,

- est-il facile de trouver un logement à Montréal ? Dans quel cas est-ce plus facile ? plus difficile ?

Des faits et des chiffres

À Montréal, la crise du logement s'est aggravée au cours des 10 dernières années. Sur l'île de Montréal, il y a très peu de logements disponibles. De plus, leur prix a considérablement augmenté. Cependant, le coût des logements est en général moins élevé à Montréal que dans d'autres **métropoles** canadiennes et internationales.

- Dans la région métropolitaine, le taux de logements disponibles atteint souvent moins de 1 %. Or, pour répondre à la demande, il devrait être de 3 %.
- Au-delà des deux tiers des locataires montréalais consacrent plus de 50 % de leur revenu disponible (moins impôts et cotisations) au paiement de leur loyer.
- Dans la **RMM**, seulement 0,6 % des logements disponibles coûtent 600 $ et moins par mois.
- Environ 70 % des gens sont locataires dans la ville de Montréal. Dans les couronnes nord et sud ainsi qu'à Laval, seulement 25 % des gens sont locataires.
- Dans la RMM, le revenu moyen des **ménages** varie selon qu'ils sont propriétaires ou locataires. Les locataires ont généralement un revenu annuel moyen de 24 000 $, alors que celui des propriétaires est d'environ 55 000 $.
- En 2004, dans la RMM, 13 500 ménages n'ont pas trouvé de logement dont le coût convenait à leur budget.

Source : FRAPRU, 2003, 2004.

Point de vue

La crise du logement

Nous avons fait des recherches très poussées pendant plusieurs mois, mais les logements que nous avons visités étaient trop chers pour notre revenu. Autrefois, on voyait 15 panneaux « À louer » par rue. Maintenant, il faut faire 15 rues pour en voir un ! Nous recevons un supplément pour nous aider à payer notre loyer, car nos revenus viennent de l'aide sociale. Ce supplément nous a permis de trouver un logement de quatre pièces à 585 $ par mois. Le supplément au loyer fourni par le gouvernement nous permet de dépenser seulement le quart de notre revenu pour le logement.

Mathilde Dumont
Montréal

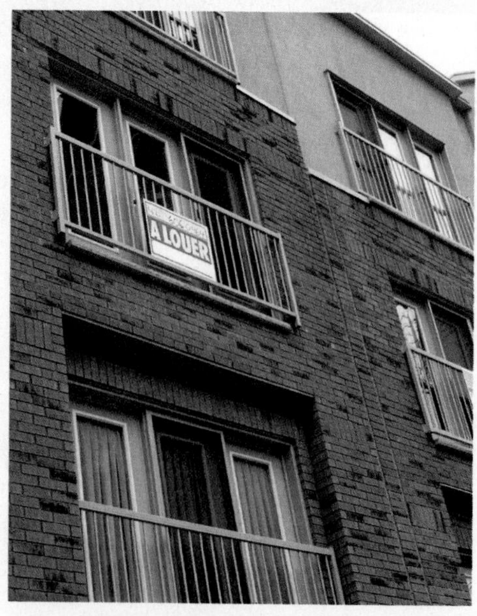

La Régie du logement, un organisme gouvernemental du Québec, propose aux propriétaires des hausses de loyer calculées en fonction du coût de la vie. Cependant, les propriétaires ne sont pas obligés d'en tenir compte, et les hausses dépassent souvent cette norme.

6 Les augmentations de loyer demandées par les propriétaires au Québec

Coût du logement	Pourcentage moyen d'augmentation
Moins de 350 $	10 %
350 $ à 400 $	5 %
400 $ à 450 $	3 %
450 $ et plus	4 %

Source : Regroupement des comités logement et associations de locataires du Québec, 2002.

7 Le prix des terrains dans la région métropolitaine de Montréal

Banlieue

Centre-ville

Source : *Le Devoir*, 10 janvier 2004.

Dans les **banlieues**, les propriétaires peuvent se permettre d'avoir de grands terrains, car ils sont moins chers qu'en ville. Au **centre-ville**, comme l'espace est limité, les terrains sont très chers. On doit donc y construire des immeubles à plusieurs étages pour qu'ils soient rentables. Toutefois, d'autres raisons peuvent faire augmenter le prix des terrains, par exemple la proximité des services, l'accès au réseau de transport ou la bonne réputation d'un **quartier**.

Observe et construis 4 5 6 7

- **a** Pour quelle catégorie de logements le coût du loyer augmente-t-il le plus vite ?
- **b** Pourquoi certaines personnes ont-elles de la difficulté à trouver un logement à Montréal ?
- **c** À quels besoins répond le supplément au loyer ?
- **d** À ton avis, pour quelles raisons certaines personnes choisissent-elles de vivre en banlieue plutôt que dans une grande ville ? Quels autres problèmes ce choix occasionne-t-il ?

Locataires, propriétaires et constructeurs

Fiche 1.1.18

Selon toi,

- que souhaitent les locataires ? les propriétaires ? les entrepreneurs en construction ?

8 Les locataires en ont assez !

Le Front d'action populaire en réaménagement urbain (FRAPRU) demande aux gouvernements la mise en chantier de logements sociaux : habitations à loyer modique, coopératives d'habitation et logements gérés par des organismes dont les buts ne sont pas de faire des profits, mais d'aider les gens à faible revenu.

9 La crise du logement : la CORPIQ dément les chiffres avancés par le FRAPRU

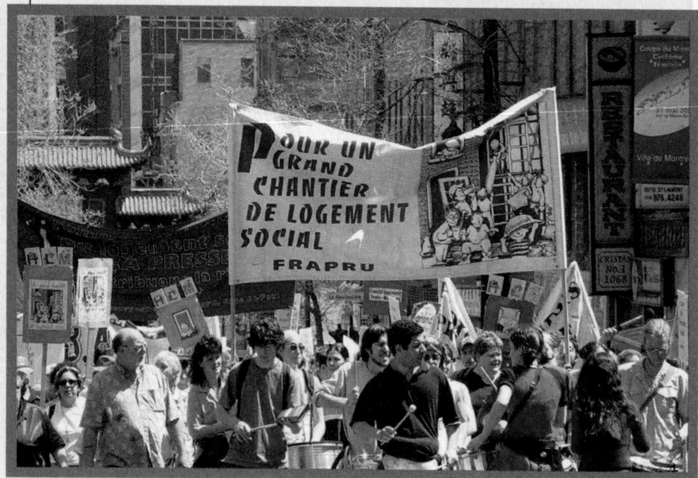

Laisser croire à la population qu'il est possible de construire 13 000 logements pour 125 millions de dollars est une aberration ! La réalité, c'est que cette somme ne représente que 10 000 $ par unité, alors que le coût de construction d'un logement social se situe autour de 100 000 $. La facture réelle des contribuables s'élèverait plutôt à 1,3 milliard !

Source : Corporation des propriétaires immobiliers du Québec (CORPIQ).

10 Points de vue

10 A Plus de liberté pour les propriétaires !

Je viens d'acheter un duplex dans un arrondissement très en demande. Je vais habiter le rez-de-chaussée avec ma famille, et l'appartement à l'étage est déjà loué. Le locataire y habite depuis 15 ans et ne paie que 400 $ pour un logement de six pièces et demie. Actuellement, je pourrais facilement louer ce logement 700 $, mais je n'ai pas le droit de le faire. En effet, mon locataire pourrait contester une telle augmentation auprès de la Régie du logement. Il gagnerait sûrement puisque, selon les normes de cet organisme, je ne peux dépasser 1,5 % d'augmentation par année. De plus, si je devais perdre ma cause, je serais dans l'obligation de payer tous les frais et d'annuler la hausse du loyer.

Comme propriétaire, j'ai des taxes à payer et des rénovations à faire. Je suis dans une situation difficile. Il est temps que le gouvernement assouplisse ses lois en matière de logement afin que les propriétaires aient le droit de fixer le prix de leurs logements sans que la Régie intervienne.

Maka Biya
Propriétaire

arobas

La Régie du logement

La Régie du logement est un organisme gouvernemental qu'il est utile de connaître lorsqu'on est locataire ou propriétaire de logements.

- Quel est son rôle?

Consulte le site de cet organisme et profites-en pour t'informer sur les droits et les devoirs des locataires et des propriétaires.

10 B

Plus de liberté pour les entrepreneurs!

Depuis 25 ans, je construis des immeubles à logements dans la grande région montréalaise. Je suis reconnu pour la qualité de mes constructions résidentielles. Dernièrement, les coûts de construction ont beaucoup augmenté: la machinerie, les matériaux et le transport coûtent plus cher. Actuellement, construire une unité de logements dans la région métropolitaine me coûte environ 80 000 $ en main-d'œuvre, matériaux et permis de construction. Pour rentabiliser mon entreprise, j'ai choisi de construire des logements luxueux que je vendrai avec un bon profit.

Les groupes de pression qui militent en faveur du logement social me font une mauvaise réputation. Quelques individus ont même vandalisé un de mes chantiers de construction de logements en copropriété. Je ne comprends pas leurs revendications! J'ai le droit de choisir le type de logements que je veux construire! Pourquoi est-ce que je construirais des logements sociaux qui me rapporteraient beaucoup moins que des logements luxueux ou des copropriétés? Si le gouvernement a coupé, en 1994, les subventions pour la construction de logements sociaux, ce n'est pas mon problème!

Martin Provencher
Entrepreneur en construction

10 C

Plus de logements sociaux!

Je suis une jeune mère de famille monoparentale et je vis avec mes deux enfants. Je viens de me faire mettre à la porte de mon appartement. Je dois le céder à mon nouveau propriétaire, qui veut l'habiter avec sa famille. Mon revenu mensuel est de 850 $. J'ai toujours payé mon loyer, même s'il m'est parfois difficile de boucler mon budget. En plus de mon loyer, j'ai des frais d'épicerie, de téléphone, de vêtements, d'électricité et de transport en commun. Je ne veux pas quitter le quartier, car l'école et la garderie sont situées à deux pas de chez moi: j'ai donc peu de frais de transport.

Les propriétaires ne sont pas intéressés à louer à une femme seule sans travail qui a deux enfants. Lorsqu'ils l'apprennent, ils me disent que l'appartement est déjà loué. Les seuls logements que je peux payer sont vraiment minables, car leurs propriétaires ne les entretiennent presque pas. Je suis découragée... Il faut qu'il y ait plus de logements sociaux pour les familles à faible revenu comme la mienne. Il faut obliger les propriétaires à faire des rénovations dans leurs logements.

Denise Galarneau
Locataire

Observe et construis 8 9 10

a Quel type de construction est la plus rentable pour un entrepreneur?
b Pourquoi les propriétaires demandent-ils que le gouvernement assouplisse ses lois en matière de logement?
c À quels besoins répondent les logements sociaux? Pourquoi?

Pour poursuivre, rends-toi à la page 49.

Enjeu 3

Gérer les déchets à Montréal

Les modes d'élimination des déchets

Fiche 1.1.19

Selon toi,

- quels procédés peut-on utiliser pour éliminer les déchets?

Fiche 1.1.20

Que faisons-nous de nos déchets?

Afin de te sensibiliser au problème de la gestion des déchets, fais une petite enquête pour répondre aux questions suivantes.

- Combien de sacs à ordures sont jetés par ta famille chaque semaine? chaque année?
- Qu'est-ce que ta famille met au recyclage plutôt que dans des sacs à ordures? Que pourrait-elle ajouter?
- Dans ta famille, qu'est-ce qui est réutilisé plutôt que jeté aux ordures?
- Quels avantages les gens de ton milieu voient-ils au recyclage? Quels inconvénients?
- Y a-t-il une **collecte sélective** dans ton milieu? Si oui, quels déchets sont recueillis lors de cette collecte?
- Selon toi, qu'est-ce qui inciterait les gens à recycler davantage?

Collecte sélective: Collecte de certains déchets industriels et ordures ménagères en fonction de leur composition.

1 Le site d'enfouissement de Lachenaie

Pour enfouir les déchets, on les compacte, puis on les recouvre de terre. Avec le temps, ils se décomposent partiellement, produisant un liquide et des gaz nocifs. Bien qu'on puisse traiter ou brûler une partie de ces polluants, ils contaminent parfois les sols environnants. Le dépotoir de Lachenaie recevra jusqu'à 40 millions de tonnes de déchets au cours des 25 prochaines années. Ces déchets, empilés sur une superficie de 1 000 m², pourraient atteindre la hauteur d'un immeuble de 17 étages!

2 L'incinération des déchets

L'incinération des déchets présente certains avantages. La chaleur produite par un incinérateur peut être récupérée et transformée en électricité. Cependant, un pourcentage de la masse incinérée se transforme en cendres et en gaz qu'il faut traiter avant de les rejeter dans l'atmosphère. Pendant des années, Montréal a incinéré des milliers de tonnes de déchets sur le site de l'ancienne carrière Miron et à l'incinérateur des Carrières (ci-contre). Comme il n'y a plus d'incinérateur en fonction à Montréal, tous les déchets de la ville sont enfouis hors de l'île.

3 Les sites d'enfouissement des déchets solides de l'île de Montréal

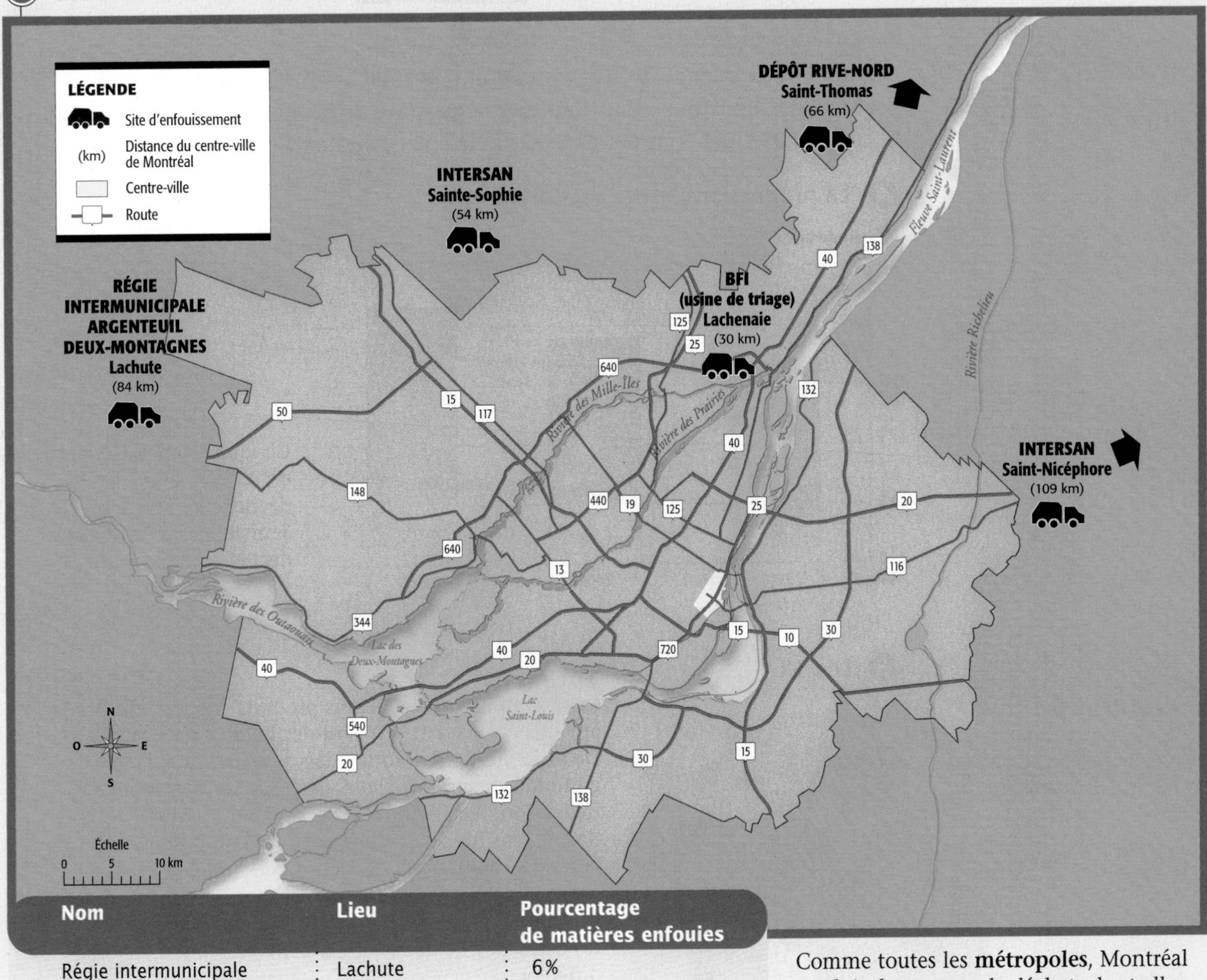

Nom	Lieu	Pourcentage de matières enfouies
Régie intermunicipale Argenteuil Deux-Montagnes	Lachute	6 %
BFI (usine de triage)	Lachenaie	34 %
Intersan	Sainte-Sophie	24 %
	Saint-Nicéphore	18 %
Dépôt Rive-Nord	Saint-Thomas	18 %

Source : Communauté métropolitaine de Montréal, 2004.

Comme toutes les **métropoles**, Montréal produit des tonnes de déchets dont elle doit se débarrasser. Les déchets enfouis sont facturés selon leur quantité. Plus il y a de déchets, plus ce service coûte cher aux citoyens.

Observe et construis 1 2 3

a Quelles seraient les conséquences de la fermeture des sites d'enfouissement qui desservent la ville de Montréal ?

b Combien de sites d'enfouissement sont situés sur le territoire de la **RMM** ? Quelles sont les conséquences de cette situation ?

c Quels désagréments et quels risques pour l'environnement présentent les sites d'enfouissement ?

Des tonnes de déchets 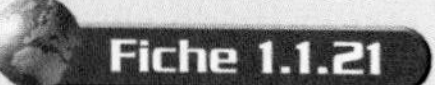

Selon toi,

- quel type de déchets trouve-t-on en plus grande quantité dans les dépotoirs?
- comment pourrions-nous diminuer la quantité de déchets que nous produisons?
- faut-il continuer d'enterrer nos déchets dans des sites d'enfouissement?

4 La production de déchets à Montréal

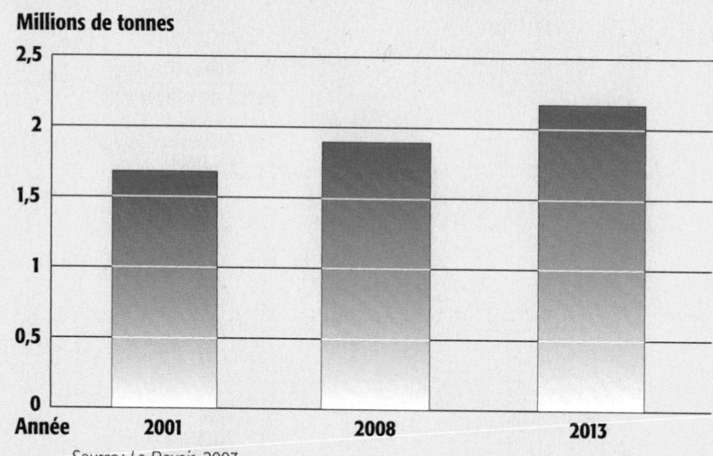

Source : *Le Devoir*, 2003.

Chaque Montréalais produit en moyenne 487 kg de déchets par année. Seulement 83 kg de ces déchets sont recyclés.

5 Les 3R 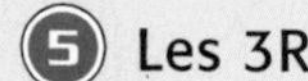

Sur les 20 tonnes de déchets produits chaque minute au Québec, le quart provient des habitants de Montréal. De plus en plus de Montréalais se tournent vers une gestion écologique de leurs déchets. En plus des 3R (réduction, réutilisation, recyclage), un nombre croissant de citoyens font du compostage. Le compostage entraîne la transformation des déchets organiques, de façon à produire un compost qui peut être utilisé comme fertilisant. De simples gestes accomplis quotidiennement par les résidants de l'île de Montréal peuvent faire une grande différence…

6 La production de déchets de la ville de Montréal par secteurs urbains

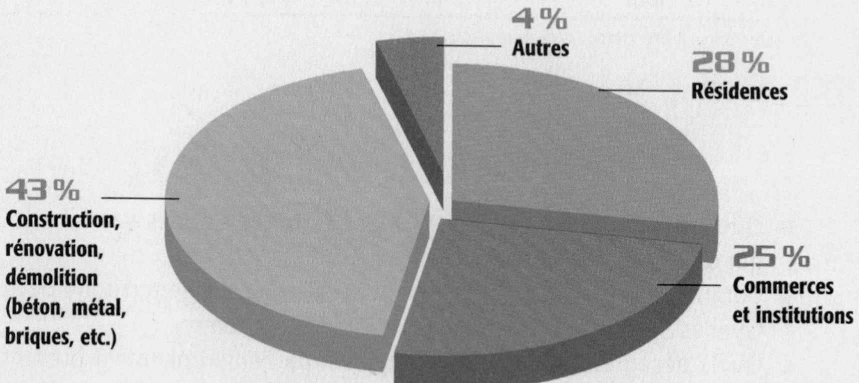

Source : Ministère de l'Environnement du Québec, 2003.

7 Des faits et des chiffres

L'administration de la ville de Montréal propose divers moyens de réduire les gigantesques quantités de déchets produits sur son territoire :

- Fournir un service de **collecte sélective** à tous les immeubles de huit logements et moins en janvier 2006.
- Hausser la part du recyclage des ordures pour atteindre 60 % en 2008. Les Montréalais ne recyclent actuellement que 17 % de leurs déchets.
- Démarrer la collecte des déchets résiduels de jardin en janvier 2006 et celle des déchets résiduels de table en 2007, afin de composter ces matières organiques.

8 Les types de déchets contenus dans les sacs à ordures

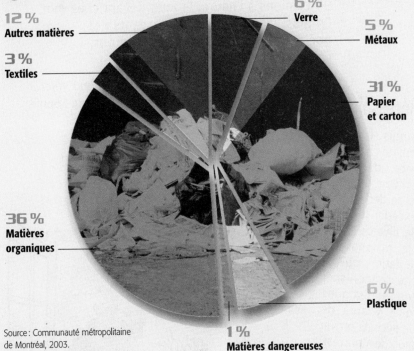

12 % **Autres matières**
3 % **Textiles**
36 % **Matières organiques**
6 % **Verre**
5 % **Métaux**
31 % **Papier et carton**
6 % **Plastique**
1 % **Matières dangereuses**

Source : Communauté métropolitaine de Montréal, 2003.

Les résidus jetés à la poubelle sont récupérables dans une proportion de 85 % par voie de compostage, de recyclage ou de réutilisation.

9 Les déchets dangereux

Les déchets dangereux
Antigel
Déchets biomédicaux
Désinfectants liquides
Engrais
Huile à moteur usagée
Médicaments
Peintures
Pesticides
Piles
Solvants

Les résidus de déchets dangereux (RDD) ne peuvent être brûlés ni enfouis sans risque de polluer l'air et les nappes d'eau souterraines. Les RDD doivent être jetés lors de collectes spéciales. Ils sont alors remis à neuf (ex. : piles), réutilisés (ex. : peintures) ou éliminés dans des sites spécialisés.

Observe et construis 4 5 6 7 8 9

a De quelles façons pourrait-on diminuer la quantité de déchets qu'on met dans les sacs à ordures ?

b Qu'est-ce que cet effort changerait dans les coûts de gestion des déchets ?

c Les déchets dangereux peuvent-ils être enfouis avec les autres déchets ou brûlés ? Pourquoi ?

d Selon toi, pourquoi est-il important de recycler les matériaux de construction ?

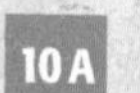 Points de vue

10 A

Pas dans ma cour!

J'habite une ville où il y a un site d'enfouissement. Lors de l'achat de ma maison, il y a quinze ans, j'étais consciente de la proximité du dépotoir, mais on discutait alors de la possibilité de le fermer. Dernièrement, le ministre de l'Environnement a annoncé une augmentation de 30 % de la capacité du site. Je suis très en colère, car 35 % des déchets du dépotoir proviennent de l'île de Montréal. Je dois donc endurer les odeurs désagréables et le bruit causé par le passage de plus de 94 camions à l'heure, le jour, devant chez moi. En plus, je subis les cris stressants des goélands qui envahissent les environs. C'est une situation inacceptable!

Palma Vincelli
Résidante de Sainte-Sophie

Un site « recyclé »

Un important site d'enfouissement de Montréal était autrefois situé sur le terrain de l'ancienne carrière Miron.

- Quels services sont maintenant fournis aux Montréalais sur ce site?
- Quelle entreprise québécoise connue sur la scène internationale y a installé ses locaux?

10 B

Les sites d'enfouissement : un mal nécessaire?

La ville de Montréal cherchait un site d'enfouissement à l'extérieur de la ville, car tous les sites de son territoire sont combles. Comme je prévoyais obtenir un contrat de 20 ans avec l'administration de Montréal, j'ai beaucoup investi dans les installations, le matériel et le personnel. Je veux donc maintenant rentabiliser mon entreprise. Mais les pressions des groupes de citoyens m'incitent à craindre une décision négative de la part de la ville. En plus, le gouvernement a établi de nouvelles règles très contraignantes : on ne doit pas, par exemple, voir les matières résiduelles depuis un lieu public ou du rez-de-chaussée d'une résidence dans un rayon d'un kilomètre. De plus, les montagnes de déchets ne doivent pas excéder le relief environnant de plus de 40 m de hauteur. Je m'oppose à cette réglementation qui limite la capacité de mon site, alors que les statistiques démontrent qu'il y aura de plus en plus de déchets provenant de la région de Montréal. Il ne faut pas oublier qu'un site d'enfouissement est un mal nécessaire!

Denis Jolicœur
Propriétaire d'un site d'enfouissement

Observe et construis (10)

e Pourquoi est-il difficile d'ouvrir de nouveaux sites d'enfouissement près de Montréal?

Pour poursuivre, rends-toi à la page 49.

Ton défi

Fiche 1.1.22

À l'œuvre !

Il est maintenant temps de préparer ta participation au débat portant sur l'enjeu que tu as choisi.

1. Trouve une personne ou un groupe de personnes concernées par cet enjeu.*
2. Note ensuite certains aspects qui t'aideront à présenter le point de vue de cette personne ou de ce groupe de personnes.

Personne ou groupe	:
Solution proposée	:
Arguments en faveur de cette solution	:
Conséquences de cette solution	:

3. Pour t'aider à mieux présenter le point de vue que tu veux défendre, essaie de prévoir celui de tes opposants.
4. Au cours du débat, communique clairement le point de vue que tu défendras en essayant de privilégier la raison aux émotions. N'hésite pas à te référer à des faits et à des statistiques pour justifier ta position.
5. Après le débat, compare les différentes opinions présentées en classe, puis fais part de ton point de vue sur cet enjeu.

* Exemples de personnes concernées par l'enjeu

... se déplacer : un citadin, une banlieusarde, un écologiste, etc.

... se loger : un locataire à faible revenu, une propriétaire de logements, un entrepreneur en construction, etc.

... gérer les déchets : une citoyenne, une habitante d'un quartier où il y a un dépotoir, un propriétaire de dépotoir, etc.

DOSSIERS

Fiche 1.1.23

Ailleurs

Décris comment cet enjeu est vécu dans une autre métropole du monde à l'aide de la section Dossiers du module 1 (p. 80).

Bilan

Fiche 1.1.24

1 Que retiens-tu de l'enjeu que tu as présenté ?

2 Quelle solution te semble la plus intéressante pour l'ensemble de la population ? Pourquoi ?

3 Quelles connaissances et habiletés t'ont été particulièrement utiles pour bien comprendre l'enjeu que tu as choisi ?

4 Que ferais-tu autrement si tu avais à participer de nouveau à un débat ?

Chapitre 2 La planète et ses enjeux

A Le contexte planétaire

Déséquilibre : Inégalité entre des êtres humains et des milieux de vie (ex. : riches et pauvres, milieu urbain très dense par rapport à un milieu rural presque vide).

En principe, tous les êtres humains sont égaux. Cependant, dans la réalité, il existe des déséquilibres dans le monde. Certains groupes sont nettement privilégiés par rapport à d'autres. En fait, les conditions de vie des êtres humains dépendent en grande partie de l'endroit où ils naissent. Dans quelles régions du monde les conditions de vie sont-elles plus difficiles ? Pourquoi ?

Certains endroits de la planète sont presque inhabités, par exemple les déserts et les zones très froides, alors que d'autres abritent de très fortes **concentrations** de population. Pourquoi autant de gens vivent-ils dans de très grandes villes ? À quels problèmes sont confrontées les populations urbaines ?

Ton défi

Une campagne de sensibilisation [Première partie]

Nous vivons dans un monde de surconsommation où presque tout est jetable et remplaçable. Au Canada, nous faisons partie des 20 % de la population mondiale qui utilisent 80 % des ressources de la Terre. Si tous les habitants de la planète adoptaient notre mode de vie, les ressources de la planète seraient vite épuisées. Comment changer cette situation ?

Pour amener les gens de ton entourage à faire un pas dans ce sens, sensibilise-les aux grandes inégalités du monde en fabriquant une affiche.

La réalisation de ton affiche se fera en deux temps :

1. Ton affiche devra présenter une carte schématique. Sur cette carte, tu utiliseras des couleurs ou des formes pour mettre en évidence deux caractéristiques importantes de la population de la Terre :
   - la répartition inégale de la population ;
   - les déséquilibres entre les habitants des pays riches et des pays pauvres.

   Une partie de ton affiche devra être consacrée à l'un des enjeux planétaires présentés aux pages 62 et 63.
2. Autour de ta carte, tu ajouteras des capsules qui témoignent des inégalités dans le domaine de l'approvisionnement en eau ou de la santé sur la planète.

Pour réaliser ton affiche,

1. Repère les rubriques Ton défi – En marche (p. 53, 55, 59) et suis les étapes proposées.
2. Consulte la section Ressources géo (p. 342) pour apprendre comment lire un planisphère et construire une carte schématique.
3. Consulte d'autres sources : atlas, documentaires, sites Internet, etc.
4. Consulte la rubrique Ton défi – À l'œuvre ! (p. 61) pour finaliser ton affiche.

Des inégalités sur la planète

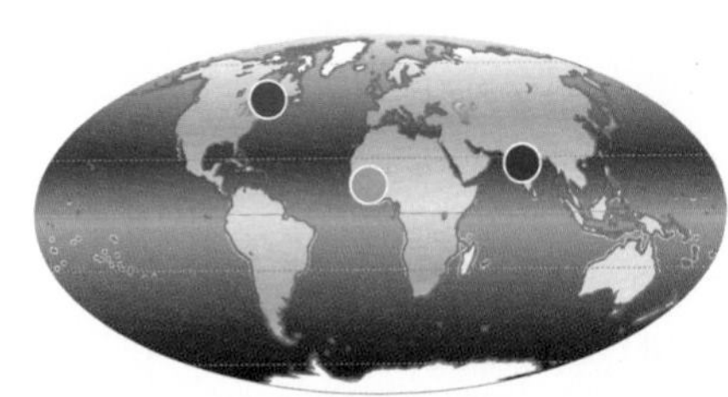

Selon toi,

- à l'échelle de la planète, que signifie être riche ? être pauvre ?
- où sont situés les pays riches ? les pays pauvres ?

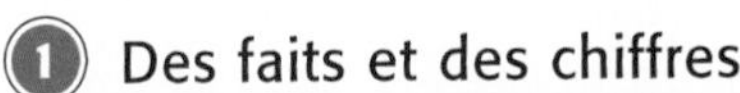

① Des faits et des chiffres

Sur la Terre, il existe de grands déséquilibres entre les pays généralement considérés comme riches (pays industrialisés) et les pays pauvres (pays en développement et pays moins avancés).

- Près de 1,2 milliard de personnes, soit un habitant sur cinq, doit survivre avec moins de 1,00 $ par jour. Dans les pays riches, les familles de deux adultes et deux enfants dont le revenu est inférieur à la moitié du revenu médian des habitants vivent sous le seuil de la pauvreté. Le revenu médian divise la population en deux : la moitié des gens gagne plus que le revenu médian, tandis que l'autre moitié gagne moins. Au Canada, une famille dont les revenus atteignent moins de 15 000 $ est considérée comme pauvre.
- Dans les pays riches, en moyenne, un enfant sur 100 meurt avant l'âge de 5 ans. Dans les pays pauvres, 20 enfants sur 100 meurent avant d'atteindre cet âge.
- Dans le monde, 115 millions d'enfants de 6 à 11 ans ne fréquentent pas l'école. Un adulte sur six est analphabète, c'est-à-dire qu'il ne sait ni lire ni écrire. Les deux tiers des analphabètes (867 millions de personnes) sont des femmes.

Source : ONU, 2000.

② Être pauvre, c'est…

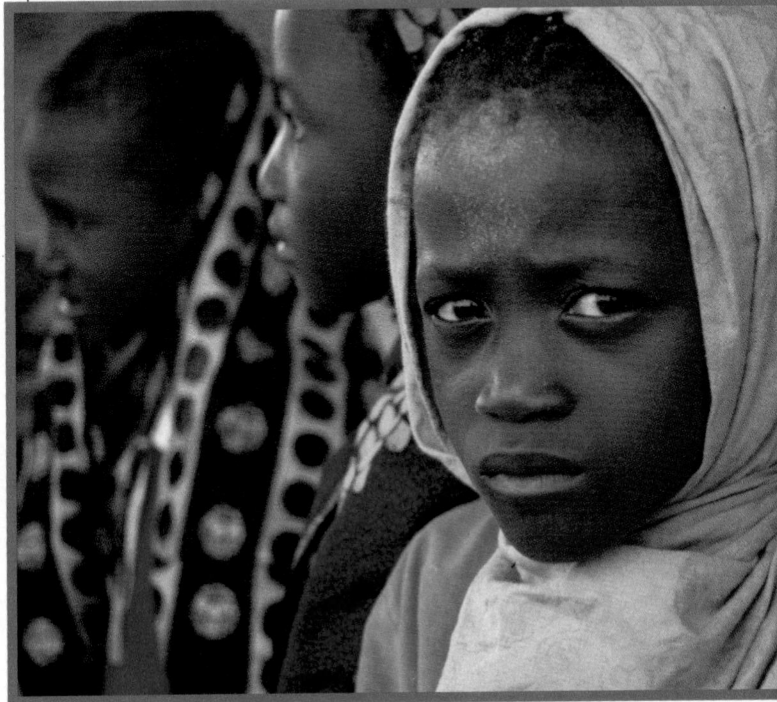

Gambie

« Être pauvre, c'est n'être jamais rassasiée ni désaltérée. C'est ne pas pouvoir aller à l'école parce qu'il faut travailler pour aider mes parents. »
Dioula, une jeune Gambienne

③ Le coût de quelques aliments à New Delhi ● et à Montréal ●

Item	Coût à New Delhi (Inde) ($ CAN)	Coût à Montréal (Canada) ($ CAN)
1 kg de riz	Entre 0,50 $ et 1,27 $	Entre 2,50 $ et 3,00 $
Portion individuelle de yogourt	0,70 $	0,75 $
1 L de lait	Entre 0,36 $ et 0,46 $	Entre 1,25 $ et 1,50 $
Pain (4 portions)	0,42 $	Entre 2,50 $ et 2,75 $

À New Delhi, en Inde, le salaire horaire minimum est de 2,30 $ CAN, tandis qu'à Montréal, il atteint 7,30 $ CAN (mai 2004).

Observe et construis   

a Comment décrirais-tu la pauvreté dans notre pays ?

b Compare le coût de certains aliments à New Delhi et à Montréal.

4 Les niveaux de développement dans le monde

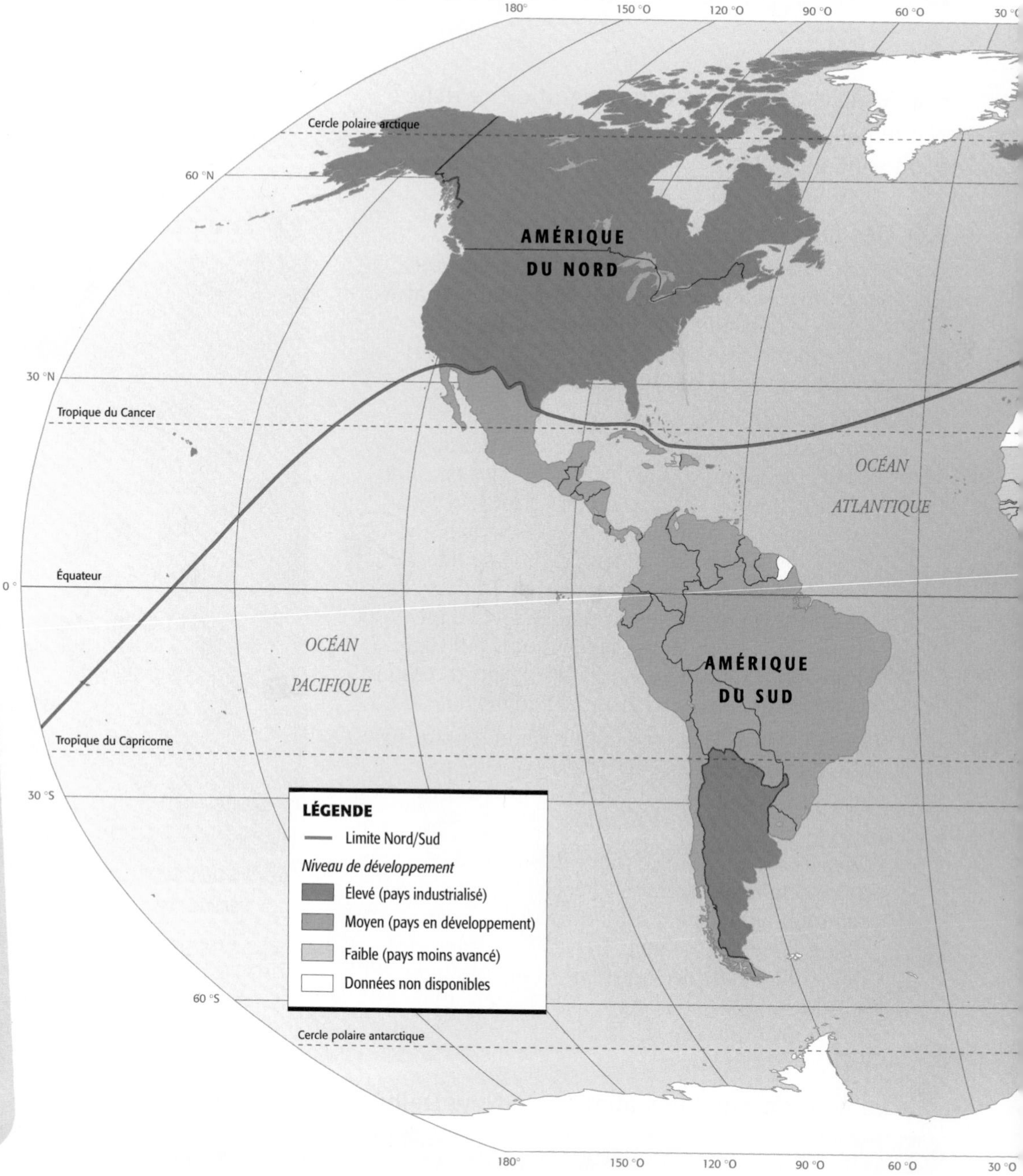

180° 150 °O 120 °O 90 °O 60 °O 30 °O

Cercle polaire arctique

60 °N

AMÉRIQUE DU NORD

30 °N

Tropique du Cancer

OCÉAN ATLANTIQUE

0 °

Équateur

OCÉAN PACIFIQUE

AMÉRIQUE DU SUD

Tropique du Capricorne

30 °S

60 °S

Cercle polaire antarctique

LÉGENDE

Limite Nord/Sud

Niveau de développement

- Élevé (pays industrialisé)
- Moyen (pays en développement)
- Faible (pays moins avancé)
- Données non disponibles

Espérance de vie : Nombre d'années qu'une personne peut espérer vivre à partir de sa naissance.

Niveau de développement : Le niveau de développement d'un pays est déterminé par son **PIB/hab.**, par l'**espérance de vie** de ses habitants et par leur **taux d'alphabétisation**.

Pays en développement : Pays où la majorité de la population travaille à l'exploitation des ressources naturelles et n'atteint pas un niveau de vie convenable.

Pays industrialisés : Pays où la majorité de la population travaille à la production de biens et de services et gagne un salaire convenable.

Pays moins avancés : Pays les plus pauvres parmi les pays en développement.

Produit intérieur brut par habitant (PIB/hab.) : Montant total de la production d'un pays divisé par le nombre de ses habitants. Un PIB/hab. élevé signifie généralement que la population d'un pays a un bon niveau de vie.

Taux d'alphabétisation : Pourcentage de la population âgée de 15 ans et plus qui sait lire et écrire.

5 Les indicateurs du niveau de développement

	Niveau de développement	PIB/hab.	Espérance de vie	Taux d'alphabétisation
A	Pays industrialisés	24 973 $	77 ans	98 %
B	Pays en développement	4 141 $	67 ans	67 %
C	Pays moins avancés	1 251 $	53 ans	43 %
D	Monde	7 446 $	67 ans	70 %

Source : Rapport mondial sur le développement humain, 2002.

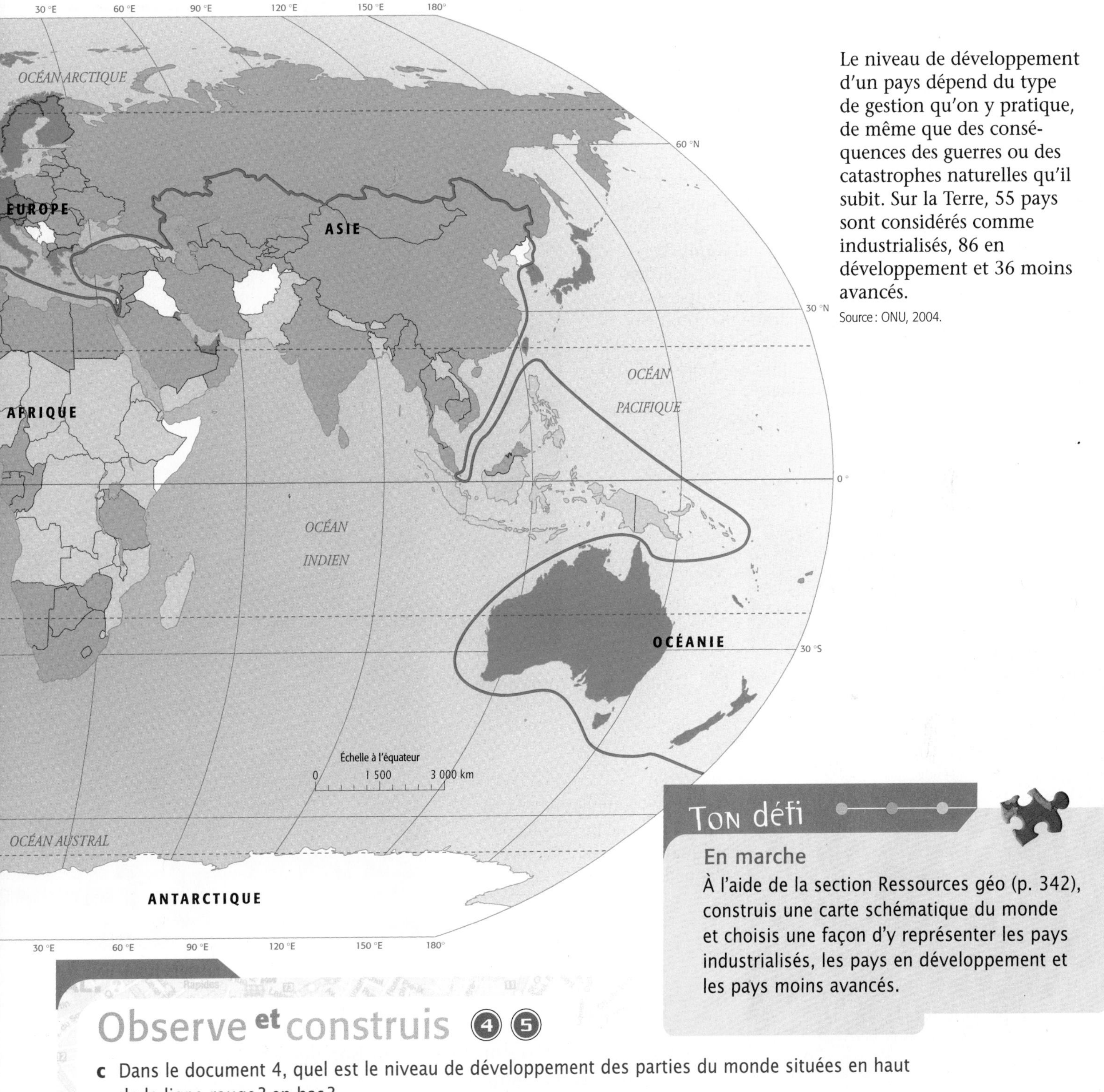

Le niveau de développement d'un pays dépend du type de gestion qu'on y pratique, de même que des conséquences des guerres ou des catastrophes naturelles qu'il subit. Sur la Terre, 55 pays sont considérés comme industrialisés, 86 en développement et 36 moins avancés.

Source : ONU, 2004.

Ton défi

En marche

À l'aide de la section Ressources géo (p. 342), construis une carte schématique du monde et choisis une façon d'y représenter les pays industrialisés, les pays en développement et les pays moins avancés.

Observe et construis ④ ⑤

c Dans le document 4, quel est le niveau de développement des parties du monde situées en haut de la ligne rouge ? en bas ?

d Quelles observations peux-tu faire sur les renseignements présentés dans chaque ligne du tableau 5 ? dans chaque colonne ?

e Quelles observations peux-tu faire en comparant les lignes entre elles ? les colonnes entre elles ?

f À partir de ces documents, complète maintenant la définition de la pauvreté que tu as donnée à la page 51.

g Consulte la carte des niveaux de développement des pays du monde dans la section Ressources géo (p. 386). Indique trois pays correspondant à chaque niveau de développement.

Des inégalités dans les métropoles

Fiche 1.2.3

Selon toi,

- est-ce qu'on peut être pauvre dans un pays riche? être riche dans un pays pauvre?

Bidonville : Groupement d'habitations faites de matériaux récupérés (bois, métal, carton) qui abritent les populations démunies.

6 Rio de Janeiro, au Brésil

Les bidonvilles de Rio de Janeiro sont répartis dans 600 **quartiers** de la ville. Situés à proximité des bidonvilles, les quartiers riches comme Ipanema et Copacabana offrent des restaurants chics, des hôtels somptueux et des boutiques luxueuses.

7 Dhaka, au Bangladesh

7A

Dans les bidonvilles de Dhaka, il n'y a aucune infrastructure adéquate (services d'égout et d'aqueduc).

7B

À Dhaka, les villas des quartiers luxueux côtoient d'immenses quartiers pauvres.

8 Le niveau de développement au Bangladesh, au Brésil et au Canada

Pays	PIB/hab.	Espérance de vie	Taux d'alphabétisation	Pourcentage de population urbaine (urbanisation)	Pourcentage de la population urbaine vivant dans les bidonvilles
Bangladesh	1 743 $	61 ans	43 %	24 %	78 %
Brésil	8 015 $	68 ans	86 %	86 %	43 %
Canada	30 936 $	79 ans	99 %	80 %	–

Sources : *L'état du monde*, 2005 ; ONU-HABITAT, Observatoire mondial urbain, 2003, Population Division, World Urbanization Prospects : The 2001 Revision.

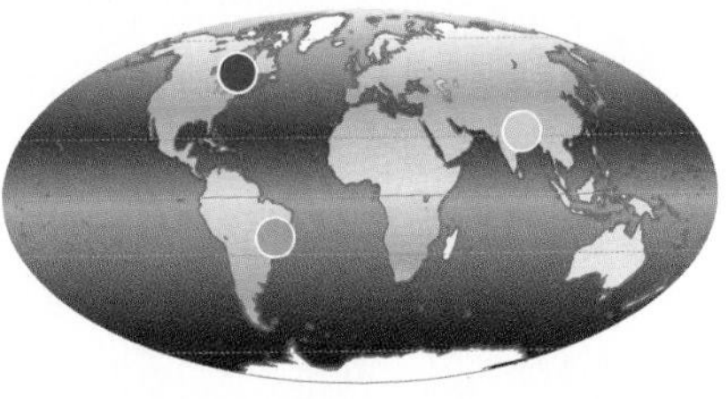

9 Montréal, au Canada ●

9B Une maison d'Hochelaga-Maisonneuve, un quartier ouvrier de Montréal.
Dans la région de Montréal, une personne sur dix vit avec un revenu minimum d'aide sociale provenant du gouvernement. Dans le quartier Hochelaga-Maisonneuve, ce taux grimpe à une personne sur trois. Un tel revenu suffit à peine à loger convenablement une famille de quatre personnes.

Au Canada, on compte environ 40 000 sans-abri, qui vivent surtout à Montréal et à Toronto.

9A Des maisons de Westmount, un quartier aisé de Montréal.

Ton défi  

En marche

Rédige une capsule démontrant des inégalités dans les métropoles.

Observe et construis 6 7 8 9

a Quel type d'habitations apparaît au plan rapproché dans le document 6? à l'arrière-plan? À quelle partie de la population associes-tu chacun de ces types d'habitations? Dessine un croquis de cette photo en tenant compte des éléments naturels et humains.

b Parmi les documents de ces deux pages, lequel t'aide le mieux à comprendre la pauvreté? Pourquoi?

c En observant le document 8, quelles constatations peux-tu faire à partir des données présentées sur le Bangladesh? le Brésil? le Canada?

d Quel est le niveau de développement des pays où il y a la plus grande proportion de personnes habitant des bidonvilles?

arobas

L'alphabétisation

- Quel est le **taux d'alphabétisation** dans les pays suivants?

Irlande – Togo – Algérie – Chine – Portugal – Espagne – Bénin

- Quels organismes internationaux soutiennent les pays en développement et visent l'alphabétisation de leur population?

L'urbanisation et la croissance des villes

Selon toi,

- dans quelles parties du monde la majorité des gens vivent-ils?
- la population des villes augmente-t-elle davantage dans les pays riches ou dans les pays pauvres?

10 La population urbaine du monde et les foyers de population

Nord-Ouest européen
OCÉAN ARCTIQUE
Cercle polaire arctique
Ouest américain
Nord-Est américain
Est et Sud-Est asiatique
AMÉRIQUE DU NORD
EUROPE
ASIE
Moscou
Paris
Chicago
New York
Los Angeles
Istanbul
Beijing
Tianjin
Séoul
Tokyo
Osaka
Shanghai
Le Caire
Tropique du Cancer
Mexico
Karachi
New Delhi
Dhaka
Kolkata (Calcutta)
Mumbai (Bombay)
Manille
OCÉAN PACIFIQUE
OCÉAN ATLANTIQUE
AFRIQUE
Lagos
Équateur
Amérique centrale
AMÉRIQUE DU SUD
Jakarta
OCÉAN INDIEN
Tropique du Capricorne
Rio de Janeiro
São Paulo
Buenos Aires
OCÉANIE
Échelle à l'équateur
0 1 500 3 000 km
Cercle polaire antarctique
OCÉAN AUSTRAL
ANTARCTIQUE

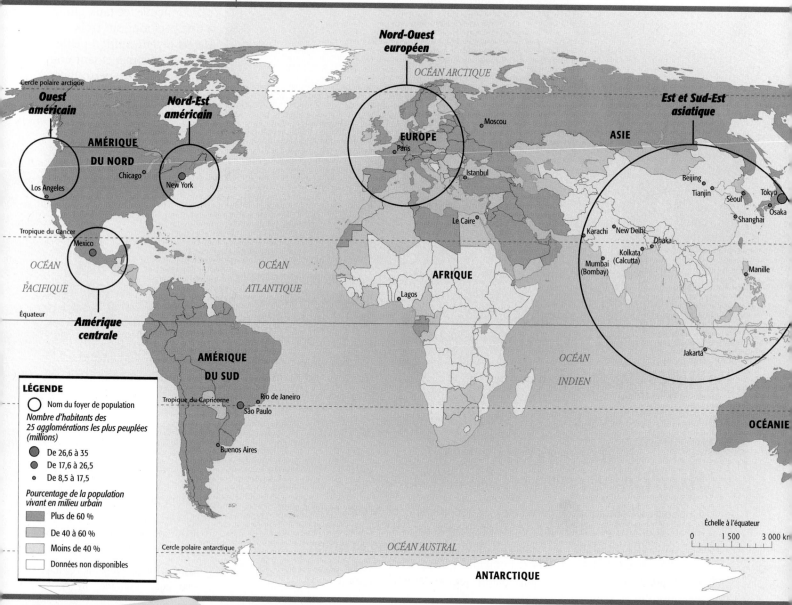

LÉGENDE
Nom du foyer de population
Nombre d'habitants des 25 agglomérations les plus peuplées (millions)
De 26,6 à 35
De 17,6 à 26,5
De 8,5 à 17,5
Pourcentage de la population vivant en milieu urbain
Plus de 60 %
De 40 à 60 %
Moins de 40 %
Données non disponibles

Source: ONU, 2003.

Foyer de population: Partie du monde où il y a une importante concentration de population.

Cinq régions, appelées **foyers de population**, rassemblent 75 % des habitants de la Terre. Les grandes villes de ces foyers de population sont principalement situées dans les plaines, près des cours d'eau et le long des côtes océaniques. Parmi ces régions, l'Est et le Sud-Est asiatique abritent la moitié de la population de la planète.

11 L'évolution de la population urbaine

	1900	2000
Population mondiale	1,6 milliard	6 milliards
Nombre de citadins dans le monde	150 millions	3 milliards
Nombre de villes de plus de 1 million d'habitants	10	500
Nombre de villes de plus de 10 millions d'habitants	2	20
Pourcentage de citadins dans les pays industrialisés	30%	80%
Pourcentage de citadins dans les pays en développement	10%	40%

La plus grande partie de la population du monde habite de petites villes ou des villes moyennes plutôt que de grandes agglomérations.

Agglomération : Territoire urbain qui comporte une ville et l'espace urbanisé des **banlieues** environnantes.

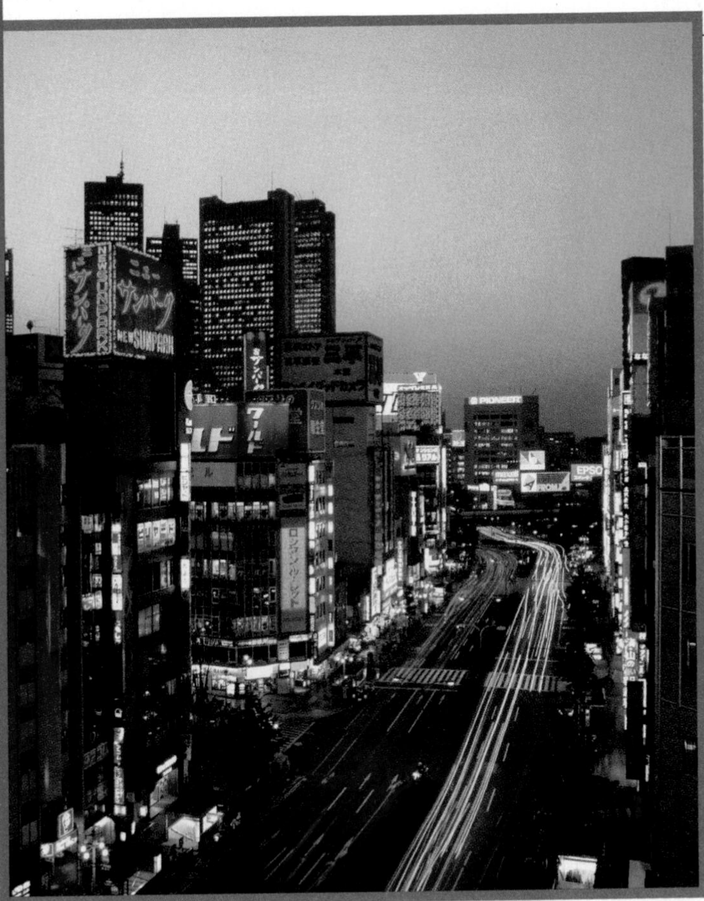

12 Le centre-ville de Tōkyō

La région métropolitaine de Tōkyō, au Japon, compte une population de 35 millions d'habitants.

13 La population des 10 plus grandes agglomérations du monde

Projections pour 2015 (millions de personnes)	
Tōkyō (Japon, Asie)	36,2
Mumbai (Bombay) (Inde, Asie)	22,6
New Delhi (Inde, Asie)	20,9
Mexico (Mexique, Amérique du Nord)	20,6
São Paulo (Brésil, Amérique du Sud)	20,0
New York (États-Unis, Amérique du Nord)	19,7
Dhaka (Bangladesh, Asie)	17,9
Jakarta (Malaisie, Asie)	17,5
Lagos (Nigeria, Afrique)	17,0
Kolkata (Calcutta) (Inde, Asie)	16,8

Source : ONU, 2004.

Observe et construis 10 11 12 13

a Quelles parties du monde sont les plus urbanisées ?

b Quel est le plus important foyer de population de la Terre ? Quel est le **niveau de développement** des pays qui en font partie ?

c Pourquoi Montréal ne fait-elle pas partie des plus grandes agglomérations du monde ?

d Parmi les 25 plus grandes agglomérations du monde en 2003, combien étaient situées dans des **pays en développement** ? Dans quelle partie du monde seront situées la majorité des 10 plus grandes agglomérations en 2015 ?

e Quelles observations peux-tu faire sur l'évolution de la population urbaine mondiale ?

La croissance des villes et l'étalement urbain

Selon toi,

- comment se fait l'étalement des grandes villes dans les pays en développement ? dans les pays industrialisés ?

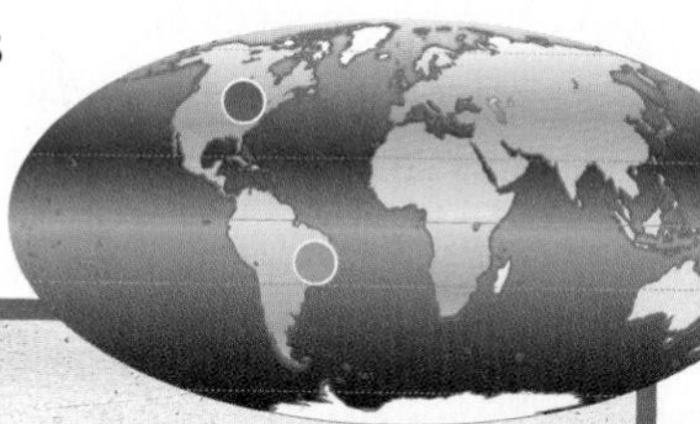

14 Une ville des États-Unis : Chicago ●

Dans les grandes villes des **pays industrialisés**, l'**étalement urbain** est lié au développement économique. À mesure qu'une ville s'agrandit, on planifie l'**aménagement** des infrastructures d'aqueduc et d'égout, du réseau routier, des projets domiciliaires, etc.

15 La population des bidonvilles du monde

Types de pays	Population urbaine	Pourcentage de la population urbaine vivant dans les bidonvilles		Citadins vivant dans les bidonvilles (millions)
Pays industrialisés	76 %	6 %		54
Pays en développement	41 %	43 %	60 %	870
Pays les moins avancés	26 %	78 %		
Monde	48 %	32 %		924

Sources : ONU-HABITAT, Observatoire mondial urbain, 2003, Population Division, World Urbanization Prospects : The 2001 Revision.

En général, l'**urbanisation** apporte de meilleures conditions de vie aux populations, mais ce n'est pas le cas partout sur la planète. On estime actuellement à près d'un milliard le nombre de personnes pauvres dans le monde. Plus de la moitié de ces personnes habitent en zone urbaine, n'ont pas de logement et sont privées d'infrastructures adéquates.

16 Une ville du Brésil : São Paulo

Dans la majorité des **pays en développement**, les gouvernements n'ont pas les moyens financiers nécessaires à l'aménagement du territoire. La plupart du temps, dans ces pays, l'étalement des **métropoles** se fait sans planification, par l'agrandissement ou l'ajout de **bidonvilles**. L'étalement rapide de ces grandes villes est dû à une **croissance** incontrôlée de leur population plutôt qu'à une activité économique florissante.

Ton défi

En marche

Choisis une façon de représenter les grandes concentrations de population et les bidonvilles sur ta carte.

Observe et construis 14 15 16

a Que vois-tu au plan rapproché dans le document 16 ? au plan moyen ? à l'arrière-plan ?

b Compare Chicago avec São Paulo. Quelles observations peux-tu faire sur leur aménagement ?

c Pourquoi est-il difficile de planifier l'aménagement dans les grandes villes des pays en développement ?

17 Des faits et des chiffres

Presque partout dans le monde, les gens vivent plus vieux et les naissances sont plus nombreuses que les décès. Ces deux facteurs contribuent à l'augmentation de la population, et cette croissance est plus marquée dans les pays en développement. Chaque année, environ 60 millions d'êtres humains s'ajoutent à la population de la Terre. Entre 1950 et 2000, la population de la planète a doublé : elle est passée de 3 à 6 milliards.

- Chaque semaine, partout dans le monde, des millions de gens **migrent** vers la ville dans l'espoir d'accéder à divers services comme l'éducation et la santé, ou pour y chercher du travail. Cette situation concerne particulièrement les populations des pays en développement qui ne disposent pratiquement d'aucun service sanitaire ou social en milieu rural.
- Chaque année, entre 18 et 20 millions de personnes s'établissent dans des villes. Près de 90 % des nouveaux arrivants s'installent dans les régions urbaines des pays en développement. Mexico, par exemple, accueille quotidiennement 1 000 nouveaux habitants.
- Aujourd'hui, la population urbaine mondiale augmente au rythme de 170 000 personnes par jour, dont près de 90 % dans les pays en développement.

Source : Métropolis, 2003.

Migrer : Se déplacer d'un endroit à un autre (pays, ville) pour y vivre.

18 Une croissance démographique différente

18 A Philippines

Dans certains pays moins avancés et en développement, les familles comptent de 4 à 8 enfants. Comme les soins de santé ont été améliorés, la population jeune augmente dans ces pays.

18 B États-Unis

Dans les pays industrialisés, les couples n'ont en moyenne qu'un ou deux enfants. Les adultes et les personnes âgées y sont donc plus nombreux que les jeunes de moins de 20 ans.

Observe et construis 17 18

d Quelles conditions de vie attendent souvent les nouveaux arrivants dans les villes des pays en développement ? Pourquoi ?

e Pourquoi la population des grandes villes augmente-t-elle autant ?

f Pourquoi la population des pays riches augmente-t-elle moins rapidement que celle des pays en développement ?

arobas

Les bidonvilles

Les bidonvilles sont une réalité planétaire.

- Trouve d'autres noms qu'on leur donne dans le monde et mentionne les lieux où ils se trouvent.

Ton défi

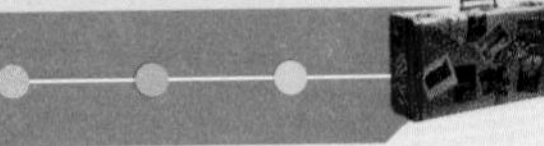

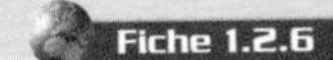

À l'œuvre !

Il est maintenant temps de faire le point sur les informations que tu as recueillies pour faire ton affiche.

1. Vérifie si tu as mis sur ta carte les informations demandées :
   - les pays industrialisés, les pays en développement et les pays moins avancés ;
   - les grandes concentrations de population.
2. Assure-toi que ta carte comporte :
   - un titre lié aux informations présentées;
   - une légende claire portant sur les couleurs et les symboles utilisés.

   N'hésite pas à consulter la section Ressources géo (p. 342), au besoin.
3. Ajoute autour de ta carte des informations (données, faits, photos, etc.) que tu trouves particulièrement pertinentes pour décrire les niveaux de développement dans le monde.

Synthèse

Pour faire le point sur ce que tu as appris dans cette partie du chapitre 2,

1. Réponds de nouveau aux questions des «Selon toi». Pour y arriver, sers-toi des concepts à l'étude (p. 13).
2. À l'aide de mots clés, note dans un tableau semblable à celui ci-contre les principaux déséquilibres entre certains pays riches et pays pauvres. Conserve ce tableau, dans lequel tu pourras ajouter de nouveaux critères de comparaison lorsque tu aborderas d'autres modules.

Caractéristiques	Pays riches (pays industrialisés)	Pays pauvres (pays en développement et pays moins avancés)
PIB/hab.		
Éducation		
Espérance de vie		
Urbanisation		
Étalement		
Aménagement		
Migration		
Taille des villes		
Croissance des villes		
Autres		

Bilan

1 Comment as-tu procédé pour faire ta carte schématique?

2 Comment as-tu procédé pour sélectionner les informations que tu as retenues?

3 Quels documents t'ont semblé les plus pertinents pour décrire les inégalités qui existent sur la Terre? pour décrire les grandes villes du monde?

4 Comment réagis-tu aux inégalités qui existent sur la planète?

B Des enjeux planétaires

Tu as appris que les **métropoles** exercent un important pouvoir d'attraction sur leurs régions environnantes, leur pays et même dans le monde. Un grand nombre de personnes veulent s'installer en ville pour améliorer leur sort. Cependant, tu as pu constater que leur désir ne se réalise pas toujours, puisque des millions de gens vivent dans des **bidonvilles**.

L'**urbanisation** grandissante n'est pas facile à gérer, car les autorités doivent s'assurer que les installations urbaines sont en mesure d'accueillir de nouveaux citadins. Cette difficulté est accentuée dans les **pays en développement**, où l'urbanisation galopante n'est pas maîtrisée. C'est particulièrement vrai en ce qui concerne l'approvisionnement en eau et la santé, qui constituent de réels problèmes dans les métropoles.

Ton défi

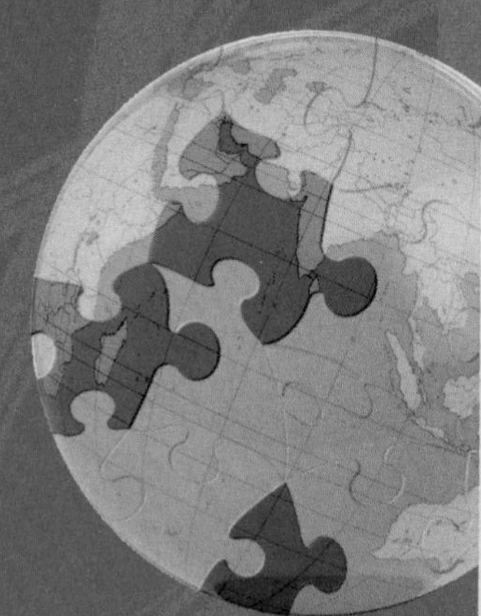

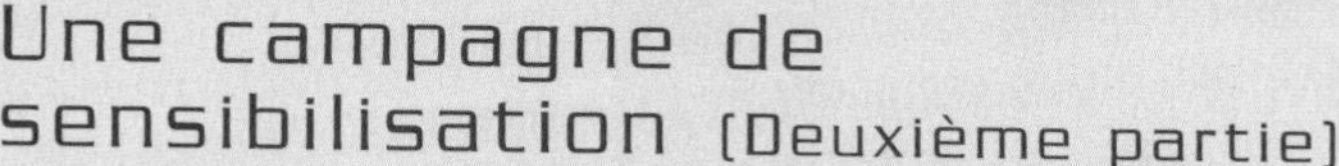

Une campagne de sensibilisation (Deuxième partie)

Pour terminer ton affiche, trouve des données, des statistiques ou des photos pertinentes qui démontrent que l'approvisionnement en eau ou la santé constitue un problème sur la planète.

Pour y arriver:

1. Fais un tableau pour organiser tes données.

Enjeu choisi:	
Ce que j'en sais:	Mon opinion:
Renseignements trouvés	**Sources**
Aspects importants du problème:	
Causes du problème:	
Solutions possibles:	
Maintenant, mon opinion est:	

2. Consulte d'autres sources: atlas, documentaires, sites Internet, etc.
3. Consulte la rubrique Ton défi – À l'œuvre! (p. 79) pour finaliser ton affiche.

Enjeu 1

Approvisionner les métropoles en eau

Afrique

L'eau est une précieuse ressource qui répond à un besoin essentiel des êtres humains. Malgré son importance, elle n'a pas la même valeur pour tous. Pourquoi? Qu'en est-il de l'approvisionnement en eau dans les métropoles?

Comment améliorer la quantité et la qualité de l'eau dans les métropoles? page 64

Deux enjeux planétaires : l'eau et la santé

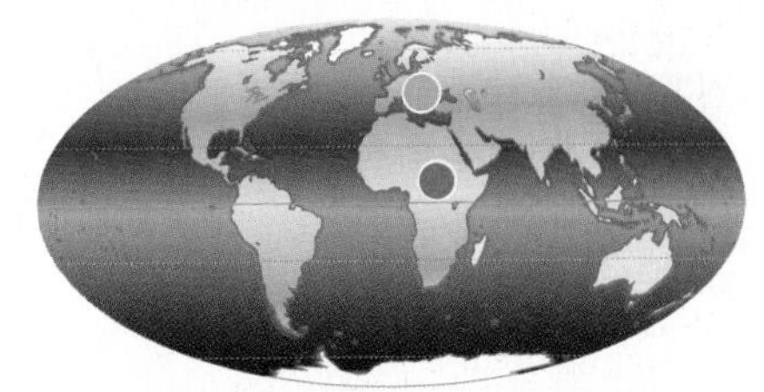

Enjeu 2

Vivre en santé dans les métropoles

Europe

Vivre dans une métropole peut entraîner des problèmes de santé. Quels sont ces problèmes ? Sont-ils les mêmes dans toutes les métropoles ? Quelles sont les causes des problèmes de santé dans les métropoles ?

Comment peut-on diminuer les risques de maladie dans les métropoles ? page 72

Approvisionner les métropoles en eau

La répartition de l'eau sur la Terre

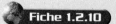

Fiche 1.2.10

Selon toi,

- est-ce qu'il y a de l'eau partout sur la Terre ? Comment est-elle répartie ? Est-ce que tout le monde y a accès ?

1 La planète bleue

Vue de l'espace, la Terre est bleue, car 71 % de sa surface est couverte d'eau. Cependant, 97 % de cette eau est salée, ce qui ne laisse que 3 % d'eau douce. De plus, seulement 1 % de l'eau douce est accessible à la consommation humaine. La plus grande partie de cette eau existe sous forme de glace ou est emmagasinée trop profondément dans le sol.

2 La disponibilité de l'eau douce sur la Terre

OCÉAN ARCTIQUE
Cercle polaire arctique
AMÉRIQUE DU NORD
EUROPE
ASIE
Tropique du Cancer
OCÉAN ATLANTIQUE
AFRIQUE
OCÉAN PACIFIQUE
Équateur
OCÉAN PACIFIQUE
AMÉRIQUE DU SUD
OCÉAN INDIEN
Tropique du Capricorne
OCÉANIE
Échelle à l'équateur
0 1 500 3 000 km
OCÉAN AUSTRAL
Cercle polaire antarctique
ANTARCTIQUE

LÉGENDE
Ressources en eau douce (millions de litres / hab.)
- Plus de 10
- De 2 à 10
- De 0 à 1,9
- Données non disponibles

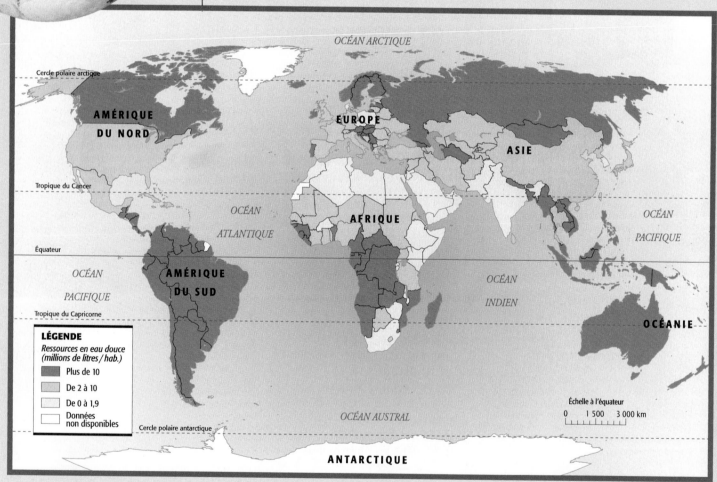

L'eau coule en abondance sur la Terre, mais sa répartition et son accessibilité sont inégales. Alors que certaines parties du monde sont bien dotées en eau douce, d'autres en manquent de façon dramatique. De plus, cette situation risque d'empirer avec le temps. En 1995, les habitants de 31 pays manquaient d'eau potable. On prévoit qu'en 2025, ce sera le cas dans 48 pays et, en 2050, dans 54 pays.

③ Le cycle de l'eau

L'eau effectue son cycle naturel depuis des millions d'années. Elle ne disparaît pas, car elle est sans cesse régénérée. En moyenne, sur la Terre, 65 % des précipitations s'évaporent, 24 % ruissellent et 11 % s'infiltrent dans le sol.

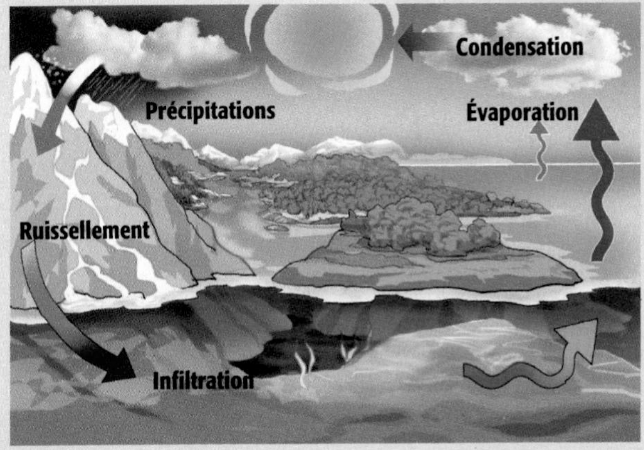

④ Les précipitations sur la Terre

OCÉAN ARCTIQUE
ercle polaire arctique
AMÉRIQUE DU NORD
EUROPE
ASIE
ropique du Cancer
OCÉAN ATLANTIQUE
AFRIQUE
OCÉAN PACIFIQUE
quateur
OCÉAN PACIFIQUE
AMÉRIQUE DU SUD
OCÉAN INDIEN
OCÉANIE
ropique du Capricorne

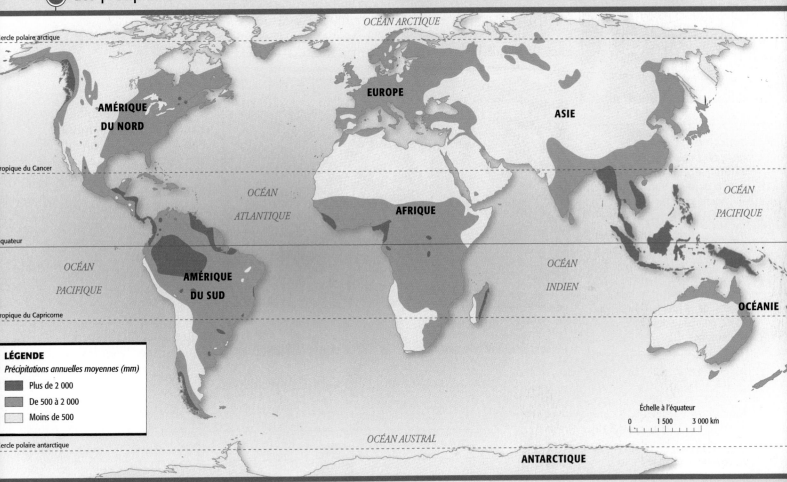

LÉGENDE
Précipitations annuelles moyennes (mm)
- Plus de 2 000
- De 500 à 2 000
- Moins de 500

Échelle à l'équateur
0 1 500 3 000 km

OCÉAN AUSTRAL
ercle polaire antarctique
ANTARCTIQUE

La quantité de précipitations reçue dans une région est déterminée par sa position sur la Terre.

Observe et construis ① ② ③ ④

a La Terre est surnommée « la planète bleue ». Pourtant, il y existe des problèmes d'eau. Comment expliques-tu cette situation ?

b Dans quelles parties du monde les ressources en eau douce sont-elles le plus limitées ?

c Dans quelles parties du monde y a-t-il le moins de précipitations ? le plus de précipitations ?

d À l'aide du document 3, explique le cycle de l'eau.

La consommation d'eau

Fiche 1.2.11

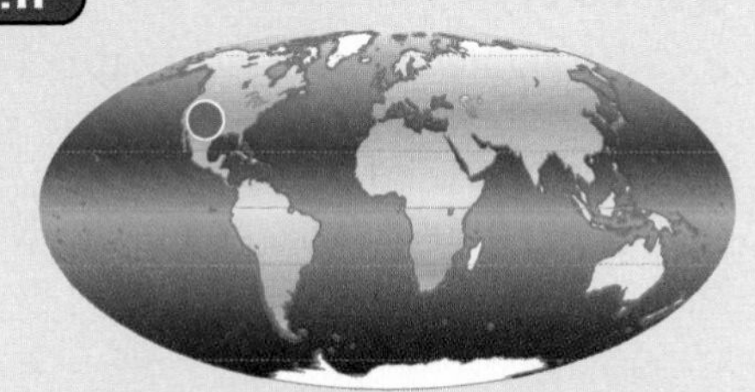

Selon toi,

- pourquoi l'eau est-elle indispensable ?
- quel secteur exige le plus d'eau : l'agriculture ? l'industrie ? l'usage domestique ?

5 L'eau, une ressource essentielle à l'être humain

Le corps humain est constitué de 75 % d'eau. Il a besoin de 2 à 3 L (litres) d'eau par jour pour survivre. Pour son usage quotidien (ex. : se laver, se brosser les dents, etc.), l'être humain doit disposer d'un minimum de 100 L d'eau par jour.

6 L'eau, à la base de l'agriculture

Californie

Comme la planète doit nourrir un nombre croissant d'habitants, le rendement de l'**agriculture** doit sans cesse s'améliorer. Dans certaines régions où il ne pleut pas beaucoup, les plantes ont besoin d'**irrigation**, un procédé qui mobilise une grande quantité d'eau. Dans ces régions, une part importante de l'eau d'irrigation est puisée dans des nappes d'eau souterraines qui risquent de s'épuiser avec le temps.

Agriculture : Ensemble des travaux par lesquels on transforme le milieu naturel pour la production de végétaux et d'animaux utiles aux êtres humains.

Irrigation : Procédé qui permet l'apport d'eau aux plantes cultivées quand les précipitations sont insuffisantes. Cet apport se fait sous forme d'arrosage, d'écoulement dirigé ou de pompage des eaux souterraines.

7 L'eau, une ressource indispensable à l'industrie

Une grande quantité d'eau est nécessaire à la fabrication de certains produits. De plus, après avoir utilisé l'eau, les usines la rejettent souvent chargée de déchets. La pollution de l'eau existe autant dans les **pays en développement** que dans les **pays industrialisés.** Dans les pays en développement, les activités polluantes s'exercent souvent sans surveillance gouvernementale et sans obligation de lutter contre la pollution.

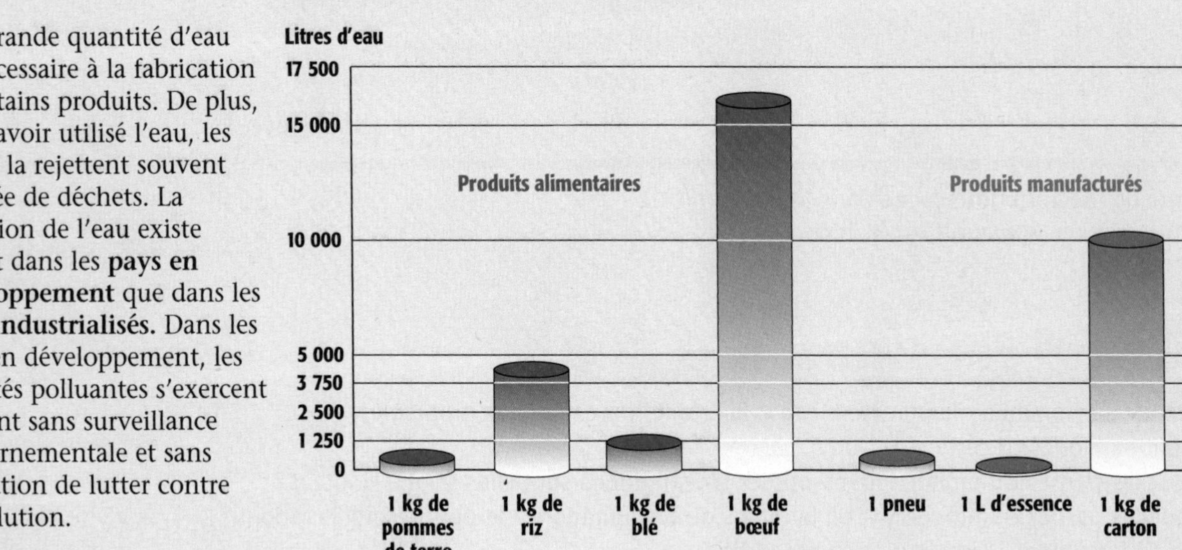

Source : C. Stoder.

8 Des besoins croissants en eau

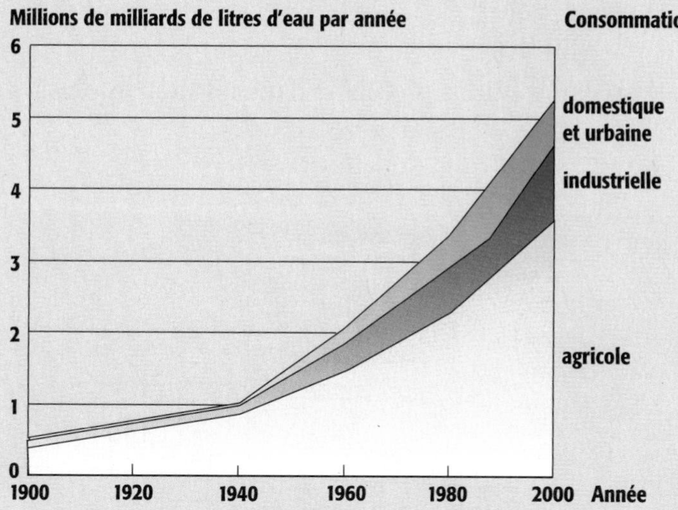

Source : J. Margat et J.-R. Kiercelin, *L'eau en question*, Romillat, 1998.

Aujourd'hui, la quantité d'eau que nous utilisons est 10 fois plus élevée qu'au début du 20e siècle.

9 La consommation d'eau moyenne d'une personne

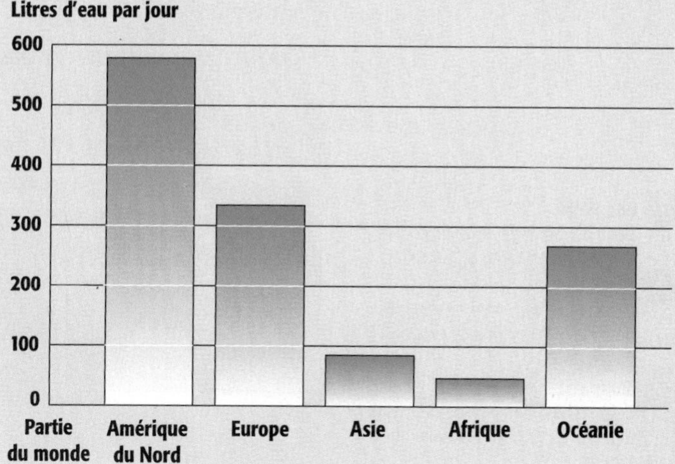

Source : Eurostat, 2001 et IFEN, 2002.

Au Québec, la consommation moyenne d'eau est de 400 L par personne par jour, alors que la moyenne mondiale est de 137 L par jour.

Source: *La Presse*, 23 mars 2004.

10 La consommation d'eau quotidienne

Activité	Consommation moyenne d'eau (litres)
Actionner la chasse d'eau	20 à 28
Prendre un bain	135 à 150
Prendre une douche	10 à 15 L/min
Préparer un repas	10 à 15 L/min
Utiliser un lave-vaisselle	50 à 100
Laver la vaisselle à la main	25 à 40

Source : Ville de Montréal, 2004.

La hausse du niveau de vie amène les habitants des pays riches à augmenter leur consommation d'eau (piscine, arrosage, lessive, etc.).

11 Le nettoyage des rues

Dans plusieurs grandes villes, on utilise de l'eau potable traitée pour la lessive, l'arrosage des pelouses, le nettoyage des rues, etc.

Observe et construis

5 6 7 8 9 10 11

a Pourquoi la consommation d'eau est-elle aussi importante en Amérique du Nord ?
b Pourquoi la consommation d'eau mondiale a-t-elle augmenté autant depuis 100 ans ?
c Qu'arriverait-il si tous les habitants de la Terre utilisaient autant d'eau que nous ?
d Qu'arriverait-il si l'industrie alimentaire produisait de plus en plus de viande ?

Selon toi,

- pourquoi l'approvisionnement en eau est-il un problème dans les **métropoles** ?

12 Le traitement de l'eau

1 Pompage
L'eau est pompée dans les cours d'eau ou les nappes souterraines.

2 Dégrillage
L'eau est débarrassée de ses gros déchets en passant à travers des grilles.

3 Tamisage
L'eau est débarrassée de ses petits déchets en passant à travers un tamis.

4 Tour d'eau brute
L'eau subit divers traitements chimiques.

5 Décantation-floculation
Les particules agglomérées (floc) lors du traitement chimique tombent au fond de bassins nommés décanteurs.

6 Filtration
L'eau traverse une couche de sable qui filtre les dernières particules et retient l'ammoniac qu'elle contient.

7 Ozonation
L'eau subit un traitement à l'ozone, qui tue les bactéries et les virus.

8 Chloration
Du chlore est ajouté à l'eau pour détruire les dernières bactéries et assurer sa conservation.

9 Stockage
L'eau est emmagasinée dans des réservoirs.

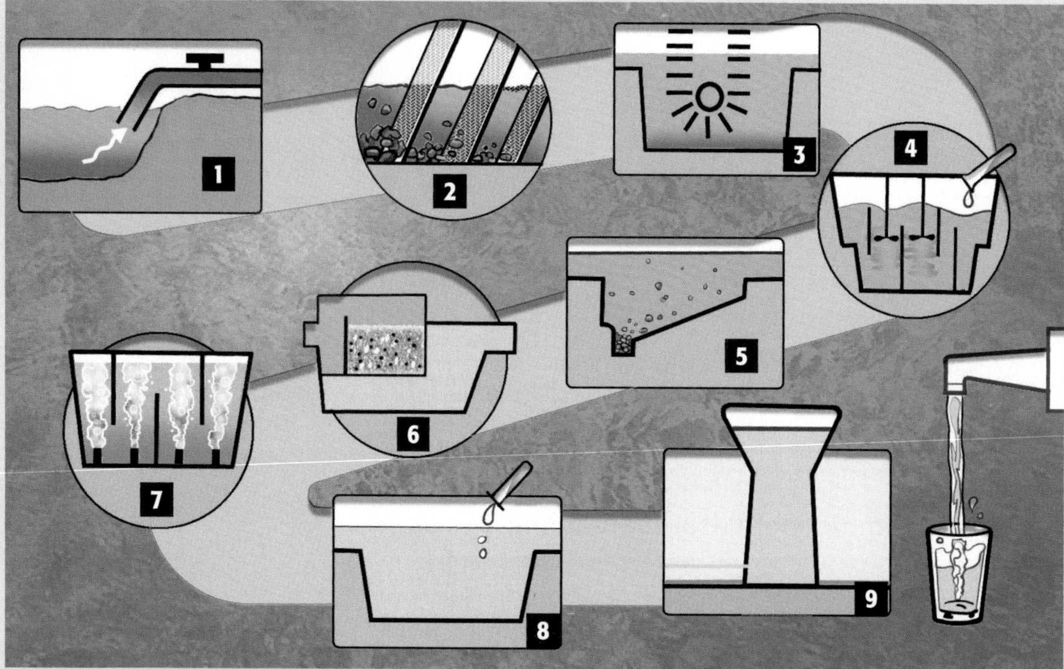

La fabrication d'un mètre cube (m^3) d'eau potable (1 000 L) coûte 0,54 $ à Montréal. En 2002, la ville de Montréal a produit 725 millions de m^3 (725 milliards de litres) d'eau pour satisfaire les besoins de sa population. Fais le calcul pour connaître les coûts de cette opération !

13 Des faits et des chiffres

L'eau coule en abondance sur la Terre, mais tous n'y ont pas accès.

- Actuellement, on estime que 1,4 milliard de personnes n'ont pas accès à l'eau potable. En Afrique, 400 millions d'habitants subissent ce problème.
- Sur la Terre, 3 milliards de personnes manquent d'équipements sanitaires adéquats (toilette, lavabo, douche).
- Dans les **pays en développement** et **moins avancés**, les femmes et les enfants consacrent en moyenne 4 à 6 heures par jour à la recherche d'eau.
- Dans les pays moins avancés, les maladies liées à la consommation d'eau non potable font entre 10 et 20 millions de morts chaque année.
- Les villes n'occupent que 1 % de la surface du globe, mais consomment les trois quarts des ressources disponibles en eau, en énergie, etc. Ce sont aussi d'importantes sources de pollution : air malsain, eaux contaminées, rejets, etc.

Source : *L'homme et l'environnement*, Larousse, 2001.

⑭ L'eau en territoire urbain

Région du monde	Pourcentage des ménages disposant d'eau potable	Pourcentage des ménages disposant d'un système d'évacuation des eaux usées
Afrique	43 %	18 %
Europe	92 %	92 %
Amérique du Nord	100 %	96 %
Asie	77 %	45 %
Amérique du Sud, Antilles, Mexique	77 %	35 %
Océanie	73 %	15 %

Source : Organisation mondiale de la santé, 2000.

La **croissance** urbaine provoque une augmentation de la demande en eau et de la quantité de rejets dans les cours d'eau. Dans les pays en développement, les villes n'arrivent pas à fournir de l'eau potable à tous les nouveaux citadins et à traiter les eaux usées.

⑮ L'eau potable : un problème en Inde ●

On estime à près d'un milliard le nombre d'habitants de la planète qui sont privés de services d'aqueduc et d'égout.

Observe et construis    

a Pourquoi tant de gens sont-ils privés d'eau courante et d'eau potable dans les grandes villes du monde ?

b Pourquoi est-il coûteux d'approvisionner une grande ville en eau ?

c Que pouvons-nous faire pour éviter le gaspillage de l'eau ?

d Quels problèmes liés à l'eau y a-t-il dans les pays en développement ?

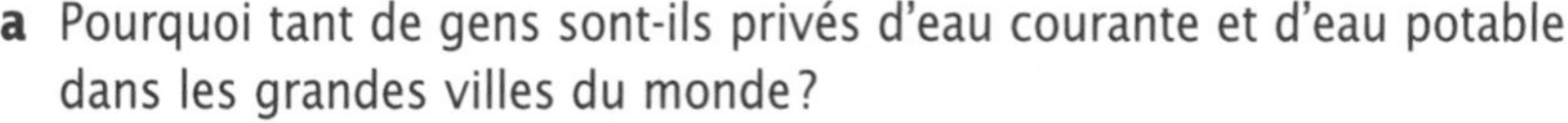

 Point de mire

Un combat pour l'eau potable à Chennai, en Inde

Sur la Terre, près d'une personne sur six est privée d'eau potable. Plus de 95 % d'entre elles vivent en Asie, en Afrique et en Amérique du Sud. La situation est encore plus préoccupante dans les **métropoles** des **pays en développement**, par exemple à Chennai, en Inde. Chennai est la quatrième plus importante métropole de l'Inde. Cette ville abrite 7,5 millions d'habitants.

La situation

Au cours des années 1980-1990, Chennai était aux prises avec le plus bas niveau de disponibilité d'eau en Inde (68 L par personne par jour).

À Chennai, l'eau n'était disponible que trois heures par jour. Durant la saison sèche, les habitants de la ville ne pouvaient s'en procurer qu'un jour sur deux. La quantité disponible chutait alors à 32 L par personne par jour, et même à 8 L dans certains **bidonvilles** des extrémités de la ville.

Même pendant les périodes de pluies abondantes, la ville manquait de moyens de conservation et perdait une partie de l'eau. Comme la qualité de l'eau se détériorait aussi, les cas de gastro-entérites infectieuses augmentaient de façon alarmante.

La ville de Chennai devait donc trouver des moyens d'augmenter les sources d'approvisionnement en eau, d'améliorer la quantité et la qualité de l'eau, ainsi que d'assurer sa disponibilité.

16 A La quête d'eau potable est une lutte quotidienne à Chennai.

arobas

Des organismes internationaux

Sur la Terre, il y a de très grandes inégalités dans l'approvisionnement en eau. Certains organismes comme l'Unicef en font l'une de leurs priorités.

- Sur le site de l'Unicef, trouve le pourcentage de la population ayant accès à l'eau potable dans les pays suivants. Situe également ces pays sur une carte du monde.

Afghanistan – Brésil – Costa Rica – Égypte – Haïti – République centrafricaine – Singapour – Turquie – Bénin

Plusieurs autres organismes mondiaux sont préoccupés par le problème de l'eau sur la planète.

- Trouve quelques-uns de ces organismes et donne des exemples de leurs interventions dans le monde.

Le projet

Pour résoudre ces problèmes, les autorités de la métropole ont entamé, en 1983, la construction d'un canal, le Telugu Ganga, qui a débuté par le détournement du fleuve Krishna sur 500 km. L'eau de ce fleuve est maintenant emmagasinée dans trois réservoirs avant d'être traitée. La Metro, l'agence municipale des eaux de Chennai, distribue l'eau aux habitants de la ville par son système d'aqueduc.

Le projet a pour objectif de fournir, en 2011, plus de 930 millions de litres d'eau supplémentaires aux habitants de Chennai, soit 124 L de plus par habitant par jour. Déjà, en 2002, dans certains secteurs de la ville, chaque habitant disposait quotidiennement de 103 L d'eau potable. Cependant, le service n'était disponible que quatre heures par jour.

Une partie du problème provient du fait que la population de Chennai a quadruplé depuis 50 ans et que la quantité d'eau disponible n'a même pas doublé. D'autre part, l'étalement de la ville rend difficile l'alimentation en eau des habitants des bidonvilles éloignés.

Dans les bidonvilles, plus de 55 % des habitants utilisent encore un puits ou une pompe manuelle pour leurs besoins domestiques, car ils ne sont pas raccordés au réseau d'aqueduc. De plus, ces quartiers disposent de moins d'eau parce que les habitants du centre de Chennai l'emmagasinent. Enfin, la population de Chennai subit encore des problèmes de santé liés à l'eau, car les moustiques contaminent certains réservoirs à ciel ouvert.

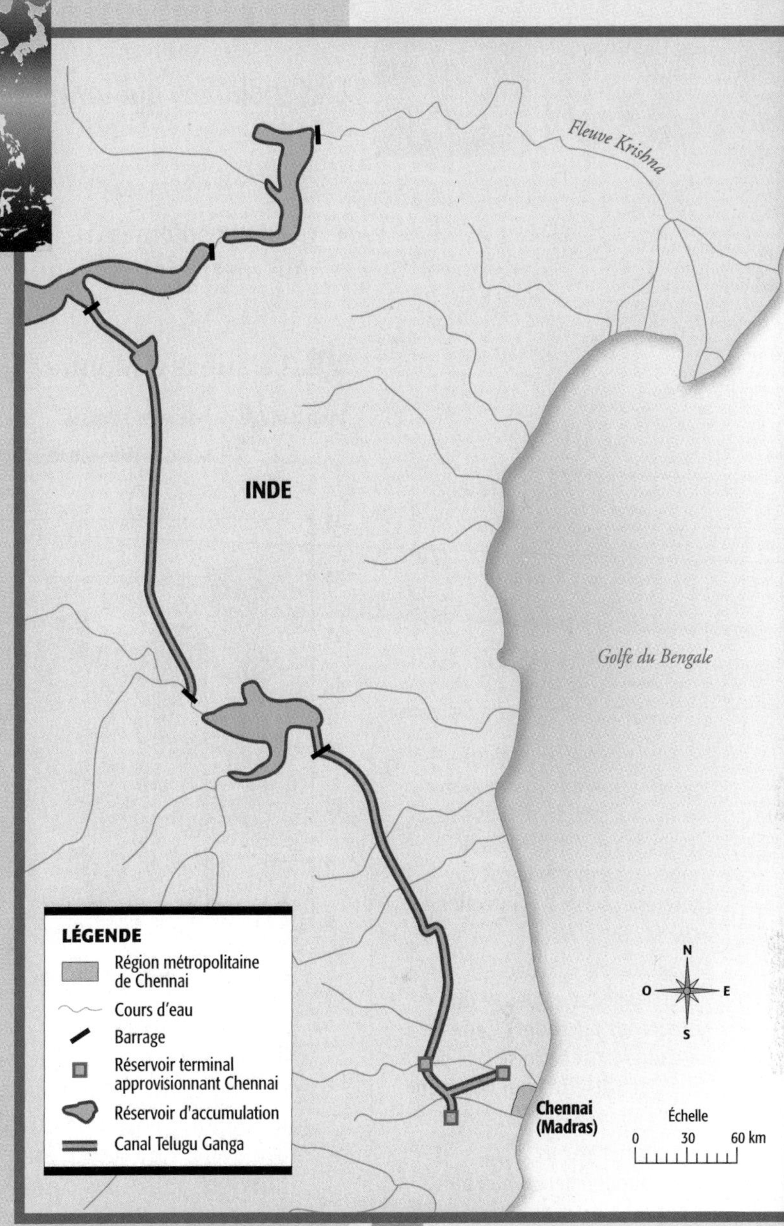

16 B **Le projet du canal Telugu Ganga.**

Observe et construis 16

e Quels étaient les problèmes d'eau à Chennai entre 1980 et 1990?
f Quelle solution a été expérimentée dans cette ville?
g En quoi cette solution a-t-elle été efficace?
h En quoi a-t-elle été inefficace?

Pour poursuivre, rends-toi à la page 79.

Vivre en santé dans les métropoles

Des maladies qui font des ravages sur la Terre

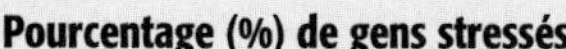

- Quels problèmes de santé peuvent être aggravés par le fait de vivre dans une **métropole**? Pourquoi?

① Le stress à Montréal et dans d'autres agglomérations du Canada

Pourcentage (%) de gens stressés

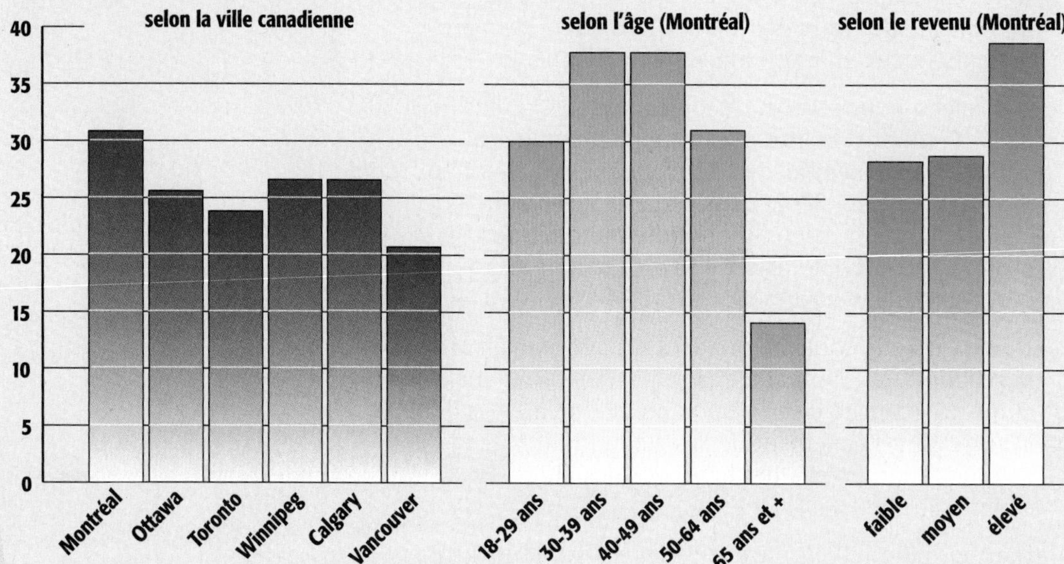

Source: INRA – CRÉDOC, 1998.

Même si la grande ville offre de bonnes conditions de vie, des irritants peuvent affecter la qualité de vie de ses habitants. La pollution sonore (automobiles, avions, etc.), de même que la pollution atmosphérique et le stress dû aux embouteillages et aux accidents de voiture engendrent chez les citadins de sérieux problèmes de santé (anxiété, maladies cardiovasculaires, asthme, cancer, etc.).

Sida : Maladie contagieuse qui entraîne une diminution de la capacité de défense de l'organisme. Cette maladie infectieuse mortelle est la dernière phase de l'infection causée par le **VIH**.

Tuberculose : Maladie infectieuse contagieuse qui affecte les poumons. Cette maladie est transmise par de fines gouttelettes qui voyagent dans l'air.

VIH : Virus de l'immunodéficience humaine, à l'origine du **sida.**

② Le nombre de décès par maladie infectieuse dans certaines parties du monde en 2001

Partie du monde	Sida	Tuberculose
Afrique	2 200 000	336 000
Asie du Sud-Est	445 000	701 000
Amérique	88 000	46 000
Europe	26 000	77 000
Océanie	700	373 000

Sources: Organisation mondiale de la santé, 2002; Rapport sur l'épidémie mondiale de SIDA, 2004.

La forte **concentration** d'habitants dans les villes a favorisé la transmission du sida et de la tuberculose. Ces deux maladies infectieuses mortelles pourraient être moins répandues si certains pays disposaient de moyens financiers pour acheter des médicaments. De plus, le manque de salubrité ainsi que le manque de personnel médical et de moyens d'éducation empêchent le contrôle de ces maladies.

 Le sida dans le monde

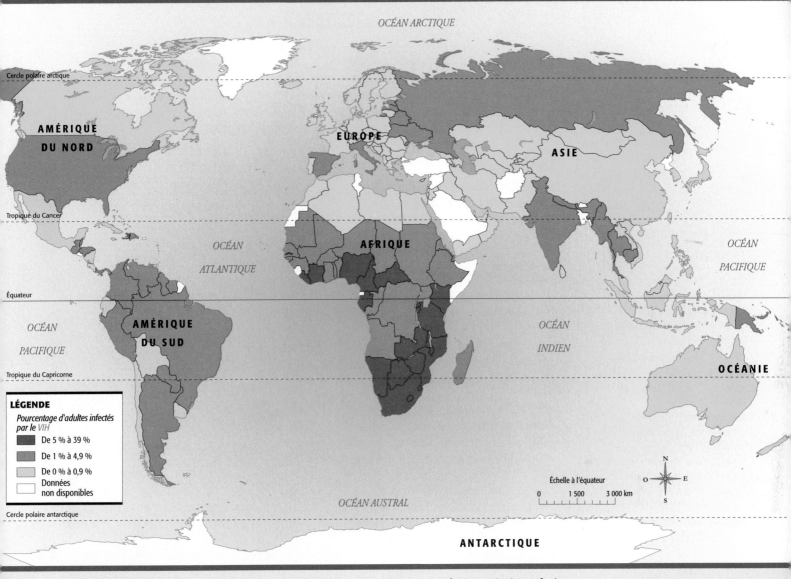

LÉGENDE
Pourcentage d'adultes infectés par le VIH
- De 5 % à 39 %
- De 1 % à 4,9 %
- De 0 % à 0,9 %
- Données non disponibles

Échelle à l'équateur : 0 – 1 500 – 3 000 km

Le sida, dont l'origine a été retracée en Afrique rurale, s'est propagé en territoire urbain. Actuellement, on peut exercer une certaine prévention et traiter les effets du **sida**, mais il est impossible de le guérir. Dans la lutte contre cette maladie, les chances ne sont pas égales pour tous les habitants de la planète. Par exemple, les sidéens des **pays moins avancés** dépendent de l'aide apportée par les **pays industrialisés** et les organismes internationaux.

Observe et construis   

a Quel est le portrait du groupe de personnes le plus stressé au Canada?

b Dans quelle partie du monde les maladies infectieuses font-elles le plus de victimes? Quel niveau de développement caractérise les pays de cette partie du monde?

c Quelle maladie infectieuse est la plus mortelle? Dans quelle partie du monde fait-elle le plus de victimes?

 Point de mire

Le smog à Toronto

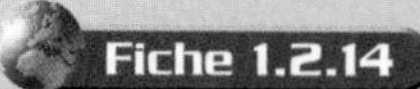

Aujourd'hui, les grandes métropoles comptent parmi les villes les plus touchées par les problèmes de santé associés à la qualité de l'air. On y observe souvent des taux de polluants qui dépassent largement la limite acceptable. Cette situation constitue un problème que les gouvernements, les entreprises et les organismes ont à cœur d'enrayer. Au Canada, environ 5 000 personnes meurent chaque année des effets de la pollution.

La situation

Les risques sont encore plus grands pour les populations des trois métropoles du Canada (Toronto, Montréal et Vancouver) à cause de la grande **concentration** de personnes et d'activités qui les caractérisent. Beaucoup de gens y sont exposés aux maladies pulmonaires comme l'asthme et la bronchite chronique. Toronto, avec 1 000 décès annuels, est la pire des villes canadiennes en ce qui a trait aux problèmes de santé liés à la pollution. Près de 50 % des polluants présents dans l'air ontarien proviennent du nord des États-Unis, une région fortement industrialisée. L'autre partie des polluants est générée par les industries locales, les centrales électriques à combustibles fossiles et les véhicules motorisés.

Combustibles fossiles : Matières non renouvelables qui peuvent brûler et fournir de l'énergie (ex. : charbon, pétrole, gaz naturel).

Smog : À l'origine, le terme smog, formé des mots anglais *smoke* et *fog*, désignait un brouillard très dense. Maintenant, il désigne un mélange de polluants atmosphériques dangereux pour la santé (gaz et particules). Ce mélange se manifeste souvent sous l'aspect d'une épaisse fumée jaune brunâtre ou gris blanchâtre.

4A **L'été, au cours des journées chaudes et humides, le smog est particulièrement dangereux pour la santé des Torontois.**

Le projet

Une étude visant à mieux saisir les effets de la pollution sur la santé des citadins canadiens a été effectuée en 1999, à Toronto. Cette étude (*Urban Spatial Variability Study*), qui portait sur les différences observées dans diverses parties du milieu urbain, a été financée par Environnement Canada et Santé Canada. Son but était de mieux connaître les polluants du smog et leur distribution dans l'atmosphère. On espérait ainsi les contrôler pour pouvoir mieux prévenir les maladies respiratoires liées à la pollution en milieu urbain.

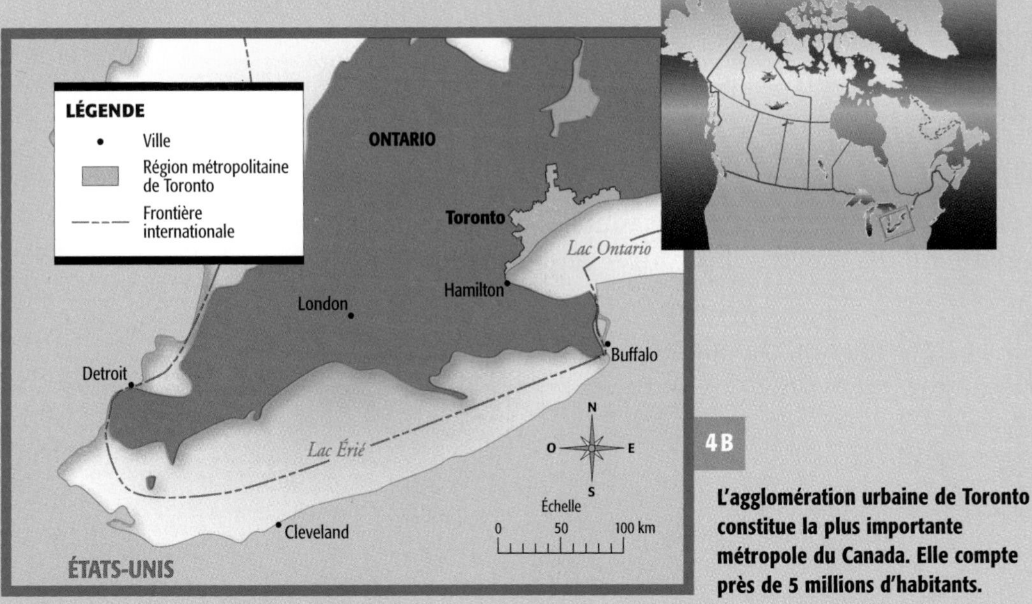

4B **L'agglomération urbaine de Toronto constitue la plus importante métropole du Canada. Elle compte près de 5 millions d'habitants.**

Pendant cette expérience, on a recueilli et analysé chaque jour des échantillons d'air et de smog. Pour y parvenir, on a demandé à 15 adultes de porter des appareils d'échantillonnage de l'air qui permettaient de comparer ces polluants dans différents lieux de la ville. De plus, on a installé des laboratoires de surveillance mobiles dans quatre écoles primaires des secteurs les plus peuplés de Toronto.

Ce projet a permis à Toronto de mieux protéger la santé de ses habitants en les informant de certains risques et en les incitant à adopter des habitudes de vie plus saines.

4C

0 10 20 30 40 50 60 70 80 90 100

0-15	Très bon
16-31	Bon
32-49	Moyen
50-99	Mauvais
100 +	Très mauvais

L'indice de la qualité de l'air renseigne la population sur la quantité de polluants (ex. : monoxyde de carbone, soufre) présents dans l'air d'une ville. Cet indice est coté sur une échelle de 0 à 100. L'indice de la qualité de l'air est fourni dans un site Internet à chaque heure de la journée. Une alerte au smog est annoncée quand le niveau de pollution dépasse 50. Les personnes à risques sont ainsi prévenues des dangers possibles pour leur santé.

Des solutions

Le programme de sensibilisation et de formation Vision 2020 a pour objectif de réduire la consommation d'énergie de 20 % à la maison et sur la route. Il fait la promotion de nouvelles habitudes de vie qui pourraient réduire les effets du réchauffement climatique.

Le projet Ecoschool, qui se fait en partenariat avec le milieu scolaire, vise la sensibilisation des jeunes à la qualité de leur milieu de vie et à leur santé. Pour y parvenir, il met en place des programmes de marche à l'école, de réduction des déchets, de protection de l'environnement, etc.

4D

Logo du projet Ecoschool

La qualité de l'environnement

Trouve dans Internet les réponses aux questions suivantes.

- Qu'est-ce qui contribue à l'augmentation des gaz à effet de serre ?
- Quels organismes ou personnes participent au contrôle de la qualité de l'air dans ta municipalité ?
- Quel accord international a été signé par plusieurs pays en 1997 dans le but de diminuer les gaz à effet de serre sur leurs territoires respectifs ? Cet accord est-il plus avantageux pour les pays industrialisés ou pour les pays en développement ? Pourquoi ?

Observe et construis 4

d Quelles maladies sont liées à la pollution dans les grandes villes ?
e Quels moyens la ville de Toronto a-t-elle utilisés pour réduire la pollution ?
f Quels ont été les résultats ?

La propagation des maladies et l'accessibilité aux soins

Selon toi,

- pourquoi tant de gens sont-ils touchés par les maladies infectieuses? Existe-t-il des moyens de changer cette situation? Si oui, lesquels?

Les grands flux de migrations internationales

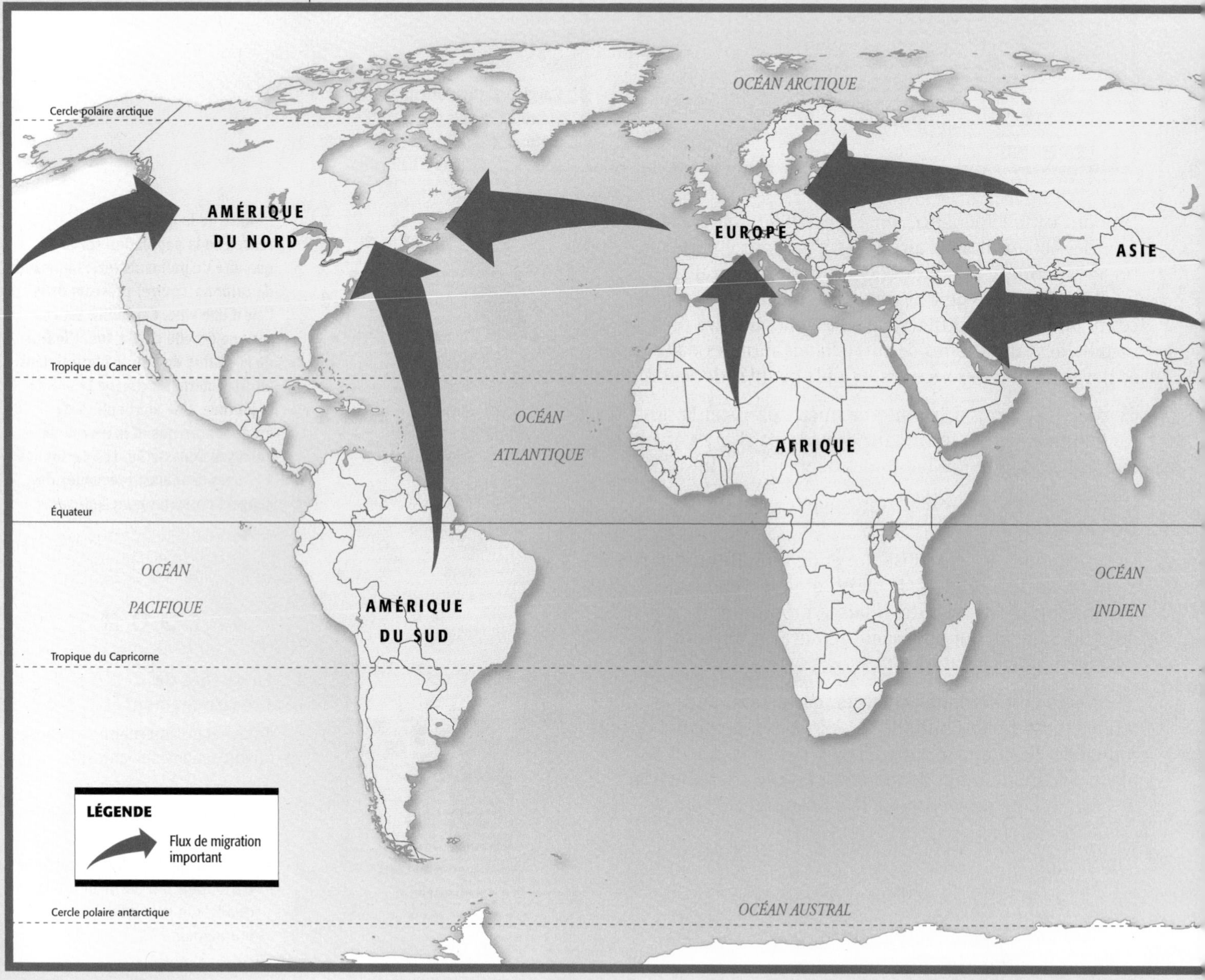

De tout temps, les êtres humains ont participé à des mouvements de migration. Dans les **pays industrialisés**, les gens se déplacent surtout pour le travail et les loisirs. Mais un grand nombre d'**immigrants** s'établissent dans les pays industrialisés pour y trouver de meilleures conditions de vie. Le tourisme et l'émigration favorisent la propagation de maladies de toutes sortes. Depuis une trentaine d'années, on assiste à l'apparition de nouveaux virus qui se transmettent rapidement sur toute la planète.

6 Des faits et des chiffres

Les maladies infectieuses et contagieuses provoquent plus de décès que les guerres et les catastrophes naturelles.

- Selon l'Organisation mondiale de la santé, environ 15 millions de personnes en meurent chaque année. Les plus mortelles de ces maladies sont les infections respiratoires, le **sida**, les maladies diarrhéiques, la **tuberculose** et le **paludisme**.
- Dans les pays industrialisés, les vaccins et la prévention ont entraîné une énorme diminution de certaines maladies, par exemple la rougeole et la coqueluche.
- Dans les pays où les maladies infectieuses font des ravages, de telles mesures sont souvent inaccessibles à cause de leur coût élevé. Il faut débourser, par exemple, 150 000 $ pour le traitement à vie d'une personne souffrant du sida.
- Dans les **pays en développement**, les maladies infectieuses tuent des centaines de milliers d'enfants par année.

Source : Organisation mondiale de la santé, 2001.

Le SIDA et le SRAS

Le SIDA et le SRAS sont deux maladies contagieuses du monde moderne. Ces deux mots sont des acronymes, c'est-à-dire des mots formés de la première lettre d'autres mots.

- Que signifient les lettres du mot SIDA (ou sida) ?
- Que signifient les lettres du mot SRAS ?
- Quelles autres maladies épidémiques ont fait les manchettes récemment ?

Des organismes mondiaux

Certains organismes mondiaux se préoccupent de la santé dans le monde, par exemple l'Organisation mondiale de la santé.

Trouve des informations sur cet organisme (mission, pays participants, projets, etc.) et décris quelques-unes de ses interventions visant à améliorer la santé sur la planète.

- Quel article de la Déclaration universelle des droits de l'homme touche la santé ? Fais-en un bref résumé.

Émigration : Mouvement de personnes qui quittent un pays pour un autre.

Migration : Mouvement qui mène un grand nombre de personnes à quitter un endroit pour un autre.

Paludisme : Maladie des régions chaudes propagée par un moustique. Cette maladie, aussi appelée malaria, se manifeste surtout par de fortes fièvres.

OCÉAN PACIFIQUE

OCÉANIE

Échelle à l'équateur
0 1 500 3 000 km

Observe et construis 5 6

a Pourquoi meurt-on davantage de maladies infectieuses dans les pays en développement ?

b Quel niveau de développement caractérise la plupart des pays où il y a une très forte émigration ? les pays qui accueillent beaucoup d'immigrants ? Explique le rapport entre ces données.

c Pourquoi une maladie comme le sida se propage-t-elle dans de grandes villes éloignées de son foyer d'origine ?

7 Des milieux de vie insalubres en Inde

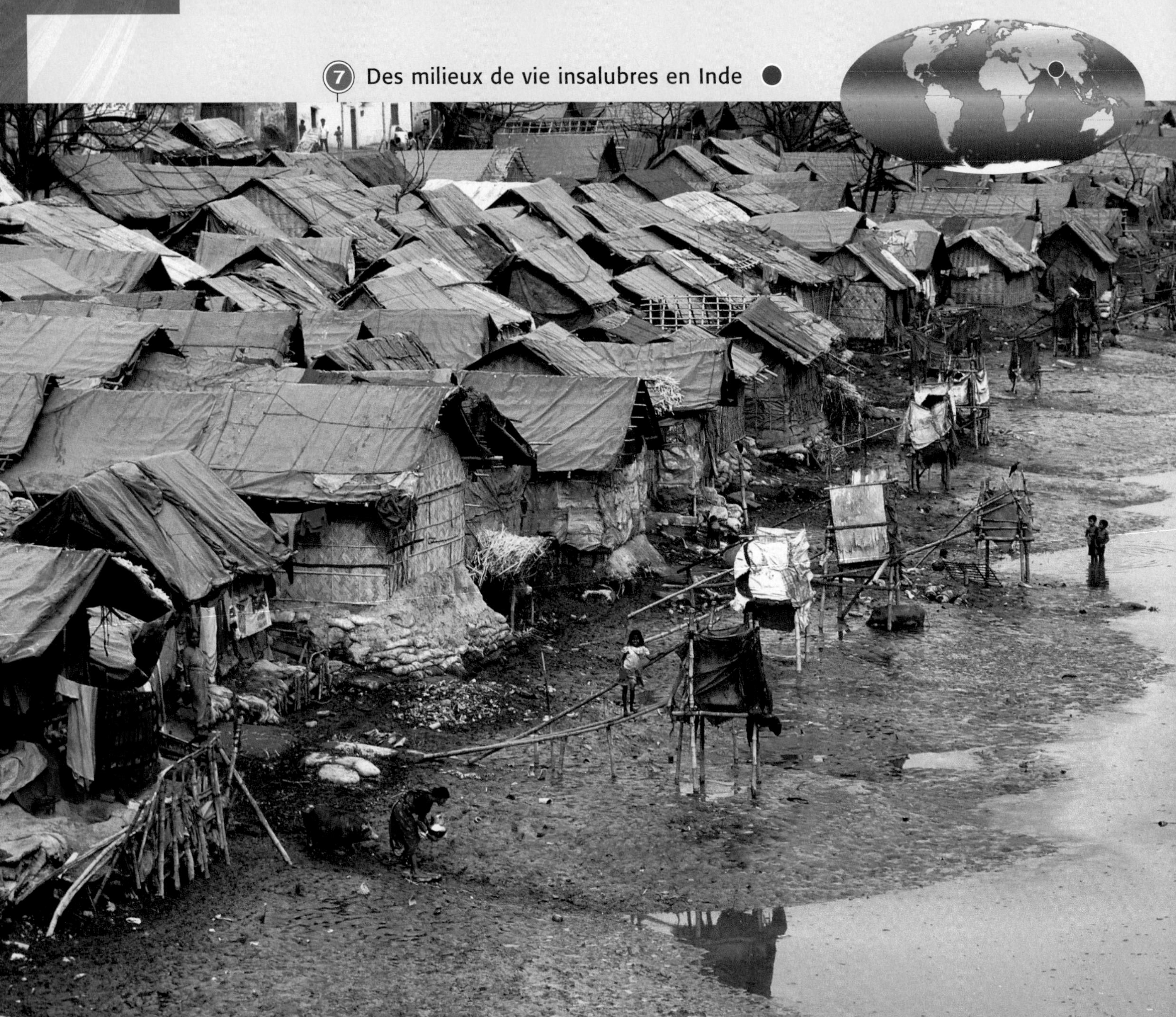

La climat chaud et le surpeuplement des **bidonvilles** favorisent la propagation des épidémies. De plus, l'eau est fortement polluée par les déchets de toutes sortes qu'on y déverse. Ces conditions entraînent le développement de maladies qui résultent souvent de gestes du quotidien: boire de l'eau contaminée, s'y laver ou y laver ses vêtements. Par ailleurs, les habitants des bidonvilles contractent aussi des maladies en mangeant de la nourriture mal conservée.

Observe et construis 7

d Que vois-tu au plan rapproché? au plan moyen?
e Que ressens-tu en observant cette photo?
f À ton avis, pourquoi cette partie de la ville est-elle exposée aux microbes?

Ton défi

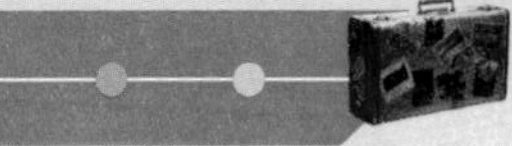

À l'œuvre !

Il est maintenant temps de terminer ton affiche et de soigner ta présentation.

1. Parmi toutes les informations que tu as trouvées dans ce chapitre, dans la section Dossiers (p. 80) et dans d'autres sources, choisis celles qui te semblent les plus pertinentes.
2. Assure-toi que tu as sélectionné des données et des statistiques qui décrivent :
   - le problème ;
   - les causes du problème ;
   - des solutions à ce problème.
3. Place tes capsules d'information autour de la carte que tu as tracée dans la première partie de ce chapitre. Utilise des couleurs, des grandeurs de papier et des caractères variés pour les rendre attrayantes tout en t'assurant de la clarté de ton message. Indique les sources des données que tu as trouvées (documentaires, sites Internet, etc.).

DOSSIERS

Ailleurs

Comment les problèmes d'approvisionnement en eau ou les problèmes de santé sont-ils vécus dans l'une des métropoles suivantes : Le Caire, Mexico, New York ou Sydney ? À l'aide de la section Dossiers du module 1 (p. 80), décris l'enjeu que tu as choisi en le liant à l'une de ces métropoles.

Bilan

1 Quelles sources autres que ton manuel as-tu consultées ?

2 Comment as-tu procédé pour sélectionner des données intéressantes ? pour t'assurer qu'elles étaient fiables ?

3 Comment as-tu organisé les données sur ton affiche ?

4 Que ferais-tu différemment si tu avais à fabriquer une autre affiche ?

5 Comment réagis-tu aux problèmes d'eau et de santé qui existent sur la planète ?

DOSSIERS

Ailleurs

Le Caire

Sydney
Mexico
New York

Le Caire	
Caractéristiques	Capitale et métropole de l'Égypte
Population	V: 9,5 millions RM: 15 millions
Superficie	V : 600 km² RM : 2 900 km²
Densité de population	V: 15 800 hab./km² RM: 5 170 hab./km²
Origine ethnique de la population	Égyptiens, Nubiens, Arméniens et Européens
Langues	Arabe (langue officielle du pays), anglais et français

Égypte	
Population urbaine	43 %
PIB/hab.	3 600 $
Espérance de vie moyenne	71 ans
Taux d'alphabétisation moyen	58 % H: 68 % F: 47 %

V: Ville
RM: Région métropolitaine
H: Hommes
F: Femmes

Sources: *L'état du monde*, 2005; *CIA World Factbook 2004*; *Encyclopædia Britannica*; ONU.

Le Caire

Le territoire

1 Le Caire, capitale de l'Égypte

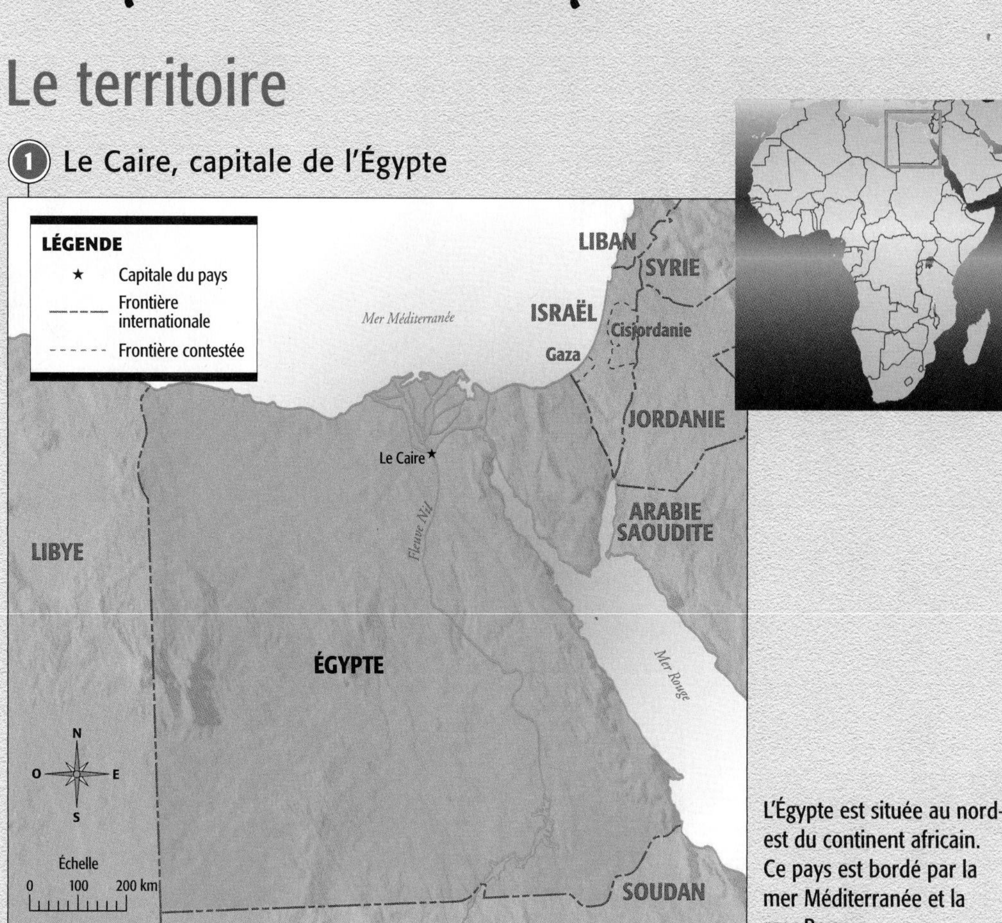

L'Égypte est située au nord-est du continent africain. Ce pays est bordé par la mer Méditerranée et la mer Rouge.

Le Caire est la capitale de l'Égypte, un pays situé en Afrique. Cette **métropole** est la plus grande ville de l'Afrique. Le Vieux-Caire a été construit vers l'an 970. Cependant, certaines parties de la ville datent de l'époque des pharaons, il y a plus de 5 000 ans !

Le Caire a été érigé dans la vallée du deuxième plus grand fleuve du monde, le Nil. Chaque année, les inondations du Nil déversent dans la vallée des dépôts qui rendent les terres très fertiles. Les autres parties de l'Égypte sont constituées de déserts **arides** pratiquement inhabitables. L'**étalement urbain** grignote chaque année environ 10 km² de terres agricoles en périphérie de la métropole. Dans un pays constitué à 95 % de déserts où la terre ne peut être cultivée, cet étalement a un impact énorme !

Les nouveaux **quartiers** résidentiels sont fréquemment construits dans des zones agricoles. Cette pratique est pourtant interdite par la loi. Mais comme le gouvernement ne construit pas de logements sociaux, il laisse ce soin aux promoteurs immobiliers. Et les entrepreneurs ne suivent pas de plan d'**aménagement**, c'est-à-dire qu'ils construisent des habitations là où il y a des terrains disponibles.

Le gouvernement de l'Égypte encourage la construction d'habitations dans de nouveaux **quartiers** situés en périphérie du Caire ou dans de nouvelles **banlieues** comme la Cité du 15-Mai, Al-Obour et 6-Octobre. Cependant, la majorité des Égyptiens préfèrent s'établir dans la capitale.

2 La ville et les pyramides

L'**urbanisation** est tellement importante que la ville s'étend jusqu'aux pyramides de Gizeh. En 1980, près de 5 km séparaient la ville des pyramides.

La population

La population de la région métropolitaine du Caire est évaluée à environ 15 millions d'habitants. On ne connaît pas le nombre exact de cette population, car les résidants des quartiers illégaux ne sont pas recensés. Comme dans toutes les grandes métropoles, la **densité** de population est élevée au Caire.

Chaque année, près de 250 000 nouveaux arrivants s'établissent au Caire. Ce sont en majorité des personnes pauvres qui ont quitté les régions rurales de l'Égypte.

3 La croissance démographique dans la région métropolitaine du Caire

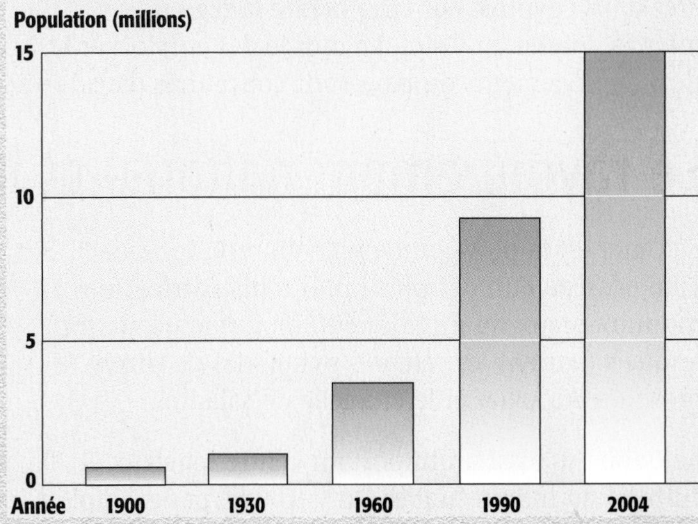

Source : ONU, 2004.

L'organisation de l'espace

Il y a peu de **bidonvilles** au Caire. On y trouve par contre un grand nombre d'habitations établies sur des terrains où la construction est interdite. Dans la ville, il est fréquent de voir des habitations précaires côtoyer de luxueuses résidences.

Le gouvernement égyptien a établi un plan d'aménagement pour le développement du Caire, mais il fait face à une forte résistance. En effet, la construction de quartiers organisés nécessite la destruction de quartiers illégaux.

4 L'aménagement urbain au Caire

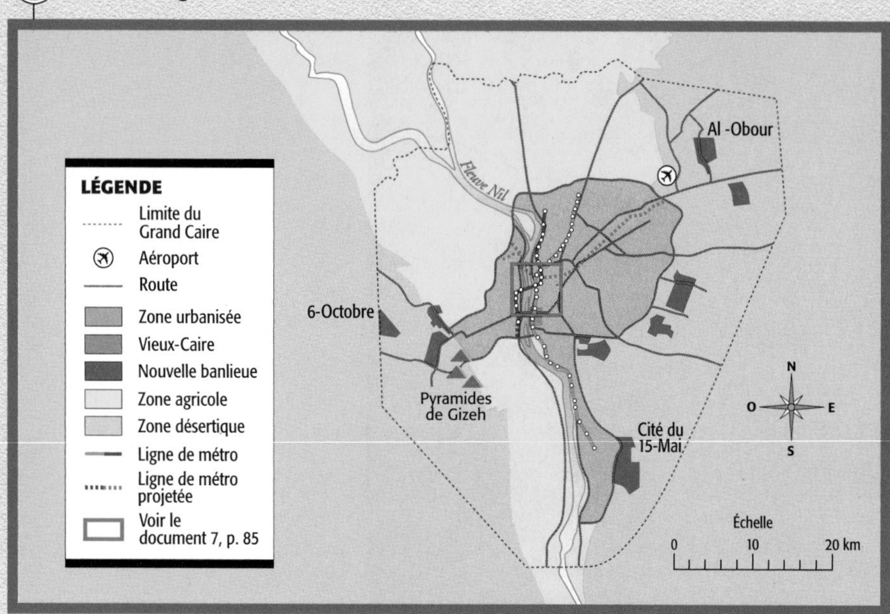

La ligne principale du métro du Caire est longue de 43 km et compte 32 stations.

Le pouvoir d'attraction et les régions environnantes

Comme Le Caire est la capitale de l'Égypte, on y trouve la plupart des institutions gouvernementales et des sièges sociaux de grandes entreprises.

Près d'un Égyptien sur cinq habite la région métropolitaine du Caire. La moitié des emplois et le tiers des logements du pays sont concentrés dans la capitale et dans ses banlieues. Il est donc plus facile d'y trouver du travail et un logement qu'ailleurs en Égypte, malgré le nombre restreint de logements. C'est l'une des raisons pour lesquelles, chaque année, des milliers d'Égyptiens quittent la campagne pour s'installer au Caire ou dans ses banlieues.

Le rayonnement national et international

Le Caire est la plus grande ville du monde arabe. Cette ville possède l'un des plus importants patrimoines monumentaux du monde : 600 monuments, parmi lesquels figurent les célèbres pyramides de Gizeh, la mosquée Al-Azhar et la citadelle de Saladin.

Le Caire est aussi un important centre religieux et culturel du monde arabe. On y trouve, par exemple, le très célèbre Musée égyptien, qui possède des millions d'objets datant de l'époque des pharaons. De plus, la ville abrite une importante industrie cinématographique, qui peut rivaliser avec celle de Hollywood !

L'aéroport international du Caire accueille 9 millions de voyageurs par année. La ville est reliée par voie aérienne à plus de 70 villes et capitales mondiales ainsi qu'à 12 autres villes égyptiennes.

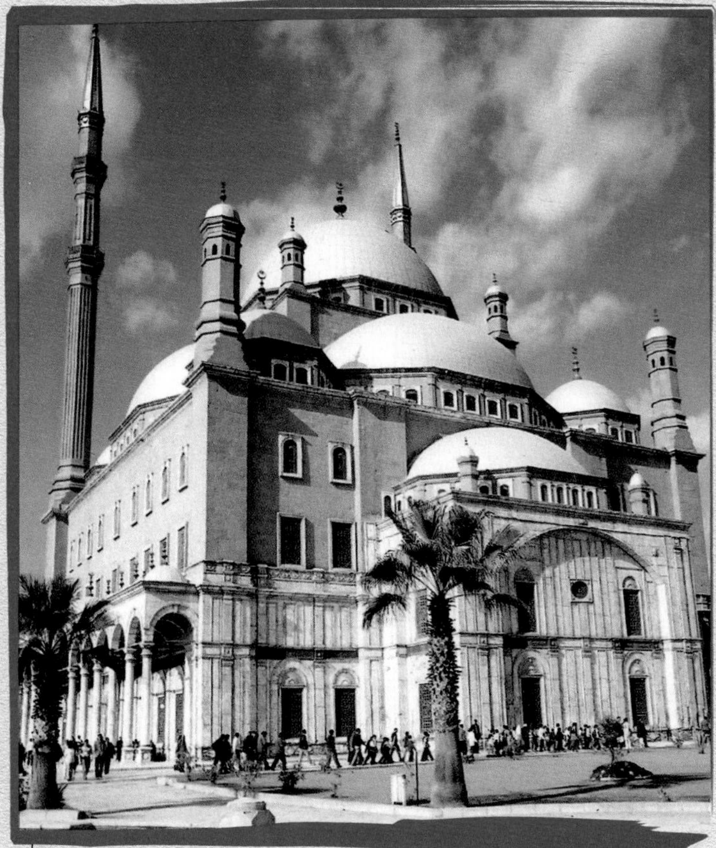

5 Une mosquée de la citadelle de Saladin

La citadelle de Saladin, construite en l'an 1176, est l'ancienne résidence des sultans d'Égypte. Le sultan Saladin a aussi fait construire des remparts pour protéger la ville.

6 La mosquée Al-Azhar

Cette mosquée est un lieu de prière qui abrite la plus ancienne université du monde, construite en l'an 973.

Des enjeux territoriaux

Se déplacer

Environ 1 million d'automobiles, 180 000 taxis, 35 000 à 40 000 camions, 10 000 autobus et 350 000 charrettes circulent quotidiennement au Caire. Plus de 50 000 passagers par heure utilisent le transport en commun vers le centre-ville. D'une efficacité exemplaire, le métro du Caire contribue à diminuer les problèmes de circulation dans la ville.

Les dirigeants du Caire ont fait construire des infrastructures routières (ponts et routes) pour faciliter la circulation des automobiles, mais le nombre de véhicules augmente chaque année sur les routes de la ville.

7 Au cœur du Caire

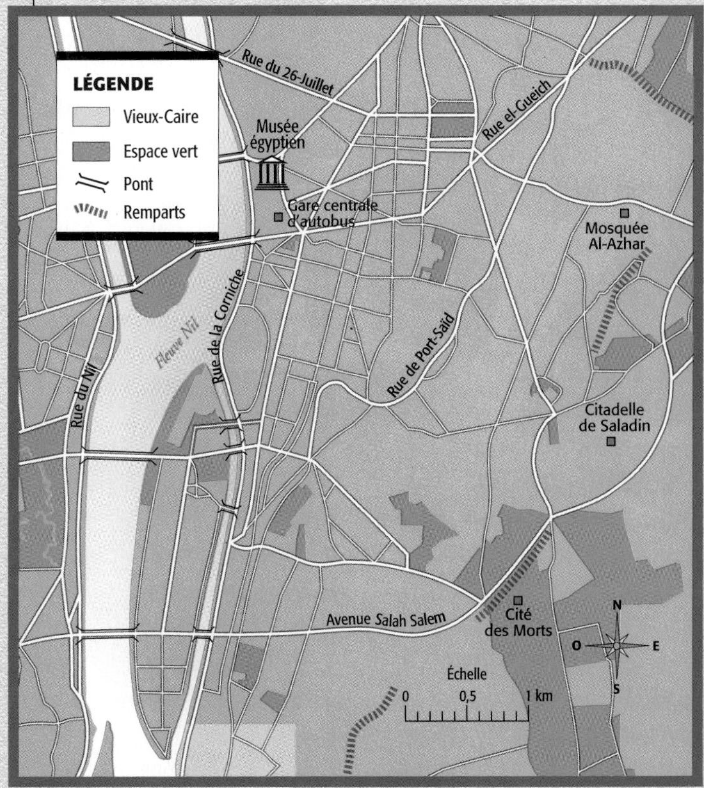

Se loger

L'arrivée de nouveaux habitants entraîne la construction d'une grande quantité de logements dans la ville. Malgré une importante hausse de la construction, un grand nombre d'habitants du Caire n'ont pas les moyens de se loger convenablement. De nombreuses familles cohabitent au même endroit, où s'entassent parfois jusqu'à 11 personnes dans une seule pièce ! De nombreux Cairotes vivent sur les toits des immeubles, et plus d'un million d'entre eux sont installés dans des cimetières.

Gérer les déchets

Chaque jour, plus de 9 000 tonnes de déchets sont produites par la population du Caire. Cette quantité représente un peu moins d'un kilogramme par personne. Le tiers de ces déchets est recueilli par des chiffonniers, qui les trient avant de les vendre. Les restes de nourriture sont vendus pour les animaux, les métaux sont fondus, et le verre, les tissus et le papier sont récupérés. Les dirigeants du Caire comptent énormément sur la récupération des déchets pour remplacer l'incinération, responsable du tiers de la pollution atmosphérique de la ville.

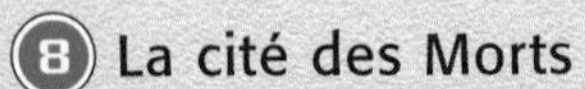

8 La cité des Morts

9 Un chiffonnier du Caire

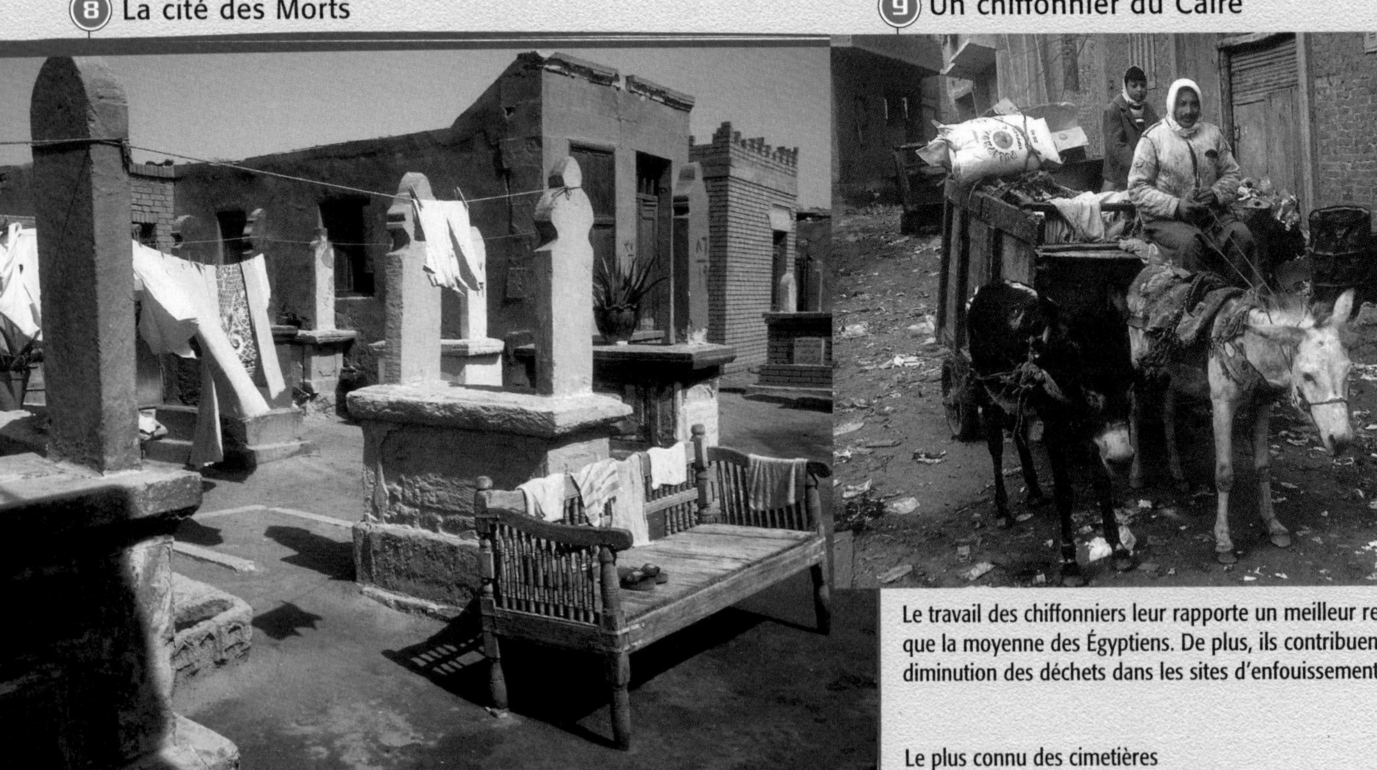

Le travail des chiffonniers leur rapporte un meilleur revenu que la moyenne des Égyptiens. De plus, ils contribuent à la diminution des déchets dans les sites d'enfouissement.

Le plus connu des cimetières habités est la cité des Morts, située devant les remparts du Vieux-Caire.

Des enjeux planétaires

S'approvisionner en eau

L'**urbanisation** grandissante du Caire et sa situation dans un pays au climat désertique entraînent d'importants problèmes d'approvisionnement en eau. Le gouvernement construit des infrastructures pour fournir tous les habitants du Caire en eau courante, en électricité, en services d'égout, etc. Cependant, ses efforts sont insuffisants : environ trois maisons sur dix ne disposent pas d'eau et d'électricité. De plus, le système de distribution d'eau de la ville est vieux et inadéquat : les fuites entraînent la perte de 50 % de l'eau traitée. Par contre, on y a construit des collecteurs pour les eaux usées, ce qui améliore grandement la qualité de l'eau.

10 Le Nil

Depuis des milliers d'années, le Nil constitue un moyen de transport privilégié et la source d'approvisionnement en eau la plus importante de l'Égypte.

11 La pauvreté au Caire

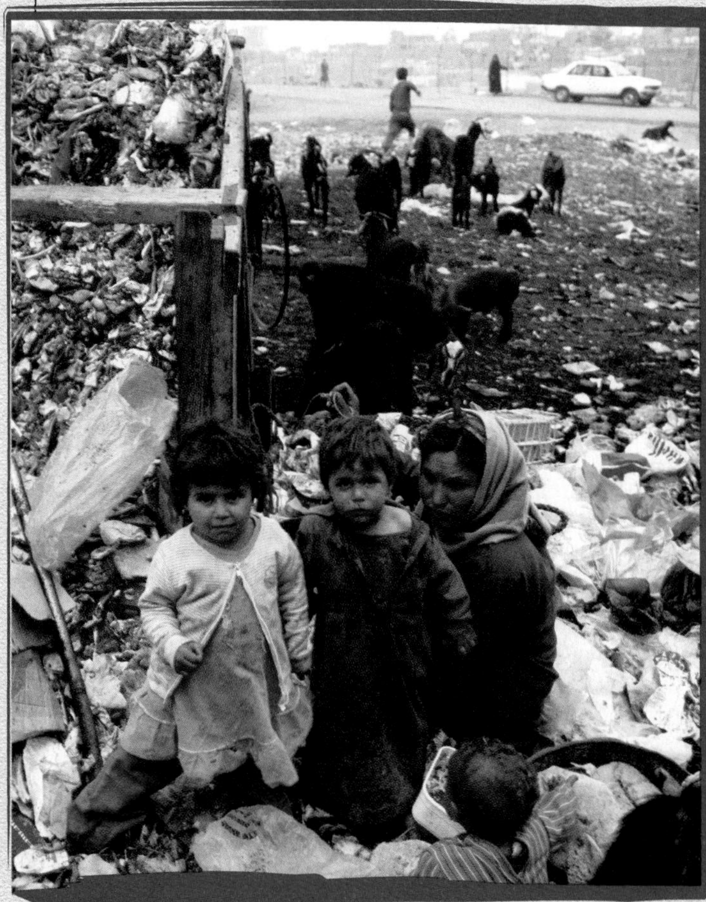

Des milliers d'enfants aident leurs parents à trier les déchets, ce qui entraîne des maladies.

Vivre en santé

Avec au-delà d'un million de véhicules à essence, Le Caire est l'une des villes les plus polluées du monde. De nombreuses industries très polluantes (aciéries, cimenteries, raffineries de pétrole) y sont établies. Pour réduire la pollution atmosphérique, le gouvernement a interdit, en 1990, la vente d'essence au plomb dans la ville.

Au Caire, de nombreuses maladies sont en grande partie causées par la pollution et le manque d'hygiène. Environ 14 % des enfants n'y fréquentent pas l'école et ne connaissent pas les règles de base de l'hygiène.

Cependant, comme 75 % des médecins de l'Égypte vivent au Caire, les Cairotes ont plus facilement accès aux soins de santé que les autres habitants de l'Égypte. Cette situation a permis de réduire de 65 % le taux de mortalité infantile entre 1980 et 2000.

Mexico

Mexico	
Caractéristique	Capitale du Mexique
Population	V : 8,6 millions RM : 18,3 millions
Superficie	V : 1 500 km² RM : 3 000 km²
Densité de population	V : 5 733 hab./km² RM : 6 100 hab./km²
Origine ethnique de 90 % de la population	Mexicains d'origine espagnole, Indiens et Métis
Langues	Espagnol (langue officielle du pays) et anglais

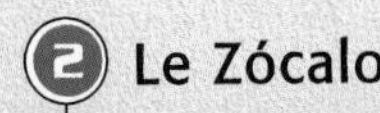

Mexique	
Population urbaine	74 %
PIB/hab.	9 070 $
Espérance de vie moyenne	73,4 ans
Taux d'alphabétisation moyen	92,2 % H : 94 % F : 90,5 %

V : Ville
RM : Région métropolitaine
H : Hommes
F : Femmes

Sources : *L'état du monde*, 2005 ; *CIA World Factbook 2004* ; Instituto Nacional de Estadística Geografía e Informática (INEGI), 2004 ; ONU.

Le territoire

La ville de Mexico est située à 2 400 m d'altitude, là où s'étendait le lac Texcoco il y a 500 ans. Elle a été édifiée sur l'ancien site de Tenochtitlán. Cette ville avait été construite par les Aztèques sur une île du lac Texcoco, dans une plaine entourée de montagnes et de volcans.

Mexico a été construite dans une zone à risques de tremblement de terre. De plus, le fait que la ville ait été en partie édifiée sur un lac asséché amplifie fortement les ondes sismiques.

1 Mexico, capitale du Mexique

Le Mexique est situé au sud de l'Amérique du Nord.

2 Le Zócalo

L'**urbanisation** a fait augmenter la demande de terrains pour la construction de bâtiments. Le lac Texcoco a donc été presque complètement asséché et n'est plus aujourd'hui qu'une mare polluée.

Le centre de la vieille ville est situé près du Zócalo, une place où dominent la cathédrale et le palais présidentiel. Des milliers de personnes se réunissent sur cette place le 15 septembre de chaque année. Ils célèbrent l'indépendance du Mexique, proclamée en 1821.

③ L'aéroport de Mexico

La population

La **croissance** de la région métropolitaine de Mexico est phénoménale. Chaque mois, 30 000 nouveaux arrivants s'y établissent. Un grand nombre d'entre eux vont augmenter la population des **bidonvilles**. Dans certains de ces **quartiers** improvisés, la **densité** de la population atteint 250 000 habitants par km^2!

L'organisation de l'espace à Mexico

L'**aménagement** de la partie centrale de la ville de Mexico a fait l'objet d'une **planification** urbaine. Les rues y sont droites et croisent quelques très longues artères, dont le Paseo de la Reforma et l'avenue Insurgentes. Cependant, comme la croissance urbaine est très rapide, l'étalement de la ville se fait de façon désordonnée: de nouveaux bidonvilles y sont érigés sans plan d'aménagement.

L'**étalement urbain** a été tellement rapide et important que l'aéroport de Mexico, construit à l'extérieur de la ville, est maintenant entouré de maisons. Cette situation empêche tout agrandissement de cet aéroport visant à répondre à de nouveaux besoins.

En 1980, la région métropolitaine de Mexico couvrait une superficie d'environ 1 000 km^2. Elle s'étale aujourd'hui sur plus de 3 000 km^2.

④ La croissance démographique dans la région métropolitaine de Mexico

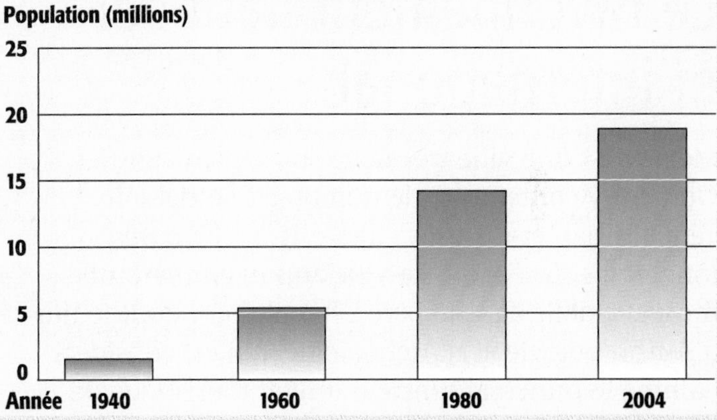

Source: ONU, *Cyberschoolbus* et division des statistiques.

⑤ L'aménagement urbain à Mexico

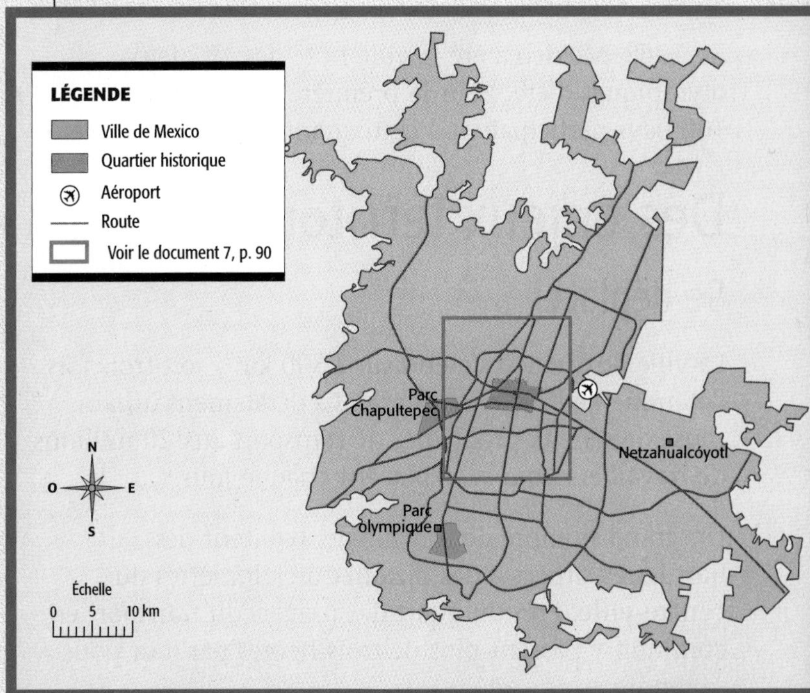

Le pouvoir d'attraction et les régions environnantes

L'activité économique du Mexique est fortement concentrée à Mexico : raffineries, centrales thermiques, usines de montage, etc. Plus de 80 % des usines et le quart des emplois du pays sont groupés dans la capitale.

Les paysans, qui mènent souvent une vie difficile en milieu rural, sont attirés par la **concentration** de l'activité économique dans la **métropole.** Vivre en ville est également un signe de réussite pour les Mexicains.

6 Notre-Dame-de-Guadalupe

Les Mexicains sont en majorité catholiques et très croyants. Ils se rendent fréquemment à Notre-Dame-de-Guadalupe, une basilique construite en l'honneur de la Vierge Marie, qui serait apparue à un Aztèque, Juan Diego, en 1531.

Le rayonnement national et international

Mexico est une ville très riche sur le plan culturel. On peut y contempler de nombreux vestiges de Tenochtitlán et d'autres villes érigées il y a très longtemps sur ce site. La ville abrite d'importants musées établis dans le parc Chapultepec, dont le musée d'Anthropologie et d'Archéologie, qui est considéré comme le principal centre d'intérêt touristique de Mexico. Le parc Chapultepec, l'un des derniers îlots de verdure de Mexico, est traversé par le Paseo de la Reforma, une rue à la mode où l'on trouve des monuments, d'anciennes villas, des hôtels de luxe et des ambassades.

En 1968, Mexico a été la ville hôte des 19es Jeux olympiques d'été. Pour la première fois, plus de 100 pays participaient à cette manifestation sportive.

7 Au cœur de Mexico

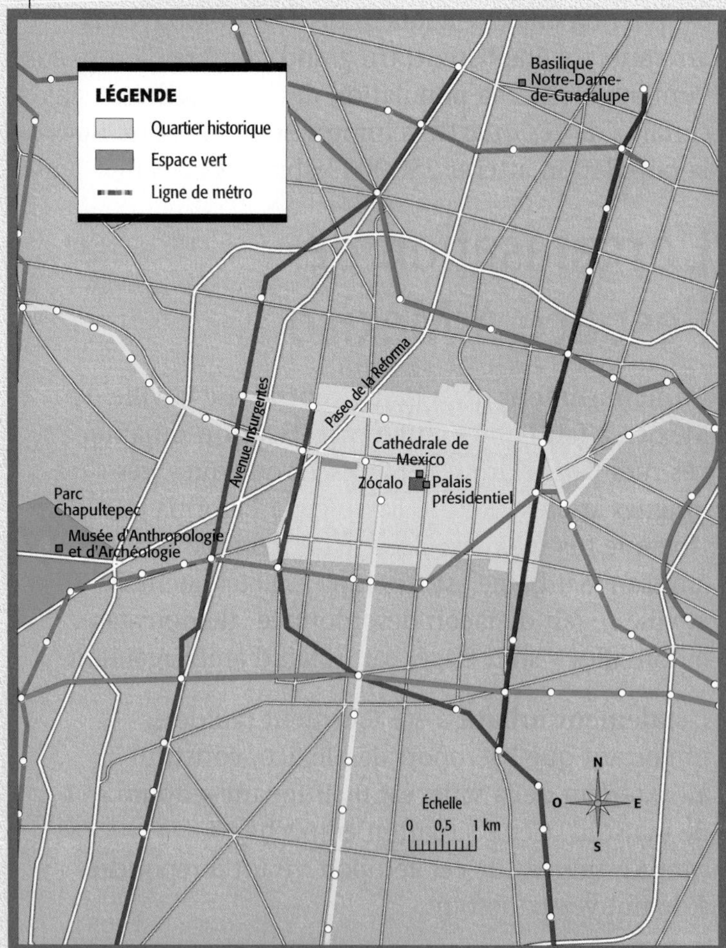

Pour faciliter les déplacements dans la ville, le gouvernement a fait construire, en 1968, le métro de Mexico. Ce métro, long de 200 km, est utilisé chaque jour par cinq millions de personnes.

Des enjeux territoriaux

Se déplacer

La ville de Mexico s'étend sur 1 500 km^2, soit trois fois l'étendue de l'île de Montréal. Cet étalement urbain cause de sérieux problèmes de transport aux 20 millions de travailleurs qui se déplacent chaque jour.

Un grand nombre de travailleurs habitent des **banlieues** situées à des dizaines de kilomètres du **centre-ville**. Près du quart des usagers du transport en commun y passent plus de trois heures par jour pour se rendre au travail !

Se loger

Il existe un énorme déséquilibre entre les différents **quartiers** de Mexico. Les quartiers aisés, où s'étalent de luxueuses villas avec piscine, sont surtout situés dans l'ouest de la ville, autour du parc Chapultepec. Ces quartiers, fréquemment clôturés, sont surveillés en permanence. À l'opposé, la ville abrite d'immenses bidonvilles. Le plus grand bidonville, Netzahualcóyotl, est situé près de l'aéroport. Il s'étend sur environ 40 km^2. Près de trois millions de personnes vivent dans ce lieu, parfois désigné comme la deuxième plus grande « ville » du pays !

À Mexico, le nombre de logements est insuffisant et leur coût est trop élevé pour permettre aux milliers de nouveaux arrivants de trouver un abri. Ils construisent donc, souvent en quelques heures, de petites habitations où peuvent parfois s'entasser jusqu'à huit personnes.

9 Le séisme de 1985

À Mexico, lors du fort tremblement de terre de 1985, il y a eu près de 10 000 morts, et 50 000 immeubles ont été détruits. On a alors expulsé des milliers de personnes pour permettre la reconstruction de ces bâtiments. Par ailleurs, ce séisme a entraîné la construction de logements plus sécuritaires.

8 L'habitat précaire dans les bidonvilles

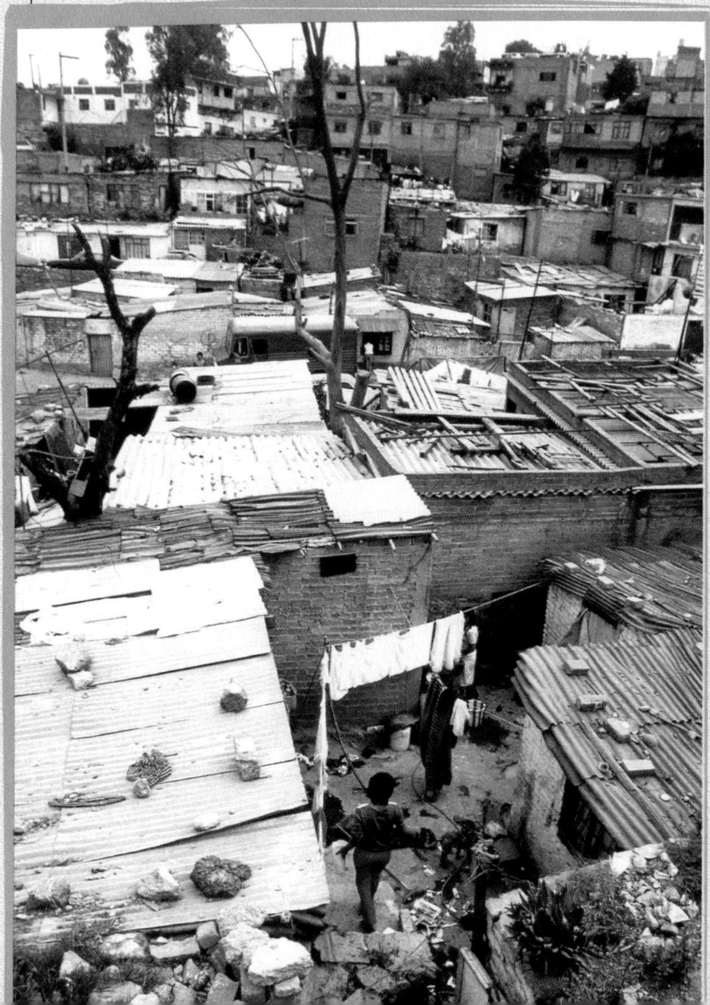

Des bidonvilles sont même construis sur les flancs du volcan Popocatépetl, à l'extrémité sud-est de la région métropolitaine. Les autorités ont fait installer des grilles pour empêcher les gens d'y ériger des habitations, mais certaines personnes n'ont pas d'autre choix. De plus, de nombreux habitants de Mexico vivent à proximité des dépotoirs.

Dans certains bidonvilles de Mexico, la densité de population atteint 250 000 hab./km^2.

Gérer les déchets

Plus de 15 000 tonnes de déchets sont produites chaque jour à Mexico, dont moins de 10 000 sont recueillies et traitées. Les déchets sont jetés dans des dépotoirs, où des gens fouillent en espérant trouver des objets à revendre, tandis que le reste se décompose sur place.

Des enjeux planétaires

S'approvisionner en eau

Mexico est la seule métropole au monde à ne pas être située près d'un cours d'eau ou d'un lac important. Les nappes d'eau souterraines des environs ne suffisent pas à satisfaire les besoins de la population.

Le réseau d'aqueduc, long de 11 000 km, est en très mauvais état : des fuites entraînent la perte de 40 % de l'eau du réseau. Les habitants des bidonvilles sont mal desservis en eau potable, car leur nombre croît plus rapidement que les améliorations du réseau. Ces derniers n'ont souvent d'autre choix que de boire de l'eau polluée par les rejets des dépotoirs.

À Mexico, les riches utilisent quotidiennement des centaines de litres d'eau. De leur côté, les pauvres des bidonvilles n'en reçoivent que quelques litres par jour, qui leur sont livrés par des camions-citernes. Près de 30 % de la population de Mexico n'a toujours pas accès à l'eau potable.

Vivre en santé

La situation de la ville de Mexico, érigée dans une plaine encerclée de montagnes et de volcans, entraîne des problèmes de santé. La pollution produite par les 130 000 usines et les 3,5 millions de véhicules qui parcourent chaque jour les 9 000 km de routes de la ville demeure emprisonnée entre les montagnes.

À cause de son **altitude**, il y a 20 % moins d'oxygène à Mexico qu'au niveau de la mer.

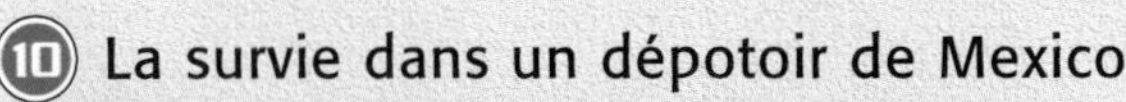

10 La survie dans un dépotoir de Mexico

11 L'approvisionnement en eau

Près de 30 % de la population de Mexico n'a toujours pas accès à l'eau courante.

Fréquemment, les autorités mexicaines émettent des avertissements de pollution élevée et conseillent à la population de demeurer à la maison. La pollution atmosphérique cause de graves problèmes respiratoires, oculaires et cardiaques qui atteignent particulièrement les enfants et les personnes âgées.

Pour réduire la pollution, le gouvernement a créé le programme *Hoy no circula* (« On ne circule pas aujourd'hui »), qui interdit aux automobilistes de circuler sur la route un jour par semaine, selon le numéro de plaque d'immatriculation de leur véhicule. Cette loi est cependant plus contraignante pour la classe moyenne, puisque les gens fortunés peuvent acheter une deuxième voiture, qui porte évidemment un numéro de plaque différent...

À Mexico, de nombreuses familles habitent dans des dépotoirs. Elles survivent en vendant les matériaux recyclables qu'elles trouvent sur place.

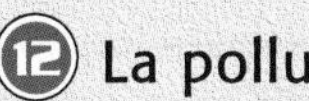

12 La pollution de l'air

La pollution atmosphérique serait responsable de 5 000 décès par année à Mexico.

New York	
Caractéristique	Plus grande métropole des États-Unis
Population	V: 8 millions RM: 21 millions
Superficie	V: 790 km² RM: 2 700 km²
Densité de population	V: 10125 hab./km² RM: 780 hab./km²
Origine ethnique de 90% de la population	Blancs: 35% Latino-Américains: 27% Noirs: 24,5% Asiatiques: 9,8% Autochtones, Métis et autres: 3,7%
Langues	Anglais (langue officielle du pays) et espagnol

États-Unis	
Population urbaine	77%
PIB/hab.	36 520 $
Espérance de vie moyenne	77 ans
Taux d'alphabétisation moyen	97% H: 97% F: 97%

V: Ville
RM: Région métropolitaine
H: Hommes
F: Femmes

Sources: *L'état du monde*, 2005; *CIA World Factbook 2004*; ONU; Ville de New York, *Department of City Planning*.

New York

Le territoire

New York est l'une des plus grandes **métropoles** du monde. La ville a été fondée en 1626 par des Hollandais, à l'embouchure du fleuve Hudson, sur la côte Est de l'Atlantique. Son développement est dû, entre autres, à la présence du port, l'un des plus importants de la planète. Comme l'eau y atteint une profondeur de 13 m, ce port est accessible aux plus grands navires.

Près de 21 millions de personnes vivent dans la région métropolitaine de New York. L'**étalement urbain** de New York et de ses **banlieues** atteint les États voisins, le Connecticut à l'est et le New Jersey et la Pennsylvanie à l'ouest.

① New York, la plus grande ville des États-Unis

CANADA
Montréal
Lac Ontario
VERMONT
MAINE
NEW HAMPSHIRE
NEW YORK
Albany
Fleuve Hudson
MASSACHUSETTS
CONNECTICUT
RHODE ISLAND
PENNSYLVANIE
New York
NEW JERSEY
OCÉAN ATLANTIQUE
LÉGENDE
Région métropolitaine de New York
Capitale d'État
Ville
Frontière internationale
Frontière nationale
N S E O
Échelle 0 100 200 km

② Central Park

Au cœur de Manhattan se trouve Central Park, un immense espace vert entouré de gratte-ciel. Le parc se trouvait autrefois à l'extérieur de New York, mais l'étalement rapide de la ville a provoqué l'encerclement de cet îlot de verdure.

La population

New York est une ville à forte **multiethnicité**. Les membres des communautés à revenus modestes sont groupés dans des ghettos, c'est-à-dire des lieux où ils vivent séparés des autres habitants de la ville. Dans les ghettos (Chinatown, Little Italy, Harlem et Brooklyn), la densité de population est très élevée. Pour leur part, les gens aisés habitent les **quartiers** chics de la ville (Upper East Side, Midtown, SoHo, Tribeca, Chelsea et Upper West Side).

3 Le port de New York et Manhattan

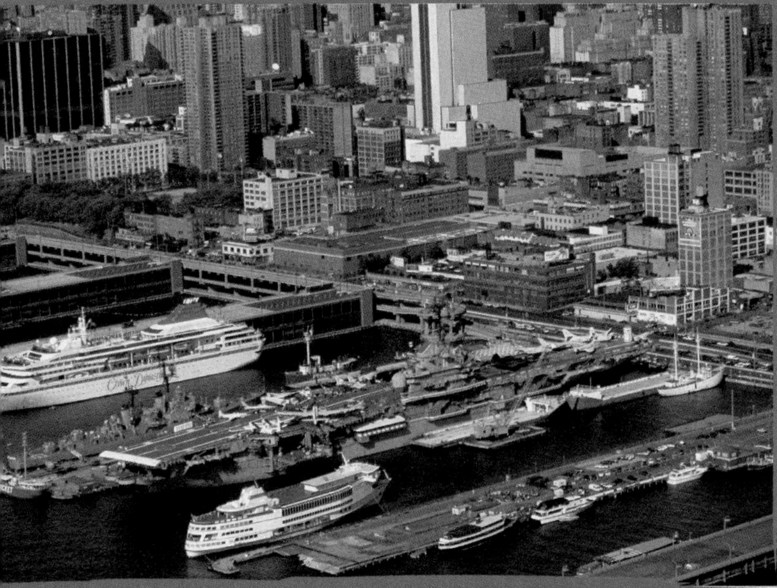

L'organisation de l'espace

L'**aménagement** de l'arrondissement de Manhattan s'est fait en forme de damier : les rues et les avenues numérotées s'y croisent presque toutes à angle droit (voir le document 9, p. 97).

Le pouvoir d'attraction et les régions environnantes

La région métropolitaine de New York est le premier centre industriel du pays. Des dizaines de milliers d'entreprises y emploient 3,3 millions de personnes. Des milliers de travailleurs qui habitent les États voisins vont travailler chaque jour à New York.

4 La croissance démographique dans la région métropolitaine de New York

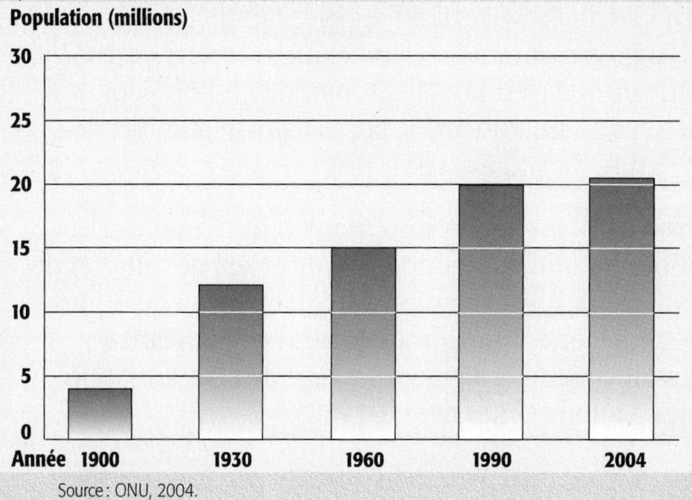

Source : ONU, 2004.

Le port de New York est une porte d'entrée pour les immigrants qui désirent s'établir aux États-Unis. Chaque année, 100 000 immigrants arrivent à New York pour y chercher du travail. Cette situation contribue en grande partie à l'augmentation de la population de la ville.

5 L'aménagement urbain à New York

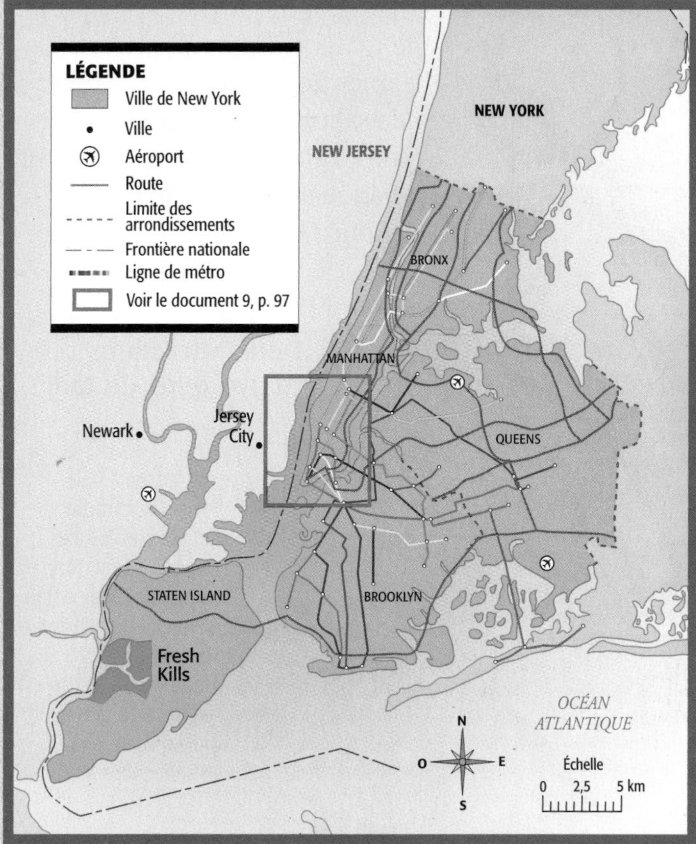

La ville de New York, située dans l'État de New York, est composée de cinq divisions administratives, les *boroughs* (arrondissements) : Brooklyn, Bronx, Manhattan, Queens et Staten Island. Le métro de New York, long de 368 km, compte 468 stations qui desservent 25 lignes.

Le rayonnement national et international

La ville de New York est appelée familièrement « La grosse pomme ». Cette expression viendrait du fait que c'est la ville du monde où l'on peut le plus aisément cueillir la plus grosse pomme dans « l'arbre du succès ».

New York est le plus important centre financier et diplomatique du monde. Les quartiers des affaires de New York, par exemple Wall Street, forment la plus grande **concentration** de banques de la planète. La ville abrite également le siège de l'Organisation des Nations Unies depuis 1952.

La ville de New York est desservie par trois aéroports internationaux, dont deux sont situés à New York et l'autre dans l'État du New Jersey.

New York abrite plusieurs universités prestigieuses (ex. : Université de New York) et constitue un important centre de la presse et de l'édition. De plus, la ville est le deuxième plus grand centre de l'industrie cinématographique du pays, après Los Angeles. La ville compte des dizaines de musées, de théâtres et de salles de spectacles (ex. : Canergie Hall) qui attirent chaque année des millions de touristes.

7A

7 Le drame du World Trade Center

Avant l'attentat du 11 septembre 2001, les deux tours du World Trade Center étaient les plus hautes de la ville (110 étages atteignant 420 m de hauteur). Ce jour-là, des terroristes ont détourné des avions et attaqué ces immenses tours, qui se sont écroulées. Cette tragédie a fait près de 3 000 victimes.

7B

Lors des attentats du 11 septembre 2001, le maire de la ville, Rudolph Giuliani, a dû gérer l'une des plus importantes crises de l'histoire des États-Unis.

6 Deux attractions touristiques de taille

6A

6B

Parmi les attractions touristiques les plus courues à New York, on compte la célèbre statue de la Liberté et l'Empire State Building. Ce gratte-ciel de 381 m est redevenu la plus haute tour de New York le 11 septembre 2001.

Des enjeux territoriaux

Se déplacer

Il est difficile de se loger à prix abordable dans la ville de New York. Des centaines de milliers de personnes résident donc en banlieue ou dans les États voisins. Ils passent plusieurs heures par jour en voiture ou dans les transports en commun pour se rendre à leur travail et en revenir.

L'île de Manhattan, où travaillent la plupart des gens, est reliée aux autres parties de New York et à l'État du New Jersey par huit ponts et tunnels. En 2003, près de 42 millions de véhicules ont emprunté le tunnel Holland et le tunnel Lincoln, qui relient Manhattan au New Jersey.

9 Au cœur de New York

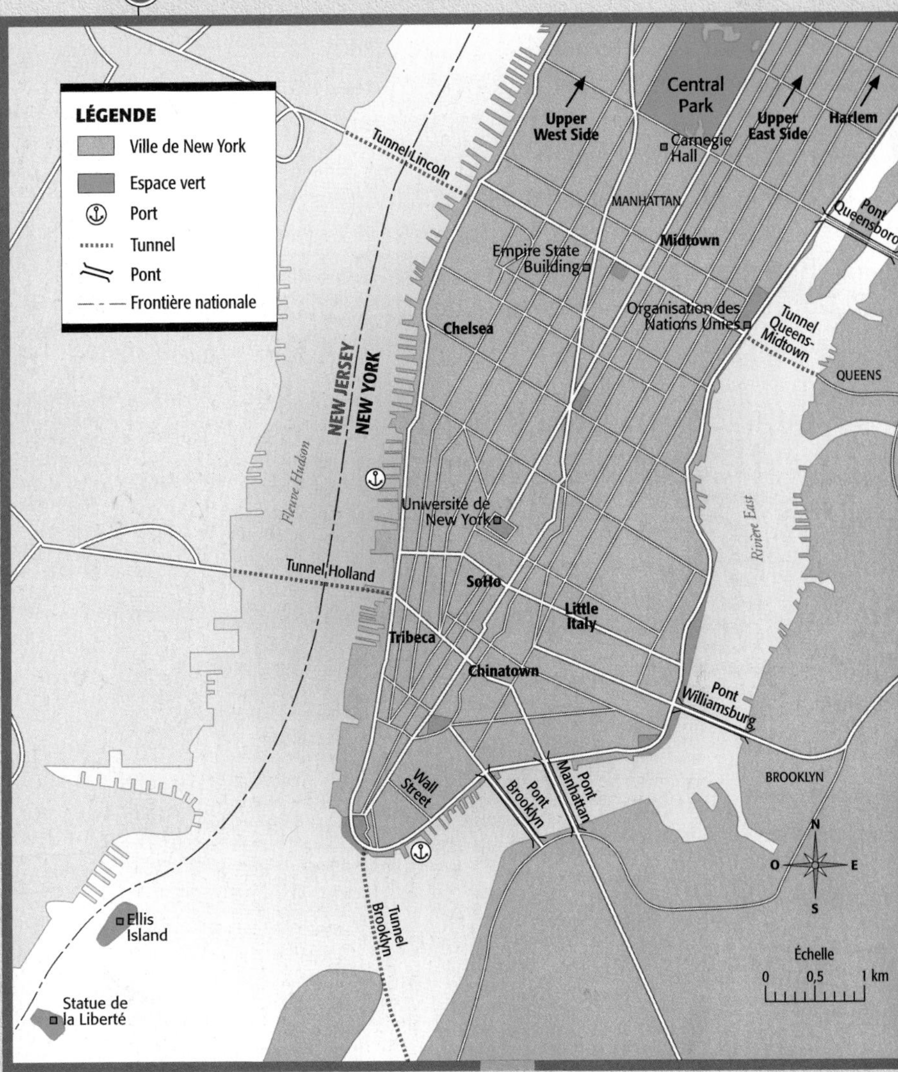

Les New-Yorkais utilisent le deuxième plus vieux métro de l'Amérique du Nord, après celui de Boston. Ce métro dessert tous les arrondissements, sauf Staten Island, qui est relié à la ville par un train de surface. Le métro effectue en moyenne près de 4 millions de déplacements par jour, soit 1,4 milliard par année.

8 Wall Street

Wall Street est une rue située au cœur du quartier des affaires de New York. La Bourse de New York, qui constitue le centre économique des États-Unis, est située dans cette rue.

Se loger

Louer un appartement de quatre pièces dans un quartier chic de New York peut coûter jusqu'à 14 000 $ CAN par mois ! Dans un quartier plus modeste, un logement coûte tout de même entre 2 500 $ et 3 500 $ par mois. Dans le quartier de Harlem, le prix des logements se situe entre 950 $ et 2 500 $ par mois. Ce quartier, situé au nord-est de Central Park, offre la plus grande **densité** de logements sociaux aux États-Unis.

10 Des logements à New York

11 Un sans-abri à New York

À New York, l'aide gouvernementale aux démunis est minime. Sur l'île de Manhattan, on compte environ 90 000 sans-abri.

Gérer les déchets

À cause de sa forte densité de population, New York fait face à de très graves problèmes économiques et environnementaux liés à la gestion des déchets. La ville produit plus de 15 500 tonnes de déchets domestiques par jour, soit une moyenne de 1,9 kg par personne ! La ville de New York débourse environ 1 milliard de dollars par année pour s'en débarrasser.

Il n'y a plus de dépotoirs à New York. La ville expédie ses déchets vers d'autres États, dont le New Jersey, la Virginie, l'Ohio et la Pennsylvanie, ce qui entraîne des coûts importants.

Pour réduire la quantité de déchets qu'elle produit, New York a envisagé plusieurs solutions, dont le recyclage. En 2000, la ville ne recyclait que 21 % de ses déchets, comparativement à 45 % à Los Angeles et à Chicago, et 60 % à Seattle et à Minneapolis.

Des enjeux planétaires

S'approvisionner en eau

Bien que New York soit l'une des plus grandes villes du monde, ses habitants ne connaissent pas de problèmes d'approvisionnement en eau. Le réseau de cette ville est composé de trois systèmes de réservoirs et de lacs qui peuvent contenir environ 2 195 milliards de litres. Cette quantité équivaut à 110 000 piscines olympiques! À New York, les réseaux de distribution sont liés entre eux. Ainsi, lorsqu'un problème survient, il est possible d'assurer rapidement un approvisionnement suffisant.

13 Le dépotoir de Fresh Kills

Ce dépotoir, fermé en 2001, couvrait plus de 12 km^2 et recevait 4 millions de tonnes de déchets par année. La hauteur des déchets atteignait plus de 130 m, soit 40 m de plus que la statue de la Liberté! Les autorités de New York prévoient investir 21 millions de dollars pour transformer ce site en parc.

12 New York dans le smog

Vivre en santé

Le **smog** occasionné par les automobiles et les industries cause plusieurs types de maladies, par exemple l'asthme, qui attaque les poumons. À New York, l'asthme est la principale cause d'absence à l'école et d'hospitalisation des enfants de moins de 14 ans. Dans cette ville, 700 000 adultes et 300 000 enfants souffrent de cette maladie.

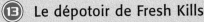

Sydney	
Caractéristique	Métropole de l'Australie
Population	V: 72 500 RM: 4,1 millions
Superficie	V: 11,7 km² RM: 12 150 km²
Densité de population	V: 1 025 hab./km² RM: 337 hab./km²
Origine ethnique de 90% de la population	Anglais, Irlandais, Italiens, Grecs, Vietnamiens, Chinois, Autochtones (180 ethnies)
Langues	Anglais (langue officielle du pays): 70% Mandarin: 9,5% Indonésien: 3,1% (plus de 140 langues)

Australie	
Population urbaine	91%
PIB/hab.	27 818 $
Espérance de vie moyenne	80,3 ans
Taux d'alphabétisation moyen	99,9 % H: 99,9 % F: 99,9 %

V: Ville
RM: Région métropolitaine
H: Hommes
F: Femmes

Sources: *L'état du monde*, 2005; *CIA World Factbook 2004*; ONU; Ville de Sydney, *Sydney Media*.

Sydney

Le territoire

La ville de Sydney a été fondée par des Britanniques en 1788. Le développement de cette ville est en partie dû à son port, le plus important du Pacifique Sud.

Autrefois, l'Australie était utilisée comme prison par l'Angleterre. Mais la beauté des lieux a incité d'autres personnes à s'y établir.

Au cours des années 1980, l'Australie a perdu 10 000 km² de territoire rural au profit de l'**étalement urbain**.

1 Sydney, la plus grande métropole de l'Australie

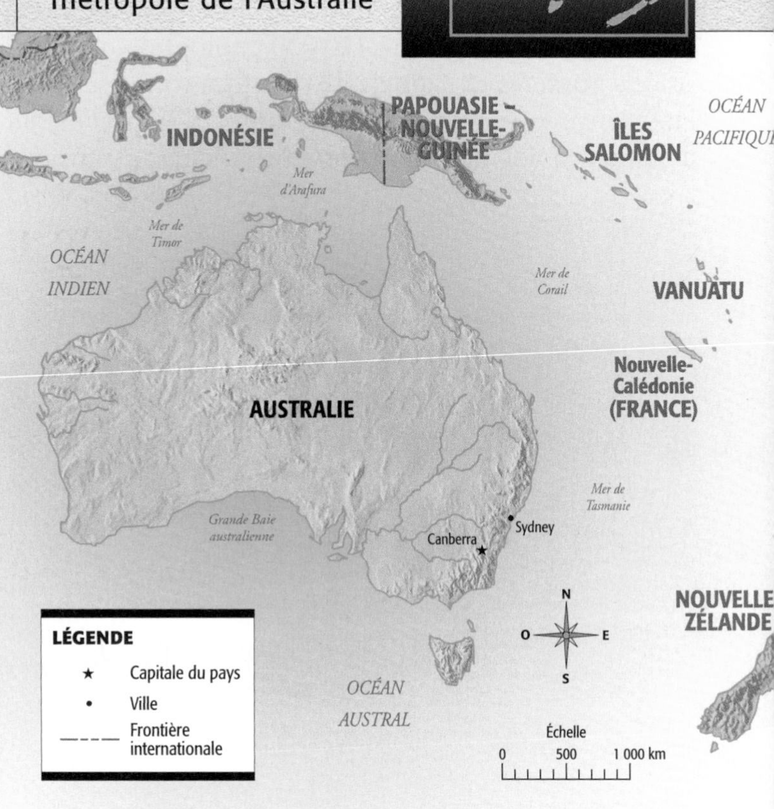

Sydney est située sur la côte Est de l'Australie, un pays qui fait partie de l'Océanie.

2 Les Hyde Park Barracks

À la prison Hyde Park Barracks, les prisonniers travaillaient autrefois pour le gouvernement britannique. Après avoir été laissé à l'abandon pendant une centaine d'années, ce grand bâtiment a été converti en musée portant sur la vie des prisonniers.

La population

La population de Sydney est multiethnique, comme dans presque toutes les grandes villes des pays industrialisés. Les aborigènes, descendants des premiers habitants de l'Australie, n'y représentent plus que 1 % de la population.

Si on la compare avec d'autres **métropoles** du monde, la population de la ville de Sydney est peu élevée. En 2002, elle ne comptait que 72 500 habitants, alors qu'elle n'était que de 40 000 habitants en 1991. Entre 1996 et 2001, la population de la ville a augmenté de 8 %.

Environ 98 % de la population de la région métropolitaine de Sydney habite en périphérie de la ville. La croissance de la population des **banlieues** est très rapide, ce qui entraîne l'étalement de l'espace urbain.

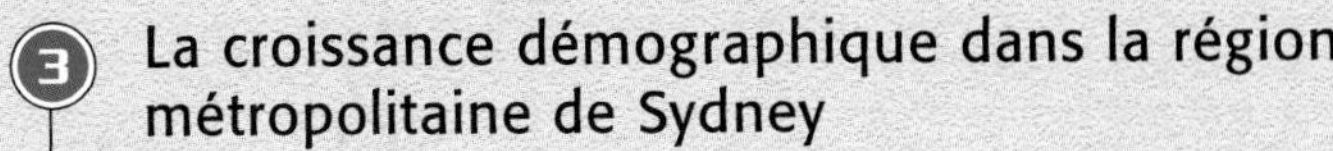

3 La croissance démographique dans la région métropolitaine de Sydney

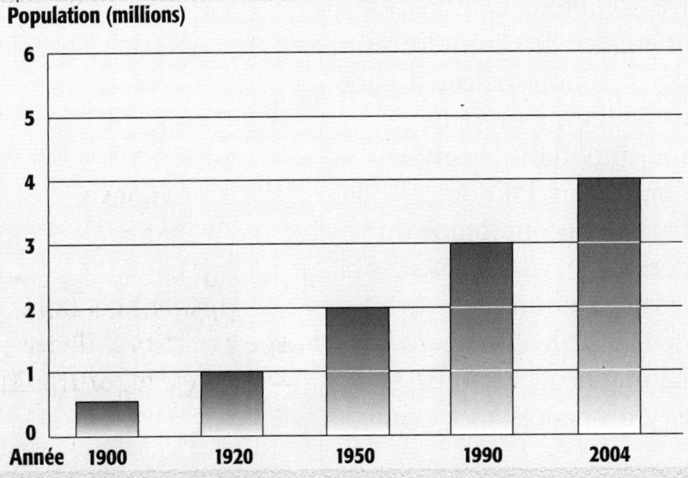

Sources : Greatest Cities, 2004 ; ONU, 2004.

4 L'aménagement urbain à Sydney

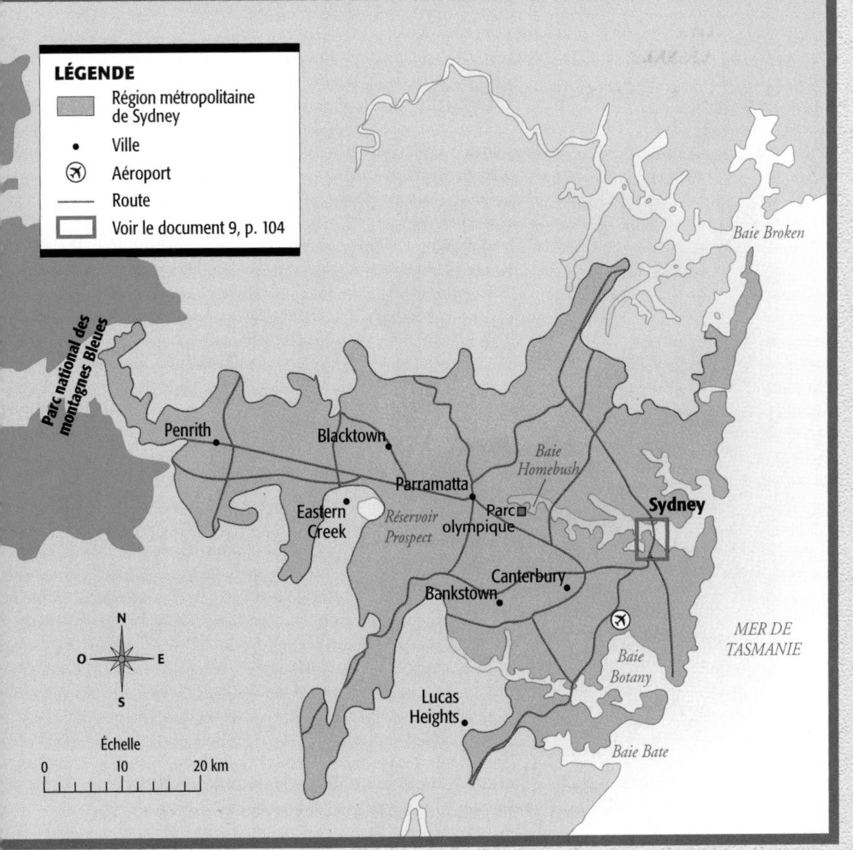

L'organisation de l'espace

Un plan d'**aménagement** réglemente le développement urbain de Sydney. Ce plan détermine aussi bien la hauteur des bâtiments et leur éclairage que la construction des balcons.

Le pouvoir d'attraction et les régions environnantes

De nombreux commerces et employeurs sont attirés par la région métropolitaine de Sydney, à cause de son important bassin de population. Près de 25 % de l'activité économique du pays se déroule à Sydney. La possibilité d'y trouver un meilleur niveau de vie incite également des habitants des régions environnantes à s'y établir.

5 Le port de Sydney

Le port de Sydney est l'un des endroits les plus populaires auprès des habitants de la ville. Ils viennent s'y reposer et y pratiquer diverses activités. Ce port s'étend sur une distance de 20 km à l'intérieur des terres.

Le rayonnement national et international

Bien que Canberra soit la capitale de l'Australie, c'est Sydney qui en est la **métropole** industrielle, commerciale, administrative et culturelle. En fait, 60 des 100 plus importantes entreprises de l'Australie ont leur siège social à Sydney.

Sydney abrite d'importants musées, dont la Galerie d'art de New South Wales et le Musée australien, un musée d'histoire naturelle.

Kingsford Smith, l'aéroport de Sydney, a accueilli 24 millions de passagers en 2003, dont 7,9 millions provenaient de l'extérieur du pays.

Sydney est un lieu privilégié du tourisme mondial. Les touristes y sont attirés par le climat exceptionnel, l'omniprésence de l'eau, les nombreuses plages d'où l'on peut voir les montagnes Bleues et la célèbre baie de Sydney, où s'élève l'Opéra de Sydney.

6 L'Opéra de Sydney

L'Opéra de Sydney, connu à travers le monde, est l'emblème de la ville. Son toit, dont les formes évoquent à la fois des voiles et des coquillages, rappelle l'origine maritime de Sydney.

Des enjeux territoriaux

Se déplacer

Les bouchons de circulation constituent un problème important pour les habitants de Sydney. Au cours des années 1980, le nombre d'automobiles s'est accru de 20 % alors que la population de la ville n'a augmenté que de 10 %. L'usage de l'automobile s'est amplifié, entre autres, à cause de la **croissance** de la population des **banlieues**, qui sont très étendues. Comme les banlieusards doivent parcourir de longues distances pour se rendre à leur travail au **centre-ville**, plusieurs préfèrent utiliser l'automobile plutôt que le transport en commun. À Sydney, les coûts du trafic routier (perte de temps, essence, stress, etc.) sont évalués à 2 milliards de dollars par année.

7 Le monorail de Sydney

En plus des trains électriques qui desservent la région métropolitaine de Sydney, un monorail circule dans le centre-ville.

8 Le parc olympique de Sydney

Le rayonnement international de Sydney a atteint un sommet lors de la tenue des Jeux olympiques d'été de 2000. Le parc olympique a été érigé près de la baie Homebush, située à 15 km de la ville.

Il n'y a pas de métro en Australie. Cependant, un réseau de transport en commun très développé contribue à diminuer le nombre d'automobiles sur le réseau routier de la région métropolitaine de Sydney. Ce réseau comporte des trains de banlieue, des trains légers électriques, des autobus et un monorail. Les trains de banlieue sont constitués de 17 lignes qui s'étalent sur 2060 km de voies, et 1500 wagons desservent ses 306 stations. Le réseau de trains de banlieue de Sydney est le plus complexe au monde : la coordination des arrivées et des départs constitue un véritable défi ! À lui seul, il est utilisé par plus de 900 000 passagers chaque jour.

Pour réduire la congestion automobile, la ville de Sydney a procédé à l'aménagement de nouveaux ponts et tunnels, par exemple le tunnel Harbour, qui traverse le port. La congestion a diminué, mais le nombre de véhicules a augmenté de 15 000 par jour. C'est la raison pour laquelle les autorités de la ville projettent d'améliorer le système de trains légers et d'instaurer un péage pour limiter l'accès au centre-ville.

Se loger

Il est difficile de trouver un logement à Sydney. Le nombre de logements disponibles n'y a pas augmenté aussi rapidement que la population. Sydney accueille 1 000 nouveaux habitants par semaine. Pour répondre à la demande, on construit chaque année 23 500 nouvelles résidences. Dans leur plan d'aménagement, les autorités municipales misent sur la construction d'habitations autour des réseaux de transport pour augmenter la densité au centre de la ville plutôt que de favoriser l'étalement.

À Sydney, les familles à revenu modeste ont accès à des logements à loyer modique.

Gérer les déchets

La région métropolitaine de Sydney produit 1,9 million de tonnes de déchets par année, soit une moyenne de 1,3 kg par personne par jour. Les déchets de la ville sont enfouis dans deux grands dépotoirs, Lucas Heights et Eastern Creek. On prévoit que ces dépotoirs seront bientôt remplis à pleine capacité. Des solutions sont à l'étude, par exemple la culture de bactéries qui absorberaient 99 % des déchets domestiques. Ces bactéries pourraient réduire le contenu d'un camion à ordures à la grosseur d'un sac à dos !

9 Au cœur de Sydney

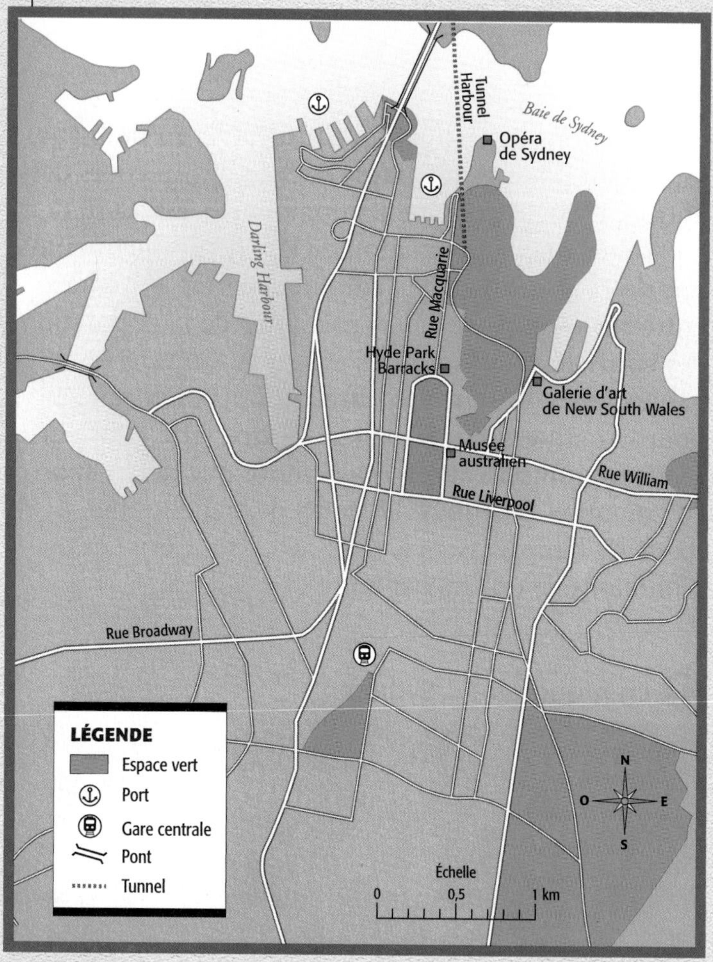

Des enjeux planétaires

S'approvisionner en eau

À Sydney, comme dans toute l'Australie, l'approvisionnement en eau constitue un grave problème. L'Australie est l'une des terres les plus sèches du monde. On y trouve quelques rivières, mais aucun grand fleuve. Les gouvernements ont fait construire un grand nombre de puits, de barrages et de canalisations pour tirer l'eau du sous-sol et l'expédier dans tout le pays. Cependant, malgré ces efforts, l'eau a fait l'objet d'un énorme gaspillage au cours du 20e siècle.

On a laissé à ciel ouvert des trous de forage, ce qui a entraîné la perte de 98 % de l'eau de pluie emmagasinée dans des nappes souterraines. De plus, la consommation de la population a augmenté de 12 % entre 1997 et 2000, car les habitants des villes ne tiennent pas compte de la grande sécheresse du pays. Par ailleurs, l'**agriculture** utilise chaque année plus des deux tiers de l'eau disponible.

Afin de limiter la consommation d'eau, les gouvernements ont imposé à la population un système de rationnement. Les gens doivent payer une forte amende lorsqu'ils ne respectent pas les normes de restriction d'eau. Pour réduire la consommation d'eau de 40 %, chaque nouvelle maison doit être construite en fonction de techniques de recyclage, par exemple l'évacuation de l'eau du bain dans les toilettes.

10 Un espace urbain agréable

Les autorités développent le cœur de Sydney en misant sur une architecture audacieuse, des places publiques et des voies piétonnières.

De plus, les autorités accordent des subventions aux personnes qui installent des citernes permettant de recueillir l'eau de pluie.

Dans l'ouest du pays, le gouvernement a entamé la construction d'une usine de dessalement de l'eau de mer, qui devrait fournir 17 % d'eau supplémentaire à la population. Cependant, la construction de cette usine sera très coûteuse (316 millions de dollars CAN) et très polluante (85 000 à 231 000 tonnes de dioxyde de carbone par année).

Vivre en santé

Les automobiles coincées dans les bouchons de circulation provoquent énormément de pollution atmosphérique à Sydney. Un grand nombre d'habitants de la ville souffrent d'allergies et de maladies respiratoires causées par la pollution qui provient des voitures et des industries. Les polluants sont concentrés dans la partie ouest de la région métropolitaine, qui est presque totalement encerclée par les montagnes Bleues. Cette barrière naturelle retient l'air pollué dans la ville.

11 Les montagnes Bleues

Les montagnes Bleues sont situées à quelque 100 km de Sydney. On y trouve des forêts d'eucalyptus, des koalas, des kangourous, etc. Ces montagnes tiennent leur nom de la brume bleutée dégagée par l'évaporation de l'huile des eucalyptus du parc national des montagnes Bleues, créé en 1959. Le site a été inscrit sur la liste du patrimoine mondial de l'**Unesco** en 2000.

Module 2

Le territoire agricole

Ce module t'invite à découvrir les territoires agricoles et à mieux comprendre les principaux enjeux auxquels ils sont liés.

Le **chapitre 1** décrit le territoire agricole national du Québec, un milieu où se jouent d'importants enjeux. Dans ce milieu, différents types d'activités agricoles sont pratiqués à l'intérieur d'espaces limités. De plus, le territoire agricole québécois est menacé par l'étalement urbain, particulièrement en périphérie de Montréal et de Québec.

Le **chapitre 2** traite de la situation mondiale de l'agriculture. Sous cet aspect, deux enjeux touchent la planète : les effets des méthodes de culture sur l'environnement et sur l'équilibre alimentaire de toutes les populations.

Enfin, la section **Dossiers** brosse un tableau qui te permet de mieux comprendre la réalité de deux autres territoires agricoles nationaux, ceux de la Californie et du Japon.

Saint-Denis-sur-Richelieu, au Québec

Qu'est-ce qui caractérise le territoire agricole ?

Table des matières

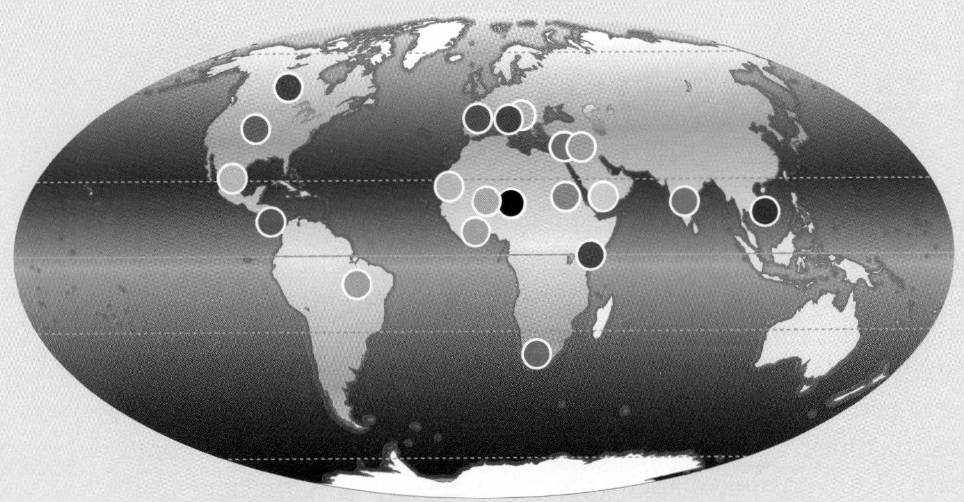

Pays mentionnés dans le chapitre 2

- Afrique du Sud
- Bosnie-Herzégovine
- Brésil
- Canada
- Côte-d'Ivoire
- États-Unis
- France
- Inde
- Israël
- Italie
- Jordanie
- Kenya
- Mali
- Mauritanie
- Mexique
- Niger
- Panama
- Soudan
- Viêtnam
- Yémen

Chapitre 2 La planète et ses enjeux 136

Concepts à l'étude

Territoire agricole

- Environnement
- Mise en marché
- Mode de culture
- Productivité
- Ruralité

Espace agricole national

- Distribution
- Équité
- Exploitation

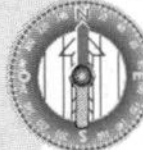

Ressources géo

Techniques à développer

Chapitre 1 Un territoire agricole et ses enjeux

A Le Québec

L'espace agricole national, c'est l'ensemble des terres qui peuvent être utilisées pour l'**agriculture** dans un pays. Cet espace est généralement constitué de terrains à faible relief où les sols sont fertiles et les conditions climatiques favorables. Les terres cultivables du Québec sont cependant limitées et doivent nourrir 7 millions de Québécois. Quels moyens doit-on prendre pour compenser la perte des terres agricoles sur lesquelles ont été établies des villes et des infrastructures ? Devrait-on privilégier les techniques qui améliorent le rendement ? Est-il possible d'augmenter le rendement sans affecter l'**environnement** ? Qu'est-ce qui te préoccupe dans ton alimentation ? La qualité des aliments ? Leur provenance ? La façon de cultiver les produits agricoles ? Les transformations qu'ils subissent ? Quelle est ta part de responsabilité dans l'industrie alimentaire ?

Ton défi

Fiche 2.1.1

Connais-tu bien l'agriculture québécoise?

Nomme trois produits agricoles québécois. Dans quelles régions du Québec produit-on des légumes ? du lait ?

Comme beaucoup de Québécois, tu as probablement eu de la difficulté à répondre à ces questions. Pourtant, une bonne partie de ce que nous mangeons provient du territoire agricole du Québec.

Dans le cadre d'une thématique scolaire portant sur l'alimentation, ton défi est de mieux faire connaître l'agriculture à des jeunes de ton âge et aux gens de ton milieu en les invitant à participer à un **jeu-questionnaire**. Ce jeu-questionnaire pourrait être présenté dans un stand, virtuel ou réel.

1. Choisis la forme de ton jeu-questionnaire (jeu de parcours, jeu-questionnaire destiné à deux équipes, questionnaire et interprétation des résultats, etc.).
2. Ton jeu-questionnaire devra comporter au minimum cinq questions dont au moins deux nécessiteront l'usage d'une carte géographique de ton choix et une sera liée à des informations que tu trouveras à l'extérieur de ton manuel. Évidemment, tu ne peux pas utiliser les questions de ton manuel !

Pour y arriver,

1. Repère les rubriques Ton défi – En marche (p. 113, 115, 119, 122) et fais les activités qui y sont proposées.

2. Consulte la section Ressources géo (p. 342) pour acquérir des techniques qui t'aideront à relever les défis proposés.
3. Consulte d'autres sources : atlas, cartes du Québec, sites Internet, etc.
4. Consulte la rubrique Ton défi – À l'œuvre ! (p. 123) pour finaliser ton jeu-questionnaire.

Le territoire agricole 

Fiche 2.1.2

Environnement : Cadre de vie comprenant des éléments naturels et humains.

Selon toi,

- pourquoi ne peut-on cultiver qu'une petite partie du territoire québécois ?

1 Le territoire agricole du Québec

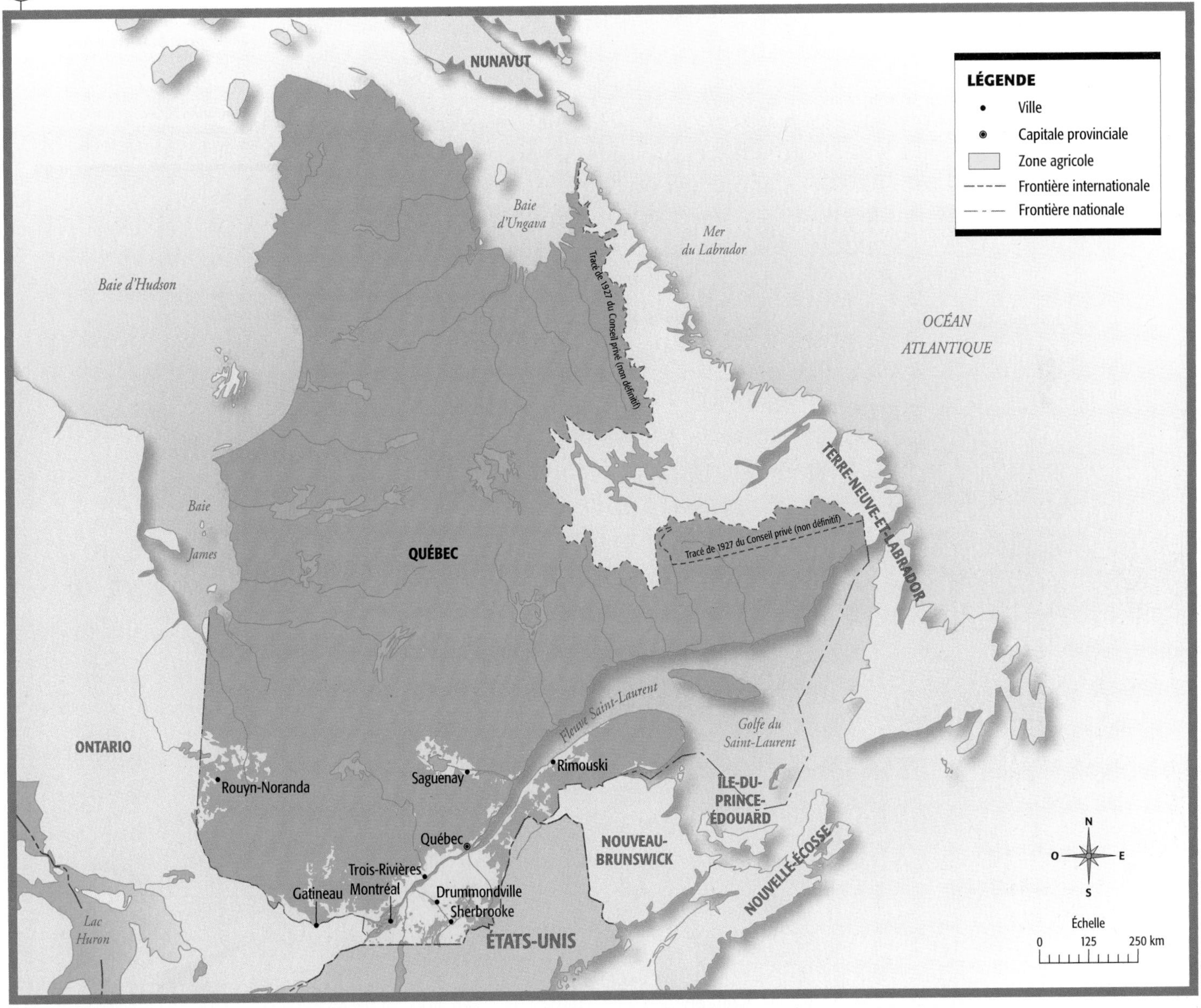

LÉGENDE
• Ville
◉ Capitale provinciale
Zone agricole
Frontière internationale
Frontière nationale

NUNAVUT
Baie d'Ungava
Mer du Labrador
Baie d'Hudson
OCÉAN ATLANTIQUE
Tracé de 1927 du Conseil privé (non définitif)
TERRE-NEUVE-ET-LABRADOR
Baie James
QUÉBEC
Fleuve Saint-Laurent
Golfe du Saint-Laurent
ONTARIO
Rouyn-Noranda
Saguenay
Rimouski
ÎLE-DU-PRINCE-ÉDOUARD
Québec
NOUVEAU-BRUNSWICK
NOUVELLE-ÉCOSSE
Trois-Rivières
Gatineau
Montréal
Drummondville
Sherbrooke
ÉTATS-UNIS
Lac Huron
N O E S
Échelle
0 125 250 km

L'espace agricole ne représente que 2 % de la vaste superficie du Québec (près de 1 700 000 km²).

Observe et construis 

a Où sont situées les terres agricoles au Québec ? Où sont-elles situées par rapport aux principales villes ?

2 Les régions physiographiques du Québec

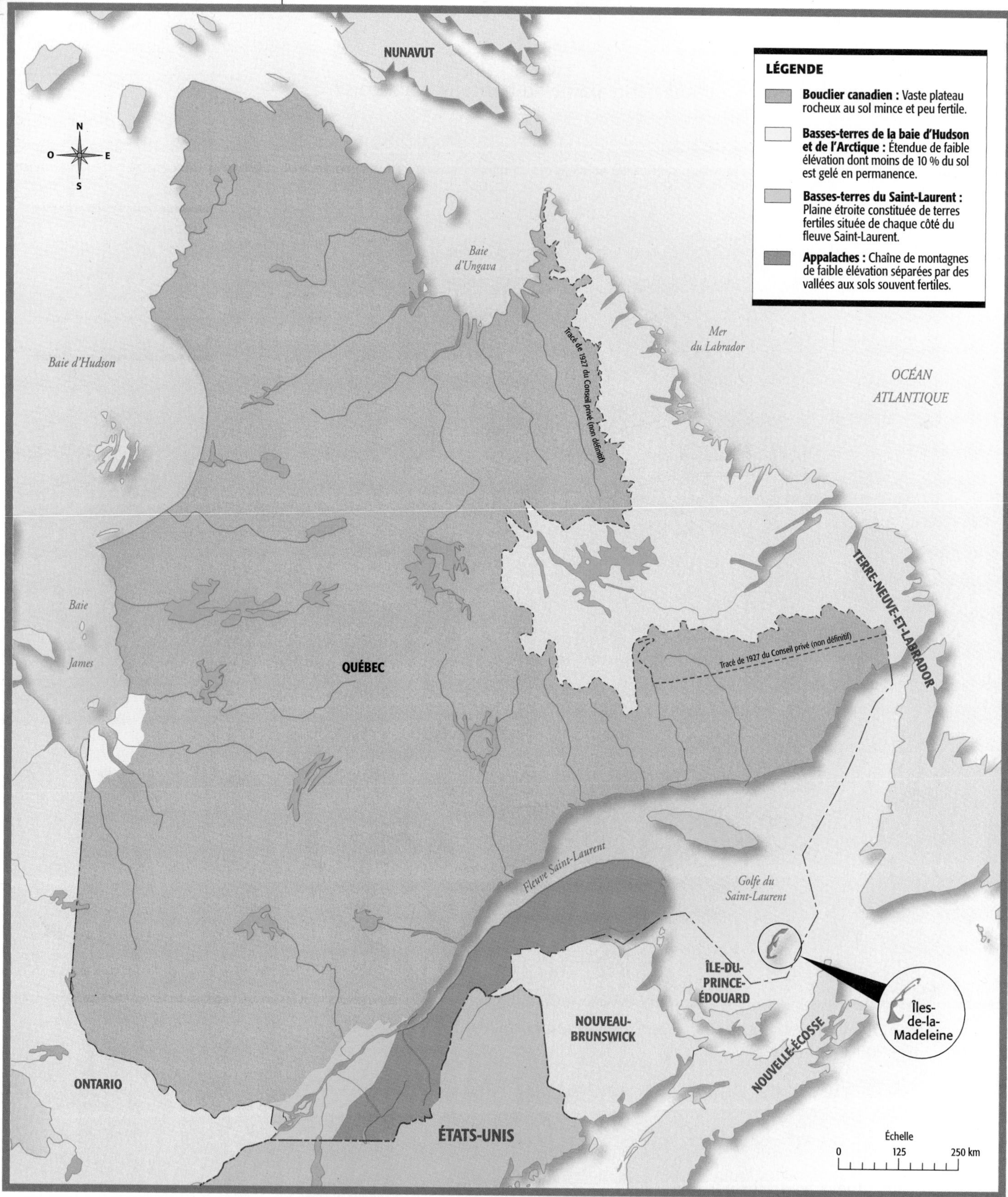

Une région physiographique est une portion de territoire caractérisée par une ressemblance d'éléments naturels (relief, hydrographie, végétation, sol).

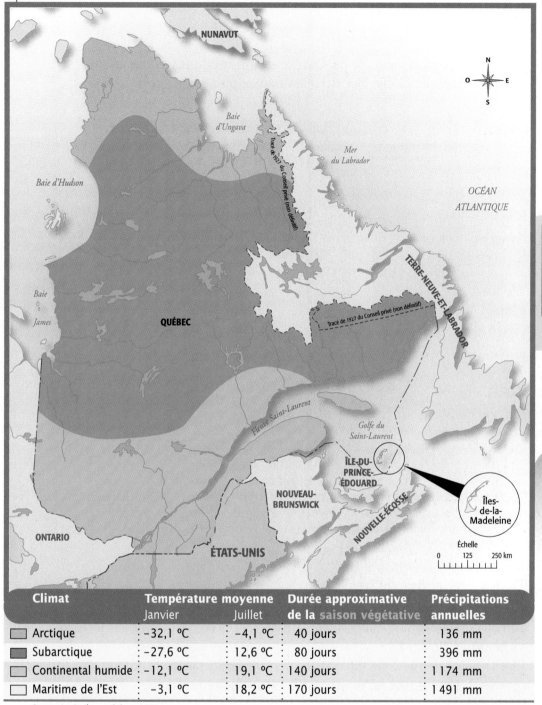

③ Les climats du Québec

Climat	Température moyenne Janvier	Juillet	Durée approximative de la saison végétative	Précipitations annuelles
Arctique	-32,1 °C	-4,1 °C	40 jours	136 mm
Subarctique	-27,6 °C	12,6 °C	80 jours	396 mm
Continental humide	-12,1 °C	19,1 °C	140 jours	1 174 mm
Maritime de l'Est	-3,1 °C	18,2 °C	170 jours	1 491 mm

Source : Le Québec statistique, 2002.

Sur le vaste territoire du Québec, on trouve quatre types de climat. Ces climats sont des sous-divisions des grandes zones climatiques de la Terre.

Saison végétative : Nombre de jours où la température atteint plus de 5 °C. Cette saison permet la pratique de l'agriculture si elle est d'une durée minimale de 100 jours.

Une mer nourricière

Il y a environ 10 000 ans, une mer a envahi les basses-terres du Saint-Laurent et y a déposé ses sédiments, des particules amenées par l'eau et le vent. Ces sédiments ont rendu le sol des basses-terres très fertile.

- Quel est le nom de cette mer ?

Ton défi

En marche

Rédige une ou deux questions liées aux caractéristiques du territoire agricole québécois.

Observe et construis  

b Pourquoi les terres agricoles sont-elles limitées au Québec ?

Le paysage agricole 

Selon toi,

- en quoi le paysage agricole du Québec s'est-il modifié avec les années ?
- en quoi est-il semblable à ce qu'il était autrefois ?

4 La division des terres en rangs

Lotbinière

5 La division des terres en cantons

Estrie

La division des terres adoptée par les premiers colons français est encore bien visible dans le paysage agricole québécois. La plaine du Saint-Laurent est presque entièrement divisée en rangs alignés sur les voies d'eau. L'Estrie, une région où l'agriculture a été développée par des colons d'origine anglaise, est divisée en cantons.

Canton : Mode de division des terres en carrés d'environ 16 km de côté.

Exploitation commerciale : Entreprise dont les produits sont destinés à l'industrie et à la vente.

Hectare (ha) : Unité de mesure agraire de 10 000 m^2, équivalente à la surface d'un terrain de soccer.

Patrimoine bâti : Constructions anciennes qui témoignent du mode de vie de nos ancêtres.

Productivité : Rendement par **hectare** de terre cultivée.

Rang : Mode de division des terres en lots rectangulaires longs et étroits (200 m × 2 000 m).

Ruralité : Espace caractérisé par une densité de population faible dont l'activité économique est dominée par la culture, l'élevage et la mise en valeur des forêts et des plans d'eau.

6 Des faits et des chiffres

Depuis les anciens modes de division des terres, le visage agricole du Québec a beaucoup changé.

- Depuis 1950, quelque 100 000 des 135 000 fermes familiales ont disparu.
- Entre 1981 et 2001, la superficie moyenne d'une ferme est passée de 78,6 à 106 hectares. Cette augmentation est due, entres autres, au fait que certains exploitants ont acheté les terres délaissées par d'autres agriculteurs.
- Même si le nombre de fermes a diminué, le nombre d'emplois a augmenté dans l'industrie agroalimentaire. Cette industrie groupe les activités de production, de transformation et de distribution des aliments. Actuellement, plus de 400 000 emplois sont liés à l'agroalimentaire, soit un travailleur sur huit. En 1950, près de 233 000 personnes travaillaient dans ce secteur.
- En 2003, la culture et l'élevage ont rapporté 5,8 milliards de dollars. En 1950, le revenu de ce secteur économique était de 376 millions de dollars.

Source : Institut de la statistique du Québec, 2004.

7 Le paysage rural traditionnel

L'auteur de cette œuvre intitulée *La moisson*, Marc-Aurèle de Foy Suzor-Coté, est un artiste reconnu pour ses tableaux qui représentent la **ruralité** québécoise au début du 20e siècle. Dans quelques-unes de ses œuvres, ce peintre présente des paysages agricoles, des bâtiments typiques du **patrimoine bâti** des fermes québécoises ainsi que des aspects du mode de vie traditionnel.

Ton défi

En marche

Nomme un aspect de l'agriculture québécoise qui a changé et un aspect qui est demeuré semblable à ce qu'il était autrefois. Compose une ou deux questions qui mettront chacun de ces aspects en évidence.

8 Le paysage agricole moderne

Autrefois, la famille qui vivait à la ferme produisait surtout pour satisfaire ses propres besoins. Aujourd'hui, l'équipement moderne permet aux agriculteurs d'augmenter la **productivité** de leur ferme. Un grand nombre de fermes québécoises sont devenues des **exploitations commerciales** spécialisées dans un ou deux types de produits agricoles. La plus grande partie de la production de ces fermes est destinée à la vente.

Observe et construis 4 5 6 7 8

a Fais un croquis de la division des terres en observant les documents 4 et 5.
b Quels avantages vois-tu à chaque mode de division des terres?
c Quels changements sont survenus dans l'agriculture québécoise au cours du 20e siècle?

La production agricole

Fiche 2.1.4

Selon toi,

- que produit-on dans les fermes québécoises ?
- quels types de fermes trouve-t-on au Québec ?

9 La ferme laitière

Sainte-Julie

La ferme laitière est la plus répandue dans le paysage rural québécois. Elle se compose généralement d'une maison, d'un silo à ensilage ❶, d'un silo à grains ❷, d'une étable ❸ et d'une laiterie ❹. Dans une ferme laitière, on pratique une **agriculture mixte** : on élève des vaches pour le lait et on cultive des champs de foin et d'autres céréales (ex. : maïs, soya) pour nourrir les animaux. Certaines fermes laitières ont aussi des terres consacrées à la **culture maraîchère**.

Dans cette ferme laitière, il y a environ 200 vaches.

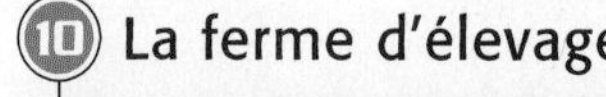

10 La ferme d'élevage

Agriculture mixte : Agriculture consacrée à la fois à la culture (ex.: céréales) et à l'élevage (ex.: porcs).

Culture maraîchère : Culture des légumes.

Saint-Roch-de-l'Achigan

La ferme d'élevage se consacre à la production animale. Ses installations incluent une étable (porcherie, poulailler, etc.) et une pouponnière pour les jeunes animaux.

Dans cette ferme, chaque poulailler abrite environ 10 000 poulets.

⑪ La ferme à grains

Dans une ferme à grains, on cultive principalement des céréales (maïs, orge, soya, etc.). Les bâtiments et l'équipement motorisé comprennent généralement un silo à grains ❶, un séchoir à grains ❷ et une moissonneuse-batteuse ❸.

Saint-Polycarpe ●

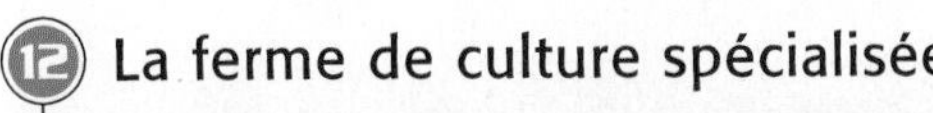

⑫ La ferme de culture spécialisée

La ferme de culture spécialisée se consacre à une culture en particulier. On y cultive surtout des légumes, des fruits, du tabac, des fleurs et des arbustes (pépinières) dans des serres ou des champs.

Cette serre produit 228 000 tomates par semaine, de quoi remplir trois camions-remorques !

Danville ●

L'acériculture et l'aquaculture

Trouve de l'information sur ces deux types de culture.

- En quoi consiste chacune de ces cultures ?
- Quelle est leur importance dans la production québécoise ?

Observe et construis ⑨ ⑩ ⑪ ⑫

a Fais un croquis pour représenter les principaux bâtiments agricoles que l'on trouve sur une ferme laitière.

b Quels bâtiments sont associés à l'agriculture dans le paysage agricole québécois ?

c Qu'est-ce qui permet de dire que les fermes de ces deux pages sont des exploitations commerciales ?

13 Les principales productions agricoles du Québec

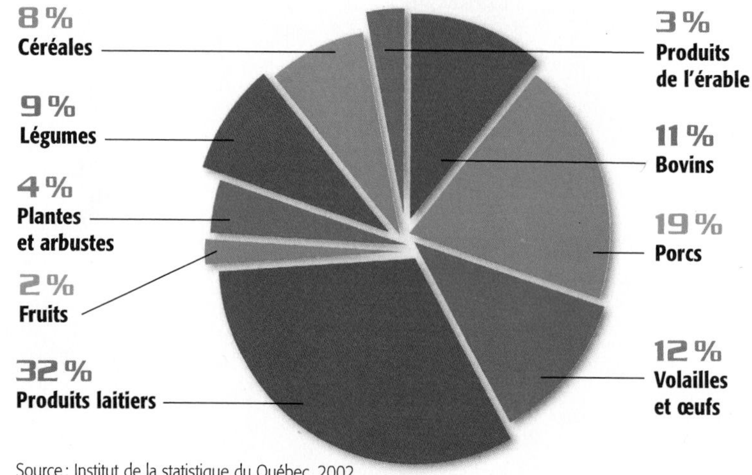

Source : Institut de la statistique du Québec, 2002.

arobas

Des organismes agricoles

Les agriculteurs québécois sont représentés par deux organismes qui leur permettent de faire entendre leurs revendications et de défendre leurs droits.

- Comment se nomment ces organismes ?
- Quelles sont les caractéristiques de chacun d'eux ?

14 Les régions administratives du Québec

Mode de culture : Ensemble des techniques utilisées en agriculture. Lorsque le mode de culture vise un rendement élevé, on l'appelle agriculture intensive. Quand il est peu productif, on le désigne sous le nom d'agriculture extensive.

Région administrative : Division du territoire québécois en fonction de ses particularités sociales et culturelles.

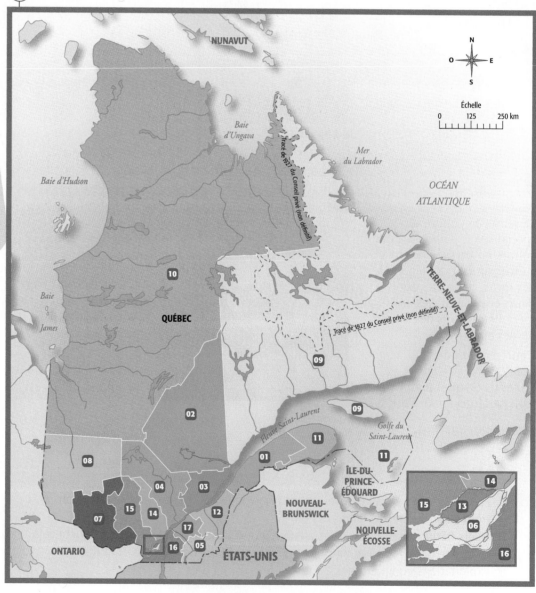

Aujourd'hui, au Québec, l'**agriculture** est pratiquée de façon intensive. C'est le cas de la culture des légumes, de certaines céréales (maïs-grain) et de l'élevage laitier. Ce mode de culture vise une production maximale en utilisant des engrais, de la machinerie, des procédés modernes d'**irrigation**, etc. Il est souvent pratiqué sur les terres où les surfaces cultivables sont limitées, mais fertiles.

⑮ Les ~~cinq~~ douze principales productions agricoles de chaque région administrative

Région administrative	Bovins, veaux	Porcs	Volailles	Lait	Œufs	Fruits	Produits forestiers	Légumes	Pommes de terre	Céréales	Produits de l'érable	Plantes et arbustes
01 Bas-Saint-Laurent	$	$		$$$						$	$	
02 Saguenay–Lac-Saint-Jean	$			$$		$			$	$		
03 Capitale-Nationale		$	$	$$				$	$			
04 Mauricie	$	$	$	$$						$		
05 Estrie	$	$$		$$$$			$				$	
06 Montréal												
07 Outaouais	$			$			$			$		$
08 Abitibi-Témiscamingue	$			$	$		$					$
09 Côte-Nord	$			$		$	$					$
10 Nord-du-Québec	$			$		$	$					$
11 Gaspésie–Îles-de-la-Madeleine	$			$					$	$		$
12 Chaudière-Appalaches	$$	$$$$$	$$	$$$$$							$$	
13 Laval				$		$		$		$		$
14 Lanaudière		$$	$$$	$$				$		$		
15 Laurentides	$			$				$		$		$
16 Montérégie		$$$$$	$$$	$$$$$				$$$		$$$$$		
17 Centre-du-Québec	$	$$$	$	$$$$$						$$		

$$$$$ 200 000 000 $ à 313 333 000 $ · $$$$ 150 000 0000 $ à 199 999 999 $ · $$$ 100 000 000 $ à 149 999 999 $ · $$ 50 000 000 $ à 99 999 999 $ · $ Moins de 50 000 000 $

Source : Profil régional de l'industrie bioalimentaire au Québec, 2002.

Plus de 85 % de la production totale du Québec provient de fermes situées à proximité d'un grand centre urbain comme Montréal ou Québec.

Observe et construis   

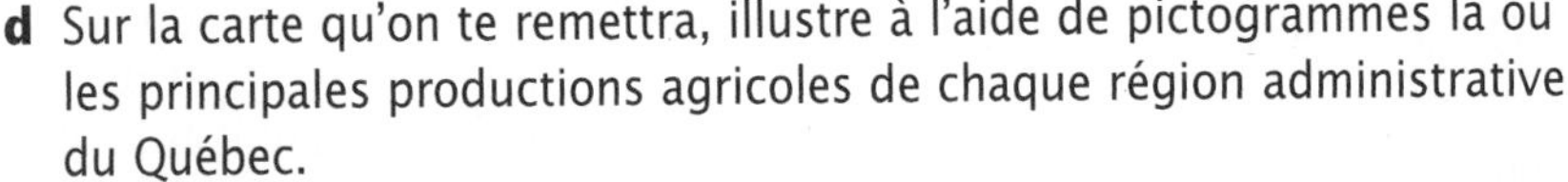

d Sur la carte qu'on te remettra, illustre à l'aide de pictogrammes la ou les principales productions agricoles de chaque région administrative du Québec.

e Quelles observations peux-tu faire sur les principales productions agricoles du Québec ? sur les productions dominantes ? sur la diversité des productions agricoles ?

f Pourquoi les régions de la Chaudière-Appalaches et de la Montérégie sont-elles les zones de production les plus importantes et les plus diversifiées du Québec ?

g Quelles productions représentent la plus grande part des revenus agricoles du Québec ?

Ton défi

En marche

Quelles données t'ont fait grande impression dans cette partie ? Utilise ces données pour rédiger une ou deux questions portant sur la production agricole du Québec.

La mise en marché

Selon toi,

- quelle est l'importance de l'agriculture dans l'économie québécoise?
- quels pays du monde achètent des produits agricoles québécois?
- quels produits agricoles le Québec achète-t-il d'autres pays?

arobas

Les quotas et la consommation de lait

Des quotas de production sont déterminés pour éviter les surplus et les pénuries de lait. Ces quotas sont fixés par la Régie des marchés agricoles et alimentaires, qui établit aussi le prix du lait.

- Quel prix la Régie a-t-elle établi pour un litre de lait 2%?
- Combien de litres de lait consomme en moyenne chaque personne qui habite le Québec?

16 Le parcours du lait

16 A On trait les vaches deux fois par jour avec une trayeuse automatique.

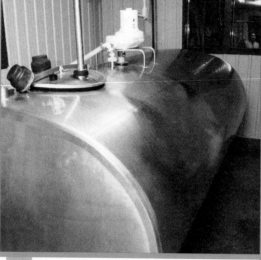

16 B Le lait est acheminé vers des cuves réfrigérées, où il demeure pendant un jour ou deux.

16 C Le lait est transféré dans un camion-citerne réfrigéré. Tous les jours, plus de 300 camions-citernes parcourent les routes québécoises pour recueillir le lait. Chaque année, près de 3 milliards de litres de lait sont produits par quelque 8 000 fermes laitières du Québec.

Distribution : Ensemble des opérations (chargement, transport, livraison, etc.) effectuées par les producteurs ou par les intermédiaires (grossistes, marchands, épiciers, etc.) pour acheminer des produits et des services aux consommateurs.

Homogénéisation : Procédé par lequel on répartit le gras dans le lait en empêchant la séparation de ces deux composantes.

Mise en marché : Ensemble des opérations (emballage, publicité, distribution, etc.) nécessaires à la vente de produits ou de services.

Pasteurisation : Procédé par lequel on purifie le lait et prolonge sa période de conservation.

L'étiquetage

L'étiquetage d'un produit alimentaire sert à informer les consommateurs. Cette opération est réglementée : les fabricants sont tenus d'indiquer les éléments qui entrent dans la fabrication des aliments ainsi que leur teneur en protéines, en glucides et en matières grasses.

- Choisis un aliment que tu consommes régulièrement et note ses éléments constituants et sa teneur en protéines, en glucides et en matières grasses.

17 Des faits et des chiffres

Plusieurs étapes sont nécessaires pour amener les produits agricoles à notre assiette.

- La transformation des aliments se fait en retirant certains éléments (gras, fibres végétales, bactéries, etc.) et en en ajoutant (colorant, conservateur, diluant, coagulant, parfum synthétique, nutriments de synthèse, etc.).
- L'emballage, l'une des étapes de la **mise en marché**, protège les produits agricoles et facilite leur manutention, leur transport, leur stockage et leur présentation. En 40 ans, le nombre de produits agricoles emballés a augmenté de 80 %.
- Près d'un million de tonnes d'emballages alimentaires sont utilisés chaque année au Québec, dont 70 % se retrouvent dans nos poubelles.
- Les visites des Québécois à l'épicerie nécessitent l'utilisation de 13 millions de sacs de plastique par semaine et génèrent chaque année 200 kg de déchets par habitant.
- La plupart des aliments qui se trouvent dans notre assiette ont franchi en moyenne 2 400 km.
- Au Québec, un tiers des camions qui circulent sur les routes transportent des aliments.

Sources : Mapaq, 2001 ; RECYC-QUÉBEC, Oxfam-Québec, 2002.

16D À son arrivée à l'usine de transformation, le lait est divisé en lait écrémé et en crème. Il est ensuite soumis à la **pasteurisation** et à l'**homogénéisation**. Environ 25 % du lait est mis dans des bouteilles, des sacs ou des cartons.

16E Au Québec, trois grandes entreprises transforment près de 80 % du lait en d'autres types de produits laitiers.

16F La **distribution** des produits du lait est ensuite faite aux épiceries et aux supermarchés. Au Québec, les producteurs laitiers doivent posséder un permis qui détermine leurs quotas, c'est-à-dire le nombre de litres de lait qu'ils peuvent vendre.

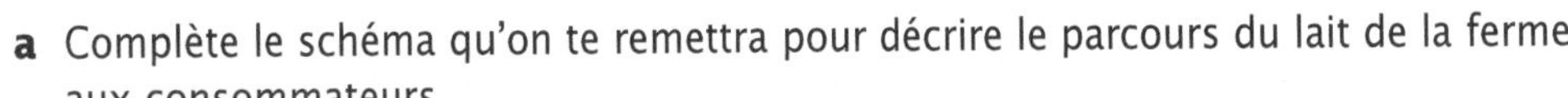

Observe et construis 16 17

a Complète le schéma qu'on te remettra pour décrire le parcours du lait de la ferme aux consommateurs.
b Explique pourquoi la ferme laitière fait partie de l'industrie agroalimentaire.
c Quels sont les impacts du transport sur l'environnement ? sur le coût des produits ?
d À ton avis, à quelle étape fait-on l'étiquetage des produits ? la publicité ?
e Qu'arriverait-il si toutes les familles québécoises consommaient plus de produits alimentaires locaux que de produits étrangers ?

En 2001, les **exportations** agricoles québécoises ont rapporté 3,3 milliards de dollars.

Exportation : Vente de produits à d'autres pays.
Importation : Achat de produits à d'autres pays.

(18) Les principales exportations agricoles du Québec

4,9 % Légumes
4,9 % Produits laitiers
5,0 % Miel, produits de l'érable et sucre
5,9 % Produits céréaliers
6,0 % Boissons
9,1 % Autres produits agricoles et alimentaires
11,4 % Cacao, café et thé
30,4 % Viandes (bœuf, porc, volaille, mouton, agneau)
22,4 % Préparations alimentaires diverses

Source : Institut de la statistique du Québec, 2003

(19) Les principales importations agricoles du Québec

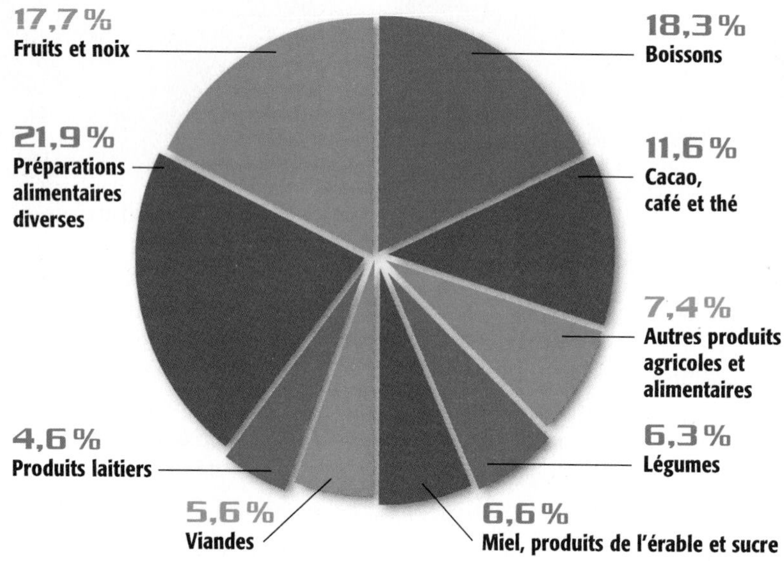

Source : Institut de la statistique du Québec, 2003.

En 2001, les **importations** québécoises ont coûté 2,9 milliards de dollars. Certains produits sont importés pour la consommation locale, alors que d'autres (ex. : cacao, café, thé) sont transformés pour être ensuite exportés.

(20) L'exportation des produits de la pêche

En 2001, la plus grande partie des prises du Québec a été exportée vers trois destinations : 83 % aux États-Unis, 8 % au Japon et 6 % en Union européenne.

Observe et construis   

f Quelle est la principale exportation agricole du Québec ? la principale importation ?

Ton défi

En marche

Rédige une ou deux questions mettant en évidence les étapes de transformation du lait ou les importations et les exportations du Québec.

Ton défi

À l'œuvre !

Il est maintenant temps de revoir tes questions et de préparer ton jeu-questionnaire.

1. Assure-toi que chacune des questions est accompagnée de quatre réponses parmi lesquelles une réponse est bonne et trois sont mauvaises, mais plausibles.
2. Note le corrigé de tes questions pour que les visiteurs de ton stand puissent faire le compte de leurs bonnes réponses et en apprendre davantage sur l'agriculture.
3. Révise les informations données sur ta carte. Assure-toi d'avoir un titre lié au contenu de ta carte et une légende compréhensible.
4. Assure-toi que la réponse à au moins une question ne figure pas dans ton manuel et que toutes les autres réponses s'y trouvent.
5. Joins tes questions ou celles de ton équipe aux questions des autres équipes. Groupez-les par sujets et soignez la présentation de votre jeu-questionnaire.
6. Testez votre jeu-questionnaire auprès d'autres équipes de la classe et de personnes de votre entourage.

DOSSIERS

Ailleurs

À l'aide de la section Dossiers du module 2 (p. 174 ou 180), compare l'agriculture du Québec avec celle de la Californie ou du Japon. Tiens compte du territoire, du paysage et des principales productions agricoles. En quoi ces territoires sont-ils semblables à celui du Québec? En quoi sont-ils différents de celui du Québec?

Synthèse

Pour faire le point sur ce que tu as appris dans cette partie du chapitre 1, réponds de nouveau aux questions des « Selon toi » ou construis un schéma organisateur :

Territoire agricole national
- Quel territoire couvre-t-il? Pourquoi ?
- À quoi ressemble-t-il?
- Qu'est-ce qui y est produit?
- Comment se fait la mise en marché?
- Qu'est-ce qui est importé?

Bilan

1. Comment décrirais-tu l'agriculture québécoise à quelqu'un qui n'a jamais visité le Québec?
2. Comment as-tu procédé pour choisir les questions de ton jeu-questionnaire?
3. Pour relever ce défi, qu'est-ce que tu as fait avec de l'aide? sans aide?
4. Que ferais-tu autrement si tu avais à refaire une activité semblable?
5. Quelles difficultés as-tu éprouvées en faisant cette activité? Comment les as-tu surmontées?
6. Dans la réalisation de ce défi, comment qualifierais-tu ta participation au travail d'équipe?

B Des enjeux territoriaux

Les premiers colons se sont établis sur les terres fertiles à faible relief qui longent le fleuve Saint-Laurent. Avec le temps, les villes et les infrastructures ont occupé une partie de plus en plus grande du territoire agricole. Comme ce territoire est très limité, les zones agricoles québécoises font l'objet d'importants enjeux.

Les agriculteurs doivent fournir à la population une grande quantité de produits alimentaires variés et de bonne qualité. Pour y arriver, ils pratiquent différentes formes d'exploitation du sol. Certains conflits en résultent, car des fermes industrielles voisinent de petites entreprises artisanales. Par ailleurs, les bonnes terres sont aussi convoitées par des citadins. Chaque année, l'**étalement** urbain recouvre d'asphalte, de béton et d'habitations de grandes superficies de terres cultivables.

Ton défi

Fiche 2.1.10

Un sondage d'opinion

En plus d'en apprendre davantage sur l'agriculture au Québec, les visiteurs de ton stand apprécieront le fait d'être sensibilisés aux enjeux du monde agricole.

Ton défi consiste à faire une présentation d'un des deux enjeux présentés ci-contre, à donner ton opinion et, à l'aide d'un sondage, à demander aux visiteurs s'ils partagent ou non ton point de vue.

Une fois l'enjeu choisi,

1. Note ce que tu sais de cet enjeu.
2. Utilise un tableau semblable à celui ci-dessous pour t'aider à présenter cet enjeu. Sers-toi aussi des documents liés à cet enjeu.
3. Rédige ensuite un texte qui exprime ton opinion en te servant de la démarche présentée dans la rubrique Ton défi – À l'œuvre! (p. 135).

Enjeu choisi :		
Ce que j'en sais :	Mon opinion :	
Renseignements trouvés		**Sources**
Aspects importants du problème :		
Causes du problème :		
Solutions possibles 1. 2. 3.	Personnes en faveur de cette solution	Raisons
Maintenant, mon opinion est :		

Enjeu 1

Protéger le territoire agricole

Au cours des années 1950 et 1960, la **banlieue** s'est progressivement étalée sur des terres agricoles. Depuis cette époque, le Québec a perdu, en moyenne, 9 500 **ha** de terres agricoles par année.

Le gouvernement devrait-il prendre des mesures supplémentaires pour protéger le territoire agricole?

page 126

Deux enjeux liés au territoire agricole

Enjeu 2

Partager le territoire agricole

De plus en plus de fermes sont devenues des entreprises commerciales. Ces entreprises créent un grand nombre d'emplois et constituent une importante source de revenus. La présence de ces grandes entreprises à proximité de petites fermes ou de **quartiers** résidentiels provoque cependant des tensions, car les intérêts en cause sont parfois opposés.

Devrait-on limiter le nombre et la taille des fermes industrielles? Pourquoi?

page 130

Enjeu 1

Protéger le territoire agricole

La réduction du territoire agricole

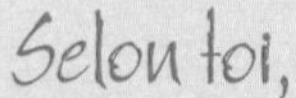

- pourquoi la superficie du territoire agricole a-t-elle diminué au Québec?
- dans quelle partie du Québec y a-t-il eu une importante diminution du territoire agricole?

Fiche 2.1.12

Les autoroutes du Québec
Pour mieux comprendre cet enjeu, réponds aux questions suivantes à l'aide de la carte du réseau routier du sud du Québec qu'on te remettra.

- Combien d'autoroutes traversent le Québec?
- Vers quelle ville ou quelle partie du Québec convergent la plupart des autoroutes?
- Combien d'entre elles sillonnent la région métropolitaine de Montréal?
- Au Québec, quel type de territoire est traversé par des autoroutes entre deux villes?

Région métropolitaine de recensement (RMR): Région composée d'un très grand centre urbain et de régions urbaines et rurales adjacentes. La population d'une RMR compte au moins 100 000 habitants.

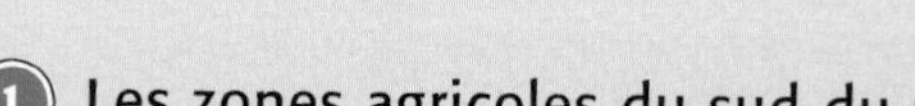

1 Les zones agricoles du sud du Québec

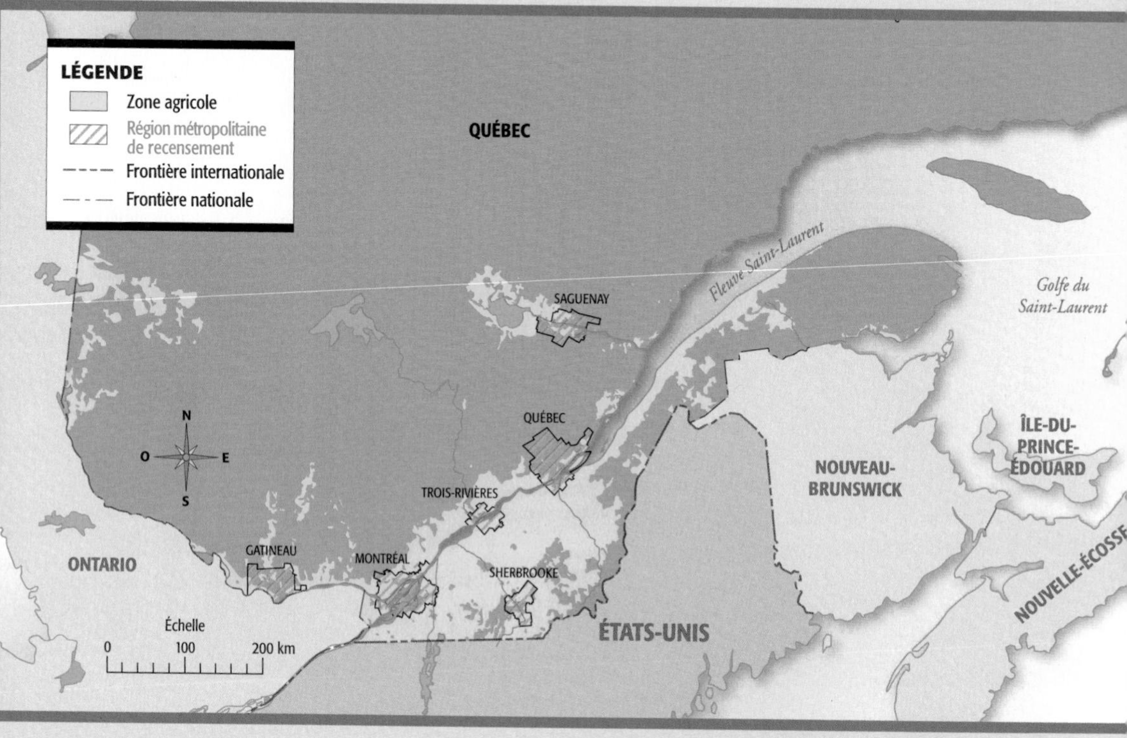

Les terres du sud-ouest du Québec comptent parmi les meilleurs sols cultivables du Québec. Cependant, entre 1981 et 1996, plus de 26 000 **ha** de terres agricoles ont été remplacés par des espaces construits.

2 Montréal, une ville tentaculaire

L'expansion urbaine de Montréal, comme celle d'autres villes, se fait par la création de nouveaux **quartiers** aux limites du territoire urbain. Ces nouveaux projets domiciliaires se font souvent sur des terres agricoles. Cet **étalement** urbain se traduit non seulement par la construction de nouvelles résidences, mais aussi par l'**aménagement** de nouvelles infrastructures coûteuses (aqueduc, usine de traitement des eaux usées, écoles, routes, etc.).

③ L'expansion de la ville de Brossard

Brossard en 1966

Brossard en 1999

De plus en plus de travailleurs des grandes villes s'installent en **banlieue** parce qu'ils veulent un milieu plus sécuritaire pour leurs enfants, un espace plus vaste ou un loyer moins cher. Pour faciliter les déplacements des banlieusards, les gouvernements font construire des autoroutes. On assiste alors à la naissance de nouveaux quartiers et même de nouvelles villes. C'est le cas de Brossard, située sur la **couronne** sud de la région métropolitaine de Montréal, qui est passée de 8400 habitants en 1964 à 55000 en 2004.

Observe et construis   

a Qu'est-ce qui est représenté sur le document 1? Qu'est-ce qui menace le territoire agricole du Québec?

b Quelle est la ville dont la superficie et l'emplacement menacent le plus les terres agricoles fertiles du Québec? Pourquoi? Illustre cette menace par des exemples.

c Compare les deux photos de Brossard et décris les changements que tu y observes. Relie ensuite tes observations au phénomène de la réduction du territoire agricole.

Des terres agricoles convoitées

Selon toi,

- a-t-on le droit de construire des secteurs résidentiels sur tout le territoire du Québec ? Pourquoi ?
- quelles mesures protègent le territoire agricole du Québec ?

Des faits et des chiffres

L'**étalement** des grandes villes se fait aux dépens des terres agricoles, qui voient leur superficie diminuer.

- Entre 1971 et 2001, la superficie du territoire urbain de Montréal a augmenté de 42 %.
- Entre 1971 et 2001, la superficie du territoire urbain de Québec a augmenté de 247 %.
- Un sondage effectué en 2004 pour l'Union des producteurs agricoles (UPA) a révélé que 98 % des Québécois sont favorables aux lois sur la protection du territoire agricole et que 65 % croient que l'on devrait être plus sévère dans ce domaine.

Source : Union des producteurs agricoles, 2004.

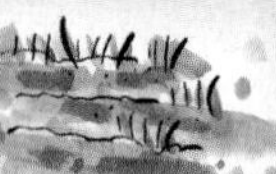

Des mesures gouvernementales pour la protection du territoire agricole

Vers la fin des années 1970, le gouvernement du Québec a mis en place des mesures visant à protéger les terres agricoles.

Mesures	Description
▪ Loi sur la protection du territoire et des activités agricoles (aussi appelée loi sur le zonage agricole)	▪ Cette loi, adoptée en 1978, délimite des zones exclusivement réservées à l'agriculture. Au cours des années 1980 et 1990, la loi a été modifiée pour tenir compte du développement des municipalités. Elles peuvent désormais faire une demande visant à dézoner une partie du territoire agricole pour y aménager une zone résidentielle, industrielle ou commerciale.
▪ Loi sur l'acquisition de terres agricoles par des non-résidants	▪ Cette loi, adoptée en 1980, vise à limiter l'acquisition de terres agricoles par des personnes qui n'habitent pas la province de Québec.
▪ Aide financière aux producteurs agricoles	▪ Un article de la Loi sur la protection du territoire et des activités agricoles permet le remboursement de certaines taxes aux producteurs, afin qu'ils puissent investir davantage dans l'expansion des terres cultivées.

Source : Gouvernement du Québec, Commission de protection du territoire agricole, 2003.

6 Points de vue

6A Je veux contribuer au développement de ma région !

J'ai acheté de grandes terres agricoles, où je projette de construire une centaine de maisons. Il y a plusieurs mois, j'ai demandé à ma municipalité de faire une demande de dézonage à la Commission de protection du territoire agricole afin que je puisse développer un projet résidentiel sur mes terres agricoles. Mes clients me pressent de leur fournir la date à laquelle ils pourront emménager dans leur maison neuve. Cependant, je sais que la Commission doit faire des vérifications pour évaluer la demande de ma municipalité et que cette démarche peut être très longue...

J'ai pris connaissance des demandes effectuées auprès de la Commission au cours des dernières années. Un dézonage complet ou partiel a été accordé à d'autres municipalités, par exemple Saint-Lazare et Mirabel, pour un usage commercial, industriel, institutionnel ou résidentiel. Je ne vois donc pas pourquoi la Commission ne pourrait pas modifier la loi pour que ma municipalité m'autorise à construire des maisons sur mes terres agricoles. Il me semble que la création d'un complexe domiciliaire pour une centaine de familles serait positif pour notre région. Les nouvelles familles contribueraient au développement économique en payant des taxes et en effectuant leurs achats dans nos commerces.

Gérard Cantin
Entrepreneur en construction
Beloeil

Coalition : Groupement de personnes qui ont pour but une action commune.

6B Non au développement sournois sur les terres agricoles !

Pour la première fois dans l'histoire du Québec, un mouvement de fond se met en place pour défendre l'intégrité du territoire agricole. C'est ainsi que la Coalition québécoise pour la préservation du territoire agricole voit le jour aujourd'hui. Créée à l'initiative de M. Laurent Pellerin, président général de l'Union des producteurs agricoles (UPA), elle regroupe d'importants intervenants de la société québécoise qui partagent la même inquiétude à l'égard du développement incohérent que subit la zone agricole. [...]

Pour le président de l'UPA, il devenait urgent d'agir et d'envoyer un signal clair aux décideurs afin qu'ils mettent un frein au développement sournois en zone agricole. «Les terres cultivables représentent moins de 2 % du territoire québécois. Elles sont fragiles et non renouvelables, précise-t-il. Ainsi, chaque parcelle qu'on cède à la construction d'une autoroute, d'un terrain de golf, d'un projet domiciliaire ou industriel, ou encore d'une exploitation minière, ne sera plus jamais cultivée. Nous ne souhaitons pas laisser que du béton et de l'asphalte en héritage aux générations futures», de déclarer M. Pellerin.

Source : Coalition québécoise pour la préservation du territoire agricole.

Arobas

Le dézonage agricole

Pour en savoir plus sur les projets qui font l'objet d'une demande de dézonage, trouve des exemples dans Internet. Pour y arriver, utilise des mots clés comme les suivants: municipalité dézonage Québec, projet dézonage Québec, projet résidentiel Montréal.

Note le nom de chaque municipalité où une telle demande est faite et le type de projet mis de l'avant.

Observe et construis   

a Laquelle des trois mesures gouvernementales est surtout destinée à empêcher l'étalement urbain ? Justifie ton choix.
b À ton avis, pourquoi le gouvernement a-t-il créé la Commission de protection du territoire agricole ? Justifie ta réponse.
c Quelles positions défendent les deux intervenants dans cet enjeu ?
d Quels compromis chacun devra-t-il faire ?

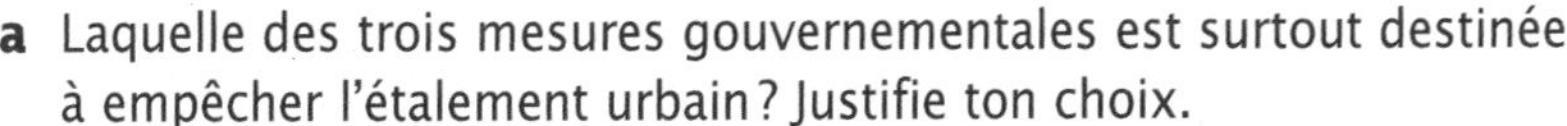

Pour poursuivre, rends-toi à la page 135.

Enjeu 2

Partager le territoire agricole

La production industrielle

Selon toi,

- qu'est-ce qui caractérise une grande ferme commerciale ?
- en quoi la production industrielle de porcs peut-elle nuire à l'**environnement** naturel ?

1 Des faits et des chiffres

Depuis la fin des années 1960, le territoire agricole du Québec abrite un nombre grandissant de fermes industrielles. Ces fermes sont, par exemple, des mégaporcheries ou d'immenses fermes avicoles (poulets).

- Au Québec, plus de 700 fermes avicoles font l'élevage d'au-delà de 14 000 poulets et 8 000 fermes laitières comptent en moyenne 50 vaches.
- Dans une ferme porcine moyenne, on trouve environ 1 500 porcs à l'engraissement et 200 truies destinées à la reproduction. Ces fermes ont une production annuelle moyenne de 4 000 porcs d'abattage.
- Sur un total d'environ 32 000 fermes québécoises, on compte 3 000 fermes porcines. Selon la Fédération des producteurs de porcs du Québec, 10 % de ces fermes sont des mégaporcheries dans lesquelles on peut élever jusqu'à 8 000 porcs.
- Dans les fermes traditionnelles, les porcs engraissent de 600 g par jour et leur durée de vie est de 240 jours. Dans les fermes industrielles, leur gain de poids quotidien est de 850 g et leur durée de vie de 180 jours. Le porc grossit donc plus rapidement et est prêt plus tôt pour l'abattage dans les entreprises industrielles.
- En 2002, le Québec a produit 6,8 millions de porcs dépecés ou entiers, dont plus de la moitié ont été exportés vers les États-Unis et le Japon.

Source : Institut de la statistique du Québec, 2002.

Les sous-produits du porc

Le porc est un animal d'abord élevé pour sa viande, mais il sert aussi à la fabrication d'autres produits. Pour mieux connaître ces produits, trouve dans la liste suivante ceux qui sont fabriqués avec du porc : colle ▪ jupe en cuir ▪ couche jetable ▪ jouet pour animal ▪ ballon de soccer ▪ parfum ▪ valve cardiaque ▪ engrais ▪ brosse pour bébé ▪ pinceau ▪ nettoyant pour ordinateur

2 La production porcine au Québec

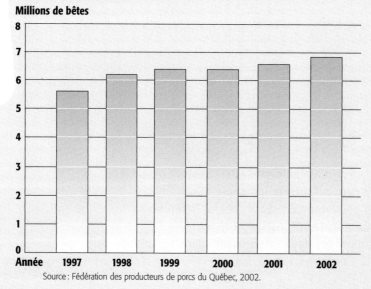

Millions de bêtes (axe 0 à 8)

Année : 1997, 1998, 1999, 2000, 2001, 2002

Source : Fédération des producteurs de porcs du Québec, 2002.

En 2004, au Québec, les retombées économiques de la production de porcs ont été de 3,7 milliards de dollars. De plus, 29 500 emplois y sont directement liés.

③ Le lisier

Un porc produit plus d'une tonne de lisier par année (mélange d'urine, de selles et d'eau). Le lisier est composé de 90 % d'eau et de 10 % de matières organiques. Il contient de l'azote et du phosphore, mais aussi des résidus de médicaments (antibiotiques et autres) parfois injectés aux porcs.

④ L'épandage du lisier

La façon la plus répandue et la plus économique de se débarrasser du lisier est de l'étendre (épandage) comme engrais dans les champs. Lorsque les quantités utilisées sont bien contrôlées, cet usage présente des avantages : amélioration des rendements, contribution à la santé des sols, etc.

⑤ La concentration de la production porcine dans le sud du Québec

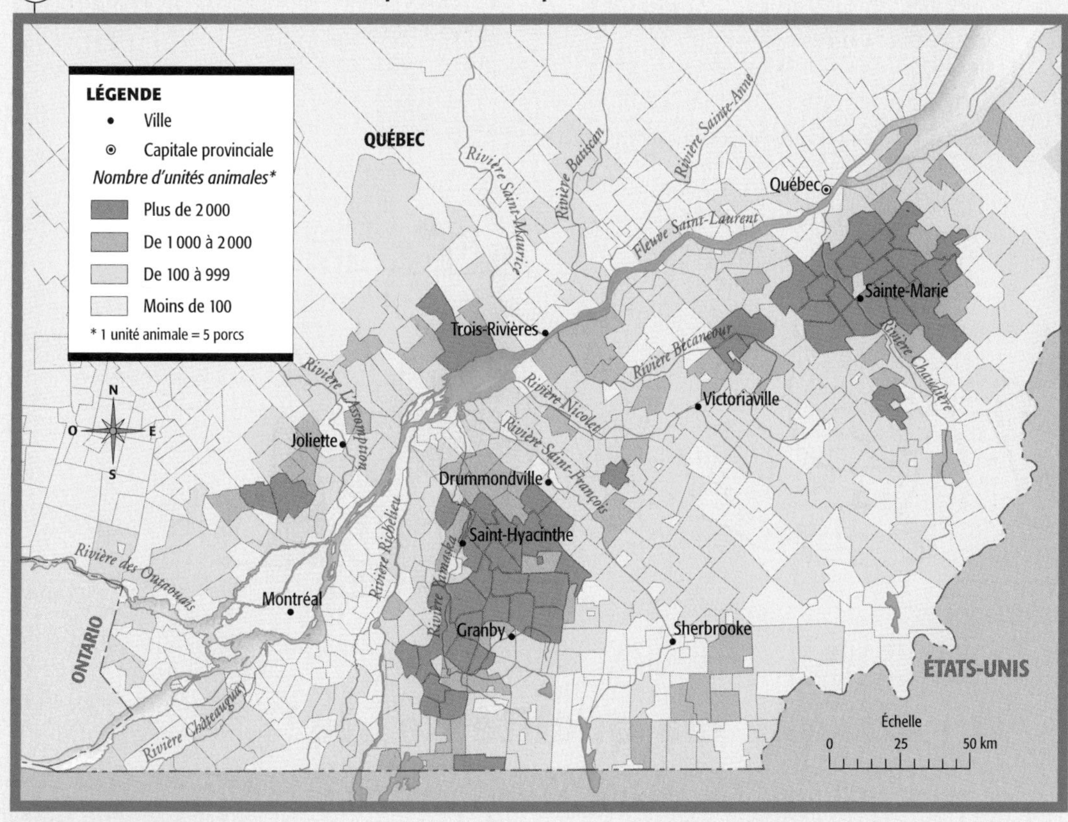

Dans les fermes porcines, la quantité de lisier produit peut surpasser la capacité des sols à l'absorber. Le phosphore et l'azote contenus dans le lisier risquent alors de s'écouler avec l'eau de pluie vers les cours d'eau et de s'infiltrer dans le sol jusqu'aux nappes d'eau souterraines qui alimentent de nombreux puits. Plus il y a d'élevages de porcs dans une région, plus les risques de maladies transmises par l'eau (gastro-entérite, salmonellose) y augmentent.

Observe et construis ① ② ③ ④ ⑤

a Qu'est-ce qui caractérise la production agricole industrielle?
b Quelles sont les caractéristiques géographiques de la zone représentée sur le document 5?
c Quels sont les effets positifs de l'épandage du lisier? les effets négatifs?

Pour ou contre les mégaporcheries? 

Selon toi,

- quels groupes de personnes sont en faveur des mégaporcheries? Pourquoi? Lesquels sont contre? Pourquoi?

6 Propriétaire d'une porcherie? Pas toujours facile…

Lorsqu'on possède une porcherie, il faut:

- faire analyser le sol tous les cinq ans;
- fournir les rendements moyens des cultures;
- faire des analyses du lisier des porcs;
- respecter les dates d'épandage (entre le 1er avril et le 1er octobre);
- fournir un plan détaillé de l'épandage (date, quantité, lieux, etc.);
- éviter d'étendre le lisier à proximité d'un cours d'eau;
- respecter les doses d'épandage liées au besoin de fertilisation du sol;
- garder le lisier dans un bâtiment couvert;
- respecter une distance déterminée entre la porcherie et les résidences voisines;
- mettre en place une haie brise-odeurs;
- installer des économiseurs d'eau dans la porcherie;
- etc.

Source: Fédération des producteurs de porcs du Québec, 2002.

7 Points de vue

7A On attaque ma qualité de vie!

Je viens juste de prendre ma retraite et j'ai acheté une jolie maison dans un nouveau développement domiciliaire. J'ai appris que le terrain voisin va servir pour l'épandage du lisier d'une mégaporcherie située à quelques kilomètres de chez moi. J'ai peur! En plus d'endurer les odeurs, je crains pour ma santé. Est-ce que l'épandage du lisier ne risque pas de contaminer l'eau de mon puits? Je demande au gouvernement de maintenir les normes actuelles pour protéger l'eau, le sol et l'air.

Paul Vallée
Résidant de Yamaska

7B Non aux mégaporcheries !

J'habite dans la région de Charlevoix depuis 2001. J'ai 200 porcs dans ma ferme. Je crois à une agriculture à dimension humaine dans le respect de la nature. Je veux faire le contrepoids à une agriculture industrielle, axée sur les marchés d'exportation, et à l'industrie agroalimentaire. Je veux prouver que porcherie peut rimer avec harmonie et environnement. J'élève mes porcs sur une terre exempte de produits chimiques et de polluants de toutes sortes. Je dois lutter contre les pressions du milieu qui m'imposent de produire comme tout le monde, c'est-à-dire de façon industrielle. Je lance un cri du cœur à tous ceux qui partagent mes valeurs et qui sont prêts à dire non aux mégaporcheries !

Pierre Croteau
Propriétaire d'une bioporcherie

7C Oui aux mégaporcheries !

J'ai plus de 2000 porcs dans ma porcherie. J'emploie une cinquantaine de personnes et je suis la principale employeuse de mon village. De plus, je paie chaque année un montant de taxe élevé à ma municipalité. Pour répondre aux normes environnementales, j'ai fait construire une fosse à lisier qui m'a coûté 100 000 $. Le lisier produit par mes porcs, je l'étends sur mes terres. C'est le fertilisant le mieux adapté pour engraisser le sol. Mes porcs s'alimentent de maïs et de soya, le lisier est donc un résidu composé de ces éléments. J'en ai assez d'être montrée du doigt comme pollueuse et comme exploiteuse ! Depuis le mois de mai 2004, même le gouvernement autorise l'expansion de l'industrie porcine. Évidemment, tous les projets de construction ou d'agrandissement devront être étudiés et approuvés par les municipalités, et respecter la réglementation environnementale. De toute façon, que j'aie peu ou beaucoup de porcs, mes frais (main-d'œuvre, entretien, machinerie, etc.) sont à peu près les mêmes. Pour offrir des prix concurrentiels, je dois avoir un grand nombre de bêtes. De cette façon, le coût de production par bête est moins élevé.

Josée Ménard
Propriétaire d'une mégaporcherie

8 Le porc dans notre assiette

Le porc acheté par les consommateurs dans les supermarchés provient en grande partie des mégaporcheries.

Les porcs du Québec

La production de porcs est une importante source de revenus au Québec. Dans Internet, trouve de l'information liée à cette industrie.

- Combien coûte l'achat d'un porc entier à un éleveur du Québec ?
- Selon toi, le prix d'une truie est-il le même que celui d'un porc ? Pourquoi ?
- Quels types de coûts les producteurs doivent-ils prévoir pour faire l'élevage d'une truie ?

Observe et construis   

a Quels groupes s'affrontent dans l'enjeu des mégaporcheries ? Quelles sont leurs motivations ?

9 La plantation de haies brise-odeurs

Pour lutter contre les odeurs nauséabondes qui émanent du lisier, les producteurs de porcs investissent dans la plantation d'arbres. La haie brise-odeurs est une barrière végétale plantée autour des bâtiments de ferme. À maturité, cette haie permettra de filtrer 55 % des mauvaises odeurs.

10 La Fédération des producteurs de porcs du Québec répond à l'Office national du film du Canada

En 2001, l'Office national du film produisait *Bacon, le film,* un documentaire de Hugo Latulippe. La Fédération des producteurs de porcs du Québec s'est empressée de protester contre certaines affirmations de ce film.

Les affirmations du film	Les faits selon la Fédération
▪ Les mégaporcheries envahissent le territoire agricole du Québec.	▪ 90 % des fermes porcines sont de taille moyenne : elles comptent environ 200 truies et 1 500 porcs à l'engraissement.
▪ Depuis 1994, les sommes consacrées à la protection de l'**environnement** ont baissé de 65 %.	▪ Le budget est passé de 10,5 à 70 millions de dollars. Cet ajout a été consacré à la préservation de l'environnement.
▪ En 1998, les producteurs de porcs ont reçu une aide gouvernementale de 500 millions de dollars en échange d'une augmentation de la production.	▪ Les versements, qui ont été de 300 millions de dollars, visent à protéger les producteurs de l'instabilité des prix du marché.

Observe et construis  

b Que penses-tu de la construction de haies brise-odeurs ?

c À ton avis, pourquoi la Fédération des producteurs de porcs du Québec a-t-elle tenu à apporter des précisions sur les faits relatés dans *Bacon, le film* ?

d En quoi cet enjeu concerne-t-il aussi les gens qui ne vivent pas à la campagne ?

Pour poursuivre, rends-toi à la page 135.

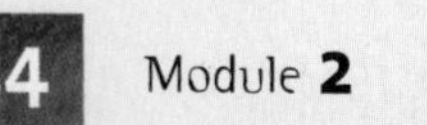

Ton défi

À l'œuvre !

Il est maintenant temps de rédiger un texte qui présente ton opinion sur l'enjeu que tu as choisi.

1. Présente en quelques lignes ton enjeu à l'aide du tableau que tu as préparé.
2. Présente la solution que tu privilégies.
3. Explique en quelques phrases pourquoi tu optes pour cette solution (arguments en faveur de cette solution, conséquences de cette solution).
4. Invite les visiteurs de ton stand à réagir à ton opinion (pour ou contre) et à s'expliquer en quelques mots.
5. Fais le bilan des pour et des contre obtenus et compare-le avec ceux des autres élèves.

DOSSIERS

Ailleurs

En quoi l'agriculture californienne ou japonaise ressemble-t-elle à celle qui est pratiquée au Québec ? Dans le milieu que tu as choisi, protège-t-on le territoire agricole ? Si oui, de quelle façon ? La production industrielle entre-t-elle en conflit avec d'autres types de production ? Utilise la section Dossiers du module 2 (p. 174 ou 180) pour t'aider à décrire l'enjeu territorial lié à la Californie ou au Japon.

Bilan

1. Que retiens-tu de l'enjeu que tu as présenté ?
2. Quelle solution te semble la plus intéressante pour l'ensemble de la population ? Pourquoi ?
3. Quelles conséquences subirais-tu si le territoire agricole québécois n'était pas protégé ni régi par des lois ?
4. En tant que consommateur ou consommatrice, quelle part de responsabilité as-tu dans l'industrie agricole québécoise ?
5. Quelles connaissances et habiletés t'ont été particulièrement utiles pour bien comprendre l'enjeu que tu as choisi ? pour rédiger ton point de vue ?
6. Que ferais-tu autrement si tu avais à présenter de nouveau ton opinion ?

La planète et ses enjeux

A Le contexte planétaire

Tu sais déjà qu'au Québec, les zones agricoles sont très limitées par rapport à l'ensemble du territoire. Est-ce qu'il en est ainsi sur toute la planète ? Sinon, quelles parties du monde offrent de plus vastes territoires agricoles ? Qu'est-ce qui caractérise ces territoires ?

Le défi actuel de l'**agriculture** mondiale est de nourrir une population en constante **croissance**. Comment pourrait-on augmenter la **productivité** agricole de la Terre sans menacer la qualité de l'**environnement** ? Quels sont les impacts de tes choix alimentaires sur ta santé ? sur la qualité de l'environnement ? sur les conditions de vie dans le monde ?

Ton défi

Une planète à nourrir

Une campagne de sensibilisation est organisée sur le thème de l'alimentation. Ton défi consiste à participer à cette campagne en faisant une affiche illustrant l'agriculture et l'alimentation sur la Terre.

Le point de départ de cette affiche sera une carte du monde que tu colleras au centre d'une grande feuille de papier ou d'un carton. Sur cette carte, tu utiliseras des couleurs ou des symboles pour représenter l'information demandée. Autour de cette carte, tu ajouteras du texte, des illustrations, des photos, des capsules d'information, etc.

Ces éléments devront mettre en évidence les liens qui existent entre l'agriculture et l'alimentation sur la Terre.

Une partie de ton affiche sera consacrée à la présentation d'un des enjeux planétaires proposés aux pages 150 et 151.

Pour y arriver,

1. Repère les rubriques Ton défi – En marche (p. 139, 141, 143, 148) et suis les étapes proposées.
2. Consulte au besoin la section Ressources géo (p. 342) pour savoir comment lire un planisphère, un climatogramme et une carte du relief.
3. Réfère-toi à d'autres sources : atlas, sites Internet, documentaires, etc.
4. Prends connaissance de la rubrique Ton défi – À l'œuvre ! (p. 149) pour finaliser ton affiche.

Les contraintes du territoire  Fiche 2.2.2

Selon toi,

- où peut-on pratiquer l'agriculture sur la Terre ?
- pourquoi est-il impossible de pratiquer l'agriculture sur toute la planète ?

 Le territoire occupé par les terres cultivées dans le monde

OCÉAN ARCTIQUE
Cercle polaire arctique
AMÉRIQUE DU NORD
EUROPE
ASIE
Tropique du Cancer
OCÉAN ATLANTIQUE
AFRIQUE
OCÉAN PACIFIQUE
Équateur
OCÉAN PACIFIQUE
AMÉRIQUE DU SUD
OCÉAN INDIEN
Tropique du Capricorne
OCÉANIE
Échelle à l'équateur
0 1500 3000 km
OCÉAN AUSTRAL
Cercle polaire antarctique
ANTARCTIQUE

LÉGENDE
Pourcentage du territoire occupé par les terres cultivées
De 45 % à 63 %
De 30 % à 44 %
De 15 % à 29 %
De 0 % à 14 %

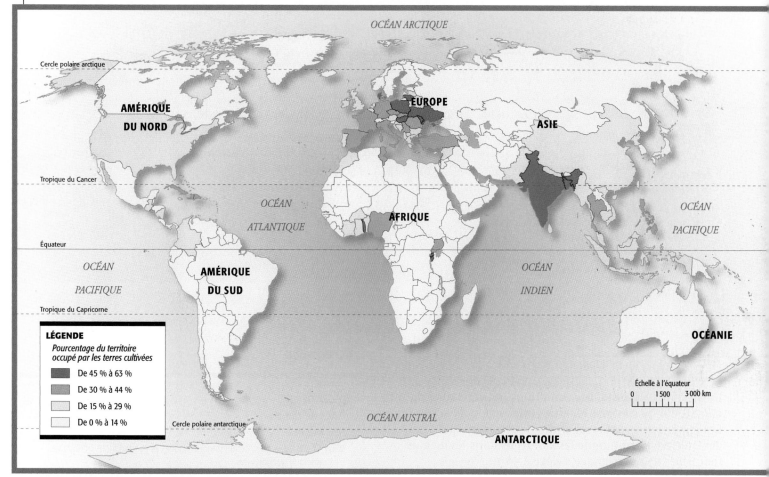

Par rapport à l'ensemble des terres immergées, la superficie des terres cultivées est limitée dans le monde. Les quatre grands facteurs qui réduisent l'activité agricole mondiale sont le froid (**saison végétative** trop courte), la sécheresse (**irrigation** nécessaire), la nature des sols (sols caillouteux non cultivables) et le type de relief (pentes accentuées difficiles à cultiver).

Observe et construis 1

a Dans quelles parties du monde y a-t-il la plus grande proportion de terres cultivées ?

b À ton avis, qu'est-ce qui limite l'activité agricole au Canada ?

Les climats de la Terre

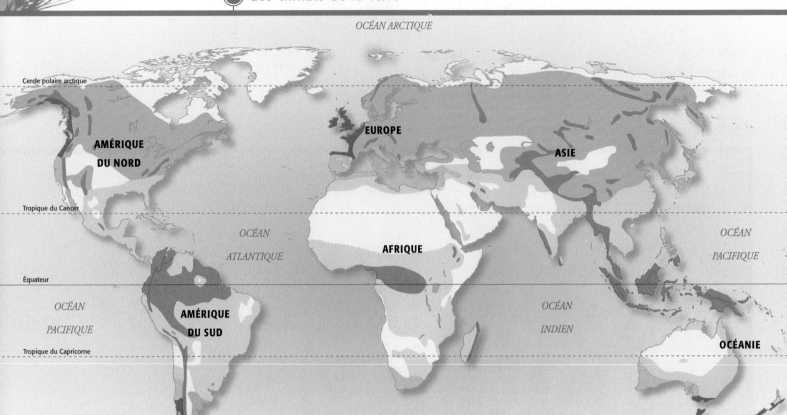

OCÉAN ARCTIQUE
Cercle polaire arctique
AMÉRIQUE DU NORD
EUROPE
ASIE
Tropique du Cancer
OCÉAN ATLANTIQUE
AFRIQUE
OCÉAN PACIFIQUE
Équateur
OCÉAN PACIFIQUE
AMÉRIQUE DU SUD
OCÉAN INDIEN
OCÉANIE
Tropique du Capricorne
Échelle à l'équateur
0 1 500 3 000 km
OCÉAN AUSTRAL
Cercle polaire antarctique
ANTARCTIQUE

L'agriculture nécessite des conditions (relief, qualité du sol, climat) qui ne sont pas réparties uniformément sur la Terre. Les régions arides et semi-arides ne reçoivent que 6 % des précipitations mondiales alors que, dans les régions tempérées, le pourcentage s'élève à 45 %.

Aride : Qui manque d'eau.

LÉGENDE

Types de climats

Zone chaude

- Climat équatorial : températures chaudes et précipitations abondantes presque quotidiennes.
- Climat tropical : températures chaudes, saison des pluies et saison sèche en alternance.
- Climat désertique : températures chaudes, précipitations rares et sécheresse fréquente.

Zone tempérée

- Climat continental : hiver froid et été chaud, précipitations assez abondantes (neige et pluie).
- Climat océanique : été frais et hiver doux, précipitations abondantes.
- Climat méditerranéen : été chaud et sec, précipitations (surtout en hiver).

Zone froide

- Climat polaire : longue saison très froide, précipitations faibles.

Zone de hautes montagnes

- Climat de montagne : baisse des températures et augmentation des précipitations avec l'altitude.

3 Le relief de la Terre

OCÉAN ARCTIQUE
Cercle polaire arctique
AMÉRIQUE DU NORD
EUROPE
ASIE
Tropique du Cancer
OCÉAN ATLANTIQUE
AFRIQUE
OCÉAN PACIFIQUE
Équateur
AMÉRIQUE DU SUD
OCÉAN PACIFIQUE
OCÉAN INDIEN
OCÉANIE
Tropique du Capricorne

LÉGENDE
Glace
Altitude en mètres
5 000 et plus
2 000 à 4 999
1 000 à 1 999
500 à 999
0 à 499

Échelle à l'équateur
0 1 500 3 000 km

OCÉAN AUSTRAL
Cercle polaire antarctique
ANTARCTIQUE

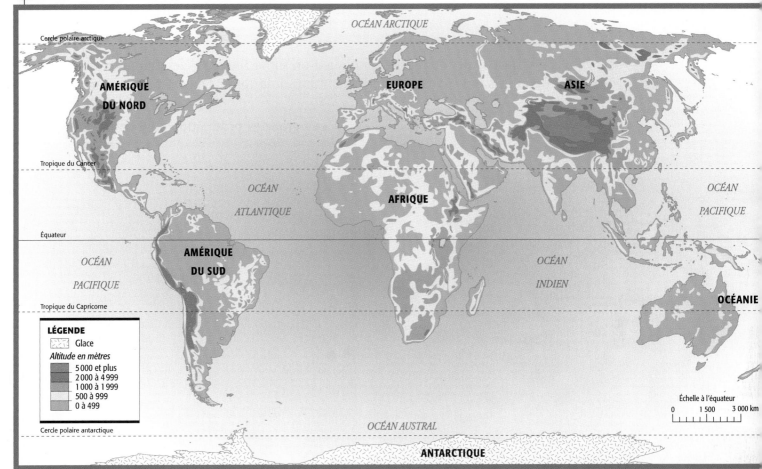

Le territoire agricole se limite généralement aux vallées des grands fleuves, aux grandes plaines et aux zones protégées et humides de certaines collines et montagnes.

Observe et construis  

c Sous quel climat la durée de la **saison végétative** permet-elle l'agriculture ? Consulte les climatogrammes associés à chaque climat dans la section Ressources géo (p. 372).

d Quelle zone climatique est la plus favorable à l'agriculture ?

e Décris le relief de l'Amérique du Sud et de l'Europe.

Ton défi

En marche

À partir de la carte du monde qu'on te remettra, associe à leur climat et à leur relief les terres dont au moins 15 % est cultivé. À cette fin, utilise au besoin des symboles, des lignes pour relier ces terres à des explications ou tout autre procédé de ton choix.

Autour de ta carte, ajoute des capsules d'information qui soulignent certaines contraintes du territoire (manque de précipitations, présence de hautes montagnes, etc.).

La production agricole mondiale

Selon toi,

- quels types de cultures pratique-t-on sur la Terre ? Où les pratique-t-on ?
- quels types d'élevages pratique-t-on sur la Terre ? Où les pratique-t-on ?

Culture vivrière : Produits destinés à l'alimentation de la population locale.

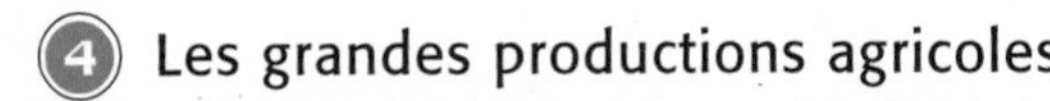

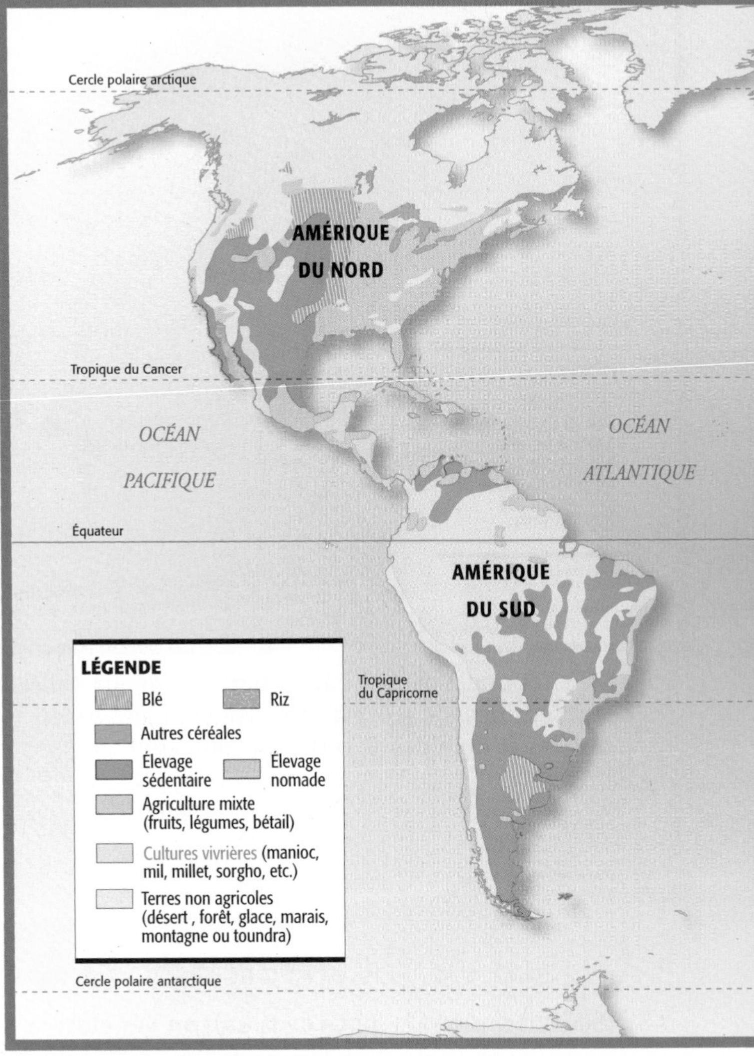

Les productions agricoles d'une région dépendent en grande partie de son climat, de ses sols et de son relief.

4A **Italie**

4B **Viêtnam**

Canada 4C

4D États-Unis

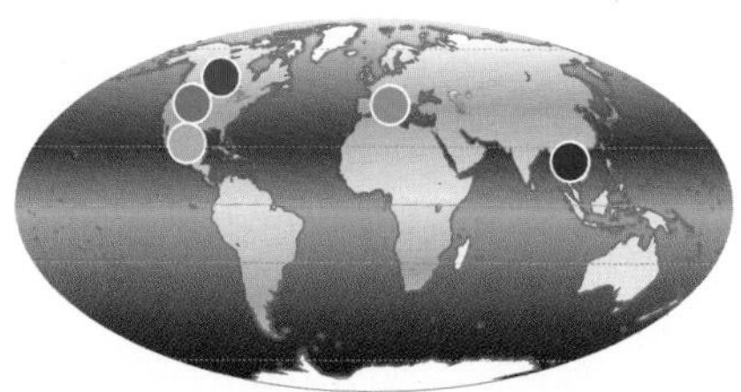

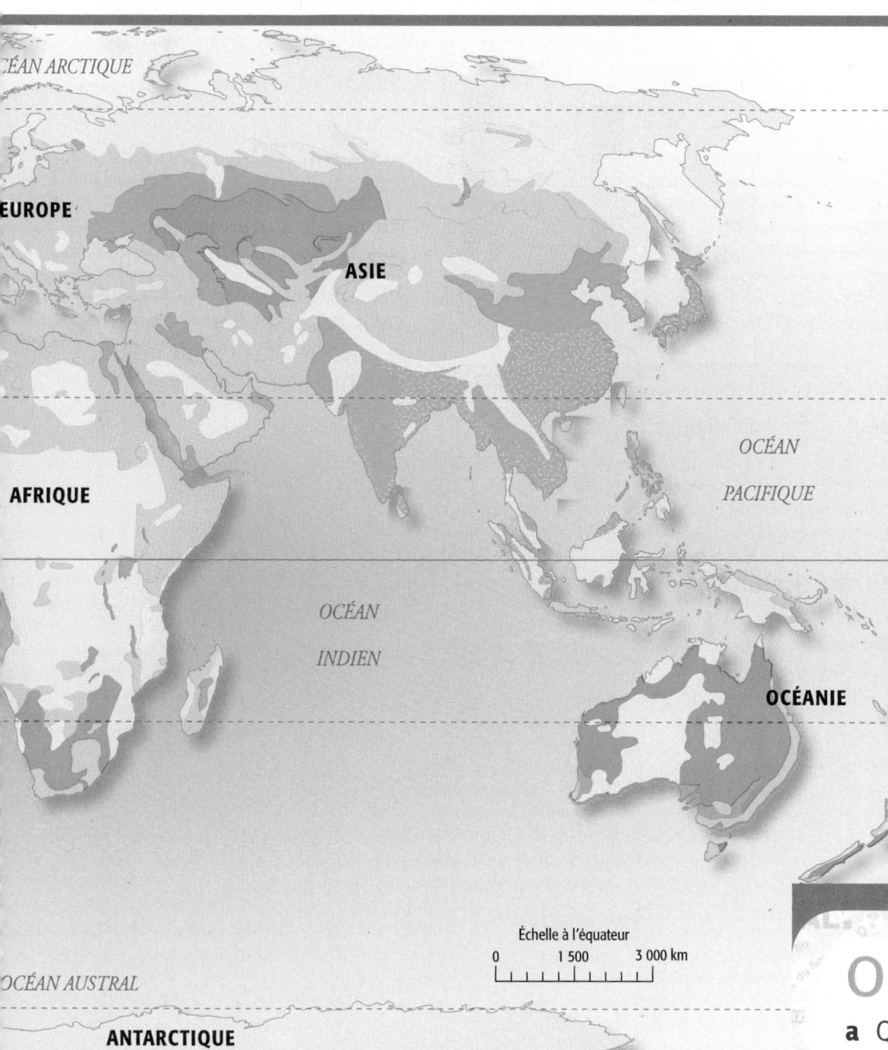

4E Mexique

Observe et construis 4

a Quel lien peux-tu établir entre l'agriculture qu'on pratique en Amérique du Nord et en Europe par rapport aux conditions climatiques de ces parties du monde? Fais le même type de comparaison pour l'Afrique. Que constates-tu? Au besoin, consulte la carte de la page 138.

b Dans quelle partie du monde cultive-t-on du riz? du blé?

c Dans quelle zone climatique (chaude, froide, tempérée) trouve-t-on la plus grande variété de productions agricoles? Au besoin, consulte la carte de la page 138.

d Dans quelles parties du monde trouve-t-on beaucoup de **cultures vivrières**?

Ton défi

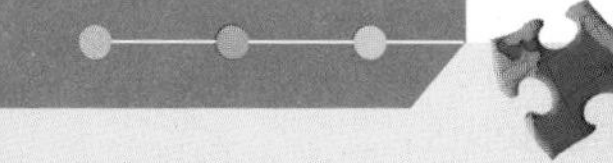

En marche

Sur ta carte du monde, situe les principales productions agricoles. Pour y arriver, utilise des pictogrammes, des illustrations liées aux zones correspondantes, etc.

Des besoins alimentaires croissants 

Selon toi,

- la Terre pourra-t-elle toujours subvenir aux besoins alimentaires de ses habitants ? Pourquoi ?

FAO : Organisation des Nations Unies pour l'alimentation et l'agriculture. Cet organisme lutte contre la faim et la pauvreté dans le monde.

5 La production agricole mondiale

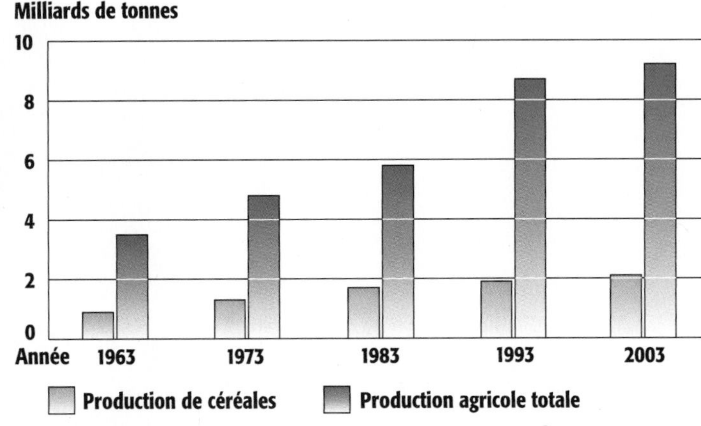

Source : FAO, 2004.

Les données sur la production agricole mondiale sont souvent comparées avec les données sur la production de céréales, car c'est cette dernière qui nourrit le plus grand nombre d'habitants sur la Terre.

6 La production de céréales selon le niveau de développement

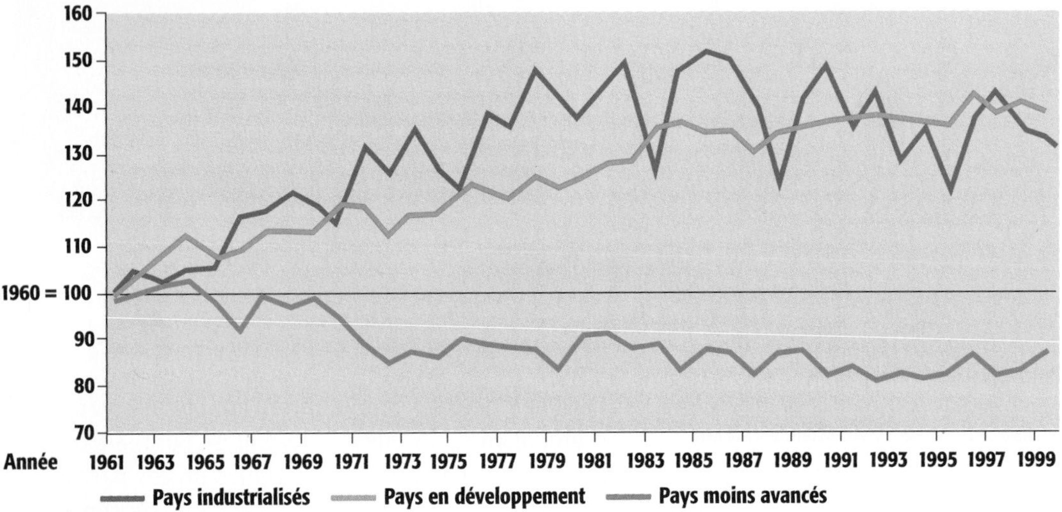

Source : FAOSTAT, calculs IDD.

Le programme de la FAO vise le développement agricole et la sécurité alimentaire de tous les habitants de la Terre. Il inclut une vérification régulière des rendements céréaliers de la planète. À partir d'une année et d'un indice (nombre) qui sert de référence (ici 1960 = 100), la FAO compare la production de céréales par habitant. Par exemple, entre 1961 et 1967, l'indice de la production de blé a chuté de 100 à 90 dans les **pays moins avancés.** On constate ainsi que la production de céréales varie en fonction des années et du **niveau de développement** des pays.

7 La croissance démographique dans le monde

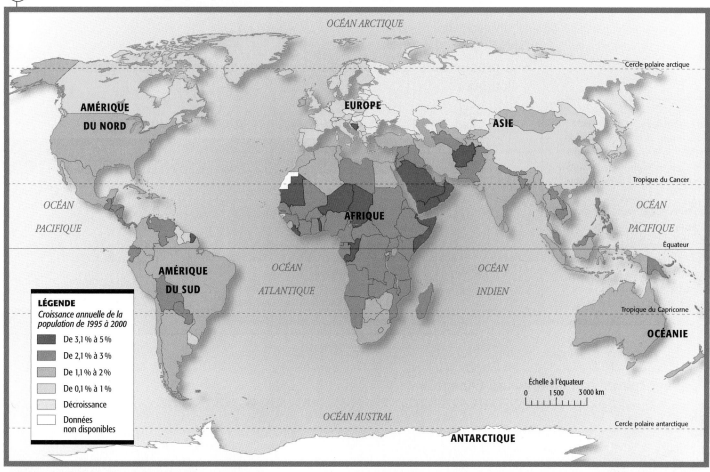

OCÉAN ARCTIQUE
Cercle polaire arctique
AMÉRIQUE DU NORD
EUROPE
ASIE
Tropique du Cancer
OCÉAN PACIFIQUE
AFRIQUE
OCÉAN PACIFIQUE
Équateur
AMÉRIQUE DU SUD
OCÉAN ATLANTIQUE
OCÉAN INDIEN
Tropique du Capricorne
OCÉANIE
Échelle à l'équateur
0 1500 3000 km
OCÉAN AUSTRAL
Cercle polaire antarctique
ANTARCTIQUE

LÉGENDE
Croissance annuelle de la population de 1995 à 2000

- De 3,1 % à 5 %
- De 2,1 % à 3 %
- De 1,1 % à 2 %
- De 0,1 % à 1 %
- Décroissance
- Données non disponibles

Depuis 1960, la population mondiale a presque triplé: elle est passée de 2,5 à 6,3 milliards.

Ton défi

En marche

Réponds par écrit aux questions du «Selon toi» de la page 142 et place ces questions et tes réponses au-dessus de ta carte.

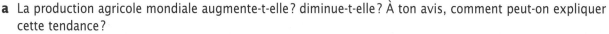

Observe et construis   

a La production agricole mondiale augmente-t-elle? diminue-t-elle? À ton avis, comment peut-on expliquer cette tendance?

b Dans quel type de **pays** (**industrialisés** ou **en développement**) la population augmente-t-elle le plus? À ton avis, les besoins alimentaires des populations de ces pays seront-ils comblés dans le futur? Pourquoi?

c Consulte la carte des niveaux de développement des pays du monde dans la section Ressources géo (p. 386-387) et repères-y trois pays en développement. À l'aide du document 7, décris ensuite la croissance démographique de ces trois pays. Fais de même avec trois pays industrialisés et trois pays moins avancés.

Les modes de culture

Selon toi,

- la **productivité** agricole est-elle équivalente dans tous les pays du monde ? Pourquoi ?

Agriculture commerciale : Agriculture dont la production est destinée à la vente et non à la consommation de la famille propriétaire de la ferme. Dans ce cas, la distribution des produits est assurée par des intermédiaires (grossistes, marchands, etc.).

Agriculture de subsistance : Agriculture dont l'objectif principal est de nourrir la famille propriétaire d'une ferme.

8 Les moyens de production et la productivité

Caractéristiques	Canada ○ (Amérique du Nord)
PIB/hab.	30 936 $
Machinerie	Un tracteur pour 100 **ha**
Engrais (milliers de tonnes/an)	2 700
Principales productions agricoles	Céréales : blé et avoine Bêtes d'élevage : 14,7 millions
Superficie cultivable	7 % du territoire
Pourcentage de la population agricole active	2 %
Rendement céréalier	2 921 kg/ha

Source : FAO, 2004 ; *L'état du monde,* 2005.

9 L'agriculture commerciale au Canada ●

Cette ferme de l'Ouest canadien a une superficie d'environ 1 250 ha. Dans cette région, les fermes sont trois fois plus grandes qu'ailleurs au Canada et ont une productivité élevée. On y pratique une agriculture commerciale à l'aide d'une machinerie perfectionnée et d'une main-d'œuvre réduite au minimum.

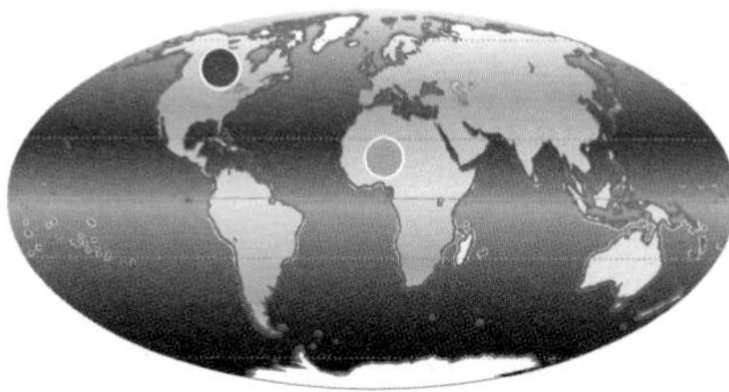

(10) L'agriculture de subsistance au Niger

10 A

10 B

Niger (Afrique)

816 $
Un tracteur pour 61 650 ha
4
Céréales : mil et sorgho Bêtes d'élevage : 11 millions
12 % du territoire
88 %
420 kg/ha

Au Niger, la plupart des fermes sont de petites entreprises familiales de moins de 5 **ha**. On y pratique généralement une agriculture de subsistance. La plupart de ces fermes sont sous-équipées, et la main-d'œuvre est souvent limitée aux membres de la famille qui possède la ferme.

Observe et construis   

a Quelles différences te semblent les plus marquantes entre l'agriculture du Canada et celle du Niger ?

b Comment expliques-tu qu'il y ait une aussi grande différence dans le pourcentage de la population agricole active de ces deux pays ?

c À quel type de pays (industrialisés ou en développement) associes-tu le Niger ? le Canada ?

d Dans quel type de pays (industrialisés ou en développement) les modes de culture favorisent-ils une plus grande productivité ?

Des pratiques agricoles performantes

Selon toi,

- quels moyens permettent d'augmenter la productivité agricole?

11 Les fertilisants chimiques

Partie du monde	Superficie des terres cultivables (milliers d'hectares)	Quantité d'engrais utilisé annuellement (milliers de tonnes)	Production annuelle de céréales (milliers de tonnes)
Afrique	1 111 000	4300	116 175
Amérique du Nord	486 139	22 000	335 092

Source: FAO, 2002.

Pendant des siècles, les cultures ont été fertilisées avec du fumier recueilli à proximité des fermes. L'industrie de l'engrais chimique s'est progressivement développée au cours du 20e siècle. L'engrais fournit aux plantes l'azote, le phosphore et le potassium nécessaires à leur croissance. Aujourd'hui, sur la Terre, on utilise cinq fois plus d'engrais chimique qu'il y a 30 ans.

12 Les pesticides

Il existe plus de 70 000 sortes de pesticides, qui peuvent être groupés en trois catégories. Les *herbicides* éliminent les mauvaises herbes, les *fongicides* freinent la propagation des champignons et les *insecticides* limitent la quantité d'insectes nuisibles.

Herbicide

Fongicide

Insecticide

13 La recherche biotechnologique

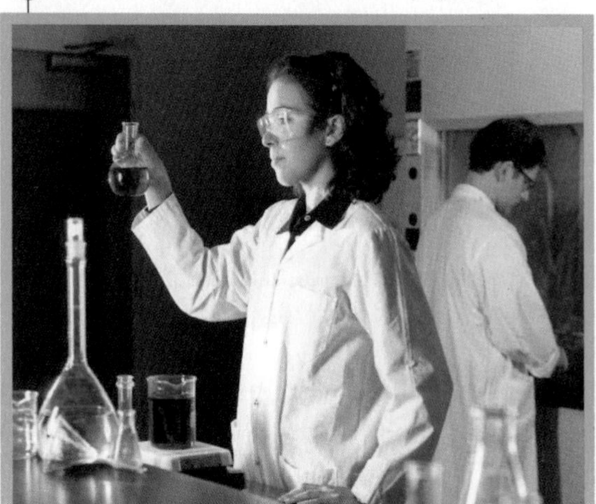

Un grand nombre de pays investissent dans la recherche biotechnologique pour augmenter la productivité agricole. On tente, par exemple, de créer des plantes qui résistent mieux aux insectes et aux mauvaises herbes, d'améliorer leur productivité et leur aspect esthétique, et de les rendre plus nutritives. Ces plantes sont appelées «organismes génétiquement modifiés» (OGM) ou «plantes transgéniques». Les superficies des terres agricoles consacrées aux OGM sont passées de 1,5 million d'**hectares** en 1996 à près de 60 millions d'hectares en 2003.

14 L'irrigation des terres en Jordanie

Dans certaines parties du monde où les précipitations sont rares, les agriculteurs doivent recourir à l'**irrigation.** Les terres irriguées représentent aujourd'hui 18 % des sols cultivés de la planète. Elles sont à l'origine de 40 % de la production agricole mondiale. Ces terres se trouvent principalement au Moyen-Orient et en Asie.
Par exemple, en Jordanie, on pompe l'eau souterraine et on la distribue à l'aide de longs tuyaux de métal qui effectuent une rotation. Ce type d'irrigation crée des champs aux formes arrondies.

arobas

Les OGM

Les OGM résultent de la biotechnologie, une science dont on entend beaucoup parler depuis quelques années. Certaines personnes se réjouissent de l'apparition des plantes transgéniques, tandis que d'autres la désapprouvent.

Trouve dans Internet la date de la première modification génétique faite en laboratoire sur une plante. Donne des exemples d'aliments génétiquement modifiés que nous consommons couramment.

15 Le rendement animal

Animal	Caractéristique	Exploitation industrielle	Exploitation traditionnelle
Bœuf	Gain de poids quotidien Durée de vie	2 kg 17 mois	1 kg 20 mois
Vache laitière	Production	8 000 litres de lait/an	4 000 litres de lait/an
Poule pondeuse	Production	300 œufs/an	230 œufs/an
Poulet de chair	Poids d'abattage	40 jours	84 jours

Une alimentation plus nutritive et mieux dosée a permis d'augmenter le rendement animal, particulièrement dans les élevages de type industriel. Pour accélérer la croissance et augmenter la taille de leurs bêtes, certains éleveurs leur administrent des hormones.

Observe et construis 11 12 13 14 15

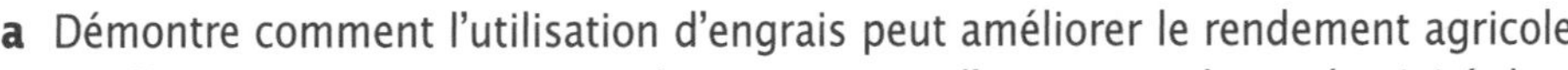

a Démontre comment l'utilisation d'engrais peut améliorer le rendement agricole.

b Quelles autres pratiques agricoles permettent d'augmenter la productivité des fermes ?

c À ton avis, dans quel type de pays (industrialisés ou en développement) ces pratiques agricoles sont-elles le plus utilisées ? Pourquoi ?

16 Les types d'exploitations agricoles

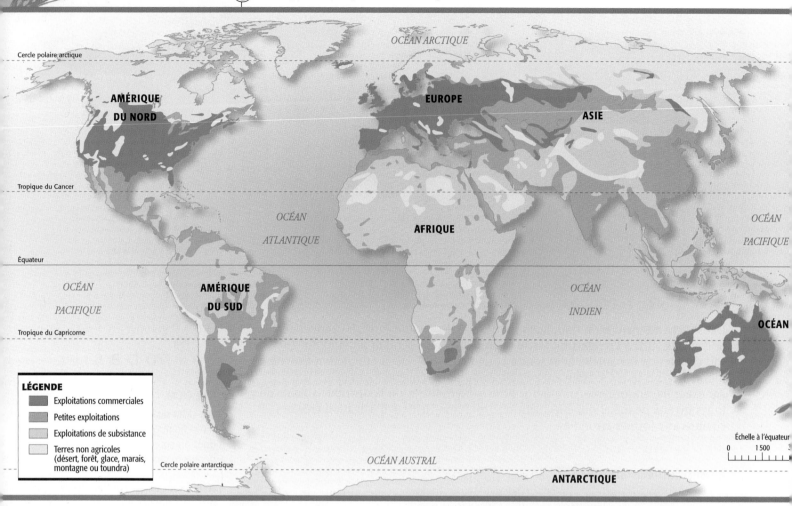

OCÉAN ARCTIQUE
Cercle polaire arctique
AMÉRIQUE DU NORD
EUROPE
ASIE
Tropique du Cancer
OCÉAN ATLANTIQUE
AFRIQUE
OCÉAN PACIFIQUE
Équateur
OCÉAN PACIFIQUE
AMÉRIQUE DU SUD
OCÉAN INDIEN
Tropique du Capricorne
OCÉANIE
Cercle polaire antarctique
OCÉAN AUSTRAL
ANTARCTIQUE

LÉGENDE
- Exploitations commerciales
- Petites exploitations
- Exploitations de subsistance
- Terres non agricoles (désert, forêt, glace, marais, montagne ou toundra)

Échelle à l'équateur
0 1 500 3

Il y a sur la Terre de nombreux types de pratiques agricoles qui varient en fonction du territoire, du climat, du mode de vie, des progrès technologiques, des ressources financières, etc. On assiste actuellement à une **croissance** des **exploitations commerciales** dans le monde. L'agriculture et l'élevage sont de plus en plus liés à l'industrie agroalimentaire. Les entreprises qui achètent les productions des agriculteurs sont parfois des **multinationales**.

Ton défi

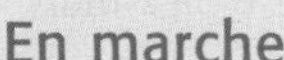

En marche

Trouve de l'information sur l'agriculture des pays industrialisés et des pays en développement. Tu peux également utiliser des illustrations ou des photos pour traiter ce sujet. Dispose tes informations ou tes documents visuels de chaque côté de ta carte du monde pour mieux comparer ces deux types de pays.

Multinationale : Entreprise qui pratique des activités commerciales dans plusieurs pays.

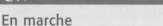

Observe et construis 16

d Repère trois **pays en développement** sur la carte des niveaux de développement des pays du monde de la section Ressources géo (p. 386-387). Dans le document 16, trouve ensuite le type d'exploitation agricole pratiqué dans ces pays. Fais de même avec trois **pays industrialisés**. Que remarques-tu?

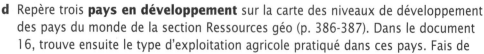

Ton défi

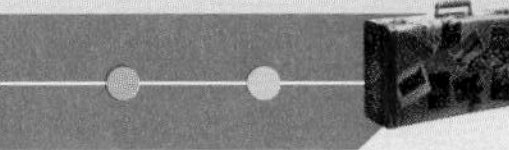

Fiche 2.2.7

À l'œuvre !

Il est maintenant temps de soigner la présentation de ton affiche portant sur l'agriculture de la planète.

1. Vérifie d'abord si tous les renseignements demandés apparaissent sur ta carte :
   - l'association des terres entièrement cultivées à leur climat et à leur relief ;
   - les principales productions agricoles.
2. Ajoute sur ta carte du monde les données suivantes :
   - le nom des continents et des grandes parties du monde ;
   - le nom des océans.
3. Assure-toi que tu as placé autour de ta carte :
   - des informations sur les contraintes du territoire ;
   - les réponses aux questions du « Selon toi » de la page 142 ;
   - des éléments de comparaison entre l'agriculture des pays industrialisés et celle des pays en développement.
4. Assure-toi que ta carte est accompagnée :
   - d'un titre lié aux informations demandées ;
   - d'une légende qui donne la signification des couleurs et des symboles utilisés.
5. Ajoute des informations pertinentes pour tes lecteurs (données, faits, photos, etc.).
6. Relis tes textes et fais-les relire par d'autres personnes pour t'assurer de leur intérêt et de leur qualité.

Synthèse

Fiche 2.2.8

Fais le point sur ce que tu as appris dans cette partie du chapitre 1 en répondant de nouveau aux questions des « Selon toi » ou en construisant un schéma organisateur.

L'agriculture sur la planète

Inégalités — **Différences**

DOSSIERS

Fiche 2.2.9

Ailleurs

À l'aide de la section Dossiers du module 2 (p. 172), compare les pratiques agricoles et les modes de culture de la Californie ou du Japon avec ceux du Québec.

Bilan

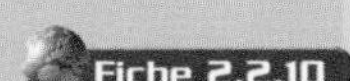

Fiche 2.2.10

1 Quelles difficultés as-tu éprouvées en relevant ce défi ? Comment les as-tu surmontées ?

2 Quelles informations ont vraiment intéressé tes lecteurs ?

3 À ton avis, quels sont les points forts du portrait que tu as fait de l'agriculture de la planète ?

4 Qu'est-ce que tu améliorerais si tu refaisais une activité semblable ?

B Des enjeux planétaires

Aujourd'hui, la Terre fournit une grande quantité de produits alimentaires variés et de bonne qualité. Des pratiques agricoles performantes, telles que la mécanisation, la spécialisation des cultures, la recherche scientifique, etc., permettent d'obtenir ces résultats dans un grand nombre de pays. Cependant, la planète demeure confrontée à deux enjeux planétaires de taille : assurer l'équité dans la distribution des **ressources** alimentaires tout en conciliant la **productivité** agricole et le respect de l'**environnement**.

Équité : Juste partage.

Nourrir la planète

La distribution de nourriture en Afrique du Sud

Malgré l'abondance de produits alimentaires qu'offre la Terre, des populations entières sont insuffisamment nourries. Où vivent ces populations ? Pourquoi manquent-elles de nourriture ?

Que devrait-on faire pour régler le problème de la faim dans le monde ?

page 152

Ton défi

Fiche 2.2.11

Un reportage sur de grands enjeux

Ton portrait de l'agriculture et de l'alimentation mondiales serait incomplet sans une présentation des grands enjeux qui y sont liés.

Ton défi est de présenter un **reportage** décrivant l'un des deux enjeux présentés ci-contre.

Une fois l'enjeu choisi,

1. Note ce que tu sais de cet enjeu.
2. Sers-toi d'un tableau semblable au suivant pour préparer ton reportage.

Enjeu choisi :	
Énoncé :	
Ce que j'en sais :	Mon opinion :
Renseignements trouvés	**Sources**
Aspects importants du problème :	
Causes du problème :	
Solutions possibles :	
Maintenant, mon opinion est :	

4. Inspire-toi des grands reportages de la télévision et prête attention aux propos et à l'attitude des présentateurs. Cela t'aidera au moment de ta présentation.
5. Pour enrichir ton reportage, consulte des atlas, des documentaires, des sites Internet, des journaux, etc.
6. Prépare ensuite ton reportage en te référant à la rubrique Ton défi – À l'œuvre ! (p. 171).

Deux enjeux planétaires

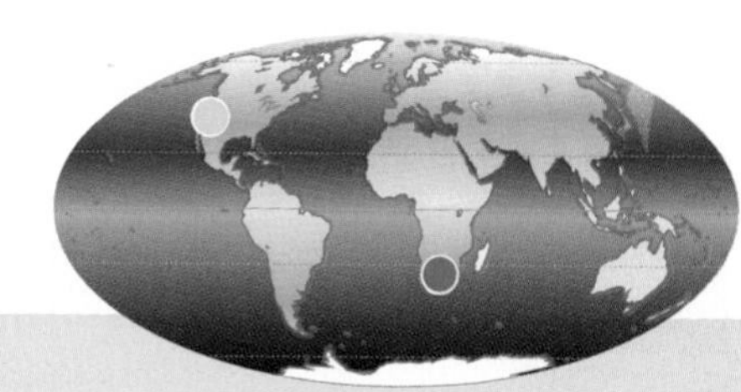

Enjeu 2

Préserver l'environnement

L'épandage de pesticides en Californie

Pour augmenter la productivité de leurs terres, les agriculteurs utilisent des pesticides et des engrais, irriguent les terres **arides**, plantent des haies, etc. Quelles sont les conséquences de ces pratiques agricoles sur l'environnement ?

Comment augmenter la productivité agricole sans compromettre la qualité de l'environnement ?

page 162

Enjeu 1

Nourrir la planète

L'alimentation dans le monde

Fiche 2.2.12

Selon toi,

- dans quelles parties du monde les habitants sont-ils insuffisamment nourris?
- dans quelles parties du monde mangent-ils à leur faim?
- que faut-il manger pour être en santé?
- en quoi notre alimentation est-elle différente de celle des autres pays du monde?

La famine, ou privation totale d'aliments, résulte de diverses causes. Les **catastrophes naturelles** et les guerres sont certainement deux grands responsables de cette situation. Cependant, dans plusieurs pays du monde, les populations n'ont pas les moyens d'utiliser des pratiques agricoles efficaces pour combattre la famine.

1 L'alimentation mondiale

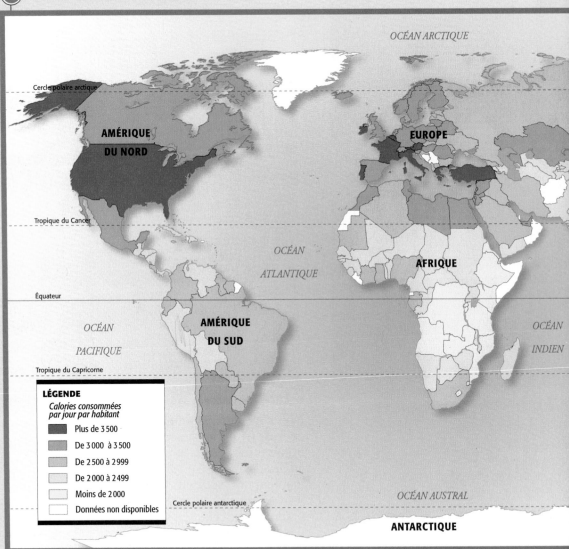

2 Les besoins quotidiens moyens en calories

Groupe d'âge	Homme	Femme
15-25 ans	3 000	2 200
25-50 ans	2 800	2 100
50-75 ans	2 200	1 900

Source: Organisation mondiale de la santé.

L'Organisation mondiale de la santé a déterminé le nombre de calories qu'une personne doit absorber chaque jour pour avoir une bonne croissance et une bonne santé.

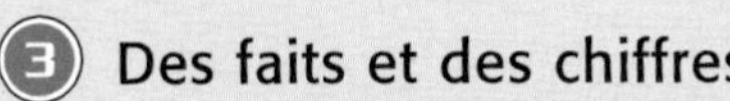

3 Des faits et des chiffres

- Dans le monde, plus de 800 millions de personnes souffrent de **sous-alimentation**, soit une personne sur sept.
- Dans le monde, 170 millions d'enfants de moins de cinq ans souffrent d'un retard de croissance dû à la sous-alimentation.
- Dans les **pays en développement**, près de 12 millions d'enfants de moins de cinq ans meurent chaque année. Plus de la moitié de ces décès sont dus à la **malnutrition**.
- L'**obésité** touche surtout les adultes des **pays industrialisés** : par exemple, 30 % des États-Uniens, 14 % des Canadiens et 10 % des Français ont un surplus de poids.

Source : Organisation mondiale de la santé, 2002.

OCÉAN PACIFIQUE

OCÉANIE

Échelle à l'équateur
0 1500 3000 km

4 Une alimentation variée et équilibrée

Groupes alimentaires	Portions quotidiennes
Produits céréaliers	5 à 12
Fruits et légumes	5 à 10
Produits laitiers	Enfants de 4 à 9 ans : 2 à 3 Jeunes de 10 à 16 ans : 3 à 4 Adultes : 2 à 4 Femmes enceintes : 3 à 4
Viandes et substituts	2 à 3

4A Plus de 40 **nutriments** contribuent à la bonne santé des êtres humains. Le *Guide alimentaire canadien pour manger sainement* propose un modèle d'alimentation équilibrée.

Malnutrition : Alimentation non équilibrée (ex. : une personne qui s'alimente presque exclusivement de céréales).

Nutriment : Substance nutritive nécessaire aux organismes vivants.

Obésité : Excédent de graisse entraînant des conséquences néfastes pour la santé.

Sous-alimentation : Alimentation insuffisante. L'Organisation mondiale de la santé recommande 2 600 calories par jour pour un ou une adulte de taille moyenne.

4B **Le groupe alimentaire des fruits et légumes**

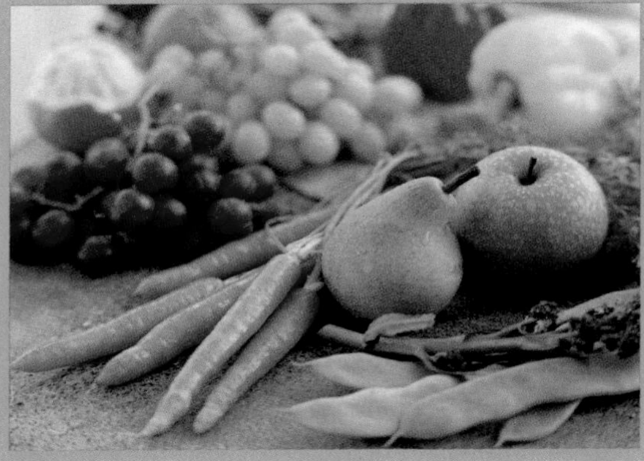

Observe et construis    

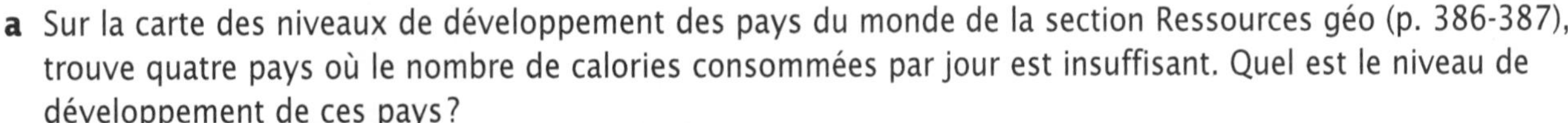

a Sur la carte des niveaux de développement des pays du monde de la section Ressources géo (p. 386-387), trouve quatre pays où le nombre de calories consommées par jour est insuffisant. Quel est le niveau de développement de ces pays ?

b Quelles sont les caractéristiques d'une saine alimentation ?

c Quels problèmes de santé surviennent lorsqu'une de ces caractéristiques est absente ?

5 Se nourrir pendant une semaine

Une famille bosniaque

- 14 gros pains
- 5 kg de pâtes
- 500 g de saucisses
- 2 kg de bœuf haché
- 30 œufs
- 580 g de fromage gouda
- 600 g de fromage blanc
- 1 kg de betteraves
- 2 choux
- 1 kg de carottes
- 10 kg de fruits
- 1 pot de chocolat à tartiner
- 3 paquets de petits gâteaux

5A Bosnie-Herzégovine

En Bosnie-Herzégovine, un **pays en développement** situé en Europe de l'Est, une personne adulte de taille moyenne consomme entre 2 400 et 3 000 calories par jour.

États-Unis 5B

Aux États-Unis, un **pays industrialisé** de l'Amérique du Nord, une personne adulte de taille moyenne consomme plus de 3 400 calories par jour.

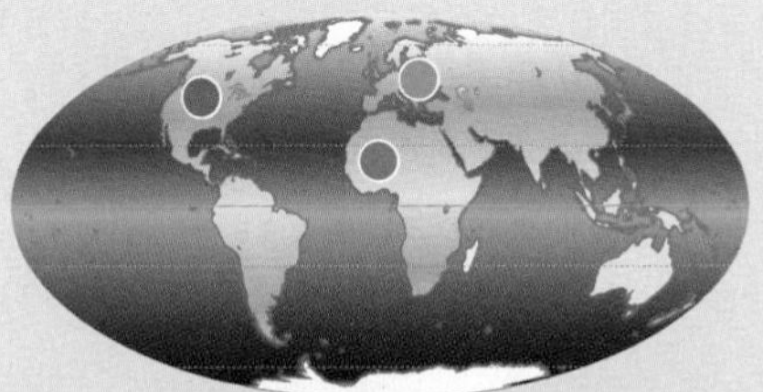

Plusieurs facteurs expliquent le choix des produits alimentaires consommés par les êtres humains : les goûts personnels, le mode de vie, la disponibilité des produits et, surtout, le revenu. Certaines personnes ne mangent pas à leur faim parce qu'elles n'en ont pas les moyens. Cette réalité existe partout, même dans les pays riches où les aliments sont pourtant disponibles en abondance.

Une famille malienne

- 20 kg de mil
- 20 kg de riz
- 2 kg de tamarin (fruit) déshydraté
- 2,5 kg de gombos (légume)
- 4 L d'huile
- 2,5 kg de sucre
- Quelques piments rouges
- Concentré de tomates
- Ngomes (galettes frites)
- 4 L de lait fermenté

5C **Mali**

Au Mali, un **pays moins avancé** de l'Afrique, une personne adulte de taille moyenne consomme entre 2 000 et 2 400 calories par jour.

Une famille états-unienne

- 4 paquets de bagels
- 2 pains tranchés
- 500 g de céréales
- 2,7 kg de saucisses
- 1,8 kg de poulet
- 600 g de bœuf haché
- 1 pizza surgelée
- 10 bananes
- 2,3 kg de pommes
- 250 g de légumes surgelés
- 400 g de brocoli
- 400 g de carottes
- 2,5 L de cola
- 4 L de jus de fruits
- 4 L de lait

Observe et construis (5)

d Décris et commente l'alimentation hebdomadaire de chacune des familles mentionnées dans le document 5 (quantité et variété de nourriture, conséquences).

e Quel lien peux-tu faire entre le niveau de développement de chacun de ces pays et l'alimentation de ses habitants ?

Production agricole et équilibre alimentaire

Fiche 2.2.13

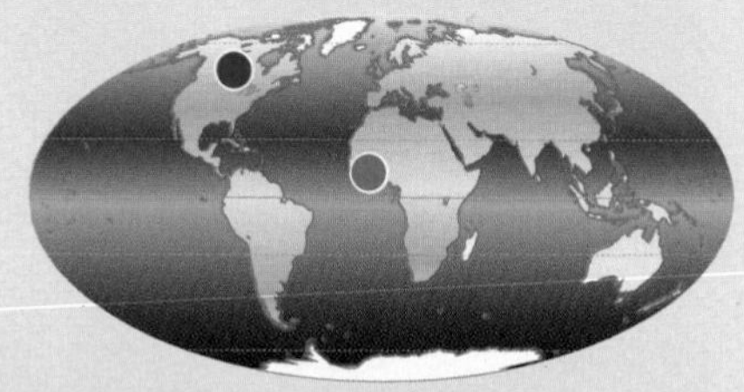

Selon toi,

- pourquoi y a-t-il des problèmes de sous-alimentation dans certains pays ?

6 La production agricole industrielle au Canada ●

Dans les **pays industrialisés**, l'agriculture est subventionnée et très performante. Ces conditions entraînent une baisse des prix sur le marché international et empêchent les petits agriculteurs moins performants des **pays en développement** de vivre de l'**agriculture**.

8 Une agriculture nourricière ?

Caractéristiques	Canada (Amérique du Nord)
Population	30 millions
Agriculteurs en % de la population	2 %
Superficie du pays	9,9 millions km^2
Territoire agricole en % de la superficie du pays	7 %
Population sous-alimentée en %	Environ 2,5 %
Principaux produits agricoles	Viandes (bœuf et porc), céréales (14 % des exportations) et oléagineux (soya, canola, blé)
Subventions aux agriculteurs	5 milliards $/an

Sources : Statistique Canada, 2003 ; Rapport de l'ONU pour l'alimentation et l'agriculture 2003-2004.

Les agriculteurs canadiens, comme ceux des autres pays industrialisés, produisent une grande variété d'aliments pour les habitants du pays et exportent leurs surplus. Dans certains pays en développement, par exemple en Côte-d'Ivoire, les agriculteurs ont mis de côté les **cultures vivrières** pour se consacrer à une agriculture destinée à l'**exportation**.

7 Point de vue

Vivre de l'agriculture au Canada

Dans les Prairies canadiennes, il y a de vastes espaces, mais le sol est sec et peu fertile. Si je veux obtenir une bonne production, je dois m'endetter pour acheter de la machinerie, de l'engrais, etc. Je cultive des céréales, comme la plupart des agriculteurs de l'Ouest canadien. Plusieurs d'entre nous font aussi de l'élevage.

La production de blé et d'autres céréales est très importante ici : 54 % du blé canadien est produit dans les trois provinces de l'Ouest. Chaque année, au Canada, on consomme 8 millions de tonnes de blé et on en exporte 19 !

Mes revenus me permettent de vivre convenablement, car le prix du blé est assez stable. De plus, quand les récoltes sont mauvaises ou la concurrence internationale très forte, le gouvernement canadien vient en aide aux agriculteurs à l'aide de subventions.

Ken May
Agriculteur de la Saskatchewan

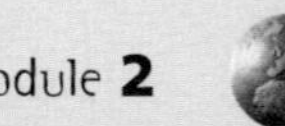

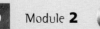

9 La culture du cacao en Côte-d'Ivoire

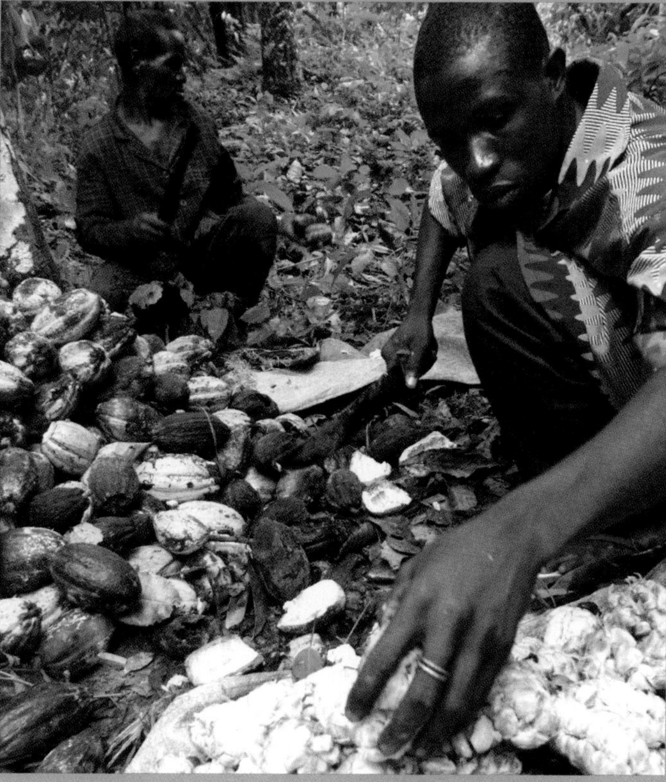

En Côte-d'Ivoire, on cultive le cacao dans quelque 550 000 exploitations agricoles. Environ 6 millions de personnes vivent directement ou indirectement de cette production.

Côte-d'Ivoire (Afrique de l'Ouest)
17 millions
48 %
323 000 km²
15,1 %
15 %
Cacao (69 % des exportations), huile de palme, café, caoutchouc, coton
Pays bénéficiaire de l'aide alimentaire internationale

11 Du cacao à la tablette de chocolat

Une dizaine de **multinationales** transforment le cacao et assurent la distribution de ses sous-produits (tablettes de chocolat, chocolat en poudre, etc.) dans le monde. Ces grandes entreprises engrangent des milliards de dollars de profits avec ce commerce, alors que les petits producteurs de cacao ont peine à survivre. Pour qu'il y ait un peu plus d'**équité** dans ce commerce, de petits producteurs se joignent à un réseau de commerce équitable. Dans ce type de commerce, le cacao est acheté directement aux coopératives de producteurs, ce qui leur permet d'obtenir un prix plus juste par rapport à la somme de travail accomplie.

10 Point de vue

Vivre de l'agriculture en Côte-d'Ivoire

J'ai une petite ferme de cacao qui est la seule source de revenu de ma famille depuis des générations. Je vends mon cacao à des ramasseurs qui me l'achètent au plus bas prix possible pour le revendre à un exportateur qui le vend ensuite à une usine, etc. Comment réussir à obtenir un bon prix pour mon cacao alors qu'il y a autant d'intermédiaires? Chacun veut faire du profit! De plus, comment négocier le prix de mon cacao alors que je n'ai aucune idée du prix du marché? En fait, on me paie le prix qu'on veut bien me payer...

S'il y a une sécheresse, une invasion d'insectes ou encore si on ne veut plus acheter mon cacao parce qu'il y en a trop sur le marché, je n'ai plus de revenu. Je dois alors emprunter pour nourrir ma famille et il m'est très difficile de rembourser ces dettes. Je pourrais cultiver des fruits et des légumes pour les gens de la ville, mais mon revenu diminuerait, car les prix de ces produits sont plus bas que ceux du cacao. Je n'aurais donc plus suffisamment d'argent pour acheter des vêtements, payer l'éducation de mes enfants, nous soigner, etc. Peut-être que je devrais chercher un travail en ville?

Ange Camara
Producteur de cacao en Côte-d'Ivoire

Observe et construis 6 7 8 9 10 11

a Explique la situation des producteurs de cacao de la Côte-d'ivoire. Est-ce une situation injuste? Pourquoi?

b Quelle différence l'aide gouvernementale entraîne-t-elle pour les agriculteurs?

L'aide alimentaire internationale

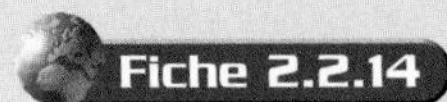

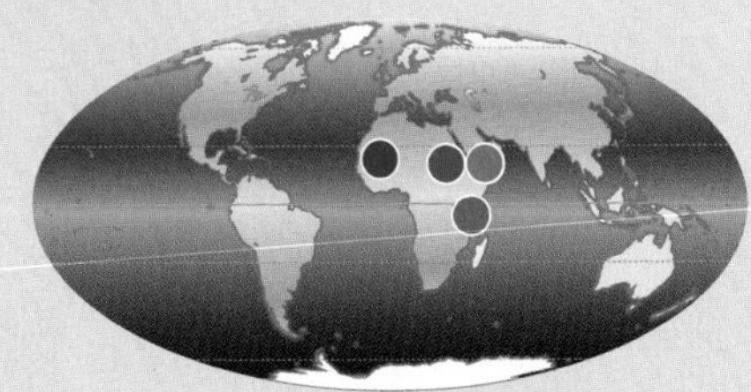

Selon toi,

- comment vient-on en aide aux pays dont la population souffre de la faim?
- D'où vient cette aide?
- Quelles formes peut-elle prendre?

12 Le SMIAR

Le système mondial d'information et d'alerte rapide (SMIAR) est un organisme international qui évalue les récoltes et la situation de l'alimentation dans les pays en crise. Il fournit des renseignements aux gouvernements, aux groupes de coopération internationale et à la communauté internationale. Le but de cet organisme est de sauver des populations de la famine. Le SMIAR mène environ 20 missions par année.

Le SMIAR s'emploie à répondre à des questions comme celles-ci:

- Quelle quantité de nourriture produit-on dans le monde?
- Comment évoluent les prix des aliments sur les marchés mondiaux?
- Y aura-t-il une sécheresse en Afrique cette année?
- Quel est l'impact des inondations et des autres catastrophes naturelles sur la production alimentaire?
- Dans quels pays la population vivra-t-elle une guerre civile ou une crise économique?
- Où y aura-t-il des surplus céréaliers?
- Dans quelles régions du monde les interventions sont-elles le plus urgentes?

13 Des nouvelles des médias

13 A **Mauritanie**

Les criquets, qui avancent à raison de 100 km par jour, ravagent les récoltes sur leur passage. Ils peuvent consommer jusqu'à 300 tonnes de végétation en une seule journée!

LE CANADA APPORTE SON AIDE AUX AFRICAINS

Ottawa, le 25 août 2004 – La ministre de la Coopération internationale annonçait aujourd'hui que le Canada s'est engagé à verser 6,5 millions de dollars à l'Organisation des Nations Unies pour l'alimentation et l'agriculture (FAO), afin d'appuyer les vastes opérations nationales de lutte contre les criquets en Afrique de l'Ouest. Présentement, ces pays, surtout ceux de la région du Sahel, combattent l'une des pires invasions depuis la fin des années 1980.

13 B

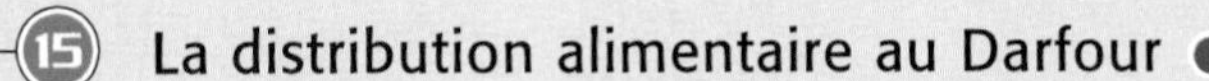

(15) La distribution alimentaire au Darfour

Le Darfour est une région située en Afrique, à l'extrémité ouest du Soudan. La saison des pluies, qui empêche toute circulation sur les routes, isole davantage cette population déjà touchée par de violents conflits. Ces dernières années, l'aide alimentaire apportée par divers organismes internationaux a souvent dû être acheminée par avion et distribuée au 1,8 million d'habitants affamés de cette région.

(16) La sécheresse au Kenya

La sécheresse est l'une des premières causes de la pénurie alimentaire en Afrique. Elle frappe surtout une vingtaine de pays de ce continent. Année après année, l'absence de pluies suffisantes pour la culture des céréales entraîne la famine chez des millions d'Africains.

(14) L'agriculture urbaine au Yémen

Dans plusieurs villes, le moindre espace libre est transformé en jardin ou en petit champ où l'on pratique l'**agriculture** urbaine. On y sème des légumes, du maïs, du manioc, de l'oseille, des gombos, etc. Ce mode de culture fournit du travail et de la nourriture à un grand nombre de personnes. Mise en place par des organismes nationaux ou locaux, l'agriculture urbaine est soutenue par l'aide financière et technique d'organismes internationaux. Grâce à ces ressources, ce type d'agriculture atteint parfois une **productivité** 15 fois plus grande qu'en milieu rural !

Observe et construis (12) (13) (14) (15) (16)

a Nomme trois circonstances dans lesquelles l'aide alimentaire internationale entre en jeu.

b Nomme deux types d'aide apportée par les organismes internationaux. Donne un exemple pour chacun. À ton avis, quel type d'aide est le plus utile à long terme ? Pourquoi ?

Des pratiques alternatives 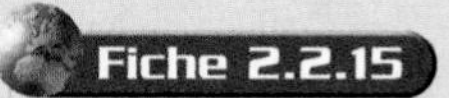

Selon toi,

- comment pourrait-on réduire les effets nocifs de certaines pratiques agricoles sur l'environnement ?

17 Point de mire

Nourrir la population au Viêtnam

L'équilibre alimentaire est particulièrement difficile à atteindre dans les **pays en développement.** Dans plusieurs de ces pays où les sols sont peu favorables à l'**agriculture**, les habitants souffrent de **sous-alimentation** et de **malnutrition**. Cependant, certains de ces pays, par exemple le Viêtnam, ont réussi à surmonter ces obstacles.

La situation

Au Viêtnam, 80 millions d'habitants se partagent un territoire de 330 000 km^2 dont la **densité** de population est élevée (242 hab./km^2). L'augmentation de la population, bien qu'elle soit soumise à une politique de limitation des naissances, atteint environ 2 millions d'habitants par année.

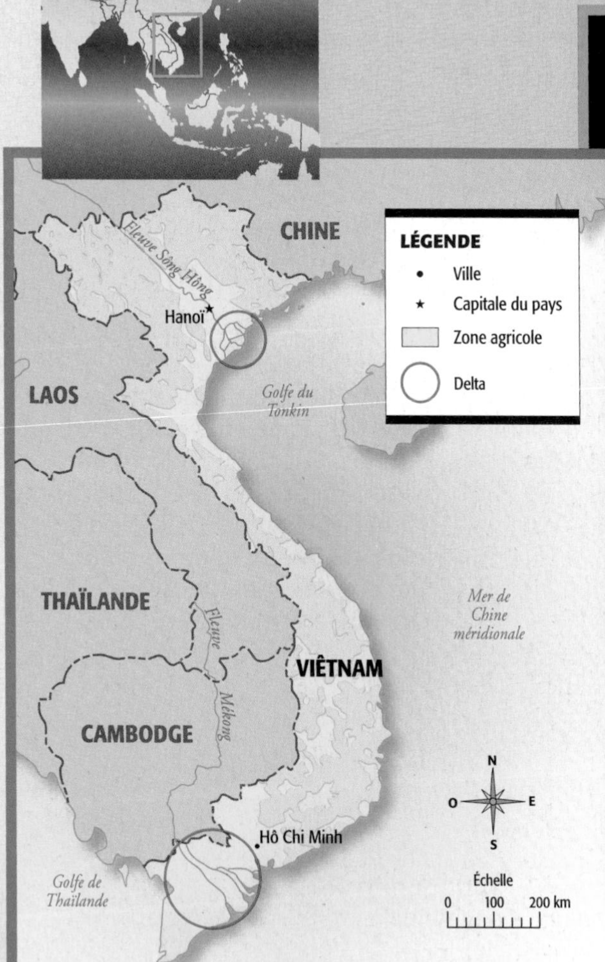

17 A Les terres cultivables au Viêtnam.

17 B Une vendeuse de riz dans un marché vietnamien.

Les terres cultivables du Viêtnam se limitent surtout aux plaines côtières et aux deltas du fleuve Mékong et du fleuve Sông Hông (fleuve Rouge). Au cours de la guerre du Viêtnam (1964-1975), l'épandage de défoliant a entraîné la perte de 7 % des forêts denses et des sols fertiles. Dans de telles conditions, assurer l'alimentation de la population représente un enjeu de taille pour ce petit pays.

Le climat tropical du Viêtnam (voir document 2, p. 138), avec ses fortes pluies apportées par la mousson d'été (vent chargé d'une forte humidité), provoque d'importantes crues dans les **deltas** des fleuves. Ces crues amènent de l'eau en abondance pour la culture du riz, mais elles provoquent sur les terres cultivées des inondations qui détruisent les autres récoltes.

Le projet

En 20 ans, le Viêtnam a réussi le tour de force d'augmenter sa **culture vivrière**, surtout celle du riz, de 15 à 30 millions de tonnes. Dans ce pays, 67 % de la population active travaille dans le secteur de l'**agriculture**.

Une culture intensive a entraîné une amélioration de la **productivité** des rizières. On a favorisé la culture de deux types de riz à haut rendement : leur court cycle de croissance permet deux récoltes par année (riz d'automne-hiver et riz d'été-automne). Par ailleurs, on a effectué le drainage des plaines du Mékong, ce qui a permis l'ajout de 1,5 million d'**hectares** de nouvelles terres agricoles au territoire. La conservation et la réutilisation de l'eau pour l'**irrigation** font partie des pratiques les plus ingénieuses de l'agriculture vietnamienne. Certaines régions forestières ont été déboisées, procurant ainsi des surfaces cultivables supplémentaires.

17 C Des rizières au Viêtnam.

Le succès agricole du Viêtnam démontre l'importance du partenariat local et international. Les agriculteurs de ce pays ont bénéficié du soutien de l'État ainsi que de l'aide d'organismes internationaux comme l'Agence canadienne de développement international (ACDI) et le Centre de coopération internationale en recherche agronomique pour le développement (CIRAD), dont le siège social est établi en France.

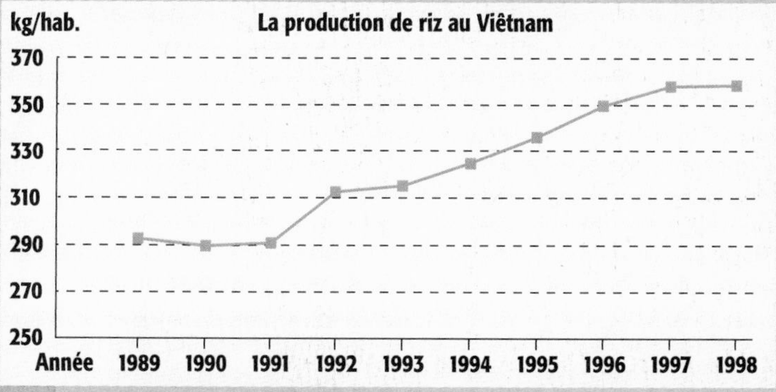

17 D Le riz est la production agricole qui a le plus augmenté au Viêtnam.

Crue : Montée soudaine du niveau d'un cours d'eau à la suite de fortes précipitations ou de la fonte de la neige.

Delta : Zone de terres fertilisées par les sédiments transportés par un fleuve, là où il se jette dans la mer.

Défoliant : Puissant herbicide destiné à détruire la végétation.

Drainage : Action de retirer l'eau d'un sol trop humide.

Rizière : Terre où l'on cultive du riz.

Observe et construis (17)

a De quelle nature étaient les problèmes agricoles au Viêtnam ?
b Quelles solutions ont été mises en pratique pour les résoudre ?
c En quoi ces solutions ont-elles été efficaces ?

Pour poursuivre, rends-toi à la page 171.

Préserver l'environnement

La dégradation de l'environnement

Selon toi,

- qu'est-ce qui peut causer une dégradation des sols?
- quelles pratiques agricoles sont néfastes pour l'environnement?

La dégradation des sols dans le monde

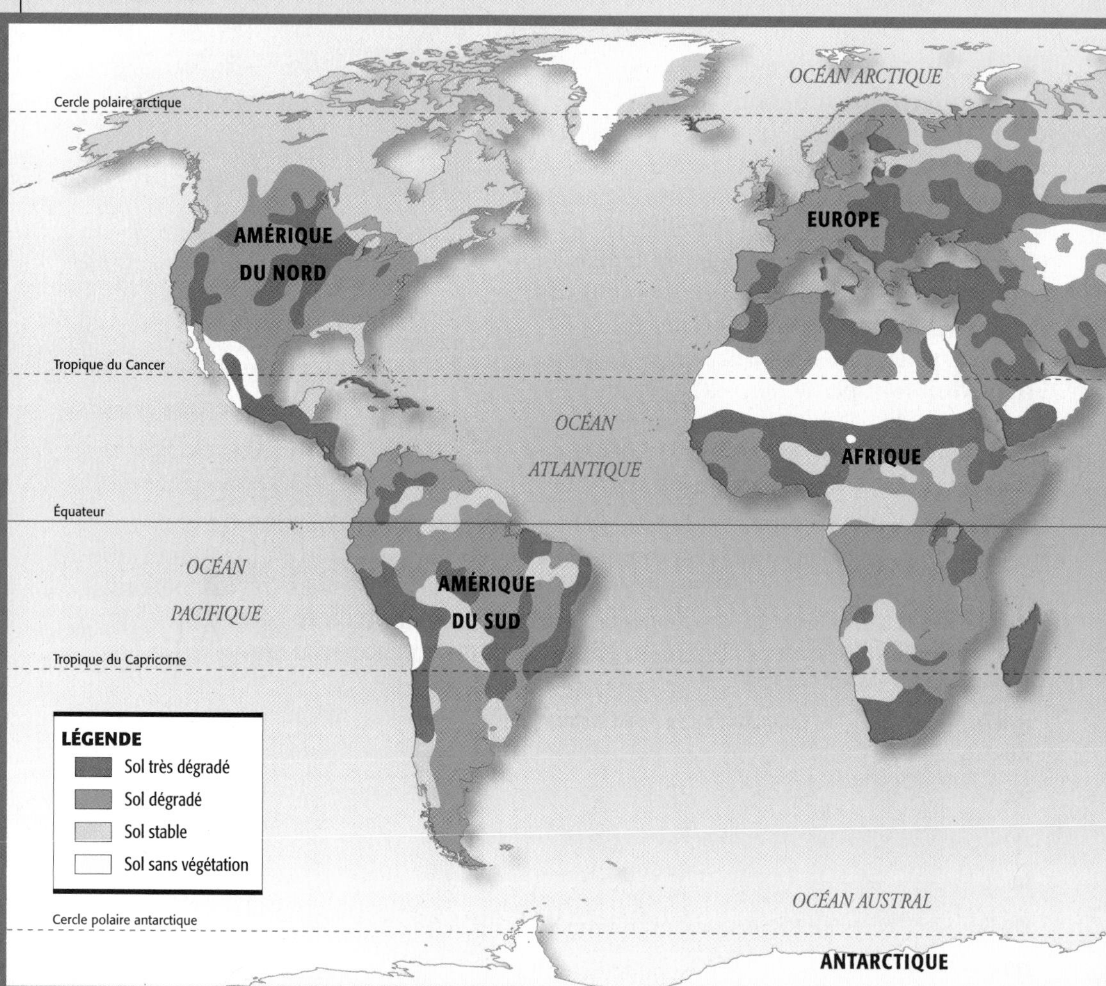

Une mince couche de sol fertile assure l'alimentation des êtres humains. Un sol qui a perdu sa fertilité devient un sol improductif. Sur la Terre, plus de 2 milliards d'**hectares** sont aujourd'hui dégradés à cause de pratiques agricoles trop intenses ou inadéquates. Ce nombre représente près du quart des terres agricoles de la planète. Certains pays n'arrivent plus à nourrir leur population, car leur rendement agricole est insuffisant.

Agriculture et environnement

Trouve dans Internet des organismes non gouvernementaux (ONG) qui luttent contre les pratiques agricoles nuisibles à l'environnement.

- Quels sont ces organismes?
- Quels sont leurs objectifs? leurs actions?

Pour t'aider, sers-toi des mots clés suivants: solidarité, environnement, agriculture, protection, Greenpeace, coopération, programme alimentaire mondial.

Des faits et des chiffres

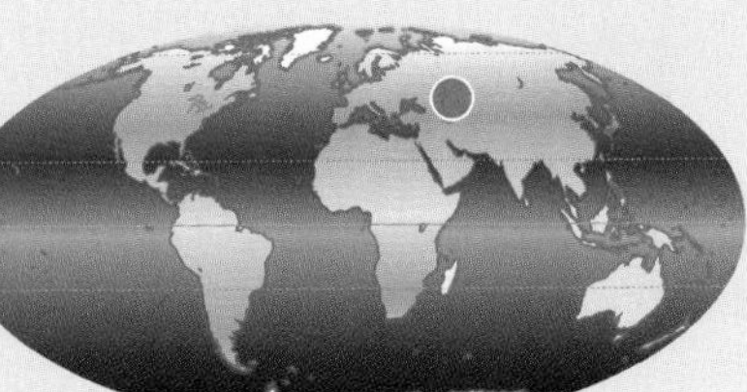

Pour augmenter la production agricole, on utilise des pratiques qui ont, à la longue, des effets négatifs sur l'environnement.

- En 2003, l'Organisation mondiale de la santé recensait dans le monde 200 000 décès (cancers, maladies respiratoires, maladies de peau, etc.) liés à une exposition aux pesticides.
- Chaque minute, dans le monde, 200 **ha** de forêts (300 km^2 par jour) sont détruits pour faire place à l'élevage de bovins.
- En 40 ans, de mauvaises pratiques agricoles en matière d'**irrigation** ont fait passer la superficie du lac Tchad (Afrique) de 25 000 km^2 à 2 500 km^2.
- Le quart des terres cultivées par les principaux pays producteurs mondiaux (États-Unis, Canada, Argentine, Chine) comportent des plants génétiquement modifiés.
- Depuis la fin des années 1950, en Amérique centrale, le nombre de bovins est passé de 4,2 à 9,6 millions et les terres de pâturage de 3,5 à 9,5 millions d'hectares.

Sources : International Food Policy Research Institute, 2004 ; Djangui, 2004.

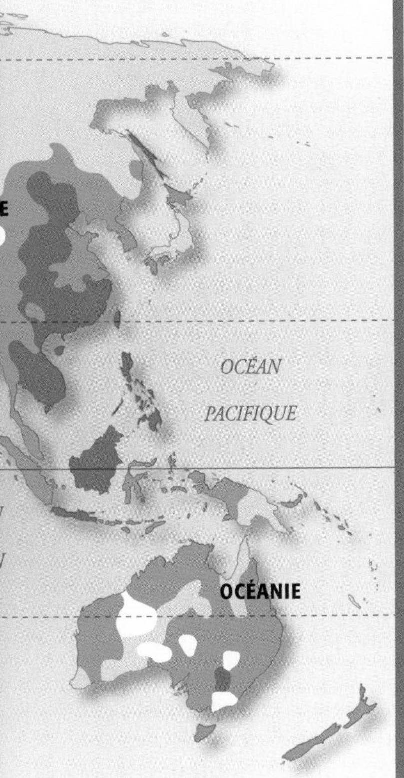

3 La mauvaise gestion de l'irrigation

Mer d'Aral, Asie centrale

Indispensable à l'arrosage des cultures, l'irrigation peut avoir des conséquences dramatiques sur l'**environnement**. Une trop grande quantité d'eau engorge les sols. Quand l'eau s'évapore, les sels minéraux qu'elle contient s'infiltrent dans la terre et rendent les sols impropres à l'**agriculture**. De plus, une irrigation mal contrôlée peut assécher un cours d'eau qui alimente un lac.

La mer d'Aral

Les conséquences négatives de l'irrigation sont particulièrement impressionnantes dans la mer d'Aral, en Asie centrale.

Documente-toi sur cette situation dans Internet.

- Comment était cette mer il y a 50 ans ? Comment est-elle aujourd'hui ?
- Quelles sont les causes du changement survenu ? Quelles en sont les conséquences ?

Observe et construis   

a Décris la dégradation des sols en Amérique du Nord, en Amérique du Sud, en Europe, etc.

b Comment réagis-tu aux données présentées dans le document 2 ?

④ L'abus de pesticides et d'engrais

Malgré les avantages des pesticides et des engrais, ces produits peuvent être dangereux pour l'**environnement** et les êtres vivants. Une fois dilués dans l'eau, ils s'infiltrent dans le sol et peuvent contaminer les nappes d'eau souterraines. Par le ruissellement, ils peuvent aussi contaminer les cours d'eau, où vit une grande variété d'animaux. De plus, des recherches tendent à démontrer que les pesticides et les engrais seraient responsables de plusieurs maladies humaines.

⑤ La déforestation

Panama

Pour faire le commerce du bois, accroître la superficie des sols cultivables ou pratiquer l'élevage, on coupe une grande quantité d'arbres. Cette pratique entraîne la déforestation, c'est-à-dire la destruction des forêts. Or, les racines des arbres retiennent l'eau dans le sol. En leur absence, le sol s'assèche et est transporté par l'eau de pluie. Ce phénomène, qu'on appelle l'érosion, entraîne progressivement la dégradation des sols.

6 Les effets méconnus de la recherche biotechnologique

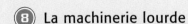

Campagne contre les OGM à Saskatoon

OGM, des risques minimes pour les humains?

Le maïs génétiquement modifié peut tuer les papillons monarques

Plusieurs s'opposent à la recherche biotechnologique. Ces personnes s'inquiètent, entre autres, du développement de gènes résistants chez les mauvaises herbes, de la disparition d'insectes qui a pour effet de rompre la chaîne alimentaire et de la possibilité d'une augmentation des cas d'allergies chez les consommateurs.

7 Le surpâturage

Soudan

Pour accroître la **productivité** de leur ferme, les éleveurs augmentent le nombre de bêtes de leur troupeau. Lorsqu'un trop grand nombre d'animaux broutent dans un territoire pendant une longue période, la végétation n'a pas le temps de se régénérer. Le surpâturage provoque la dégradation des sols, surtout dans les régions désertiques, où le sol est mince et fragile. De plus, le piétinement du bétail dans les endroits les plus fréquentés, par exemple près des cours d'eau, compacte le sol et le rend improductif.

 La machinerie lourde

Canada

La machinerie agricole (tracteur, moissonneuse-batteuse, etc.) est très efficace et diminue le besoin de main-d'œuvre. Cependant, ces machines sont très lourdes et exercent une forte pression sur le sol. Leur poids compacte la terre et endommage la qualité des sols.

Observe et construis     8

c Comment les pratiques utilisées pour améliorer le rendement agricole peuvent-elles en venir à détériorer l'environnement et à nuire à l'agriculture?

d Pourquoi maintient-on de telles pratiques agricoles?

Des pratiques alternatives

Selon toi,

- comment pourrait-on réduire les effets néfastes de certaines pratiques agricoles sur l'environnement ?
- comment finance-t-on les pratiques alternatives ?

Point de mire

Des pratiques agricoles écologiques au Brésil

Monoculture : Culture d'un seul produit agricole.

Les ressources de la Terre doivent nourrir plus de 6 milliards d'êtres humains. Si la tendance se maintient, la planète comptera 10 milliards d'habitants en 2050 ! De plus, chaque parcelle de terre cultivable sera presque totalement exploitée.

Pour répondre aux besoins croissants de la population, de nombreux agriculteurs ont recours à des pratiques qui menacent la qualité de l'**environnement**. Pour contrer cette tendance, un groupe d'exploitants de l'État de Santa Catarina, au Brésil, a pris un virage écologique visant à éviter la destruction des terres cultivables.

La situation

À Santa Catarina, l'**agriculture** moderne a fait son apparition au début des années 1970. Comme un peu partout dans le monde, les agriculteurs se sont mis à utiliser des produits chimiques et de la machinerie lourde. De plus, ils privilégiaient la monoculture, généralement celle du maïs. Ces pratiques agricoles ont eu un effet bénéfique sur l'augmentation des rendements au cours des premières années d'exploitation. Cependant, les effets dommageables ont commencé à se faire sentir au début des années 1980, quand l'érosion croissante des sols et la baisse du rendement agricole ont incité les cultivateurs et le gouvernement à revoir leurs pratiques agricoles.

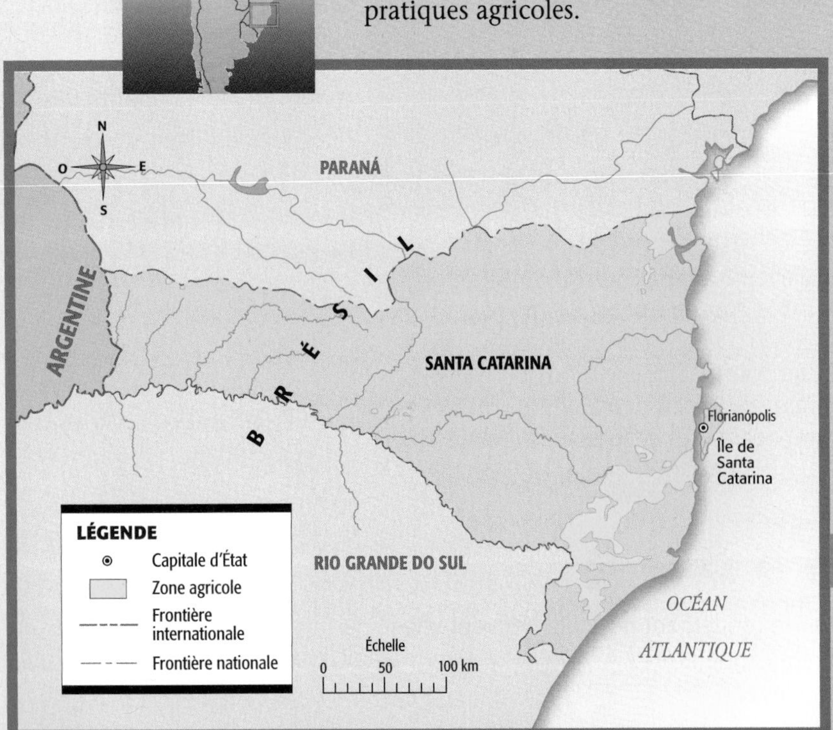

9 A **Santa Catarina, l'un des 26 États du Brésil, est située au sud-est du pays. Cet État, qui abrite environ 5 millions d'habitants, a pour capitale Florianópolis.**

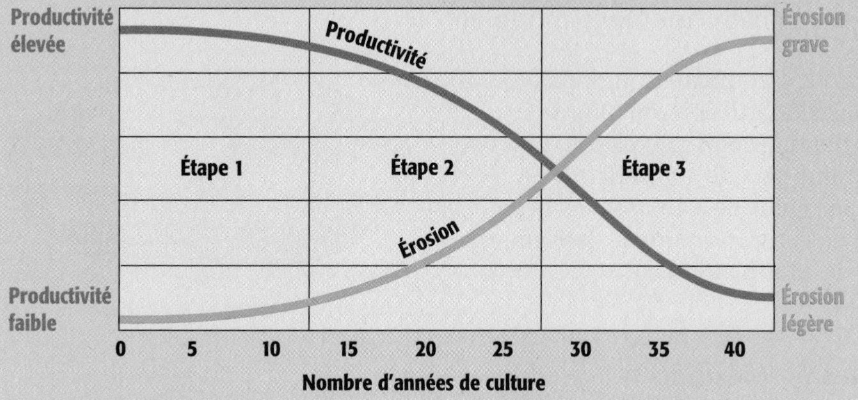

9B La détérioration des sols à Santa Catarina.
Étape 1 : utilisation massive d'engrais.
Étape 2 : utilisation de machinerie lourde.
Étape 3 : diminution des rendements.

Le projet

Pour gérer plus efficacement les terres, le gouvernement et les agriculteurs ont mis sur pied une agriculture de conservation, qui vise à préserver les qualités du milieu naturel en y pratiquant un minimum d'interventions. La solution au problème de Santa Catarina est donc venue d'une approche écologique des sols, qui respecte le milieu et l'environnement. Cette approche propose une réduction de la préparation des sols et la conservation d'une mince couche de la culture précédente. Soutenu financièrement par le gouvernement de Santa Catarina, un important groupe d'agriculteurs s'est engagé à pratiquer ce type d'agriculture.

L'agriculture de conservation entraîne une diminution des coûts de production, grâce à l'économie de carburant utilisé par les tracteurs pour les labours. De plus, ce type d'agriculture permet de protéger le sol de la chaleur, du vent et de l'impact d'une pluie directe sur les semences. Elle aide également à mieux conserver le sol, car, en permettant à l'eau de s'y infiltrer, elle diminue le ruissellement et l'érosion.

Selon l'Organisation des Nations Unies pour l'alimentation et l'agriculture, si tous les agriculteurs du monde recouraient à l'agriculture de conservation, des millions d'**hectares** de terres pourraient être protégés de la dégradation et de l'érosion, tout en étant préservés de la pollution engendrée par les pesticides et le carburant.

9C Un grand nombre d'agriculteurs de Santa Catarina cultivent le maïs.

Observe et construis 9

a Quels problèmes vivaient les agriculteurs de Santa Catarina?
b Quelle solution a été expérimentée pour résoudre ce problème?
c En quoi cette solution a-t-elle été efficace?

10 Le Fonds pour l'environnement mondial

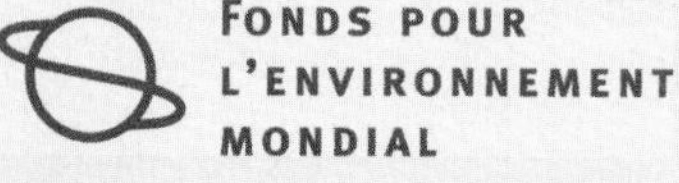

Le Fonds pour l'environnement mondial (FEM) est une organisation qui compte plus de 175 pays membres. Depuis sa création, en 1991, le FEM a distribué plus de 4,5 milliards de dollars et financé plus de 1 400 projets liés à la protection de l'**environnement** dans plus de 140 **pays en développement.**

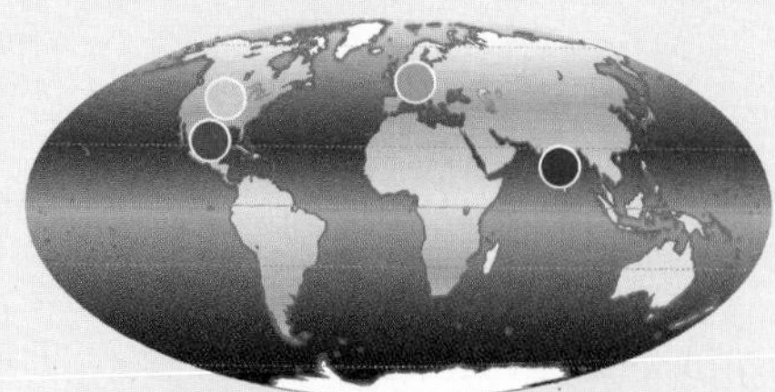

11 Des terrasses au Mexique

Pour solutionner le problème de déboisement dans l'État d'Oaxaca, au Mexique, les agriculteurs ont aménagé un système de terrasses où ils ont planté des arbres fruitiers tout en continuant de cultiver du maïs. La production de maïs est passée de 1 200 kg par habitant à plus de 4 500 kg. Le soutien financier de ce projet provenait de l'Agence canadienne de développement international, en collaboration avec le gouvernement mexicain et le Fonds pour l'environnement mondial.

12 Des réserves d'eau en France

Au cours de l'hiver, dans la région du Poitou-Charentes, des réserves d'eau sont pompées dans les rivières et les nappes d'eau souterraines, puis elles sont emmagasinées dans trois immenses réservoirs. Cette eau, recueillie lorsque la consommation d'eau est la plus faible, est utilisée au cours de l'été pour irriguer les champs, au moment où la consommation d'eau est la plus élevée. Cette pratique permet d'emmagasiner dans les réservoirs environ 2,5 milliards de litres d'eau. Le projet a bénéficié du soutien financier du Conseil général de la région et des Agences de l'eau de France.

⑬ Le reboisement en Inde

En Inde, où 15 000 km² de forêts sont perdus chaque année, un projet coopératif de reboisement a été lancé en 1993. La *National Tree Growers' Cooperative Federation* (NTGCF), avec l'aide du Canada, a soutenu financièrement et techniquement les villageois afin qu'ils plantent des arbres sur plus de 13 400 **ha**. La NTGCF a prévu de nombreuses retombées environnementales pour les populations locales. La plantation des arbres permettra, entre autres, de réduire l'érosion des terres, d'augmenter la rétention d'eau des sols agricoles ainsi que de préserver les éléments nutritifs des sols. Ces retombées entraîneront une augmentation de la **productivité**.

⑭ Des cultures en ruban aux États-Unis

L'érosion considérable subie dans le centre des États-Unis au cours des années 1930 a amené les agriculteurs à modifier leurs pratiques agricoles, car ils risquaient une destruction des récoltes projetées pouvant atteindre 21 %. La **culture en ruban** leur a permis de réduire les risques d'érosion en supprimant les effets néfastes du ruissellement et du vent.

Culture en ruban : Culture perpendiculaire à une pente, pratiquée pour empêcher l'érosion.

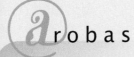

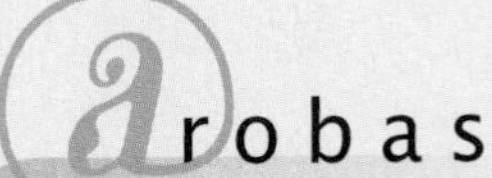

Les pesticides à Montréal

En 2005, la Ville de Montréal a interdit l'épandage de pesticides sur la totalité de son territoire. Pourquoi ? Dans certains cas, cependant, les pesticides sont autorisés. Dans quels cas ?

Observe et construis ⑩ ⑪ ⑫ ⑬ ⑭

d Quel était le principal problème de chacune des régions mentionnées ? Quels moyens a-t-on utilisé pour y améliorer les pratiques agricoles ?

e Pourquoi est-il important d'innover dans le domaine agricole ?

⑮ L'irrigation au goutte-à-goutte en Israël

Grâce à l'**irrigation** au goutte-à-goutte, l'eau est distribuée directement aux racines des plantes par des tubes de plastique. Cette méthode, qui utilise une faible pression d'eau, permet de mieux doser les sels minéraux et de réduire de moitié la consommation d'eau.

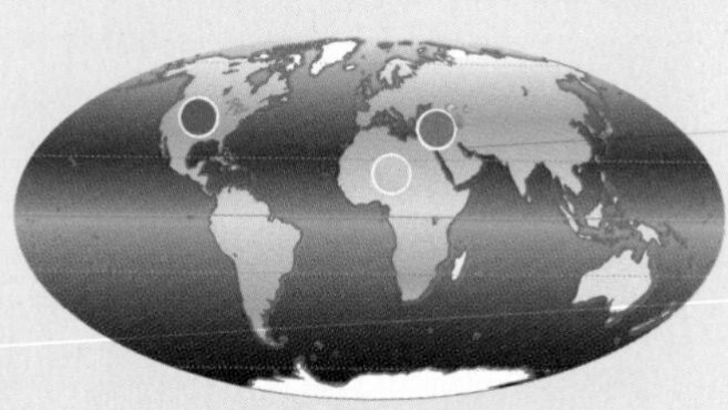

⑯ La lutte contre les insectes aux États-Unis

La lutte contre les insectes qui détruisent certaines récoltes peut être menée à l'aide de moyens biologiques, ce qui permet de limiter l'utilisation des produits chimiques. Par exemple, au début du 20e siècle, les États-Unis ont importé d'Asie une coccinelle pour lutter contre certains insectes ravageurs. Cette coccinelle peut dévorer jusqu'à 200 pucerons par jour!

⑰ La plantation de haies au Niger

Au début des années 1980, la désertification a touché de nombreux villages du Niger. En 1984, le gouvernement nigérien, avec l'aide du gouvernement italien, a lancé le projet Keita, dont l'objectif est de combattre la dégradation et la désertification des terres. Pour protéger les terres et les dunes, on a, entre autres, planté des arbres et des haies séchées constituées de tiges de mil.

Observe et construis ⑮ ⑯ ⑰

f En quoi les pratiques présentées aux pages 166 à 170 sont-elles alternatives?

g Pourquoi est-il souhaitable de recourir à des pratiques alternatives en agriculture?

Pour poursuivre, rends-toi à la page 171.

Ton défi

À l'œuvre !

Il est maintenant temps d'utiliser les données que tu as recueillies pour préparer ton reportage.

1. Choisis un titre pertinent pour ton reportage.
2. Assure-toi qu'il comporte :
   - une description du problème ;
   - des explications sur les différentes causes du problème ;
   - des solutions possibles.
3. Planifie une introduction qui accrochera l'attention de tes auditeurs.
4. Utilise une carte du monde murale au cours de ton reportage.
5. Choisis l'outil que tu utiliseras pour présenter tes informations (statistiques, données, faits, photos, etc.) : un rétroprojecteur ? une affiche ? un ordinateur ?

DOSSIERS

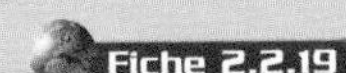

Ailleurs

De quelle manière l'enjeu que tu as choisi est-il présent en Californie ou au Japon ? À l'aide de la section Dossiers (p. 172) du module 2, décris cet enjeu.

Bilan

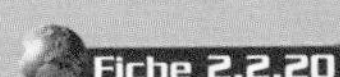

1 Quelles sources autres que ton manuel as-tu consultées pour faire ton reportage ?

2 Quels procédés as-tu utilisés pour le rendre intéressant ?

3 Comment as-tu sélectionné les données que tu as retenues dans ton reportage ?

4 Parmi les reportages de tes camarades, lesquels t'ont semblé les plus intéressants ? Pourquoi ?

5 Comment les autres ont-ils réagi à ton reportage ? Lequel de leurs commentaires te semble le plus pertinent ? Pourquoi ?

6 Quels sont les points forts de ton reportage ? Quels points pourraient être améliorés ?

7 Quelle opinion as-tu maintenant sur le problème lié à l'enjeu choisi ? Quelle part de responsabilité as-tu face à ce problème ?

DOSSIERS

Ailleurs

Japon

LE TERRITOIRE AGRICOLE DE LA *Californie*

Californie (État des États-Unis)	
Population de l'État	35,6 millions
Superficie de l'État	424 000 km²
Densité de population de l'État	84 hab./km²
PIB/hab. de l'État	38 800 $
Pourcentage de terres agricoles	13,5 %
Pourcentage de la population agricole active	2 %
Climats	Méditerranéen, de montagne, continental et désertique

Sources : US Census Bureau, 2004 ; US Department of Commerce, 2004 ; US Department of Agriculture ; California Department of Fish and Game, 2005 ; California Farm Bureau Federation, 2002.

Le territoire

La Californie est un État de la côte ouest des États-Unis d'Amérique. Elle est bordée à l'ouest par l'océan Pacifique et au sud par le Mexique.
La Californie est souvent appelée le *Golden State* (« l'État doré ») à cause de la ruée vers l'or qu'elle a connue en 1848.

1 La Californie

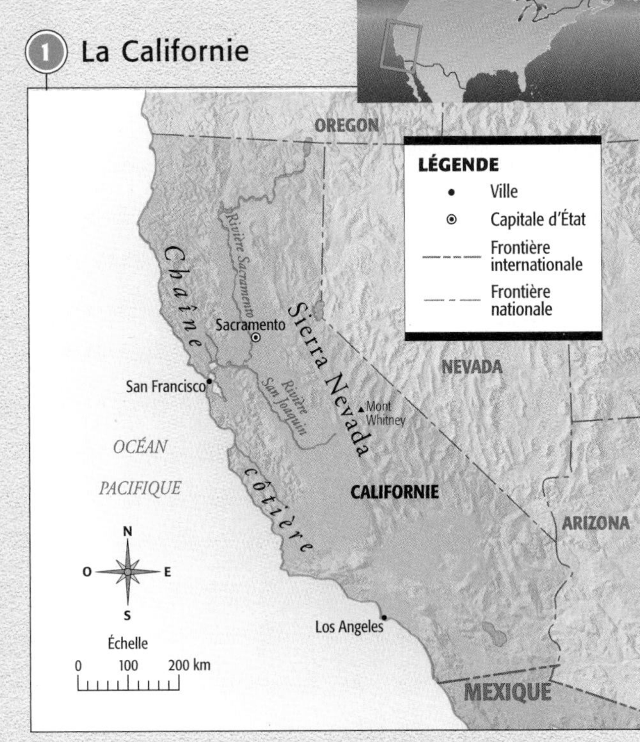

2 Le mont Whitney, dans la sierra Nevada

Le relief

L'État de la Californie est très montagneux. Deux chaînes de montagnes traversent son territoire : la sierra Nevada et la chaîne côtière. Entre ces chaînes de montagnes s'étend la Grande Vallée, longue de 700 km. Elle est composée des vallées des rivières San Joaquin et Sacramento. Les sols de ces vallées sont particulièrement fertiles.

Les chaînes de montagnes forment une barrière naturelle autour de la Grande Vallée. Cette situation y crée un climat chaud et sec qui permet la culture d'une grande variété de produits agricoles.

La sierra Nevada traverse l'est de la Californie. Le mont Whitney, qui fait partie de cette chaîne de montagnes, atteint 4 418 m. C'est le plus haut sommet de l'État de la Californie.

 La chaîne côtière

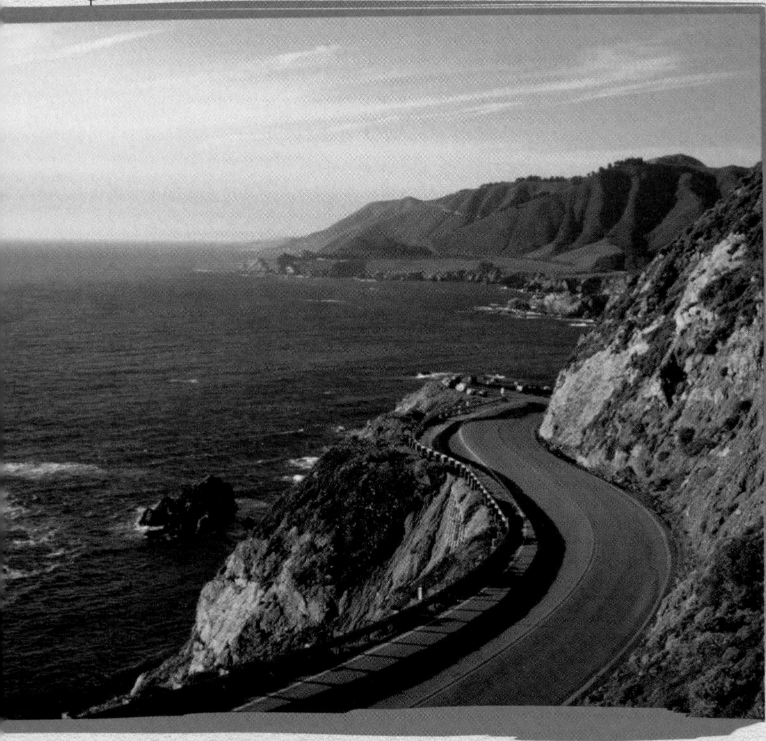

La chaîne côtière s'étend le long de l'océan Pacifique, sur la côte de la Californie.

Le climat

Le climat d'une bonne partie de la Californie est de type méditerranéen. Ce climat est idéal pour l'agriculture, car il permet jusqu'à trois récoltes par année. Dans les régions où ce climat domine, il y a une saison sèche de mai à septembre et une saison pluvieuse d'octobre à avril. Les précipitations annuelles sont abondantes au nord, où il tombe plus de 1 600 mm, plus rares dans la plus grande partie de l'État, où il tombe moins de 400 mm, et très rares dans le sud-est, par exemple dans le parc national de la Vallée de la Mort, où il tombe moins de 200 mm.

4 La température et les précipitations en Californie

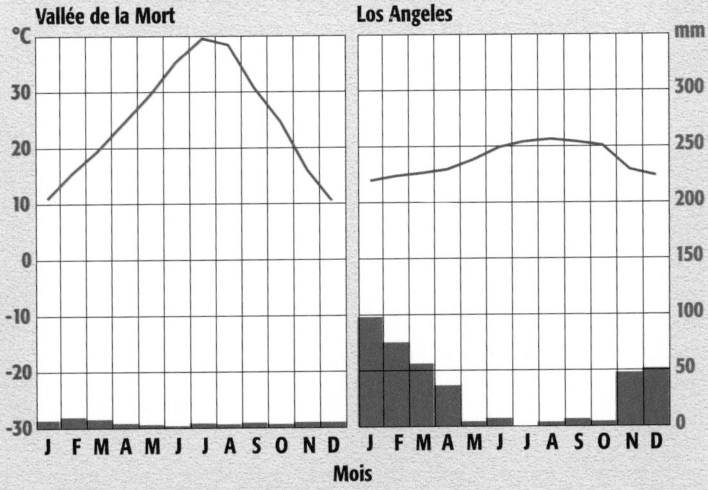

5 Le territoire agricole de la Californie

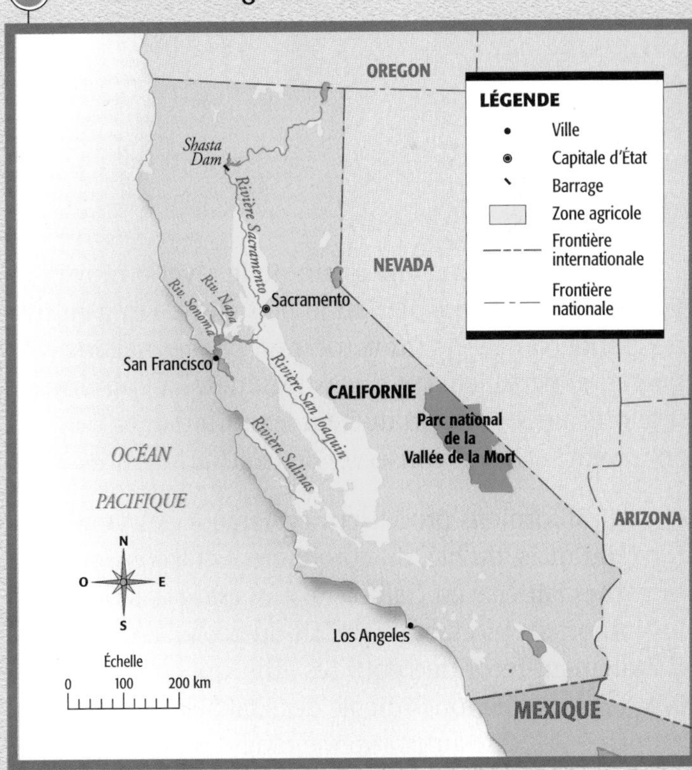

La Grande Vallée produit la majorité des fruits et légumes consommés aux États-Unis. Un climat favorable, des sols riches et un système d'**irrigation** efficace, constitué de canaux et de barrages, expliquent la grande productivité agricole de cette région.

L'agriculture

En 2002, on dénombrait plus de 80 000 entreprises agricoles en Californie, où les agriculteurs ne représentent pourtant que 2 % des travailleurs. Ces fermes occupaient près de 14 % du territoire de l'État, avec une superficie moyenne de 140 **ha**.

6 Les 10 principaux produits agricoles de la Californie

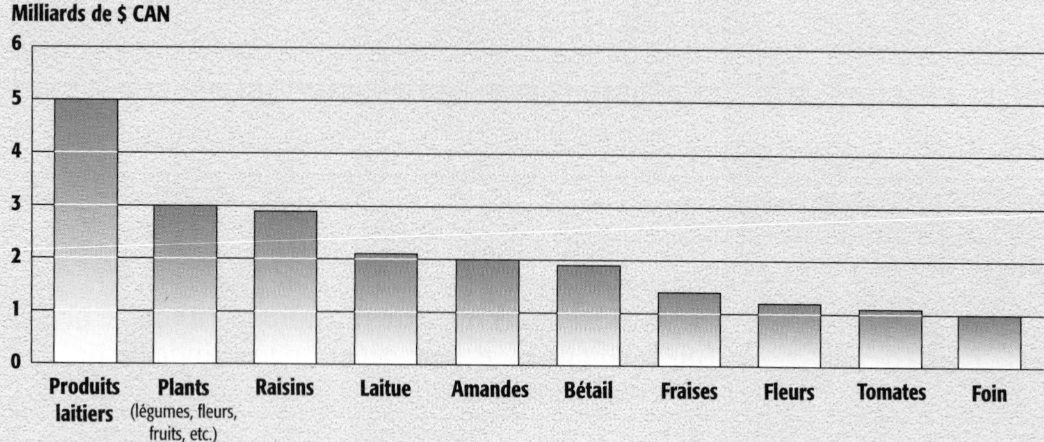

Source : California Agricultural Statistics Service, 2004.

La Californie est le plus important producteur agricole des États-Unis. Cet État est la sixième puissance économique mondiale en agriculture, devant le Canada.

7 Les principaux produits agricoles exportés par la Californie

Produits agricoles	Millions de $ CAN
Amandes	1 062
Coton	936
Vin	729
Raisins	612
Produits laitiers	499

Source : California Farm Bureau Federation, 2002.

8 Les principaux pays importateurs de produits agricoles californiens

Pays importateurs	Millions de $ CAN
Canada	1 760
Union européenne	1 586
Japon	1 467
République populaire de Chine/Hong Kong	497
Corée du Sud	430

Source : California Farm Bureau Federation, 2002.

La production

La Californie est l'État américain où le revenu moyen des exploitations agricoles est le plus élevé. On y cultive une grande variété de fruits (pêches, prunes, raisins, oranges, abricots, etc.) et divers légumes. La Californie est le plus important producteur, exportateur et conserveur (mise en conserve) de fruits au monde.

Les sols californiens produisent également des semences, du riz, du maïs, du blé, du coton, etc. On trouve aussi des fermes laitières en Californie, qui est le deuxième plus important producteur de lait du pays. La Californie est également reconnue pour ses vins, qui constituent 90 % de la production vinicole des États-Unis. La Californie se classe au quatrième rang des producteurs mondiaux de vins, derrière l'Italie, la France et l'Espagne.

9 La culture de la vigne

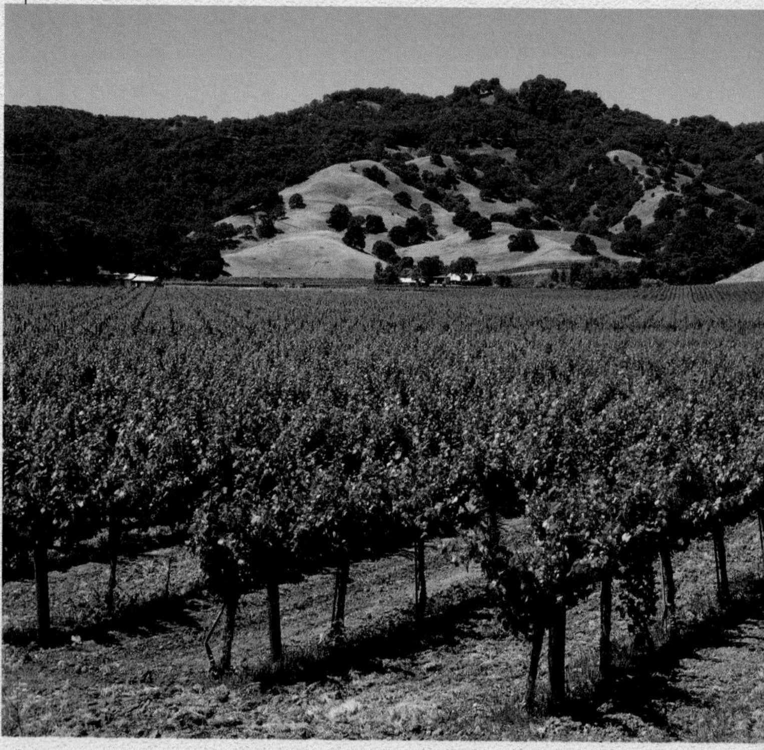

La culture de la vigne est concentrée dans les vallées des rivières Napa, Salinas et Sonoma.

Le mode de culture

Les agriculteurs californiens pratiquent une agriculture intensive. Le quart des terres cultivables sont irriguées, ce qui représente la plus grande surface de terres irriguées des États-Unis. Pour les agriculteurs de cet État, la ferme est une entreprise commerciale dont l'objectif est de cultiver des produits de grande valeur qui vont générer d'importants profits.

L'agriculture californienne bénéficie de conditions naturelles favorables, d'une main-d'œuvre souvent bon marché (surtout des immigrés Mexicains) et de machinerie agricole ultramoderne.

La mise en marché

La majorité des agriculteurs californiens négocient leurs produits agricoles avec des grossistes. Ces derniers agissent comme intermédiaires entre les agriculteurs et les commerçants.

Des enjeux territoriaux

Protéger le territoire agricole

En Californie, l'**urbanisation** est la plus élevée des États-Unis. Dans cet État, l'**étalement** urbain des grandes villes comme Los Angeles, Sacramento et San Francisco est particulièrement marqué. Chaque année, cet étalement a transformé plus de 40 000 **ha** (400 km^2) de terres agricoles.

En 1981, le département de l'Agriculture américain a adopté la Loi sur la protection du territoire agricole (*Farmland Protection Policy Act*). Avant sa mise en chantier, chaque projet de construction (autoroute, aéroport, chemin de fer, réservoir, centrale hydroélectrique, etc.) doit d'abord être analysé en fonction de cette loi.

Pour sa part, le Programme de protection des fermes et des ranchs (*Farm and Ranchland Protection Program*) vient en aide aux agriculteurs afin qu'ils puissent conserver la vocation agricole de leurs terres.

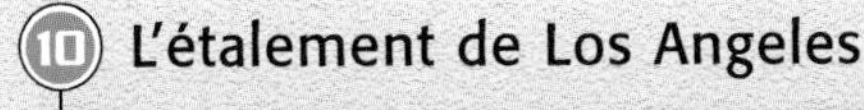

LÉGENDE
Espace vert
Zone urbanisée
Limites de la ville

Échelle
0 15 30 km

Source : This is our land, 2004.

Los Angeles a vu sa superficie augmenter de 1 500 km^2 entre 1970 et 2000.
Cet étalement correspond à près de quatre fois la superficie de l'île de Montréal.

Partager le territoire agricole

La cohabitation de grandes fermes commerciales et de leurs voisins cause parfois des problèmes. Ces entreprises polluent l'air par l'utilisation de pompes à diesel pour l'**irrigation** et par l'entreposage de fumier. Elles polluent également l'eau en utilisant des engrais chimiques et des pesticides. Bien qu'elles causent autant de pollution que certaines usines, ces fermes ne sont pas reconnues comme des industries par le gouvernement de la Californie. Leurs propriétaires ne sont donc pas tenus de respecter la Loi sur l'air pur des États-Unis (*Clean Air Act*).

En 2002, de nombreux organismes liés à la santé, à la défense des résidants et à la protection des ressources naturelles ont porté plainte auprès de l'Agence de protection de l'**environnement**. Cependant, on prévoit peu de changements à court terme.

11 Shasta Dam

Shasta Dam est un immense barrage construit sur la rivière Sacramento. D'une hauteur de 183 m, ce barrage est le deuxième plus important des États-Unis. Il a été construit pour contrôler les inondations et emmagasiner de l'eau pour l'irrigation de la Grande Vallée.

Des enjeux planétaires

Nourrir la population

La Californie a une production agricole suffisante pour nourrir toute sa population et même pour exporter ses surplus vers d'autres régions du monde. Toutefois, cet État importe des produits qui ne sont pas cultivés sur son territoire, comme le cacao, le café et les bananes.

Protéger l'environnement

En Californie, surtout dans le sud de l'État, où il tombe moins de 100 mm de pluie par année, la pratique intensive de l'agriculture passe par l'irrigation. Un réseau complexe comprenant des barrages, par exemple le Shasta Dam, et des canaux longs de plusieurs milliers de kilomètres a été construit pour distribuer l'eau dans les champs et ainsi assurer des récoltes abondantes.

Dans un contexte où l'eau est rare, les agriculteurs californiens utilisent 70 % de cette ressource pour l'irrigation des champs. Cependant, ils ne paient qu'environ 20 % des coûts de cette eau.

L'irrigation massive des champs provoque le ruissellement de l'eau et entraîne les engrais chimiques et les pesticides vers les cours d'eau, causant ainsi une importante pollution de l'environnement.

Diverses techniques ont été mises au point pour éviter le gaspillage de l'eau utilisée pour l'irrigation, par exemple le système d'irrigation au goutte-à-goutte. En Californie, les utilisateurs de cette technique ont réduit leur consommation d'eau de 30 à 70 % en augmentant la **productivité** de leurs cultures de 20 à 90 %. Malheureusement, ce système n'est pas adapté à tous les types de cultures, et les agriculteurs ne sont pas tous prêts à investir des sommes importantes pour économiser l'eau...

En Californie, par exemple à Bakersfield, à l'extrémité sud de la vallée de San Joaquin, on utilise des eaux usées traitées pour l'arrosage des champs cultivés.

⑫ Un système d'irrigation au goutte-à-goutte

Le système au goutte-à-goutte permet un arrosage en profondeur et une évaporation limitée.

L'agriculture intensive nécessite aussi l'épandage annuel de milliers de tonnes de pesticides. Certains agriculteurs dépassent les normes imposées par l'État, mais ils préfèrent payer des amendes plutôt que de voir leurs récoltes détruites par des insectes. À eux seuls, les agriculteurs californiens ont épandu 78,2 millions de kilogrammes de pesticides en 2002 (7 g/**ha**), soit le double de la moyenne américaine par **hectare**. Certains agriculteurs cherchent des solutions pour réduire l'utilisation des pesticides en participant à des projets gouvernementaux. Ces projets visent, par exemple, à repérer les endroits qui nécessitent l'usage de pesticides au lieu d'en épandre sur l'ensemble des plants, à utiliser des produits naturels qui empêchent la reproduction des insectes ou à introduire des insectes non nuisibles qui se nourrissent d'insectes indésirables.

En Californie, les cultures biologiques (sans engrais chimiques ni pesticides) sont en forte croissance depuis quelques années, car de plus en plus de consommateurs se préoccupent de la qualité des aliments qui se retrouvent dans leur assiette. En 2000, près de 80 % des agriculteurs biologiques (environ 1 000) du sud-ouest des États-Unis possédaient une entreprise en Californie. L'agriculture biologique représente 2 % de la production agricole de cet État.

⑬ Un champ de laitues rouges et vertes dans la vallée de Salinas, en Californie

L'agriculture intensive nécessite l'épandage d'une grande quantité d'engrais et de pesticides.

Japon	
Population	127,7 millions
Superficie	377 835 km²
Densité de population	337,9 hab./km²
PIB/hab. du pays	27 574 $
Pourcentage de terres agricoles	13,7%
Pourcentage de la population agricole active	5%
Climats	Continental au nord et tropical au sud

Sources: *L'état du monde*, 2005; Ministère des Affaires internes et des Communications du Japon, 2004.

LE TERRITOIRE AGRICOLE DU *Japon*

Le territoire

En japonais, le mot *Japon* se dit Nippon, qui signifie « soleil levant », car ce pays est l'un des premiers de la planète à voir le lever du soleil. Le Japon est situé en Asie, dans la région de l'océan Pacifique Nord. Il est composé de quatre îles principales (Hokkaidō, Honshū, Shikoku et Kyūshū) et de près de 4 000 petites îles. Du nord au sud, la totalité des îles japonaises s'étendent sur une longueur d'environ 3 000 km. Le Japon est bordé à l'ouest par la mer du Japon et à l'est par l'océan Pacifique. Ce pays est la deuxième plus grande puissance économique du monde, derrière les États-Unis.

1 L'archipel du Japon

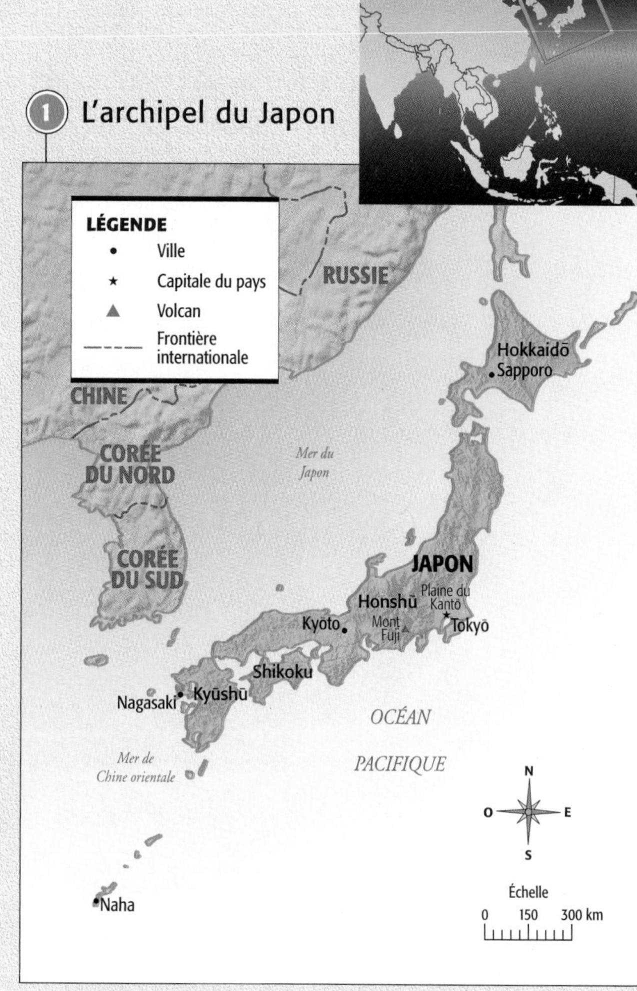

Tōkyō, la capitale du pays, est située sur l'île de Honshū, la plus grande de l'archipel du Japon. Cette île représente 60 % de la superficie totale du pays.

Le relief

Le Japon est un pays très montagneux, où les trois quarts du territoire sont constitués de montagnes d'origine volcanique. Environ 60 volcans sont en activité dans l'**archipel** japonais, ce qui en fait un pays à la merci des soubresauts de la Terre. Dans ce pays, 532 sommets dépassent 2 000 m d'altitude. Le mont Fuji est le plus haut sommet du Japon: il atteint 3 776 m d'altitude.

Les deux tiers du Japon sont recouverts de forêts. Les plaines, qui s'étendent sur 16 % du territoire, sont surtout situées près des côtes du pays. Toutes ces plaines sont étroites, sauf la plaine du Kantō, qui s'étale sur 16 000 km².

Les plaines constituent la plus grande partie des terres agricoles du Japon, mais il y a aussi des terres cultivées à flanc de montagne dans ce pays. Les terres agricoles représentent 13,7 % du territoire du Japon, et près de 92 % de ces terres sont en culture. Dans ce petit pays, où l'occupation du sol est dense, une partie des terres agricoles est urbanisée.

Tōkyō, dans la plaine du Kantō

La région métropolitaine de Tōkyō occupe 84 % de la plaine du Kantō. À l'arrière-plan, on aperçoit le mont Fuji.

Le climat

Au Japon, le climat est très variable. Au nord, le climat est continental et au sud, il est tropical. Cette caractéristique est due à l'étalement de ce pays sur 3 000 km de longueur et aux variations de température liées à l'altitude et à la présence de la mer. De plus, comme dans toute l'Asie de l'Est, les saisons y sont réglées par un vent tropical, la mousson.

Au nord, les étés sont frais et les hivers froids. On y trouve des forêts de feuillus et de conifères, alors que des forêts tropicales recouvrent le territoire du sud du pays. L'ouest du Japon est reconnu pour ses chutes de neige abondantes. À l'est, sur la côte de l'océan Pacifique, le climat est généralement doux.

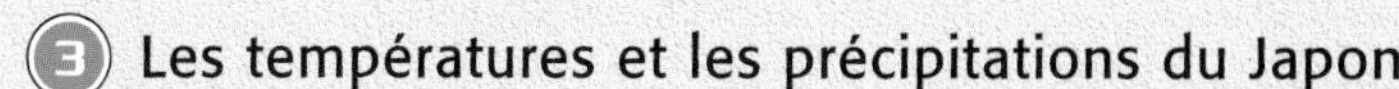

Les températures et les précipitations du Japon

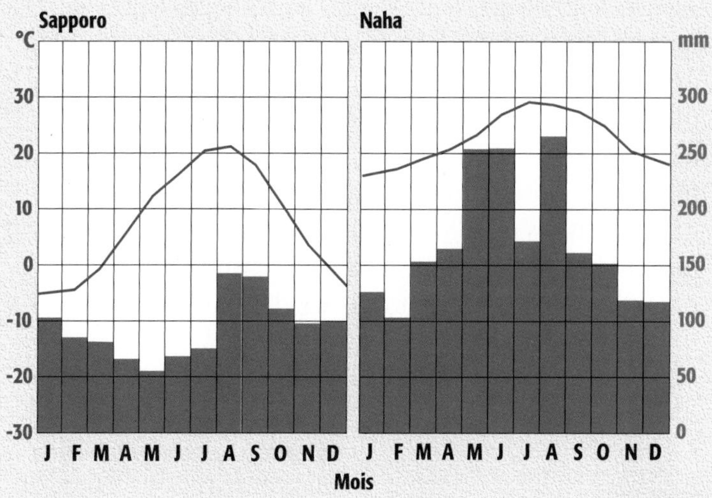

L'agriculture

Tout comme le relief et les sols, le climat influence le choix des produits à cultiver. Le climat du Japon varie énormément du nord au sud, ce qui entraîne une grande diversité dans la production agricole. Les céréales sont cultivées dans le nord alors que les arachides, le coton et la canne à sucre sont des produits du sud. Les températures douces du sud permettent deux récoltes de riz par année.

Au Japon, les exploitations agricoles sont généralement de petite taille. Près de 70 % des fermes ont une superficie de moins d'un **hectare**. On trouve les exploitations agricoles japonaises principalement dans les plaines côtières, mais aussi sur les pentes des montagnes. Dans les plaines côtières, le danger d'inondation est toujours présent, mais l'**irrigation** est plus facile.

La production

Les agriculteurs japonais sont de moins en moins nombreux. L'**agriculture** occupe à peine 5 % de la population en âge de travailler. Compte tenu de la faible dimension des terres, l'agriculture est pratiquée à temps partiel par la majorité des agriculteurs japonais, qui tirent aussi des revenus d'un autre travail. Près de 85 % des agriculteurs japonais cultivent du riz sur plus de 40 % des terres cultivables du pays. La culture du riz rapporte le tiers des revenus de l'agriculture japonaise. La riziculture, symbole du patrimoine culturel du pays, est protégée et subventionnée pour assurer aux agriculteurs des revenus élevés. Le Japon est le neuvième plus important producteur mondial de riz.

En plus du riz, les Japonais cultivent des céréales (blé, orge, avoine), des fruits (mandarines, fraises, raisins, pommes, oranges, etc.) et des légumes (pommes de terre, choux, radis, etc.). Le Japon est également un important producteur de thé. Il en a produit 95 000 tonnes en 2003, ce qui le place au septième rang mondial. Une telle quantité permet de faire plus de 40 milliards de tasses de thé !

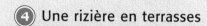

4 Une rizière en terrasses

Sur les pentes des montagnes, les agriculteurs japonais aménagent souvent leurs terres en terrasses.

5 Les 10 principaux produits agricoles du Japon

Produits	Milliers de tonnes
Riz	11 400
Légumes	11 036
Lait	8 350
Poisson	5 271
Fruits et noix	4 540
Viande (sauf le porc)	1 751
Canne à sucre	1 350
Porc	1 255
Blé et orge	1 065
Thé	95

Source : FAO, 2002, 2003.

L'élevage est surtout pratiqué dans le nord du Japon. Il est peu répandu, car le pays manque d'espace pour les pâturages. La pêche y est aussi une industrie très importante. Le Japon est le quatrième plus important producteur de poissons (incluant les crustacés, les mollusques, les plantes aquatiques, etc.) au monde.

Le mode de culture

Au Japon, près de 50 % des terres cultivables sont irriguées, et la culture du riz se fait de façon intensive. Cette culture exige beaucoup d'eau et de chaleur, mais ne nécessite pas un sol très riche. Les rizières doivent être recouvertes en permanence de 20 cm d'eau. Cependant, on les assèche une fois pendant la période de croissance du riz, afin de combattre les algues et certains parasites.

Il existe deux types de riz : le riz pluvial et le riz de bas-fonds. Le riz pluvial est cultivé dans des champs situés au pied des montagnes, ce qui permet l'utilisation de l'eau de ruissellement. Le riz de bas-fonds est cultivé en altitude, à la manière traditionnelle, qui comporte l'inondation des champs.

6 Le territoire agricole du Japon

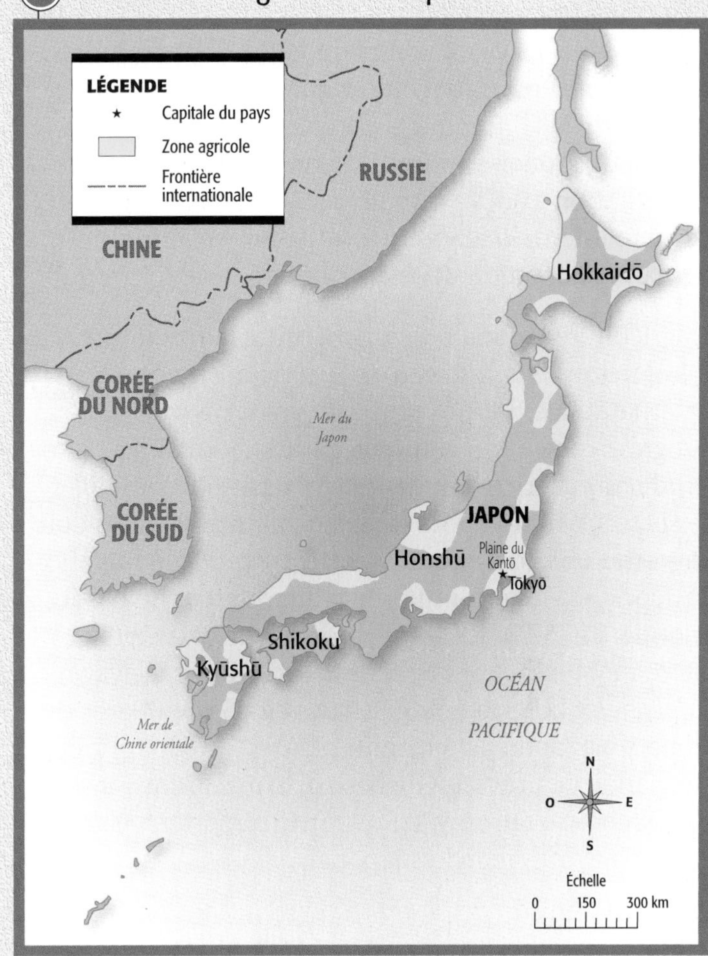

Au Japon, les terres agricoles occupent 15 % de l'ensemble du territoire.

7 L'élevage intensif à Honshū

La rareté de l'espace agricole entraîne la pratique intensive de l'élevage dans des bâtiments de plusieurs étages.

La mise en marché

Presque tous les agriculteurs du Japon sont membres d'une coopérative agricole. La plus importante de ces coopératives se nomme Ja Zenchu. Les coopératives agricoles japonaises offrent du crédit, des services de consultation et des assurances. De plus, elles agissent comme intermédiaires entre les commerçants et les agriculteurs pour la **mise en marché** de leurs produits.

L'agriculture japonaise, en particulier la riziculture, a longtemps été protégée de la concurrence internationale. De nos jours, le pays s'ouvre progressivement au commerce international. La production agricole du Japon ne suffit pas à combler les besoins alimentaires de ses habitants. Ce pays doit importer 60 % des produits nécessaires à sa population. Le Japon est le plus important importateur de blé au monde. En 2003, les **importations** agricoles totales de ce pays, incluant l'agriculture (culture et élevage), la pêche et la foresterie s'élevaient à 85,6 milliards de dollars. Le Japon achète, entre autres, 52 600 tonnes de viande de porc du Québec par année. Ainsi, le porc du Québec se retrouve en quantité importante sur les étalages des marchés japonais.

8 Les principaux produits agricoles importés par le Japon

Produits agricoles	Millions de $ CAN
Laine	224
Viandes	12 101
Produits de la pêche	18 987
Bois	13 797
Fruits et légumes	8 331
Céréales	7 040
Produits laitiers	1 358

Source : Ministère de l'Agriculture, de la Forêt et des Pêcheries du Japon, 2003.

Un enjeu territorial

Partager le territoire agricole

L'**urbanisation** du Japon a entraîné une diminution de la population rurale, des terres cultivées et de la production agricole. Pour protéger les territoires agricoles, le gouvernement du Japon a créé, en 1999, le Plan de base sur la nourriture. Cette loi a pour objectifs l'amélioration de la vie des habitants du pays et le développement de l'économie nationale.

Pour développer leur pays sans empiéter sur les terres cultivables, les Japonais ont trouvé deux façons de gagner de l'espace sur la mer. La première est la création de polders, des marais asséchés par pompage de l'eau. La deuxième est la construction de terre-pleins, des îles artificielles faites de sable ou d'ordures provenant des grandes villes.

9 Un aéroport sur la mer

Pour éviter la construction de l'aéroport de Nagasaki sur des terres cultivables, on l'a aménagé sur une île artificielle.

Des enjeux planétaires

Nourrir la population

L'alimentation très équilibrée des Japonais contribue au fait que le Japon ait l'un des plus bas taux de mortalité infantile au monde (0,3 % en 2003) et une espérance de vie parmi les plus longues de la planète (82 ans).

L'alimentation japonaise est traditionnelle, mais les jeunes sont de plus en plus friands de restauration rapide. Cependant, les produits agricoles locaux demeurent très populaires, bien que leur culture ne soit plus aussi rentable à cause de la concurrence des entreprises étrangères. Depuis 1999, pour diminuer les importations du Japon, le gouvernement de ce pays incite les agriculteurs à pratiquer d'autres cultures que celle du riz, par exemple la culture du soya.

Le secteur agricole japonais se réorganise pour mieux répondre à la demande locale. Les agriculteurs cultivent maintenant des produits biologiques, très en demande chez les consommateurs. C'est également au Japon qu'est née la première chaîne d'alimentation biologique rapide. En 2000, la surface des terres à culture biologique atteignait 5 100 km², soit 0,1 % des terres cultivées.

10 Une alimentation équilibrée

Le riz, le poisson et les légumes constituent les aliments de base des Japonais.

Protéger l'environnement

Au Japon, l'urbanisation et l'industrialisation se sont faites de manière désordonnée, car aucun plan d'**aménagement** n'y a été mis en place avant les années 1960. Depuis, le Japon a pris conscience des problèmes écologiques causés par l'industrialisation. Les projets industriels considérés comme dangereux sont maintenant modifiés pour mieux assurer la protection de l'**environnement**.

Pour augmenter la **productivité** des terres, les agriculteurs japonais emploient massivement des engrais chimiques et des pesticides. Le Japon est le deuxième plus important utilisateur mondial de pesticides après les États-Unis. Pour réglementer l'usage des engrais et des pesticides, le Japon a adopté, en 1984, la Loi relative aux produits chimiques agricoles. Cette loi établit un système d'enregistrement des produits chimiques utilisés en agriculture. Elle réglemente aussi leur prix, s'assure de leur qualité et veille à ce que ces produits soient utilisés de manière sécuritaire.

11 La pollution industrielle

La croissance non réglementée des industries a provoqué la pollution de l'air et de l'eau, qui a, entre autres, de graves conséquences sur l'agriculture et la pêche.

Module 3

Les risques naturels en territoire urbain

Ce module te propose de mieux connaître les risques naturels qui menacent plus du tiers des habitants de la Terre.

Lorsqu'un risque naturel se manifeste, il affecte à la fois les êtres vivants, le milieu naturel et les constructions. L'étendue des dommages varie en fonction de l'intensité de la catastrophe et du lieu où elle survient. Imagine les dégâts provoqués par une catastrophe naturelle qui surgit en milieu urbain, où il y a une grande concentration d'habitants et de bâtiments!

Le **chapitre 1** te fait découvrir les types de risques naturels, leurs manifestations et leurs conséquences pour les populations.

Le **chapitre 2** te présente les zones les plus à risques de la planète ainsi que les moyens de prévenir les catastrophes naturelles et de protéger les êtres vivants et leur milieu. Il te fait connaître trois grandes métropoles du monde qui doivent composer avec des risques naturels: Quito, San Francisco et Manille.

Banda Aceh, en Indonésie, avant et après le tsunami du 26 décembre 2004

Quels risques naturels menacent les populations urbaines ?

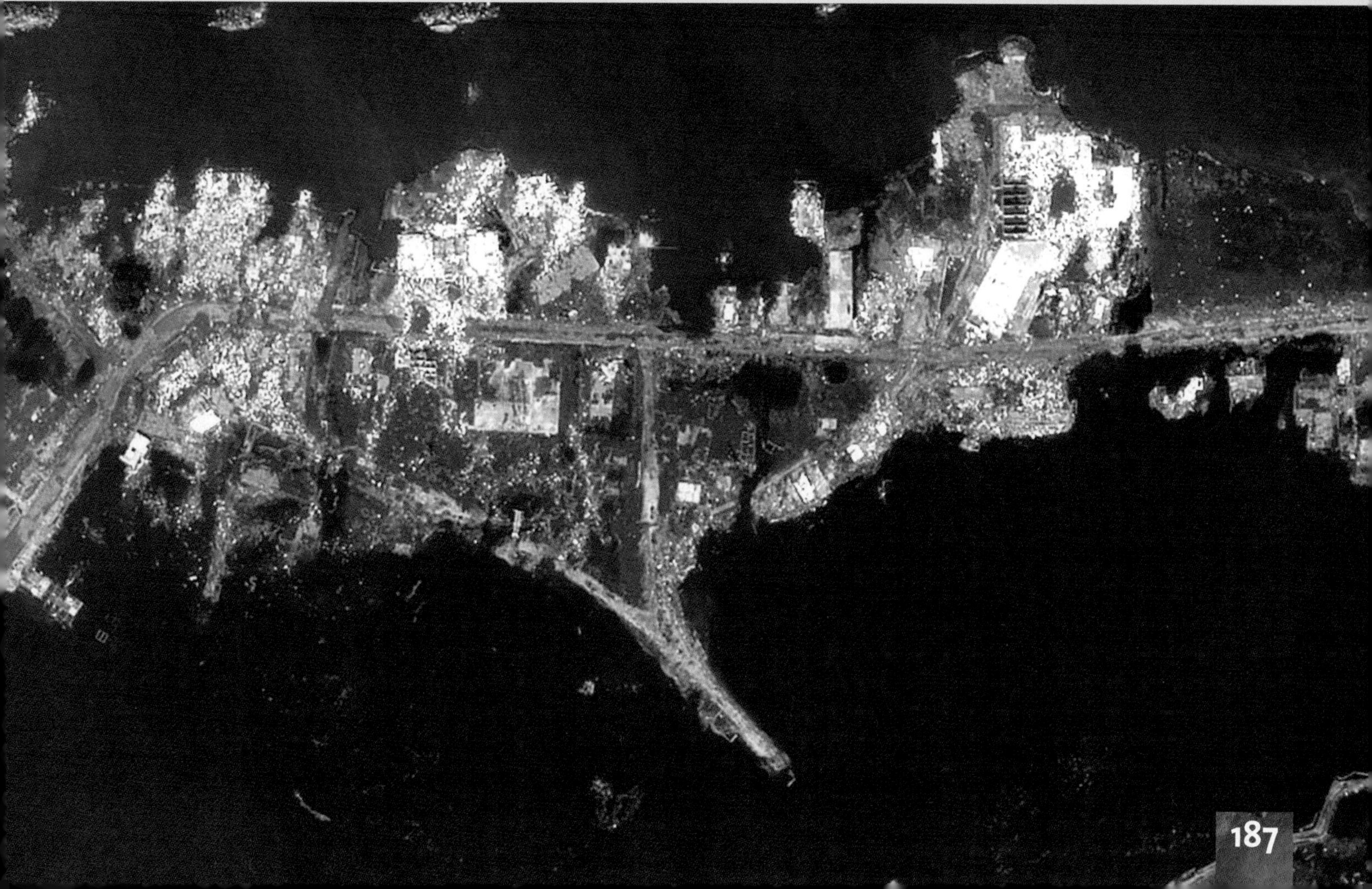

Table des matières

Inde

Chapitre 1 Les risques naturels

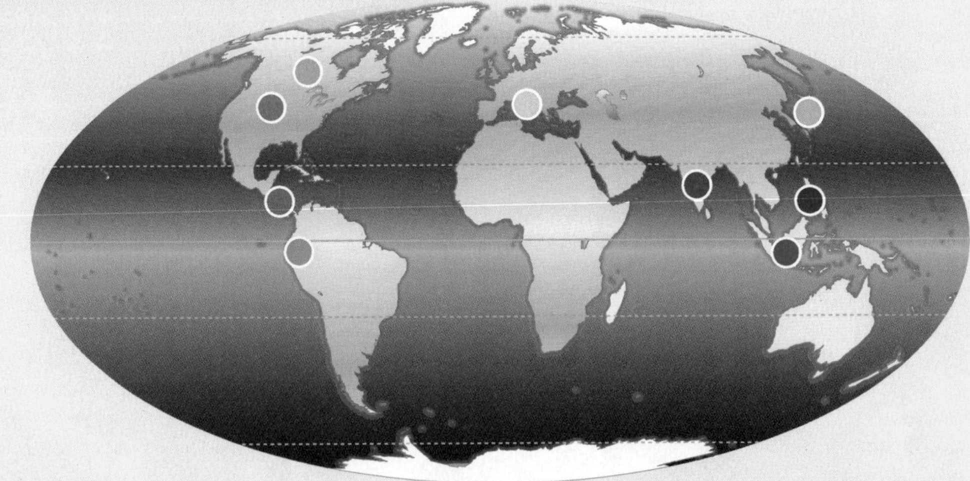

Pays mentionnés dans le chapitre 2

- Canada
- Équateur
- États-Unis
- Honduras
- Inde
- Indonésie
- Italie
- Japon
- Philippines

Concepts à l'étude

Territoire urbain

- Aménagement
- Banlieue
- Concentration
- Densité
- Étalement urbain
- Urbanisation

Risque naturel

- Environnement
- Instabilité
- Niveau de développement
- Prévention

Ressources géo

Techniques à développer

1. Quito, en Équateur

2. San Francisco, aux États-Unis

3. Manille, aux Philippines

Chapitre 1 Les risques naturels

Plusieurs régions du monde doivent composer avec des **risques naturels**. À cause de leur situation géographique, certains pays sont plus exposés que d'autres à des phénomènes naturels qui menacent leur population. Qu'est-ce qu'un risque naturel ? Comment se manifestent les risques naturels ? Quels dangers représentent-ils pour les populations ? Celles-ci ont-elles toutes la même vulnérabilité face aux **catastrophes naturelles** ? Les risques naturels peuvent-ils être aggravés par les êtres humains ? Quelle importance et quelle fonction les médias ont-ils lors d'une catastrophe naturelle ?

Ton défi

Fiche 3.1.1

La Terre en colère (Première partie)

Les catastrophes naturelles, par exemple les volcans et les tremblements de terre, intéressent beaucoup les élèves du primaire. Ces élèves voient de tels phénomènes se produire dans des films et ils les considèrent comme fascinants.

Ton défi consiste à faire prendre conscience à ces élèves du fait que la réalité est souvent plus dramatique que la fiction. Pour ce faire, tu prépareras un **exposé** oral ou écrit. Si tu optes pour l'écrit, tu pourrais, par exemple, mettre ton texte sur le site Web de ton école.

1. Pense d'abord à toutes les questions que les élèves du primaire pourraient te poser sur les risques naturels et note-les.
2. Utilise un tableau comme celui qui suit pour rassembler les informations essentielles. Note des mots clés pour remplir ton tableau, qui te servira d'aide-mémoire.

Pour remplir ce tableau, tu auras besoin d'informations données dans les deux chapitres de ce module. Ton tableau ne sera donc complètement rempli qu'à la fin du chapitre 2.

Pour y arriver,

1. Repère les rubriques Ton défi – En marche (p. 195, 197, 199) et suis les étapes proposées.
2. Consulte la section Ressources géo (p. 342), au besoin, pour apprendre comment faire un croquis géographique et mettre en relation un texte et une carte.
3. Consulte d'autres sources : documentaires, cartes géographiques, sites Internet, atlas, etc.
4. Prends connaissance de la rubrique Ton défi – À l'œuvre ! (p. 227) pour finaliser ton tableau.

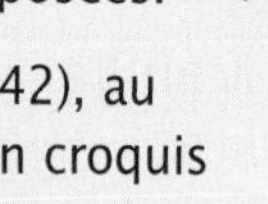

Risques naturels

	Risques géologiques	Risques météorologiques	Risques hydrologiques
Description Exemples Causes Conséquences Niveau de prévisibilité			

	Moyens mis en place pour assurer la sécurité de la population	
	Pays industrialisés	Pays en développement
Prévisions Mesures de prévention Aide aux sinistrés		

Les types de risques naturels

Fiche 3.1.2

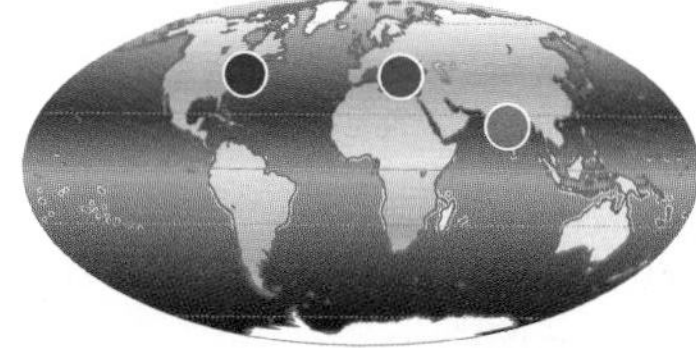

Catastrophe naturelle : Effets désastreux liés au déclenchement d'un risque naturel.

Magnitude : Force d'un phénomène naturel. La force des séismes est évaluée en fonction de l'échelle de Richter, qui va de 1 à 9, du plus faible au plus fort.

Risque naturel : Danger lié à un phénomène naturel, auquel est exposée une population.

Selon toi,

- qu'est-ce qu'un risque naturel ?
- quels sont les types de risques naturels ?

1 Des faits et des chiffres

1A

Les **risques naturels** ont différentes origines.

Les risques *géologiques*, associés au dynamisme interne de la Terre, comprennent les séismes, ou tremblements de terre, les éruptions volcaniques et certains phénomènes qui se déroulent à la surface de la Terre, comme les glissements de terrain.

- Chaque jour, environ 1 000 petits séismes de **magnitude** 1 à 2 se déclenchent sur la Terre, soit environ un toutes les 87 secondes ! À peu près 800 autres séismes atteignent une magnitude de 5 à 5,9 et environ 18 atteignent ou dépassent le niveau 7.
- Près de 1 500 volcans sont actifs sur la Terre. Ces volcans ont fait éruption récemment ou sont susceptibles de le faire prochainement.

Les risques *météorologiques* incluent les cyclones (ouragans et typhons), les fortes précipitations, les grands vents et les températures élevées.

- Tous les ans, environ 80 cyclones balaient la surface des océans. Cependant, de nombreuses tempêtes de moindre importance causent aussi des dommages.

Les risques *hydrologiques* comprennent les raz de marée, ou tsunamis, et les inondations.

1C L'éruption de 2001 de l'Etna, un volcan de la Sicile, en Italie

1D Le tremblement de terre de 2001 dans l'ouest de l'Inde

1B L'ouragan Félix en 1995, à Virginia Beach, aux États-Unis

Observe et construis 1

Qu'ont en commun les trois types de risques naturels ?

Les risques géologiques : les volcans

Fiche 3.1.2

Selon toi,

- que se passe-t-il lorsqu'un volcan entre en éruption ?
- quels dangers représentent les volcans pour les populations urbaines environnantes ?

arobas

Les volcans

Les pentes des volcans sont souvent habitées malgré la possibilité d'une éruption. Pourquoi ? Pour le savoir, trouve les conséquences positives d'une éruption volcanique en consultant Internet ou d'autres médias.

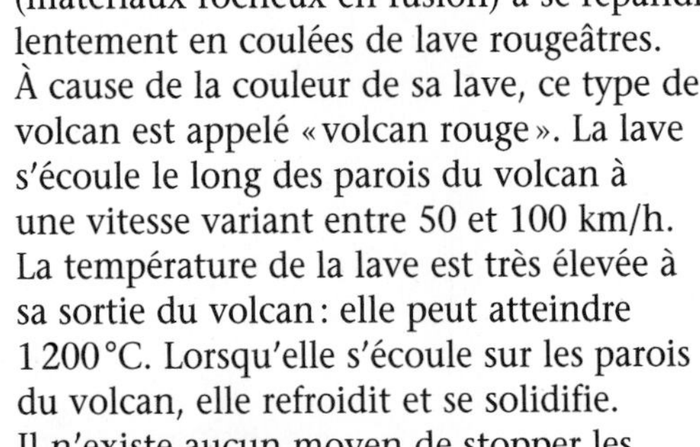

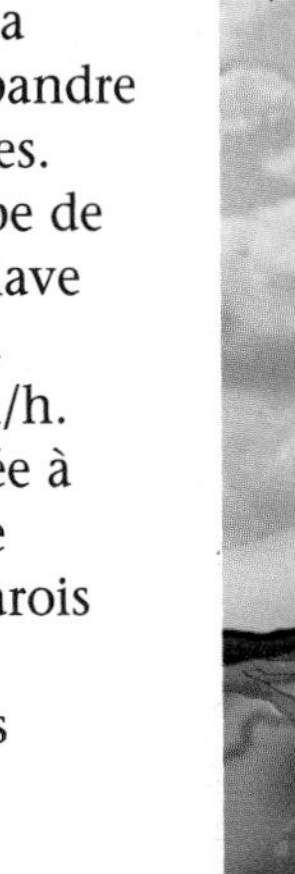

Une éruption effusive amène le magma (matériaux rocheux en fusion) à se répandre lentement en coulées de lave rougeâtres. À cause de la couleur de sa lave, ce type de volcan est appelé « volcan rouge ». La lave s'écoule le long des parois du volcan à une vitesse variant entre 50 et 100 km/h. La température de la lave est très élevée à sa sortie du volcan : elle peut atteindre 1 200 °C. Lorsqu'elle s'écoule sur les parois du volcan, elle refroidit et se solidifie. Il n'existe aucun moyen de stopper les coulées de lave.

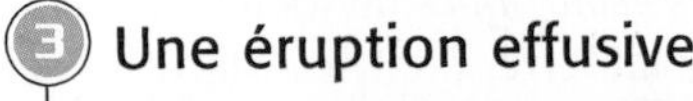

3 Une éruption effusive

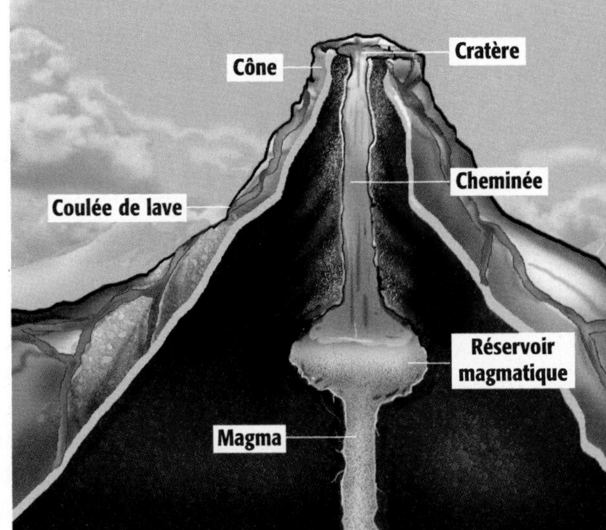

2 Une coulée de lave refroidie du volcan Nyiragongo, en République démocratique du Congo ●

Le Nyiragongo est l'un des volcans les plus imprévisibles de la Terre. En 2002, la lave de ce volcan a atteint pour la première fois Goma, une ville de la République démocratique du Congo située à 15 km.

Bilan

Force : lave fluide qui a atteint 100 km/h

Dommages humains : une centaine de décès et 400 000 personnes qui ont perdu leur logement

Dommages matériels : En se refroidissant, les coulées de lave ont formé des cordons de roche durcie qui ont provoqué un affaissement du sol de 60 cm, sur une longueur de 100 km et une largeur de 4 km. Près de 40 % de la ville a été détruite.

Source : NASA–Volcanoes, 2003.

Lors d'une éruption explosive, le cône explose. La lave, la cendre, les roches et les gaz qui s'y étaient accumulés sont alors projetés hors du cratère sous la forme d'un lourd nuage. La couleur de ce nuage a valu à ce type de volcan le nom de « volcan gris ». Les poussières et les particules toxiques contenues dans la lave atteignent parfois le sol à des centaines de kilomètres du volcan. Ces projections peuvent détruire toutes les formes de vie (êtres humains, animaux, végétation) et de constructions. Le nuage toxique ne provoque aucun dégât matériel, mais il asphyxie les êtres vivants.

5 Une éruption explosive

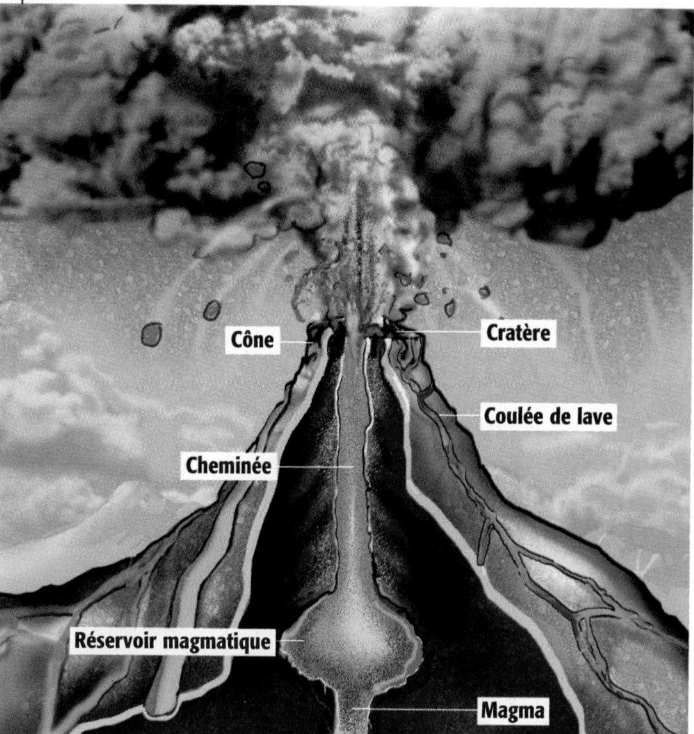

4 L'éruption de 2004 du mont Saint Helens, aux États-Unis ●

Le mont Saint Helens est entré en éruption au début d'octobre 2004. Il s'agit de la quatrième éruption de ce volcan depuis 1980.

Bilan

Force

Le blast: Le blast est une explosion de gaz comparable à un très grand vent qui déferle sur les pentes d'un volcan. Au mont Saint Helens, le blast a parcouru 25 km en moins de 30 s et a atteint une température de 260 °C. Il a complètement dévasté le pourtour du volcan.

Les avalanches de débris: Un tiers du volcan a glissé en moins de 15 s, ce qui a entraîné un écrasement de 400 m au sommet du volcan, qui s'est traduit par une avalanche de débris. Il n'existe aucun moyen de se protéger des débris qui dévalent les pentes d'un volcan.

Les écoulements gazeux: Ces écoulements forment un nuage chargé de gaz carbonique qui asphyxie toute forme de vie sur son passage.

Dommages humains: près de 60 victimes

Dommages matériels: plus de 600 km^2 de forêt détruits par les projections de gaz

Source: *Notre planète info*, 2005.

Observe et construis    

a En quoi les éruptions effusives et explosives se ressemblent-elles? En quoi sont-elles différentes?

b À ton avis, pourquoi une éruption volcanique est-elle une catastrophe lorsqu'elle survient en milieu urbain?

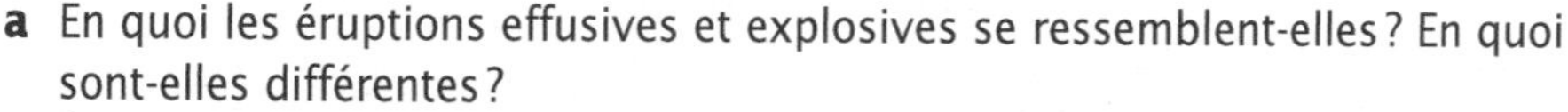

Les risques géologiques : les tremblements de terre

Selon toi,

- que se passe-t-il lorsqu'il y a un tremblement de terre ?
- comment décrit-on la force d'un tremblement de terre ?

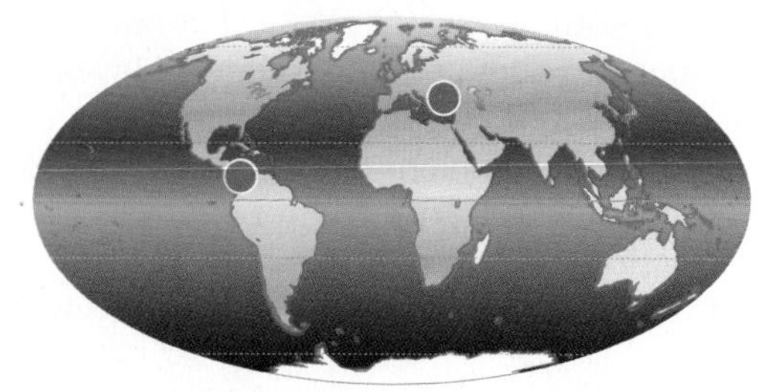

6 Le tremblement de terre

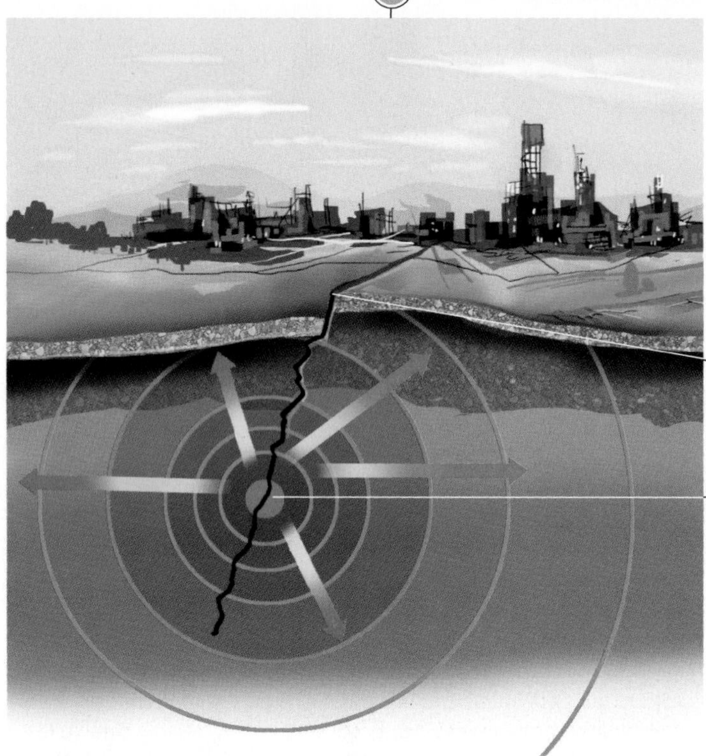

Un tremblement de terre, aussi appelé séisme, se caractérise par des secousses plus ou moins violentes dont la durée ne dépasse pas quelques secondes ou quelques minutes. Un séisme violent s'accompagne d'un bruit terrifiant venu des profondeurs de la Terre. Tous les tremblements de terre se produisent le long d'une cassure de l'écorce terrestre. Les mouvements qui ont lieu le long de la faille donnent naissance à des ondes qui se propagent comme les rides provoquées par un caillou lancé à la surface de l'eau.

Épicentre : Point de la surface de la Terre situé verticalement au-dessus d'une cassure de l'écorce terrestre.

Hypocentre : Point de départ d'un séisme, situé sous la surface de la Terre.

La **magnitude** d'un séisme est décrite à l'aide de l'échelle de Richter. Elle dépend de sa puissance, de sa durée et de la distance du lieu touché par rapport à l'épicentre du séisme. Plus un lieu est situé près de l'épicentre, plus les secousses sismiques y sont violentes.

Les dommages provoqués par les tremblements de terre sont presque essentiellement dus à l'écrasement des bâtiments et des structures qui ne résistent pas aux secousses sismiques. Le feu causé, par exemple, par la rupture de conduites de gaz, est également une source importante de dommages. Dans les régions montagneuses, les séismes peuvent aussi provoquer des glissements de terrain et des chutes de roches et de débris qui risquent de rendre difficiles les secours aux victimes.

7 La magnitude d'un séisme

Niveau	Conséquences
Moins de 3,5	Secousses enregistrées, mais généralement non ressenties
Entre 3,5 et 5,4	Secousses souvent ressenties, mais dommages peu importants
Entre 5,5 et 6,0	Dommages légers aux immeubles
Entre 6,1 et 6,9	Possibilité de destruction des bâtiments
Entre 7,0 et 7,9	Tremblement de terre important et dommages graves
8,0 ou plus	Tremblement de terre important et destruction substantielle des localités

Source : *L'atlas national du Canada : les catastrophes naturelles*, Protection civile Canada et Canadian Geographic, 1996.

⑧ Le tremblement de terre d'Izmit, en Turquie ●

Le 17 août 1999, la terre a tremblé pendant 30 à 40 s à Izmit. Ce séisme a fait d'importants dommages humains et matériels.

Bilan

Magnitude : 7,4 à 7,8 sur l'échelle de Richter

Dommages humains : près de 17 000 morts et 30 000 blessés

Dommages matériels : des milliers de bâtiments détruits, des réserves de pétrole brûlées

Source : *Option informatique 1999-2000*, Lycée Vauban, Brest, France.

⑨ Un glissement de terrain à Las Colinas, au Salvador ●

Un important tremblement de terre s'est produit en janvier 2001 au Salvador, en Amérique centrale, près de la ville de Las Colinas. Ce séisme a entraîné un glissement de terrain, un phénomène qui se produit lorsqu'une portion du sol se déplace le long d'une pente sous l'effet, par exemple, d'une secousse sismique.

Bilan

Magnitude du séisme qui a provoqué le glissement : 7,9 sur l'échelle de Richter

Dommages humains : plus de 600 morts et 2 000 disparus

Dommages matériels : environ 500 habitations détruites par le glissement

Source : University of Leeds, Royaume-Uni, 2004.

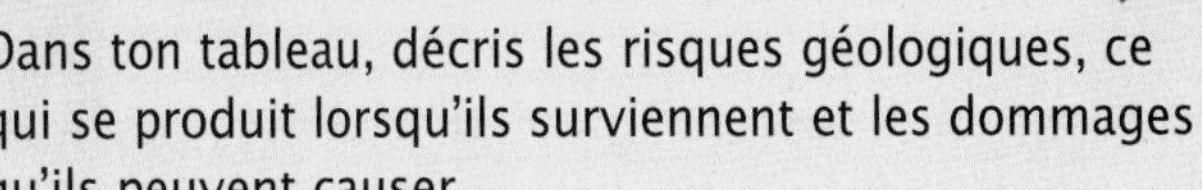

Ton défi

En marche

Dans ton tableau, décris les risques géologiques, ce qui se produit lorsqu'ils surviennent et les dommages qu'ils peuvent causer.

Observe et construis ⑥ ⑦ ⑧ ⑨

a À ton avis, pourquoi les tremblements de terre font-ils plus de dommages lorsqu'ils surviennent en territoire urbain ?

b Fais un croquis du glissement de terrain de Las Colinas.

Les risques météorologiques et hydrologiques

Fiche 3.1.3

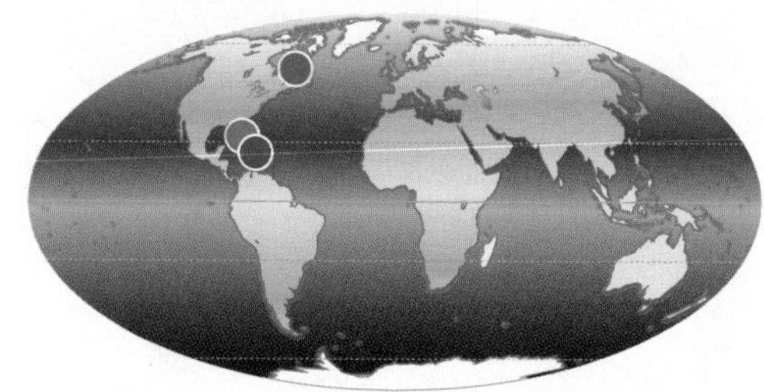

Parallèle équateur : Ligne imaginaire qui sépare la Terre en deux hémisphères (Nord et Sud).

Selon toi,

- qu'est-ce qu'un risque météorologique ? un risque hydrologique ?
- quels dangers présentent les sursauts de la météo ?

Un risque météorologique : le cyclone

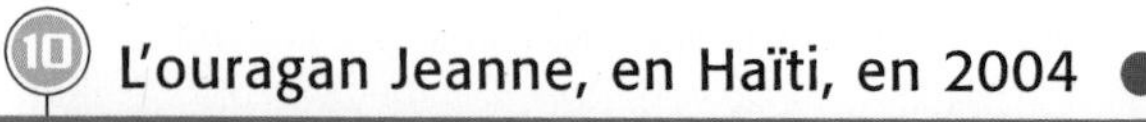

10 L'ouragan Jeanne, en Haïti, en 2004

Le cyclone, aussi appelé ouragan, est une tempête tropicale d'une force exceptionnelle qui se développe dans la zone du parallèle équateur. C'est un gigantesque tourbillon dont le diamètre varie de 100 à 500 km. Pour qu'un ouragan naisse et se développe, les eaux de surface de la mer doivent atteindre une température de plus de 26 °C, et la vitesse des vents doit dépasser 117 km/h.

11 L'ouragan Charley frappe la Floride

Le 13 août 2004, l'État de la Floride, aux États-Unis, a été durement touché par l'ouragan Charley.

Bilan

Force : vents de plus de 200 km/h

Superficie dévastée : 322 km de longueur sur 48 km de largeur

Dommages humains : 16 morts, 10 000 sans-abri et plus d'un million de résidants privés d'électricité

Dommages matériels : plus de 18 milliards de dollars canadiens

Source : Radio-Canada, 2004.

La classification des cyclones et des dommages cycloniques

Niveau	Vitesse du vent (km/h)	Montée soudaine des eaux (mètres)	Conséquences
1	118 à 153	> 1,2	▪ Peu de dommages
2	154 à 177	> 1,8	▪ Dommages aux arbustes, aux autocaravanes et aux petites embarcations
3	178 à 210	> 2,7	▪ Dommages aux toits, aux maisons et aux autocaravanes ▪ Quelques inondations
4	211 à 249	> 4,0	▪ Fortes inondations et dégâts immobiliers importants ▪ Évacuation localisée des habitants
5	> 250	> 5,5	▪ Dommages importants aux arbres et aux bâtiments, pannes d'électricité généralisées ▪ Évacuation des habitants à grande échelle

Source : Centre national des ouragans, Miami, Floride.

L'échelle de Saffir-Simpson permet d'établir la force d'un cyclone selon cinq niveaux.

Un risque hydrologique : l'inondation

L'inondation de 1996 au Saguenay, au Québec

Les inondations sont considérées comme des **catastrophes naturelles** lorsque des pluies fortes (50 à 70 mm/h) et continues (plus de 200 mm/24 h) provoquent une montée inhabituelle du niveau des eaux. La circulation dans les rues inondées complique l'arrivée des secours et l'approvisionnement des victimes (nourriture, eau potable, vêtements, etc.). La force de l'eau détruit les constructions fragiles et endommage les biens dans les maisons plus solides.

Bilan

Importance : Du 18 au 21 juillet 1996, il est tombé 200 mm de pluie en 36 h.

Superficie dévastée : 100 000 km²

Dommages humains : 2 morts, évacuation de 16 000 personnes

Dommages matériels : destruction ou endommagement d'environ 1 350 habitations ; plus de 800 millions de dollars de dommages

Source : Ressources naturelles Canada, 2004.

Observe et construis

En quoi les risques météorologiques et hydrologiques se ressemblent-ils ? En quoi sont-ils différents ?

Ton défi

En marche

Dans ton tableau, décris les risques météorologiques et hydrologiques, ce qui se produit lorsqu'ils surviennent et les dommages qu'ils peuvent causer.

Les risques naturels et les êtres humains

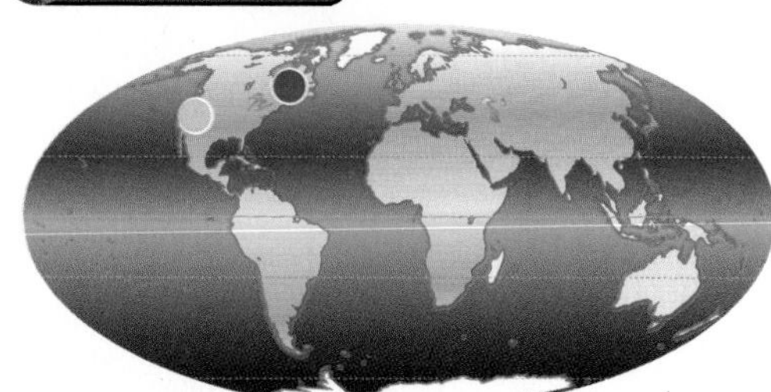

Selon toi,

- comment les êtres humains peuvent-ils aggraver les risques naturels ?

Les cyclones

- Comment choisit-on les noms des cyclones ? Pourquoi ?
- À quelle période de l'année y a-t-il le plus grand nombre de cyclones ?
- Comment s'appellent les tempêtes de même type qui surviennent sur un continent ?

14 Des faits et des chiffres

- Au cours des années 1990, on a enregistré les températures les plus chaudes du millénaire.
- Au cours de l'été 2003, une vague de chaleur anormale a touché l'Europe. Elle a provoqué la mort de 21 000 personnes, la plupart âgées et malades.
- Depuis la fin des années 1960, les chutes de neige ont diminué de 10 à 15 % sur la Terre.
- L'Arctique a perdu environ 10 % de sa couche de glace depuis 1980.
- Depuis la fin du 19e siècle, la Terre s'est réchauffée de 0,4 à 0,8 °C et le niveau des océans a augmenté de 10 à 20 cm.

Source : Notre planète info, 2003.

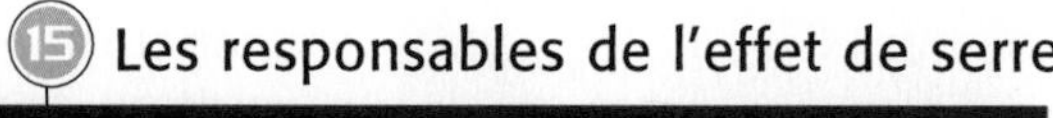

15 Les responsables de l'effet de serre

Trois principaux gaz polluants contribuent à l'effet de serre, c'est-à-dire au réchauffement de la couche d'air qui entoure la Terre :

- le dioxyde de carbone (CO_2) provenant de l'utilisation des **combustibles fossiles** (pétrole, charbon, gaz naturel) ;
- le méthane (CH_4) se dégageant des fuites de gaz et de la décomposition des déchets ;
- les chlorofluorocarbures (CFC), surtout utilisés dans les réfrigérateurs, les climatiseurs et les aérosols.

Selon la majorité des scientifiques, les êtres humains doivent absolument diminuer les émissions de gaz à effet de serre sur la Terre. Autrement, une grande **concentration** de ces gaz pourrait provoquer d'importants bouleversements météorologiques (cyclones, inondations, sécheresses, etc.) qui affecteront le milieu de vie terrestre.

16 Les risques de l'aménagement

La modification du milieu et l'**urbanisation** qui se produit le long des côtes accroissent les dangers d'inondation. Les surfaces recouvertes d'asphalte ou de bâtiments deviennent imperméables et l'eau ruisselle lors de fortes pluies. À cause du déboisement effectué dans les espaces urbains, la végétation ne peut plus retenir l'eau des pluies importantes. Par ailleurs, la construction de voies de circulation modifie souvent la trajectoire des cours d'eau. En période de fortes **précipitations**, ces voies agissent comme des canaux et augmentent la vitesse de l'eau, ce qui entraîne un débordement des cours d'eau, qui inondent le territoire.

Long Beach, en Californie

17 La déforestation

Waswanipi, au Québec

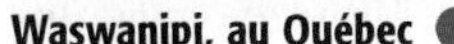

La déforestation modifie le cycle de l'eau en changeant la capacité d'infiltration et de stockage de l'eau dans le sol. Le risque de glissement de terrain est donc augmenté par la déforestation.

Ton défi

En marche

Décris dans ton tableau la façon dont les êtres humains peuvent amplifier les risques naturels.

Observe et construis

14 15 16 17

Quels risques naturels sont liés aux interventions humaines?

La planète et ses enjeux

A Le contexte planétaire

Plusieurs grandes villes et régions du monde sont exposées à des **risques naturels** dont les conséquences peuvent être tragiques, particulièrement dans les lieux à forte **densité** de population. Où sont situées les grandes zones à risques du monde ? Peut-on prévoir les risques naturels ? Que peut-on faire pour diminuer les conséquences dramatiques de ces catastrophes ? Les habitants des villes situées dans les zones à risques ont-ils des chances égales dans tous les pays ?

Fiche 3.2.1

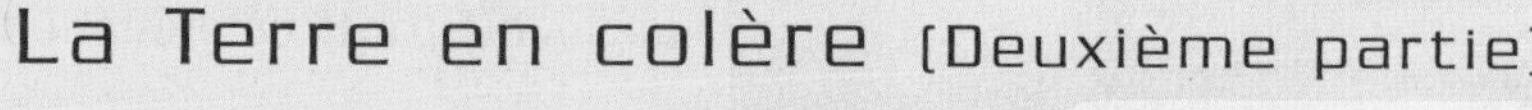

La Terre en colère [Deuxième partie]

Pour présenter les risques naturels aux élèves du primaire, prends connaissance des informations données dans la première partie de ce chapitre (p. 200 à 211). Elles te permettront de remplir les dernières cases de ton tableau (voir p. 190).

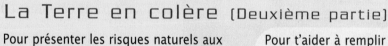

Risques naturels		
	Risques géologiques	
Description Exemples Causes Conséquences Niveau de prévisibilité		
	Moyens mis en Pays	
Prévisions Mesures de prévention		

Pour t'aider à remplir ce tableau,

1. Repère les rubriques Ton défi – En marche (p. 205 et 210) et suis les étapes suggérées.
2. Pense à intégrer une carte du monde dans ta présentation pour situer les grandes zones à risques et quelques catastrophes naturelles importantes.
3. Consulte la section Ressources géo (p. 342), au besoin.
4. Renseigne-toi à d'autres sources : cartes, documentaires, sites Internet, atlas, etc.
5. Consulte la rubrique Ton défi – À l'œuvre ! (p. 211) pour t'assurer que tu as rempli correctement ton tableau.

Le coût des catastrophes naturelles

Selon toi,

- quels types de dégâts sont associés aux risques naturels ?
- quelle importance ont ces dégâts ?

1 Des faits et des chiffres

Les **catastrophes naturelles** ont des conséquences coûteuses en vies humaines et en dommages matériels.

- Les catastrophes naturelles mondiales ont coûté plus de 65 milliards de dollars américains en 2003, soit 5 milliards de plus qu'en 2002.
- Au cours des années 1990, une moyenne de 80000 personnes par année sont mortes dans des catastrophes naturelles. À lui seul, le tsunami du 26 décembre 2004, dans l'océan Indien, a fait environ 300000 victimes. Sur les 10 tsunamis enregistrés au 20e siècle, 7 ont provoqué la mort de plus d'un millier de personnes.
- En 2003, les compagnies d'assurance ont versé plus de 15 milliards de dollars américains aux victimes de catastrophes naturelles.
- Entre 1980 et 2003, la Banque mondiale a financé des projets de reconstruction d'une valeur d'environ 12,5 milliards de dollars américains à la suite de catastrophes naturelles.
- Plus de 90% des victimes de catastrophes naturelles habitent des **pays en développement**.

Sources : Banque mondiale, 2003 ; Munich RE, 2004 ; National Geophysical Data Center, 2005.

2 Tous égaux devant une catastrophe ?

2A Le tremblement de terre de 2001 à Bhuj, en Inde

Dans les pays en développement, des millions de personnes vivent dans des habitats précaires et des zones à risques (ex. : zones inondables, pentes de volcans) parce qu'elles n'ont pas les moyens de s'établir ailleurs. Lorsqu'une catastrophe naturelle survient, ces populations sont très éprouvées. En 2001, le tremblement de terre de magnitude 7,9 qui a frappé Bhuj, dans l'État du Gujarat, en Inde (**pays en développement**), a fait plus de 100000 victimes. En 1995, après le séisme de **magnitude** 7,2 survenu à Kōbe, au Japon (**pays industrialisé**), on a dénombré 6400 morts.

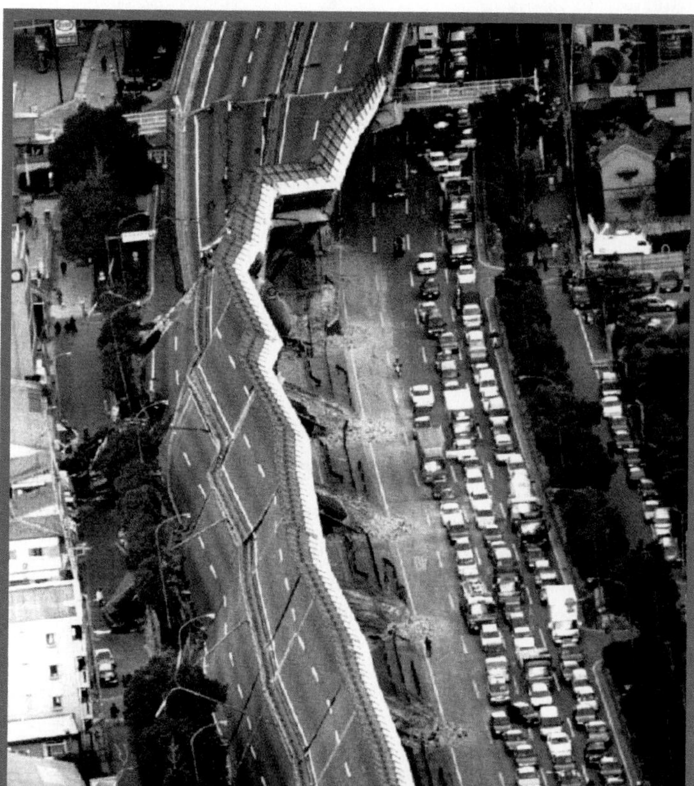

2B Le tremblement de terre de 1995 à Kōbe, au Japon

Observe et construis 1 2

a Quels sont les principaux dommages et dépenses liés à une catastrophe naturelle ?

b Qu'est-ce qui contribue à augmenter le nombre de victimes lors d'une catastrophe naturelle ? Pourquoi, à ton avis ?

Les risques naturels dans l'espace et le temps

Selon toi,

- où sont situées les régions les plus à risques de la planète ?

3 Les zones à risques naturels

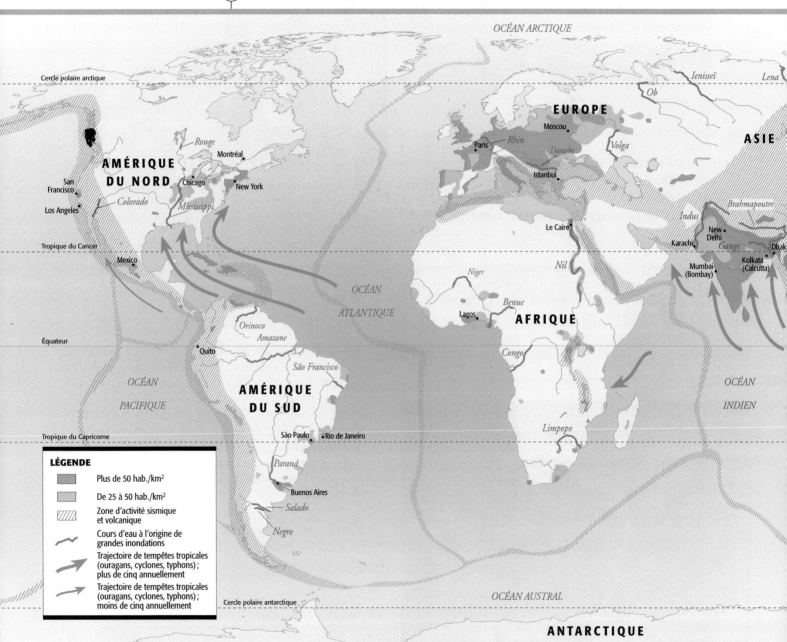

OCÉAN ARCTIQUE

Cercle polaire arctique

Ienisseï

Lena

Ob

EUROPE

Moscou

Paris

Rhin

Danube

Volga

Istanbul

ASIE

AMÉRIQUE DU NORD

Rouge

Montréal

Chicago

New York

San Francisco

Los Angeles

Colorado

Mississippi

Tropique du Cancer

Mexico

Le Caire

Indus

Brahmapoutre

New Delhi

Karachi

Gange

Dhak

Mumbai (Bombay)

Kolkata (Calcutta)

Nil

Niger

Benue

Lagos

AFRIQUE

OCÉAN ATLANTIQUE

Orinoco

Amazone

Équateur

Quito

Congo

São Francisco

AMÉRIQUE DU SUD

OCÉAN PACIFIQUE

OCÉAN INDIEN

Limpopo

Tropique du Capricorne

São Paulo

Rio de Janeiro

Paraná

Buenos Aires

Salado

Negro

Cercle polaire antarctique

OCÉAN AUSTRAL

ANTARCTIQUE

LÉGENDE

- Plus de 50 hab./km²
- De 25 à 50 hab./km²
- Zone d'activité sismique et volcanique
- Cours d'eau à l'origine de grandes inondations
- Trajectoire de tempêtes tropicales (ouragans, cyclones, typhons) ; plus de cinq annuellement
- Trajectoire de tempêtes tropicales (ouragans, cyclones, typhons) ; moins de cinq annuellement

Les probabilités de **catastrophes naturelles** existent presque partout sur la Terre. Cependant, certaines régions présentent un niveau d'instabilité élevé, et plusieurs régions sont menacées par plus d'un type de risque naturel.

Séoul
Tōkyō
Ōsaka
Shanghai
OCÉAN PACIFIQUE
OCÉANIE
Échelle à l'équateur
0 1500 3000 km

Instabilité : Caractère imprévisible des phénomènes naturels et humains.

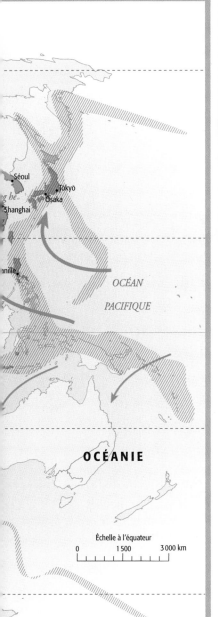

④ Les vestiges de Pompéi, en Italie

En l'an 79, lors de l'éruption du Vésuve, 6 m de cendres ont enseveli la ville de Pompéi, en Italie. Au 18e siècle, des fouilles ont permis de reconstituer cette ville.

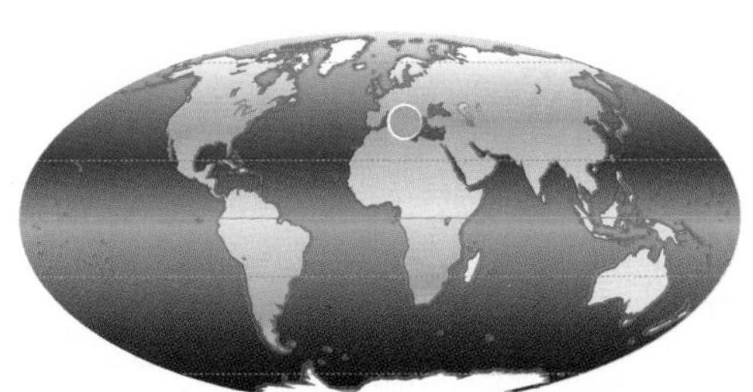

arobas

Les catastrophes dans le temps

Les risques naturels ont marqué l'histoire de la Terre. Trouve dans Internet une dizaine de catastrophes survenues depuis 2000 ans, décris-les et situe-les sur une ligne du temps et sur un planisphère.

Lance une recherche dans Internet à l'aide des mots suivants : liste et catastrophes naturelles, encyclopédie et catastrophes naturelles, chronologie et catastrophes naturelles, palmarès des catastrophes naturelles, etc.

Observe et construis ③ ④

a Où sont situées les principales zones à risques naturels de la Terre ?

b Quel rapport vois-tu entre ces zones et les régions les plus peuplées de la Terre ?

c Avec quels risques naturels doivent composer les villes suivantes : Mexico, Istanbul, Jakarta, Dhaka et Ōsaka ?

Le dynamisme terrestre et les risques naturels

Selon toi,

- quelles sont les causes des risques naturels ?

Plaque tectonique : Chacune des parties mobiles de l'écorce terrestre sur lesquelles reposent les continents et les océans.

5 Le mouvement des plaques tectoniques

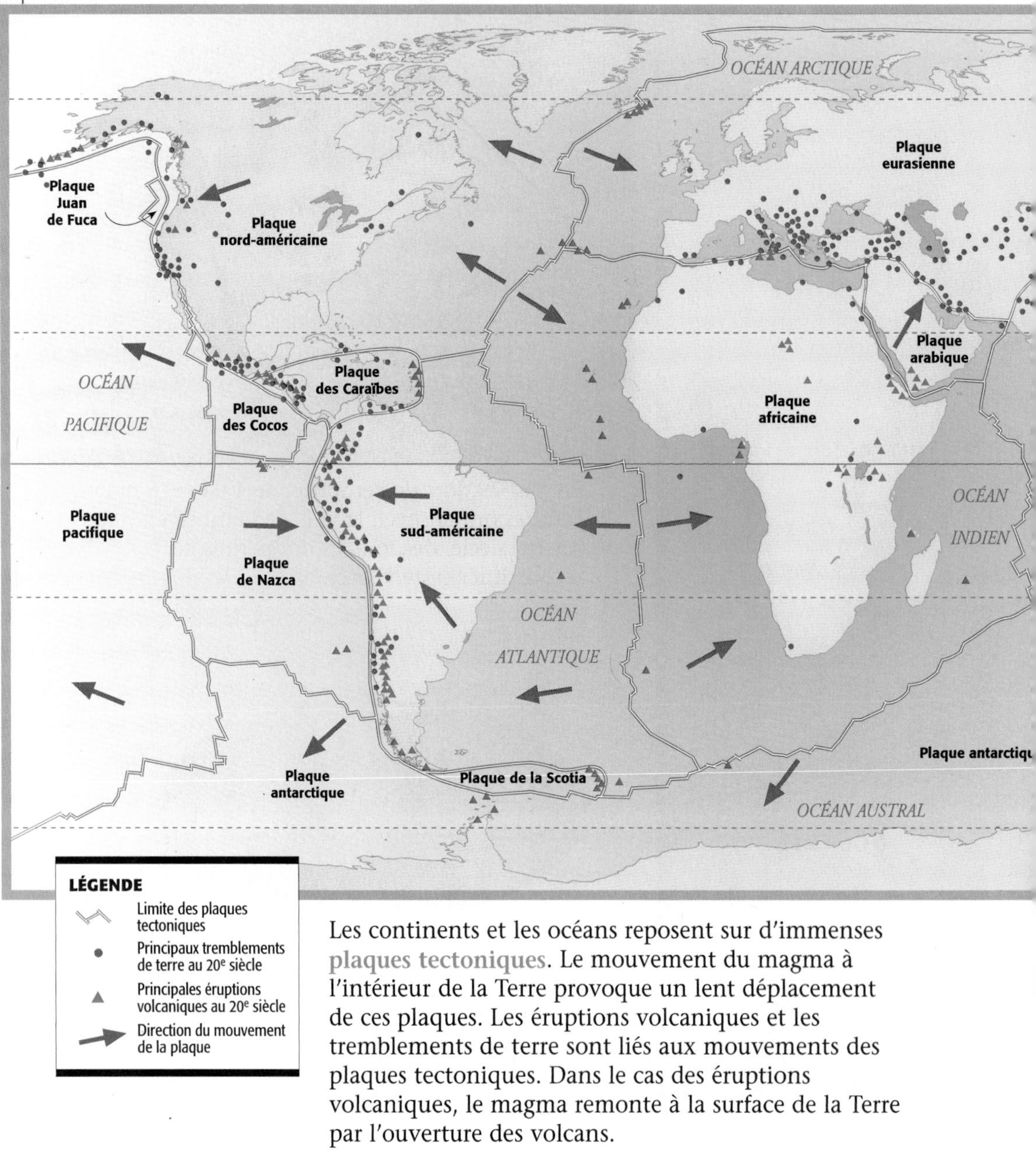

OCÉAN ARCTIQUE
Plaque eurasienne
Plaque Juan de Fuca
Plaque nord-américaine
Plaque arabique
OCÉAN PACIFIQUE
Plaque des Caraïbes
Plaque des Cocos
Plaque africaine
Plaque pacifique
Plaque sud-américaine
Plaque de Nazca
OCÉAN INDIEN
OCÉAN ATLANTIQUE
Plaque antarctique
Plaque de la Scotia
OCÉAN AUSTRAL

LÉGENDE
- Limite des plaques tectoniques
- Principaux tremblements de terre au 20e siècle
- Principales éruptions volcaniques au 20e siècle
- Direction du mouvement de la plaque

Les continents et les océans reposent sur d'immenses plaques tectoniques. Le mouvement du magma à l'intérieur de la Terre provoque un lent déplacement de ces plaques. Les éruptions volcaniques et les tremblements de terre sont liés aux mouvements des plaques tectoniques. Dans le cas des éruptions volcaniques, le magma remonte à la surface de la Terre par l'ouverture des volcans.

Les séismes au Canada

Y a-t-il des tremblements de terre au Canada ? au Québec ?

Trouve dans les médias (Internet, encyclopédie, etc.) des informations sur les séismes au Canada.

- Dans quelle partie du Canada les risques sont-ils le plus élevés ?
- Quand est survenu le plus récent tremblement de terre au Québec ? Quelle était sa magnitude ? Dans quelle région a-t-il été ressenti ?

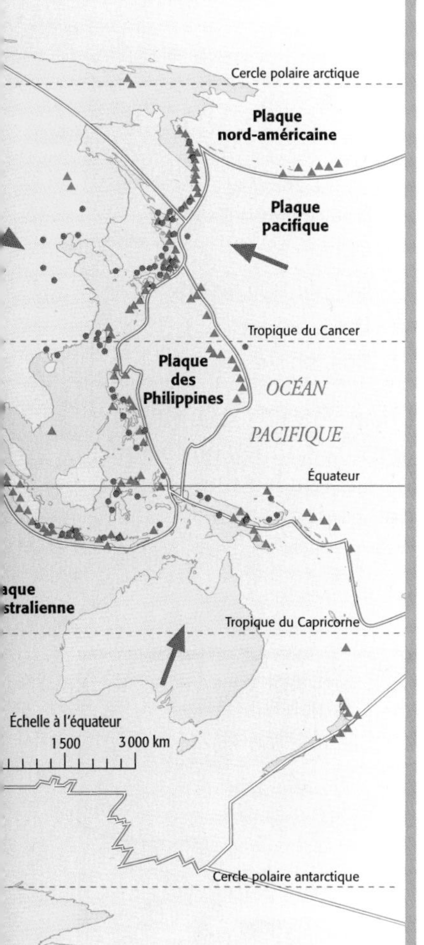

6 La ceinture de feu du Pacifique

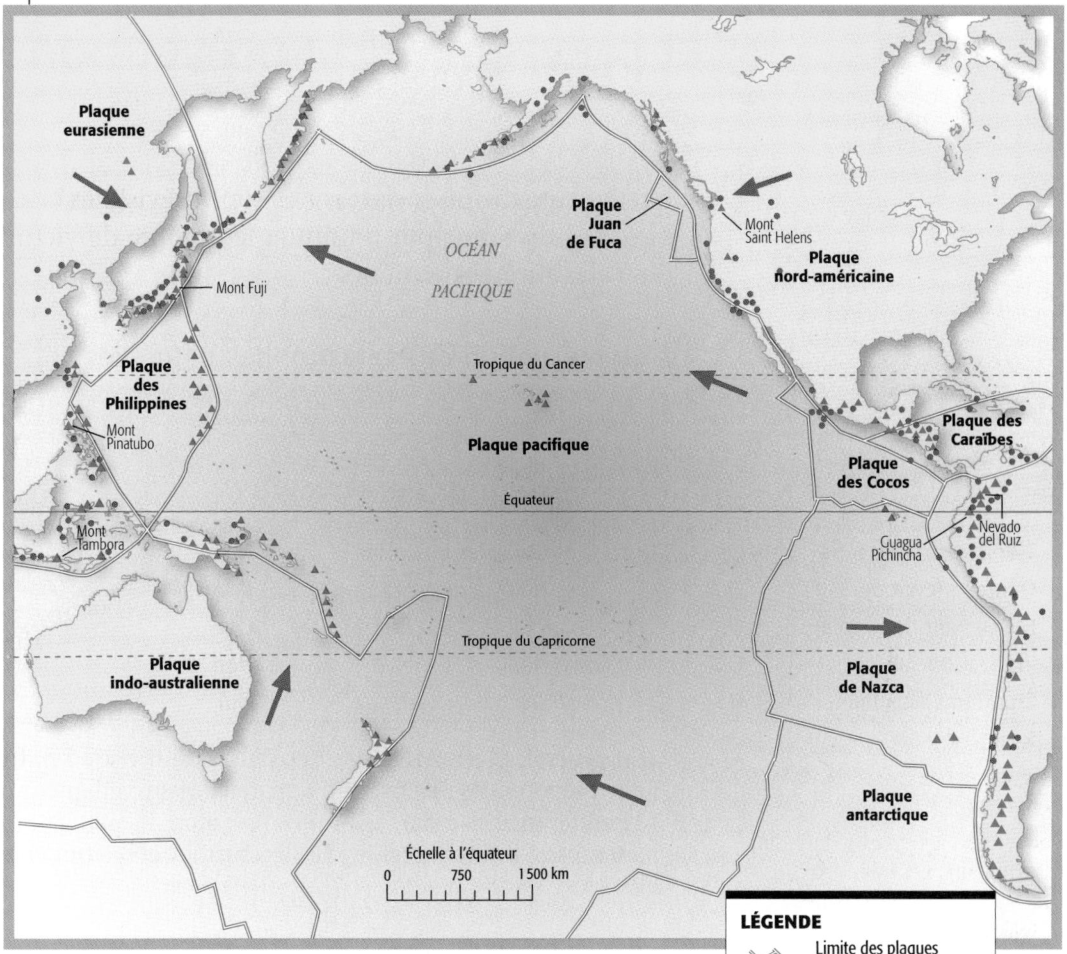

Plaque eurasienne
Plaque Juan de Fuca
Mont Saint Helens
Plaque nord-américaine
OCÉAN PACIFIQUE
Mont Fuji
Plaque des Philippines
Tropique du Cancer
Mont Pinatubo
Plaque pacifique
Plaque des Caraïbes
Plaque des Cocos
Équateur
Mont Tambora
Guagua Pichincha
Nevado del Ruiz
Tropique du Capricorne
Plaque indo-australienne
Plaque de Nazca
Plaque antarctique
Échelle à l'équateur
0 750 1 500 km

LÉGENDE
- Limite des plaques tectoniques
- Principaux tremblements de terre au 20e siècle
- Principales éruptions volcaniques au 20e siècle
- Direction du mouvement de la plaque

La ceinture de feu délimite la plaque tectonique pacifique. Cette zone naturelle à risques est associée à une **instabilité** de l'écorce terrestre qui peut causer des séismes et des éruptions volcaniques. Elle abrite les 1 500 volcans les plus actifs et les plus dangereux de la planète.

Ton défi

En marche

Situe sur une carte les zones à risques de la Terre. Trouve des symboles, des couleurs ou d'autres moyens de les représenter sur la carte.

arobas

Quelles données sont vraies?

Choisis une catastrophe parmi celles décrites dans ce module et consulte plusieurs sources (Internet, encyclopédie, etc.) pour trouver le nombre de victimes et le coût des dommages matériels de cette catastrophe.

- Quelles données te semblent les plus fiables ? Pourquoi ?
- Quelles observations peux-tu faire à partir des données recueillies ? Comment expliques-tu ces résultats ?

Observe et construis 5 6

De quelle façon le dynamisme interne de la Terre est-il responsable de certaines **catastrophes naturelles** ?

Avant les catastrophes : la prévision et la prévention

Selon toi,

- quelles **catastrophes naturelles** sont prévisibles ?
- que peut-on faire pour diminuer le nombre de victimes des catastrophes naturelles ?

7 La prévention des catastrophes naturelles

Peut-on prédire une catastrophe naturelle ?				
Type de manifestation	**Lieu**	**Prévision à long terme** (un an et plus)	**Prévision à moyen terme** (plusieurs semaines à plusieurs mois)	**Prévision à court terme** (quelques jours à quelques heures)
Tremblement de terre	Oui	Oui, plus ou moins	Non	Non, plus ou moins
Ouragan (cyclone)	Oui	Non	Non	Oui
Glissement de terrain	Oui	Oui	Oui	Oui, plus ou moins
Inondation	Oui	Non	Non	Oui
Éruption volcanique	Oui	Oui	Oui	Non, plus ou moins

Source : Unesco, 2004.

En général, la connaissance des causes d'un **risque naturel** peut aider les scientifiques à le prévoir. S'ils disposent d'appareils de surveillance adéquats (radar météorologique, satellite, images radar, sismographe, etc.), ils peuvent parfois déclencher une alerte à temps et limiter ainsi les dégâts, surtout en ce qui concerne les pertes humaines.

8 La prévention par les normes de construction

Prévention : Ensemble des mesures prises pour prévenir une catastrophe.

Sismographe : Appareil qui enregistre et mesure les mouvements du sol lors d'une éruption volcanique ou d'un séisme.

Les pertes humaines sont davantage dues à l'effondrement des bâtiments qu'au séisme. Selon les experts, la construction parasismique est le meilleur moyen de prévention contre les séismes. Elle consiste à privilégier des matériaux comme le bois et l'acier, qui résistent mieux aux secousses que la maçonnerie (brique et béton), ou à solidifier la maçonnerie à l'aide de tiges d'acier. De plus, l'utilisation de piliers apparents (voir la photo) ou enfoncés profondément dans le sol solidifie les structures. Par ailleurs, il faut éviter de construire sur les sols meubles, car ils amplifient les secousses sismiques. La construction parasismique augmente cependant de 5 à 10 % le coût d'un bâtiment.

9 L'information comme moyen de prévention

Règles de sécurité en zone cyclonique		
Avant le cyclone	**À l'arrivée du cyclone**	**Après le cyclone**
Prenez vos précautions : ▪ Ayez chez vous un éclairage de secours. ▪ Constituez une réserve de seaux. ▪ Gardez chez vous une trousse à outils. ▪ Vérifiez la solidité de votre maison. ▪ Ayez toujours une radio à piles, une réserve d'eau potable et de la nourriture.	▪ Écoutez les informations diffusées à la radio. ▪ Respectez les consignes des autorités. ▪ Gardez vos enfants chez vous. ▪ Transportez à l'intérieur les objets susceptibles d'être emportés par le vent. ▪ Consolidez les portes et les fenêtres de votre maison. ▪ N'encombrez pas le réseau téléphonique. On pourrait tenter de vous joindre. ▪ Clouez des planches de bois sur vos portes et vos fenêtres. Si le danger est imminent : ▪ Enfermez-vous dans la pièce la mieux abritée. ▪ Restez à l'écoute de la radio. ▪ Ne vous tenez pas à proximité des vitres. NE QUITTEZ PAS VOTRE ABRI AVANT LA FIN DE L'ALERTE DIFFUSÉE PAR LA RADIO.	▪ Écoutez les bulletins de nouvelles à la radio. ▪ Ne touchez pas aux câbles tombés par terre. ▪ Surveillez les chandelles. ▪ Si vous avez été évacués, attendez que la zone soit déclarée hors de danger avant de rentrer chez vous.

Source : Ambassade de France en République dominicaine, 2004.

Lorsqu'une catastrophe naturelle survient, les autorités doivent prévenir rapidement la population. Si les moyens de communication sont inappropriés, les gens risquent de ne pas être informés à temps.

10 Des instruments de prévention

À l'aide de panneaux solaires qui captent l'énergie, on alimente des appareils très précis (dilatomètre et sismographe) enfoncés à plus de 100 m dans le sol, à proximité d'un volcan. Ces appareils mesurent les moindres déformations de la croûte terrestre et envoient à un laboratoire des signaux qui permettent la détection rapide d'un risque d'éruption volcanique. Il est ainsi possible d'alerter la population et de sauver des vies. Ce genre d'installation est surtout disponible dans les **pays industrialisés**, qui bénéficient de la plus récente technologie en matière de détection.

Observe et construis    

a Quels risques naturels peut-on prévoir longtemps à l'avance ? Lesquels sont imprévisibles, même à très court terme ?

b À ton avis, quels pays (industrialisés ou en développement) ont de meilleurs moyens de prévention ? Pourquoi ?

Se relever d'un désastre naturel

Selon toi,

- que s'est-il passé lors du tsunami du 26 décembre 2004?
- quels types d'aide ont été apportés aux victimes de cette catastrophe? De qui venait cette aide?
- pour quel type de pays est-il plus difficile de se remettre d'une **catastrophe naturelle**: un pays riche ou un pays pauvre? Pourquoi?

Point de mire

Des vagues destructrices dans l'océan Indien

Le 26 décembre 2004, un tsunami d'une rare intensité a frappé les côtes de l'Asie du Sud-Est et de l'Afrique. Un séisme de **magnitude** 9 est à l'origine de cette catastrophe qui a fait près de 300 000 victimes (morts et disparus). Plus de 1,5 million d'habitants ont dû être déplacés, et près de 5 millions de personnes ont été privées de services de base (eau, électricité, etc.).

11 A

Des villages dévastés, des routes impraticables et le manque de nourriture et d'eau composent la réalité des survivants de la zone affectée. En plus d'avoir à surmonter la perte d'êtres chers, ils manquent de tout pour reconstruire leur milieu de vie.

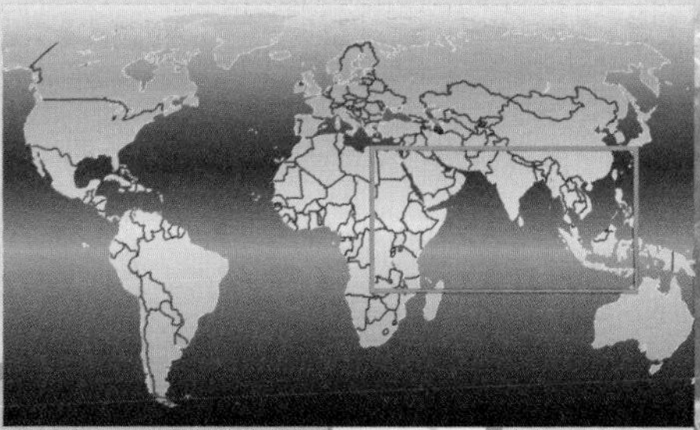

11 B

Les régions touchées par le tsunami en décembre 2004.

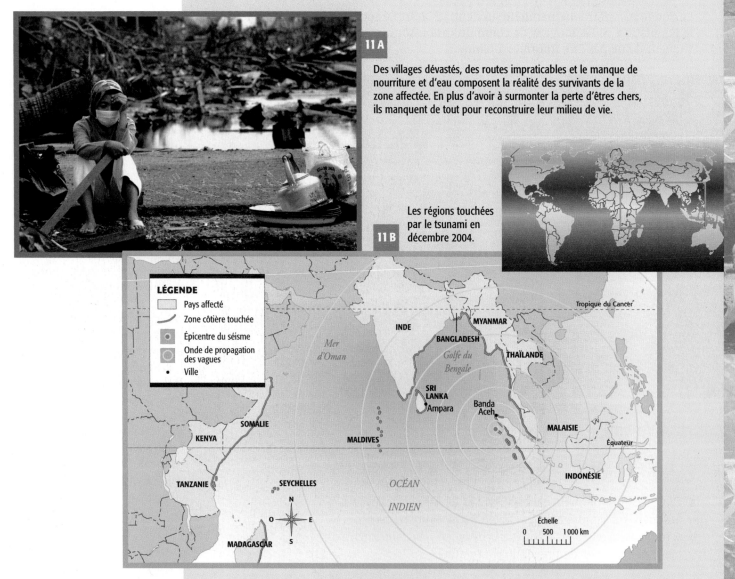

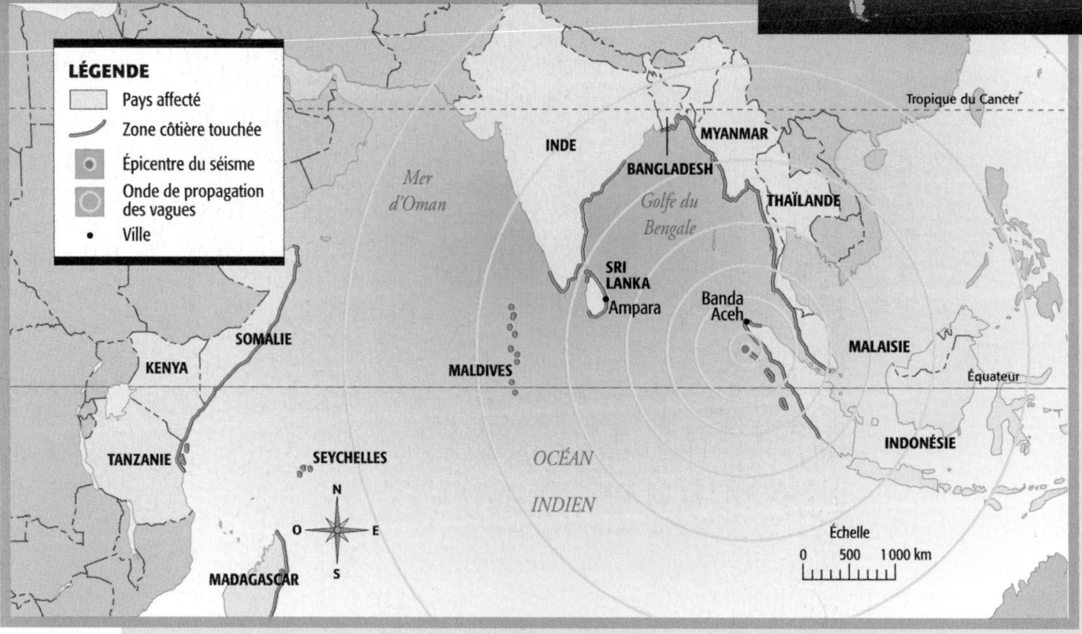

LÉGENDE
Pays affecté
Zone côtière touchée
Épicentre du séisme
Onde de propagation des vagues
Ville

Tropique du Cancer
INDE
MYANMAR
BANGLADESH
Mer d'Oman
Golfe du Bengale
THAÏLANDE
SRI LANKA
Ampara
Banda Aceh
MALAISIE
SOMALIE
KENYA
MALDIVES
Équateur
TANZANIE
SEYCHELLES
OCÉAN INDIEN
INDONÉSIE
MADAGASCAR
Échelle
0 500 1 000 km

La situation

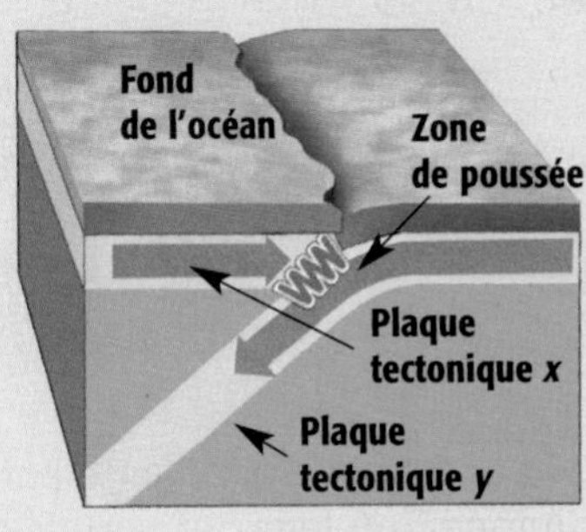

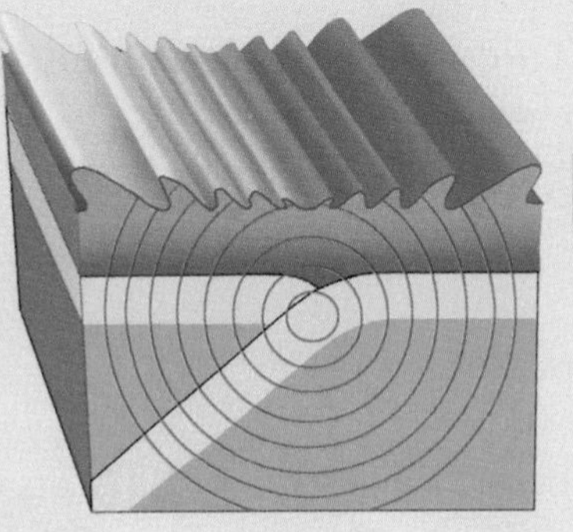

11 C Un tsunami survient quand l'eau est propulsée vers la surface sous l'effet d'un tremblement de terre sous-marin. Il se forme alors une vague qui n'a que quelques centimètres à l'origine, mais qui s'amplifie en se déplaçant. Ainsi, les vagues d'un tsunami peuvent atteindre une vitesse de 800 km/h et dépasser 50 m de hauteur lorsqu'elles frappent le rivage !

Pour ce qui est des **risques naturels**, l'Asie du Sud-Est présente des conditions d'**instabilité** parmi les plus élevées au monde. De plus, des millions de personnes y subissent déjà des conditions de vie difficiles. Lorsqu'une catastrophe naturelle survient, elle est donc particulièrement dévastatrice pour les habitants de cette partie du monde. Lors de catastrophes naturelles, l'Asie du Sud-Est manque à la fois de moyens de **prévention** et de reconstruction.

L'aide internationale

Après une catastrophe naturelle comme le tsunami de 2004, le soutien humanitaire d'autres pays est très utile. L'aide offerte par les gouvernements étrangers et divers organismes (ex. : Unicef, Médecins sans frontières) se manifeste sous forme de personnel spécialisé, d'argent, de médicaments, de nourriture, d'eau potable, etc.

Comme d'autres pays, le Canada a envoyé sur place du personnel militaire. La DART (*Disaster Assistance Response Team*) est l'équipe de l'armée canadienne qui intervient lors de catastrophes. Cette équipe, composée d'environ 200 militaires spécialisés, a transporté plus de 300 tonnes de matériel vers le Sri Lanka. Les médecins ont mis sur pied des cliniques médicales, alors que les ingénieurs ont installé des systèmes de purification d'eau aptes à fournir 50 000 L d'eau potable par jour. De plus, la DART a érigé des constructions temporaires pour abriter les habitants des zones sinistrées jusqu'à la fin des opérations de nettoyage et de réparation des maisons et des écoles.

Le coût d'une telle mission est très élevé : plus de 4 millions de dollars. Cependant, ce secours est indispensable aux populations qui subissent une catastrophe de cette ampleur.

Pour être pleinement efficace, une telle aide doit tenir compte des besoins de la population et être coordonnée aux efforts locaux de réorganisation. Mieux que quiconque, les intervenants du pays victime d'une catastrophe peuvent évaluer la nature et la durée de l'aide à apporter.

11 D Des membres de la DART chargent des bouteilles d'eau, du matériel médical et des véhicules à bord d'un avion-cargo.

Observe et construis 11

a De quelle nature étaient les problèmes causés par le tsunami du 26 décembre 2004 ?

b Quelles solutions ont été mises en pratique pour résoudre ces problèmes ?

 La crise du verglas au Québec, en 1998

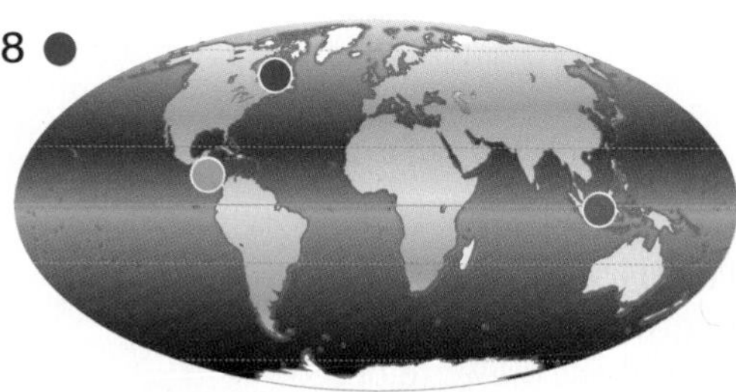

Lors de la crise du verglas, la plupart des victimes avaient des assurances qui leur ont permis de remplacer leurs biens matériels. Les compagnies d'assurance ont reçu au-delà de 600 000 réclamations totalisant plus d'un milliard de dollars canadiens.

Ton défi

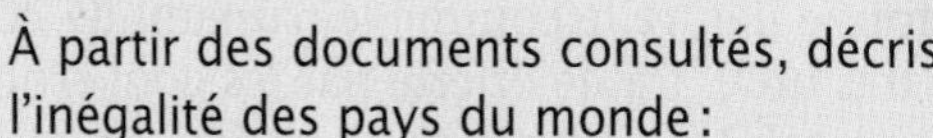

En marche

À partir des documents consultés, décris l'inégalité des pays du monde :

- avant une catastrophe naturelle ;
- après une catastrophe naturelle.

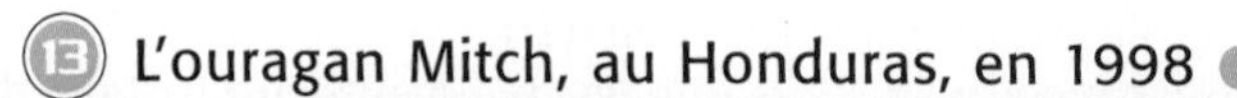

L'ouragan Mitch, au Honduras, en 1998

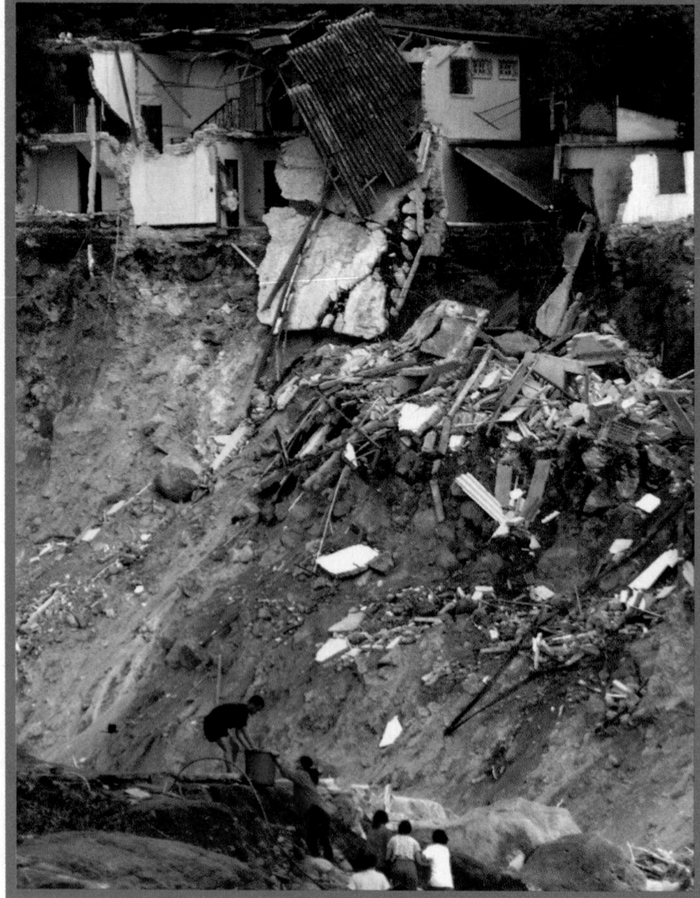

Après une catastrophe, les dirigeants des pays pauvres, tout comme ceux des pays riches, doivent offrir des soins aux victimes, assurer le ravitaillement de la population et remettre en bon état le système de communication. Dans la plupart des **pays en développement**, faute de ressources financières adéquates, les dirigeants endettent leur pays ou utilisent des sommes d'argent destinées à d'autres usages. Il arrive donc qu'un fonds d'aide internationale destiné à la construction d'un puits ou d'une école soit utilisé pour financer la reconstruction d'un pays à la suite d'une **catastrophe naturelle.** Au Honduras, l'ouragan Mitch a causé des dégâts équivalents à 41 % du PIB annuel du pays.

(14) Des secours après le tsunami de 2004 en Indonésie

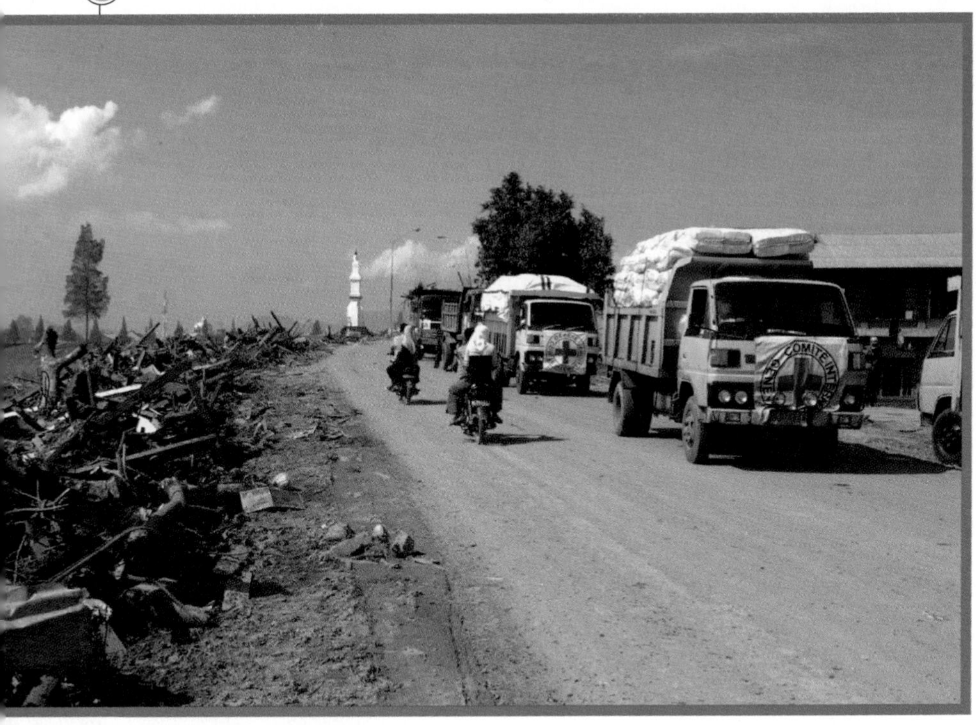

Dans les pays en développement, les soins médicaux et les secours ne sont pas toujours suffisants après une catastrophe naturelle. Dans certains cas, cette situation peut provoquer des épidémies et des crises alimentaires qui contribuent à l'augmentation des pertes de vie. La Croix-Rouge, l'Unicef et d'autres organismes humanitaires apportent leur soutien aux populations éprouvées.

Des mesures de sécurité

La principale tâche de certaines personnes est de prévoir les catastrophes naturelles. Décris le travail de chacun des spécialistes suivants : volcanologue, sismologue, météorologue.

- Quel type de catastrophe chaque spécialiste essaie-t-il de prévoir ?
- Quels instruments chacun utilise-t-il ?

Ton défi

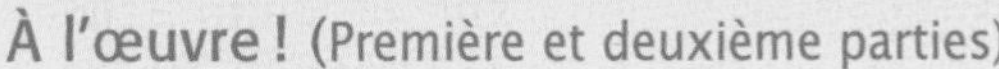

À l'œuvre ! (Première et deuxième parties)

Il est maintenant temps de vérifier les informations que tu as notées dans ton tableau.

1. Relis les mots clés que tu as notés et assure-toi que tu peux dire ou écrire quelque chose à partir de chacun de ces mots. Au besoin, consulte de nouveau les renseignements donnés dans ce module et ajoute des précisions dans ton tableau.
2. Prépare la carte dont tu auras besoin pour situer les régions à risques de la Terre.
3. Vérifie la clarté de toute l'information qui doit se trouver sur la carte :
   - Le titre correspond-il au contenu de la carte ?
   - La signification des symboles et des couleurs est-elle donnée dans la légende ?
   - Les informations sont-elles notées sans fautes ?
4. Prépare des croquis ou des schémas pour illustrer tes informations.
5. Choisis des photos pour illustrer tes propos. Tu pourras les présenter lors de ton exposé ou les intégrer à une présentation que tu feras dans Internet.

Observe et construis   

c Pourquoi les pays en développement sont-ils plus touchés par une catastrophe naturelle ?

B Un enjeu planétaire

Tu sais maintenant qu'il existe sur la Terre des zones à risques et que plusieurs **catastrophes naturelles** sont imprévisibles, même si on a recours à des instruments perfectionnés. De plus, tu as appris que les conséquences de ces catastrophes sont plus graves lorsqu'elles surviennent dans des lieux où il y a une forte **concentration** de population et de bâtiments. Enfin, tu as pu constater que les catastrophes naturelles ont des conséquences plus dramatiques dans les **pays en développement** que dans les **pays industrialisés.**

Cette partie te présente trois villes qui doivent composer avec des **risques naturels.** Tu y découvriras pourquoi des millions de gens y vivent même si elles sont situées dans des zones à risques. De plus, tu apprendras à connaître les mesures qui ont été mises en place pour assurer la sécurité des habitants de ces villes.

Ton défi

Fiche 3.2.5

La Terre en colère (Troisième partie)

Le tiers des habitants de la planète (plus de 2 milliards de personnes) vit dans la crainte d'une catastrophe naturelle. C'est le cas des habitants de Quito, San Francisco et Manille. Pourquoi les gens demeurent-ils dans ces villes malgré les possibilités de catastrophe naturelle? Quelles conséquences peuvent avoir les risques naturels sur ces populations? Comment font-elles face à ces risques naturels?

1. Présente la grande ville choisie en mettant en évidence les moyens dont elle dispose pour gérer les catastrophes naturelles.
2. Pour t'aider, utilise des mots clés qui te permettront de consigner les informations essentielles dans un tableau semblable à celui ci-dessous.
3. Prépare-toi à situer sur une carte les lieux que tu nommeras au cours de ta présentation.
4. Consulte d'autres sources: atlas, sites Internet, documentaires, etc.
5. Réfère-toi à la rubrique Ton défi – À l'œuvre! (p. 227) pour finaliser ta présentation.

Ville choisie	
Description des lieux	
Pays	
Niveau de développement	
Situation	
Population	
Atouts	
Risques naturels	
Causes	
Description	
Populations les plus à risques	
Mesures de prévention	

Territoire 1

Quito

● **Quito**

La ville de Quito a été fondée en 1504 par les Espagnols. Elle a été érigée sur les ruines d'une ancienne cité inca. Le quartier historique de Quito, qui rappelle l'époque coloniale, fait partie du patrimoine mondial de l'Unesco depuis 1978.

page 214

Composer avec un ou des risques naturels

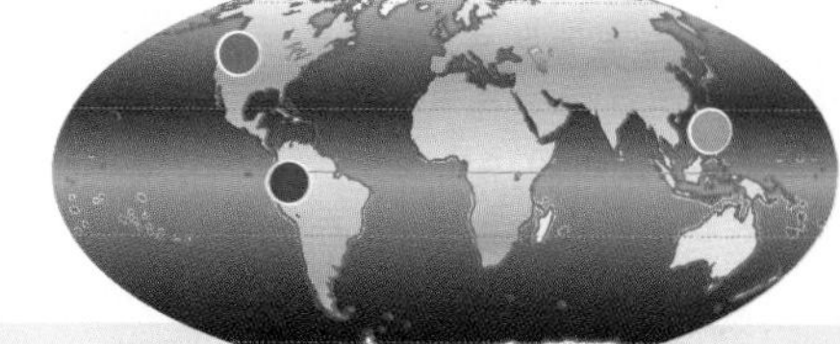

Territoire 2

San Francisco

San Francisco

San Francisco a été fondée en 1776 par les Espagnols. Elle a été envahie par des chercheurs d'or vers 1848, lorsqu'on a découvert ce précieux minerai dans la sierra Nevada. Cette ville est souvent représentée par le Golden Gate, l'un des plus beaux ponts du monde.

page 218

Territoire 3

Manille

Manille

Manille a été fondée en 1571 par les Espagnols, qui en ont fait un important comptoir commercial. En 1898, les Américains se sont emparés de l'archipel des Philippines, puis, en 1946, ce pays est devenu indépendant. Aujourd'hui, Manille est une grande métropole et une ville portuaire importante.

page 222

Comment les habitants de Quito, de San Francisco ou de Manille composent-ils avec des risques naturels?

Territoire 1

Composer avec un risque naturel à Quito

Fiche 3.2.6

Selon toi,

- où est située la région métropolitaine de Quito ?
- quel risque naturel menace Quito ?
- pourquoi les gens s'y sont-ils établis malgré ce risque ?
- pourquoi continuent-ils d'y vivre ?

Quito	
Population	V : 1,5 million RM : 2,6 millions
Densité de population	V : 8 800 hab./km² RM : 280 hab./km²
Équateur	
Population urbaine	74 %
PIB/hab.	4 990 $

V : Ville
RM : Région métropolitaine

Sources : Institut national de statistique et recensement de l'Équateur, 2000 ; *L'état du monde*, 2005.

1 Une ville entourée de volcans

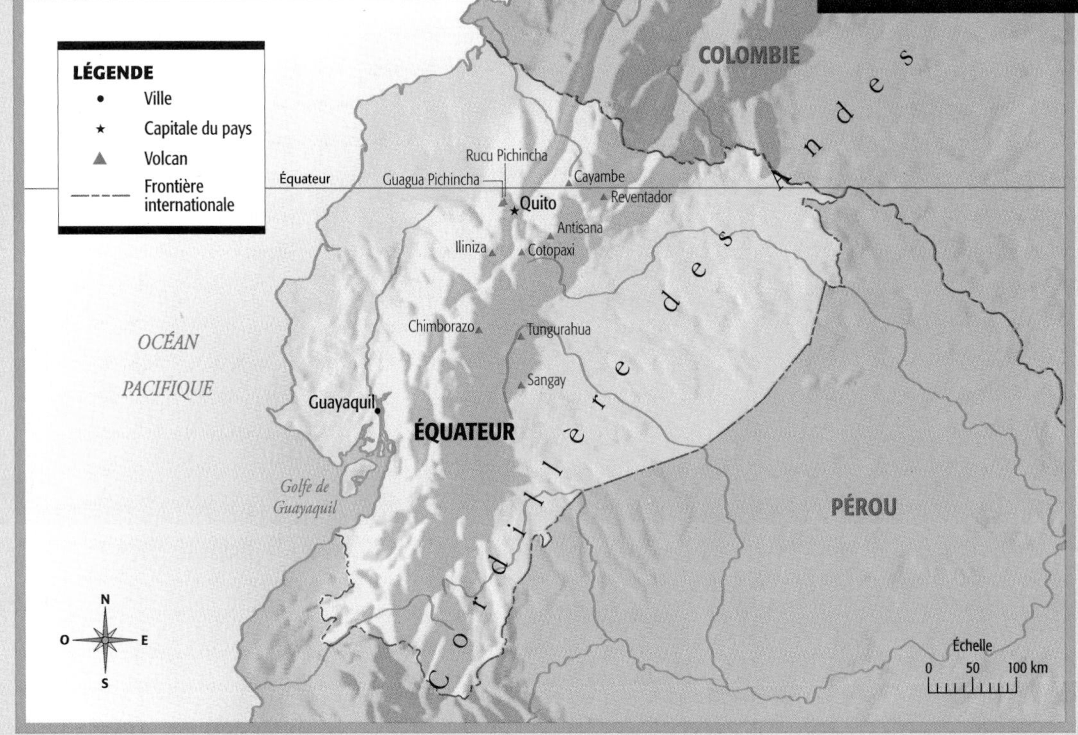

Quito est la capitale et la deuxième plus importante **métropole** de l'Équateur, un pays de l'Amérique du Sud. Située à mi-chemin entre les deux pôles, cette ville se trouve tout près du **parallèle équateur**, au pied du volcan Guagua Pichincha.

2 Une ville dans les montagnes

Après La Paz, en Bolivie, Quito est la deuxième capitale la plus élevée au monde. Elle est située à plus de 2 800 m d'altitude, dans la cordillère des Andes. La région métropolitaine de Quito, appelée « district métropolitain », est constituée d'une bande de 30 km de longueur sur 8 km de largeur située entre les montagnes.

③ Une ville menacée par des risques naturels

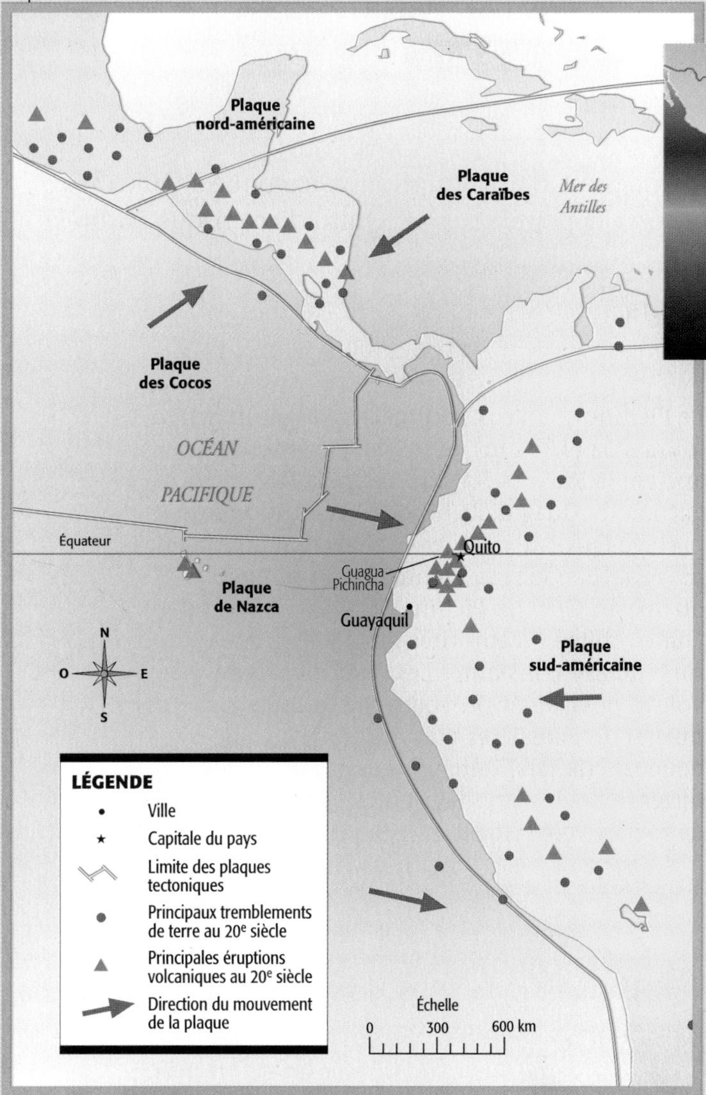

La région de Quito fait partie de la ceinture de feu du Pacifique. Sa position au point de rencontre de deux **plaques tectoniques** augmente son niveau d'**instabilité**. Le glissement de la plaque de Nazca sous la plaque sud-américaine provoque régulièrement l'éruption de nombreux volcans et des secousses sismiques dans la ville et les régions environnantes.

④ Des faits et des chiffres

La position centrale de Quito entre la côte du Pacifique et la zone intérieure du pays a favorisé la **concentration** de plus de 50 % des activités de services et de commerce du pays.

- Entre 1974 et 2004, la population de Quito est passée de 475 000 habitants à 1,5 millions d'habitants.
- La ville a vu sa superficie augmenter 40 fois au cours des 100 dernières années. Cet **étalement** s'est fait d'une façon désordonnée.
- En marge des zones réservées à la population riche, des **bidonvilles** ont été construits dans les ravins et sur les fortes pentes. Les populations les plus défavorisées vivent dans ces zones exposées aux **risques naturels**.
- Quito abrite plusieurs universités, l'orchestre symphonique et la troupe de danse de l'Équateur ainsi que plus de 23 musées. La ville est également le centre politique du pays.
- Bien que la ville de Quito soit située dans une région montagneuse, sa température ressemble à celle du printemps québécois tout au long de l'année.

Source : Secrétariat général de l'Organisation des États américains, 2004.

Observe et construis ① ② ③ ④

a En quoi la localisation de Quito en fait-elle une zone à risques?

b Quelle est la situation géographique de Quito par rapport aux volcans? Lesquels sont situés près de cette ville?

c Pourquoi la ville de Quito est-elle très peuplée malgré les risques d'éruption volcanique?

d En quoi la **croissance** de la population de Quito et l'**étalement** de la ville augmentent-ils les risques de conséquences graves lors d'une **catastrophe naturelle**?

La population de Quito et le risque naturel

Fiche 3.2.7

Selon toi,

- quelles peuvent être les conséquences d'une éruption volcanique à Quito?
- quelles mesures peuvent protéger la population de Quito de ce risque naturel?

5 Le volcan Guagua Pichincha

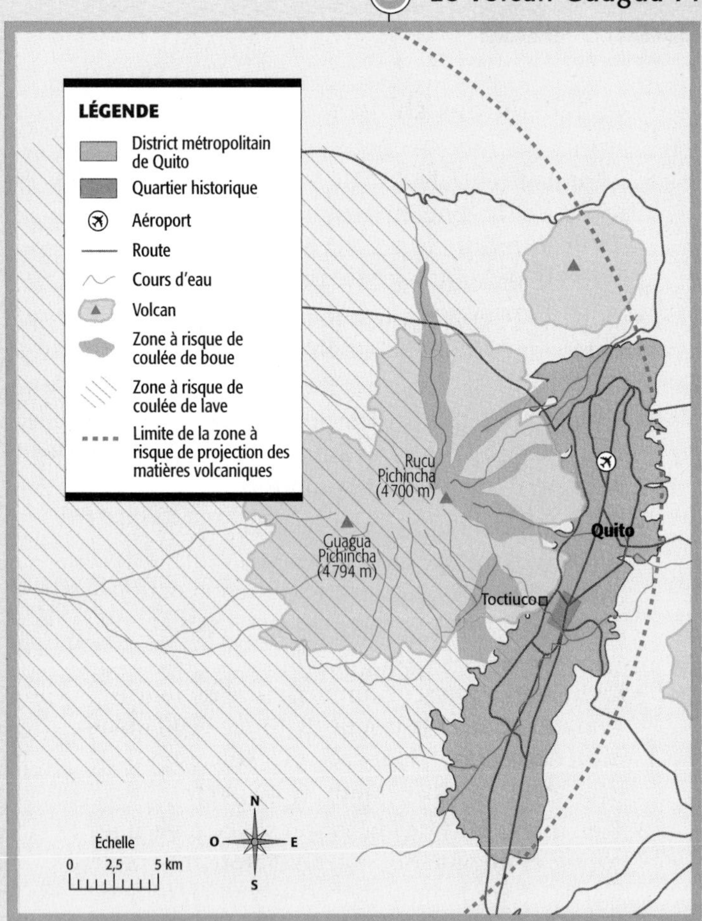

Le Pichincha a deux sommets: un volcan actif, le Guagua (4 794 m), et un volcan inactif plus ancien, le Rucu (4 700 m). Le Rucu Pichincha entoure le Guagua Pichincha. Ainsi, ce volcan protège Quito des coulées de lave qui pourraient provenir du Guagua Pichincha. La proximité du volcan Guagua Pichincha, situé à 10 km de Quito, oblige les autorités de la ville à une surveillance constante. Les éruptions de ce volcan pourraient provoquer la formation d'épais nuages de poussières volcaniques, de coulées boueuses (lahars) transportées par les pluies torrentielles le long des pentes et de retombées de roches volcaniques et d'eau bouillante.

6 L'éruption de 1999 du volcan Guagua Pichincha

L'éruption de 1999 du Guagua Pichincha a vivement affecté Quito en recouvrant la ville d'un nuage de cendres. Bien qu'impressionnant, ce nuage n'a pas fait de victimes ni de dommages irréparables. Cependant, il a entraîné des problèmes respiratoires chez les habitants ainsi que la fermeture des écoles et de l'aéroport.

La prévention : un système d'alerte

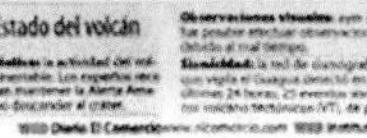
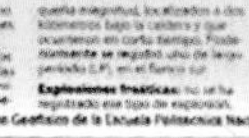

ALERTA
PICHINCHA
AMARILLA

Estado del volcán

Información

MARTES 15 DE DICIEMBRE DE 1998

EL COMERCIO

Un système d'alerte constitué de trois couleurs est utilisé en première page des journaux de Quito. La bande verte désigne l'absence de danger, la bande jaune (comme dans l'exemple ci-dessus) signale un risque potentiel et la bande rouge avertit d'un danger imminent.

Source : District métropolitain de Quito, 1998.

La prévention : des préparatifs

Mesures à prendre en cas de catastrophe naturelle

- Constituer des stocks pour une quinzaine de jours : nourriture, eau, piles, recharges de gaz (cartouches, bonbonnes) destinées à l'éclairage et à la cuisine.
- Se munir de masques antipoussière (une quinzaine par personne), de lunettes de protection et d'une trousse de premiers soins.
- Disposer d'une radio à piles pour suivre les directives et les avis officiels.

Source : Institut de recherche pour le développement, 2004.

Lorsqu'une **catastrophe naturelle** s'abat sur Quito, une évacuation généralisée est impensable. Les autorités recommandent à la population de s'équiper pour surmonter les inconvénients liés à un arrêt des services d'eau et d'électricité, aux voies de circulation impraticables et à la poussière.

9 Un habitat fragile : le bidonville de Toctiuco

En cas de catastrophe naturelle majeure, le plus grand défi des autorités de Quito serait d'évacuer les 30 000 habitants du **bidonville** de Toctiuco, érigé sur les flancs du volcan Guagua Pichincha. Les constructions précaires des bidonvilles présentent bien peu de protection pour leurs habitants, qui subiraient en premier les effets d'une éruption volcanique. Leurs habitations pourraient facilement être emportées par des coulées de boue ou ensevelies sous des matériaux volcaniques.

arobas

Un monument au milieu du monde

- Quel nom a-t-on donné au monument érigé sur le **parallèle équateur**, ou parallèle zéro ?
- Où le trouve-t-on ?

Observe et construis

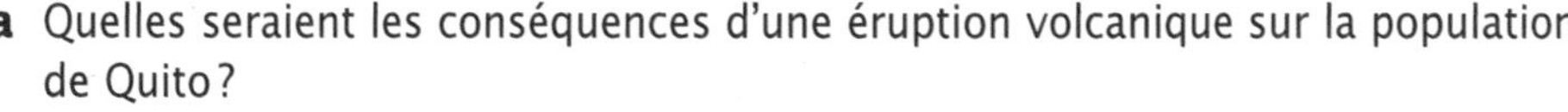

a Quelles seraient les conséquences d'une éruption volcanique sur la population de Quito ?

b Comment les autorités de cette ville préparent-elles la population à une catastrophe naturelle ?

c En quoi le fait que Quito soit une ville d'un **pays en développement** peut-il aggraver les dommages lors d'une éruption volcanique ?

Composer avec un risque naturel à San Francisco

Fiche 3.2.8

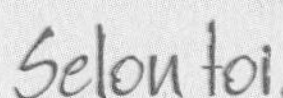

Selon toi,

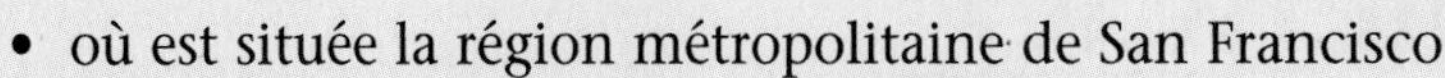

- où est située la région métropolitaine de San Francisco?
- quel risque naturel menace San Francisco?
- pourquoi les gens s'y sont-ils établis malgré ce risque?
- pourquoi continuent-ils d'y vivre?

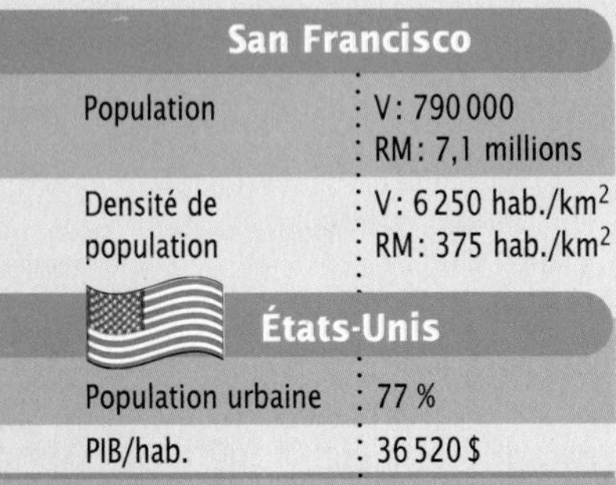

San Francisco	
Population	V: 790 000 RM: 7,1 millions
Densité de population	V: 6 250 hab./km² RM: 375 hab./km²

États-Unis	
Population urbaine	77 %
PIB/hab.	36 520 $

V: Ville
RM: Région métropolitaine

Sources: US Census Bureau, 2003; Association of Bay Area Governments (ABAG), 2004; Planning Department, San Francisco Government, 2004; *L'état du monde*, 2005.

Située sur la côte ouest de la Californie, San Francisco est la cinquième plus importante **métropole** des États-Unis. La région métropolitaine de San Francisco s'étale autour de la baie de San Francisco.

1 Une ville sur l'océan

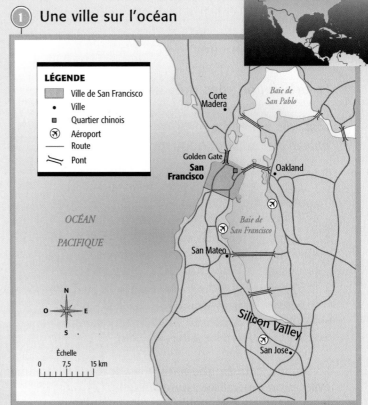

LÉGENDE
Ville de San Francisco
Ville
Quartier chinois
Aéroport
Route
Pont

Corte Madera
Baie de San Pablo
Golden Gate
San Francisco
Oakland
OCÉAN PACIFIQUE
Baie de San Francisco
San Mateo
Silicon Valley
San Jose
N E S O
Échelle 0 7,5 15 km

2 Une ville menacée par un risque naturel

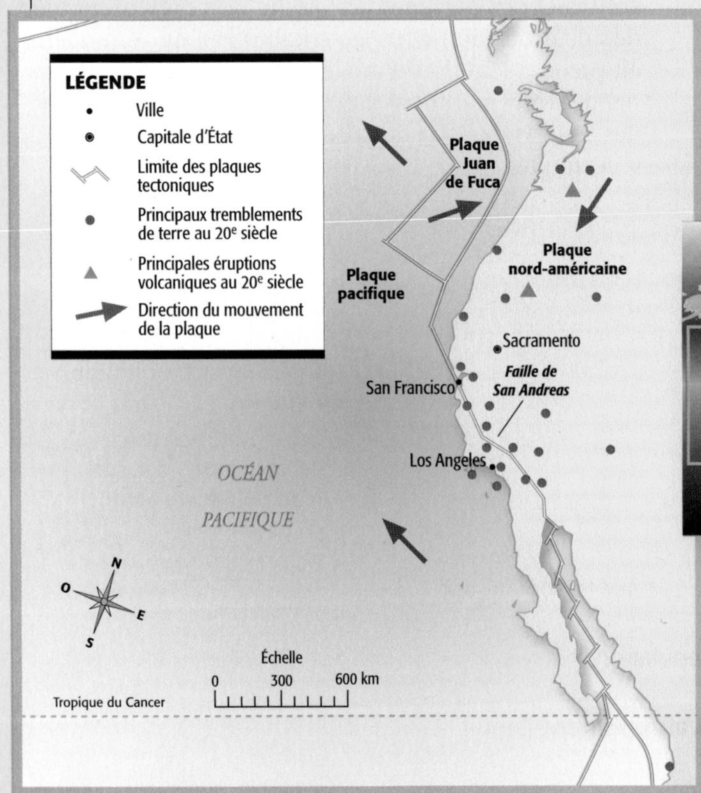

La ville de San Francisco a été construite sur la faille de San Andreas. Cette célèbre faille terrestre est localisée à la limite de deux **plaques tectoniques**: la plaque nord-américaine et la plaque pacifique. La région de San Francisco constitue une zone d'**instabilité**, car le déplacement des plaques tectoniques y entraîne des séismes.

③ L'évolution de la faille de San Andreas

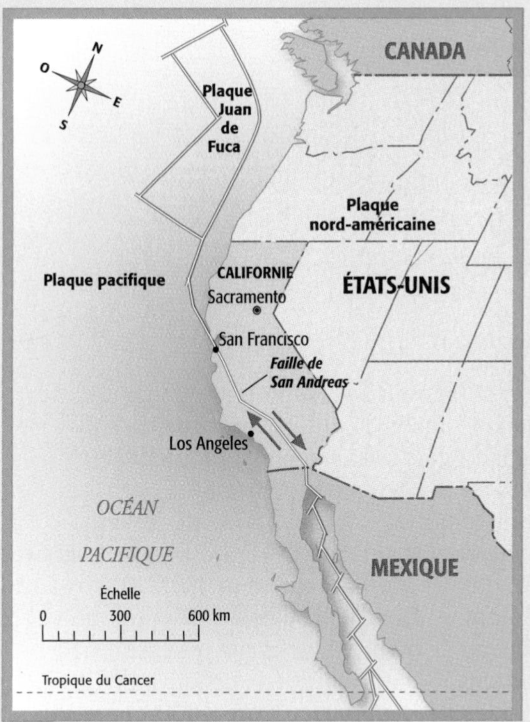

3A La région de San Francisco aujourd'hui

3B La région de San Francisco dans 10 millions d'années

LÉGENDE
- Ville
- Capitale d'État
- Limite des plaques tectoniques
- Direction du mouvement de la plaque
- Frontière internationale
- Frontière nationale

Le glissement de la plaque nord-américaine et de la plaque pacifique s'est fait au rythme de 1 cm par année pendant 20 millions d'années. Au cours du 20e siècle, ce glissement s'est accéléré, entraînant un déplacement de la faille de 5 cm par année.

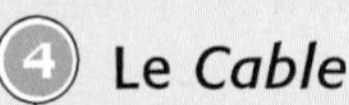

④ Le *Cable Car*

Le tramway de San Francisco est mis en mouvement par un câble de plusieurs kilomètres dissimulé dans le sol. Conçu en 1873, le *Cable Car* fonctionne toujours et constitue l'une des principales attractions touristiques de la ville.

⑤ Des faits et des chiffres

La ville de San Francisco conjugue richesse, beauté, liberté et tolérance.

- En dehors de l'Asie, San Francisco abrite le plus important **quartier** chinois au monde.
- La ville est reconnue pour sa grande tolérance, ses idées avant-gardistes et sa préoccupation environnementale. Depuis 1970, elle accueille la plus importante communauté homosexuelle de la Californie. Cette communauté représente plus de 25 % de sa population.
- La région de San Francisco est sous l'influence d'un microclimat. Avec des températures moyennes qui oscillent entre 15 et 25 °C, la ville jouit d'une température très agréable à longueur d'année.
- Depuis les années 1960, la région de Silicon Valley s'est développée au sud de la ville. Cette région groupe des villes où se trouvent les 100 plus importantes entreprises technologiques du monde de l'informatique et des communications.

Source : *Guide du routard,* 2004.

Observe et construis 

a En quoi la situation géographique de la ville de San Francisco la rend-elle vulnérable à un risque naturel ?

b Pourquoi la région métropolitaine de San Francisco est-elle très peuplée malgré la menace sismique ?

c Selon le document 3, qu'est-ce qui pourrait changer dans 10 millions d'années sur le territoire de San Francisco ?

La population de San Francisco et le risque naturel

Fiche 3.2.9

Selon toi,

- quelles pourraient être les conséquences d'un tremblement de terre à San Francisco ?
- quelles mesures ont été mises en place pour protéger la population de la ville ?

6 Le tremblement de terre de 1906 à San Francisco

En 1906, deux secousses ont suffi à plonger la ville de San Francisco dans le chaos. D'une **magnitude** de 8,2 sur l'échelle de Richter, ce séisme a été le plus fort de l'histoire de la ville. Les plus graves dommages ont cependant été causés par une cinquantaine de foyers d'incendie qui ont suivi la rupture des conduites de gaz. Ce séisme a fait plus de 500 morts et quelque 250 000 sans-abri. D'après les sismologues, la faille de San Andreas pourrait provoquer un séisme de même magnitude que celui de 1906. Cet événement hypothétique est surnommé le « Big One ». Un tel séisme pourrait faire 3 000 morts s'il survenait la nuit et jusqu'à 13 000 s'il se produisait le jour, car les gens sont alors dans les immeubles à bureaux et sur les routes.

7 Des mesures de sécurité

Il ne se passe pas un mois sans que l'État de la Californie n'enregistre une secousse de magnitude 4 ou 5 sur l'échelle de Richter. Pour faire face aux **risques naturels**, plusieurs écoles se sont dotées d'un plan d'urgence.

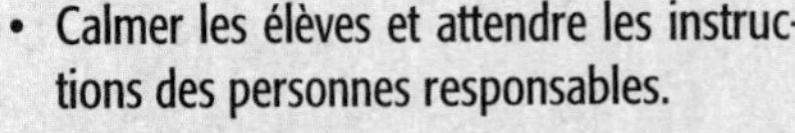

7A

Dès qu'un séisme survient, tout le monde applique la règle *duck and cover.*

Source : Académie de la Guadeloupe, San Francisco, 2004.

7B

Que faire en cas de séisme ?

- Calmer les élèves et attendre les instructions des personnes responsables.
- Faire vérifier par les responsables les fuites de gaz et les fils électriques sectionnés, qui peuvent occasionner des incendies. Lorsque c'est nécessaire, couper le gaz et l'électricité.
- Attendre l'ordre d'une personne responsable pour évacuer les lieux.
- Une fois que tout le monde est rassemblé à l'extérieur, envoyer des équipes de recherche, de secours et d'assistance médicale pour trouver les personnes manquantes dans les bâtiments. Une unité médicale peut être installée au milieu de la cour principale, loin de la vue des enfants.
- Si la situation s'aggrave, nommer des équipes pour conduire les enfants au Panhandle de San Francisco ou à l'église Chapel of the Hill, à Corte Madera. Des installations de secours seront installées dans ces villes.
- N'autoriser que les personnes mentionnées sur la liste d'urgence à s'occuper des élèves. S'assurer que cette liste soit mise à jour régulièrement au cours de l'année.
- S'ARMER DE PATIENCE ! Ces mesures sont mises en place pour assurer la gestion des départs et la sécurité des enfants.

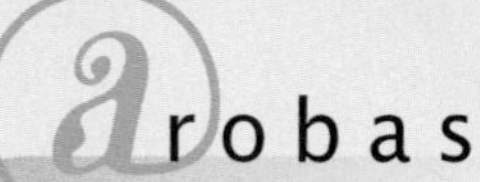

8 Deux tremblements de terre : deux réalités

	San Francisco (États-Unis)	Gumri (Arménie)
Population	RM : 1,5 million	V : 300 000
Année	1989	1988
Magnitude	7,1	6,9
Nombre de victimes	72	25 000

RM : Région métropolitaine
V : Ville

Source : *Nouvelles d'Arménie*, archives.

L'importance des dégâts causés par les séismes dépend de plusieurs facteurs : la **densité** de la population, la qualité des constructions et les moyens de prévention.

Arobas

Le point central des séismes

La totalité de la région de San Francisco est menacée par le risque sismique. Cependant, le point central des tremblements de terre de la Californie est situé dans une autre ville érigée sur la faille de San Andreas.

- Quel est le nom de cette ville ?

9 La prévention par la construction d'immeubles parasismiques

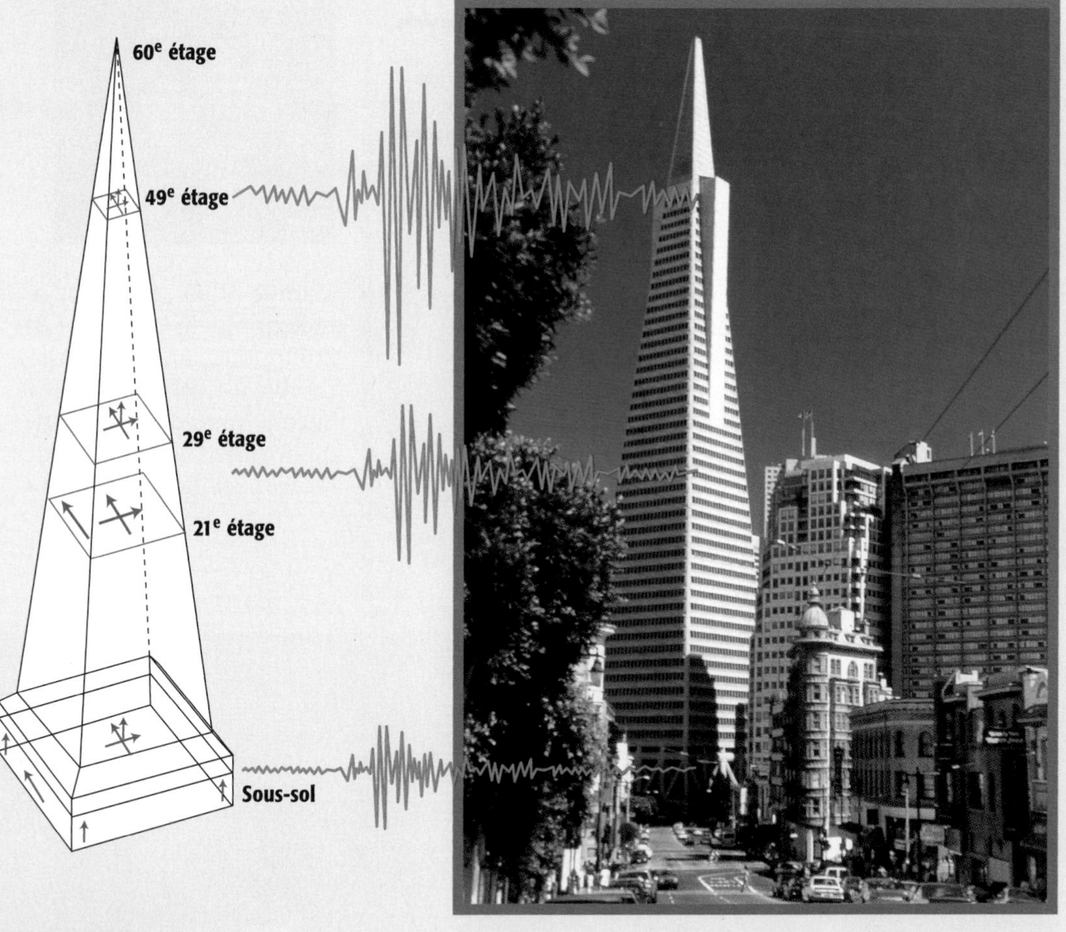

À San Francisco, depuis 1990, la construction de nouveaux édifices doit respecter les règles de construction parasismique. La pyramide Transamerica, construite en 1969, respectait déjà ces normes. Ses fondations sont constituées de piliers de béton et de métal qui s'enfoncent à près de 20 m dans le sol. La structure de la pyramide est également renforcée de piliers d'acier à quatre endroits sur chaque étage.

Lors du dernier tremblement de terre, survenu en 1989 (magnitude de 7,1), des **sismographes** placés à certains étages ont permis de mesurer la direction (flèches sur le document visuel) et l'intensité (tracé du sismographe sur le document visuel) des mouvements de la terre et du bâtiment.

Observe et construis 6 7 8 9

a Pourquoi peut-on dire que les habitants de la région métropolitaine de San Francisco sont plus exposés aux séismes que ceux des autres régions des États-Unis ?

b Que signifie la règle *duck and cover* ? Quels sont les objectifs des règles énoncées dans le document 7 B ?

c Quels dangers majeurs sont associés au risque sismique à San Francisco ?

d Crois-tu que les habitants de San Francisco vivent en sécurité ? Pourquoi ?

Territoire 3

Composer avec des risques naturels à Manille

Fiche 3.2.10

Selon toi,

- où est située la région métropolitaine de Manille?
- pourquoi est-elle considérée comme une région à risques?
- pourquoi les gens s'y sont-ils établis malgré ces risques? pourquoi continuent-ils d'y vivre?

Manille	
Population	V: 1,6 million RM: 10,8 millions
Densité de population	V: 41 280 hab./km² RM: 15 600 hab./km²
Philippines	
Population urbaine	61 %
PIB/hab.	4 345 $

V: Ville
RM: Région métropolitaine

Sources: Recensement de la population, Philippines, 2000; *L'état du monde*, 2005.

Archipel: Groupe d'îles qui forment un ensemble.

1 Une ville au cœur d'un archipel

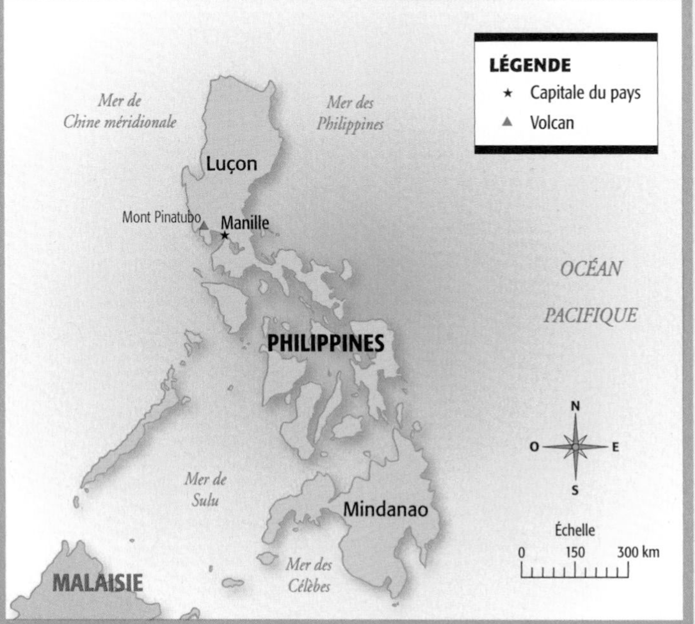

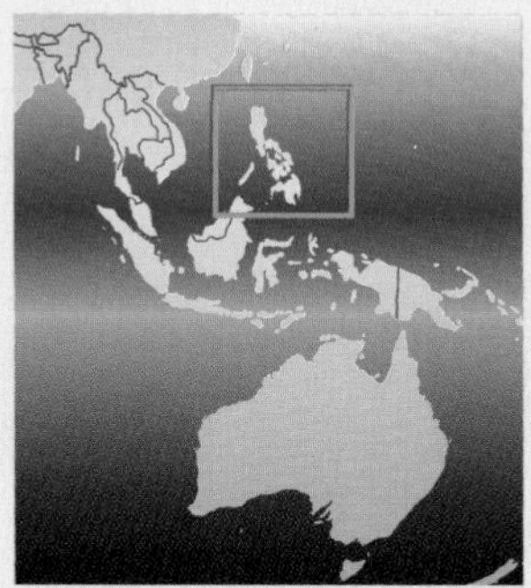

Manille est la capitale et la **métropole** de l'archipel des Philippines, un pays d'Asie. La ville est située sur l'île de Luçon, l'une des 7 000 îles qui forment cet archipel de l'océan Pacifique.

2 La rivière Pasig

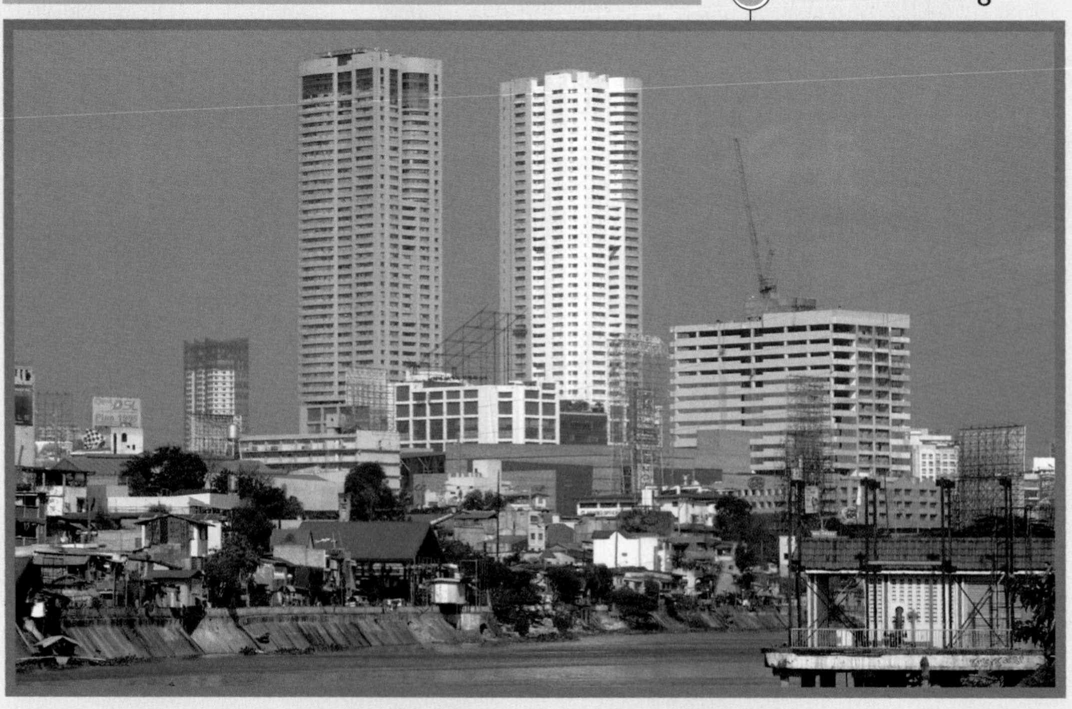

Manille a été érigée à l'embouchure de la rivière Pasig. Ce cours d'eau est fortement pollué par les nombreuses entreprises industrielles installées sur ses rives. Trois millions de personnes habitent les **bidonvilles** de Manille. De nombreuses familles vivent dans le voisinage malsain de la rivière Pasig, une zone de la ville propice aux inondations causées par les fortes pluies qui accompagnent les typhons.

3 Des faits et des chiffres

- Détruite en partie lors de la Seconde Guerre mondiale, la ville de Manille a dû être reconstruite. On y trouve des **quartiers** modernes où voisinent des magasins, des musées et des hôtels chics.
- Une quinzaine de villes forment l'**agglomération** du Grand Manille, aussi appelée Métro-Manille.
- Pour beaucoup d'habitants de cette **métropole,** la survie passe par une multitude de petits emplois qu'ils doivent souvent créer : cireurs de chaussures, vendeurs ambulants, éboueurs...
- La localisation de Manille sur la mer de Chine méridionale fournit à cette ville un important accès maritime : 85 % du commerce étranger transite par le port de Manille.
- La ville compte une douzaine d'universités dont certaines offrent des cours en fin d'après-midi et le soir pour accommoder les travailleurs-étudiants.
- Un grand nombre de personnes **migrent** à Manille. Ces **migrations** sont dues aux nombreux emplois qu'on y offre dans les industries de l'assemblage électronique, du textile et des produits pharmaceutiques.

Source : *Lonely Planet*, 2004.

4 Une ville menacée par des risques naturels

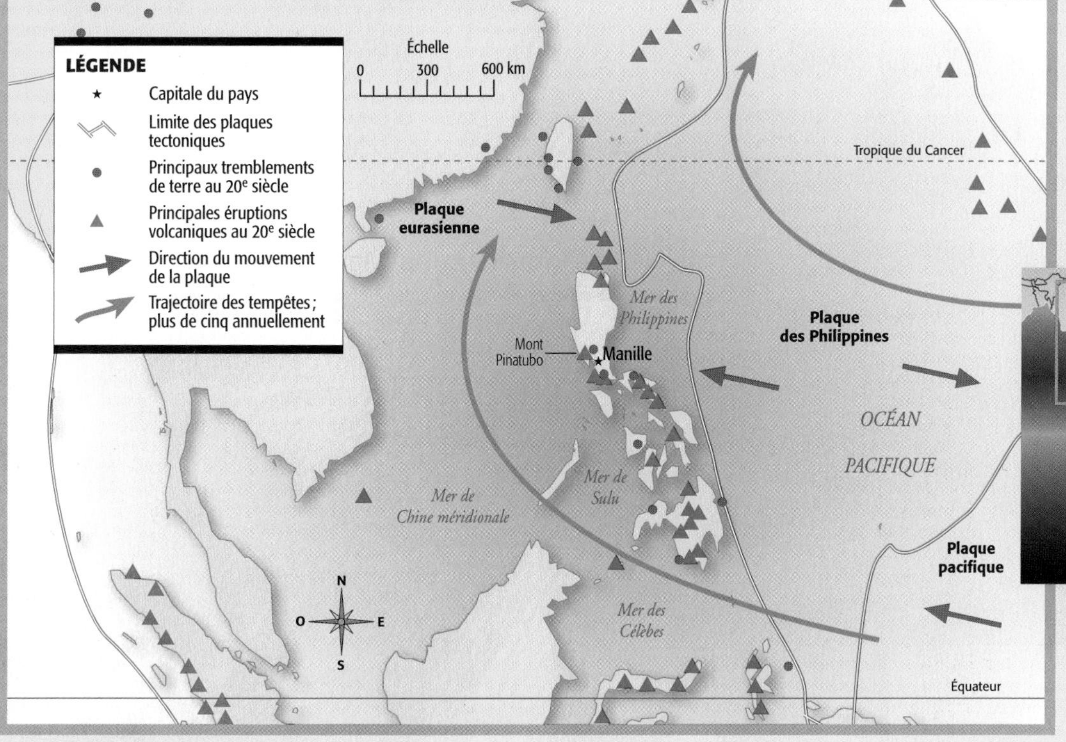

L'archipel philippin est un milieu de grande **instabilité** où il y a une forte intensité sismique et volcanique.

@robas

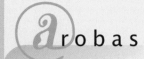

L'éruption du Pinatubo

L'éruption du Pinatubo de 1991 est considérée comme l'une des plus puissantes du 20e siècle. Trouve dans Internet des faits qui le démontrent. Trouve également les réponses aux questions suivantes.

- Combien a coûté l'éruption du Pinatubo au gouvernement philippin en 1991 ?
- De quel type (effusif ou explosif) est le volcan Pinatubo ? Nomme quelques autres volcans du même type.
- Décris l'éruption de 1991. Quelles ont été ses manifestations ?
- Quel autre volcan des Philippines est entré en éruption en 2000 ? Décris les manifestations et les conséquences de cette éruption.

Observe et construis 1 2 3 4

a Pourquoi la population de Manille est-elle exposée à autant de risques naturels ?

b Quelles raisons incitent les habitants de Manille à y demeurer même s'ils connaissent les risques qu'ils courent ?

La population de Manille et les risques naturels

Selon toi,

- quelles seraient les conséquences d'une catastrophe naturelle à Manille ?
- quelles mesures ont été mises en place pour protéger la population ?

5 Le risque météorologique

En raison de sa situation géographique et de son climat tropical, Manille subit de fortes perturbations atmosphériques. Chaque année, entre juin et novembre, l'**archipel** des Philippines est frappé par une quinzaine de violentes tempêtes, qu'on appelle typhons. Le 10 juillet 2000, de fortes **précipitations** ont causé d'énormes dommages aux infrastructures de la ville. À Payatas, au nord de Manille, une montagne de déchets s'est effondrée sur un **bidonville**, faisant près de 300 victimes.

6 Une inondation à Manille

Après le passage des fortes pluies causées par les typhons, il y a fréquemment des inondations, car les barrages débordent et peuvent même céder. Le risque d'inondation est aggravé par la déforestation abusive qui a entraîné la perte de près de 50 % des forêts philippines en 50 ans.

7 Le risque volcanique

L'archipel des Philippines compte une vingtaine de volcans actifs. Le volcan Pinatubo, situé à 90 km au nord-ouest de Manille, n'était pas considéré comme actif avant 1991. Près de 15 000 personnes vivaient sur ses flancs et près d'un million dans la région environnante. En juin 1991, l'éruption du volcan a été la plus importante du 20e siècle. Elle a provoqué la formation d'un nuage de cendres qui s'est étendu sur un rayon de 250 km et des écoulements pyroclastiques (fragments de lave et de gaz chauds).

8 Les lahars

Lors de l'éruption du Pinatubo, des lahars se sont répandus autour du volcan. Ces torrents de coulées boueuses ont détruit les récoltes, les maisons, les routes, etc. Les conséquences de cette éruption exceptionnelle ont été aggravées par le passage simultané d'un typhon près du volcan. Les vents ont alors dispersé les cendres sur une aire beaucoup plus importante que prévu. De plus, les fortes pluies ont humidifié ces cendres qui ont atteint le sol très rapidement, car les cendres humides sont à peu près deux fois plus lourdes que les cendres sèches. Ces retombées ont provoqué de nombreux effondrements de toits.

Observe et construis 5 6 7 8

a Quels risques naturels menacent la population de Manille?
b Quels dangers sont associés à ces risques?

Lors de l'éruption de 1991 du Pinatubo, une entente parfaite entre les experts internationaux et les responsables gouvernementaux a permis d'évacuer près de 250 000 personnes dans les villes et les villages avoisinants. Une vidéocassette illustrant les étapes à suivre pour évacuer la région avait été présentée à la population. Dès les premiers signes d'éruption, les autorités ont fait évacuer les villages situés aux abords du volcan. Compte tenu de l'importance de cette éruption, il y a eu peu de décès (moins de 1 000), dont quelques centaines dus aux coulées de boue et à l'effondrement des toits. Les personnes les plus touchées par cette éruption volcanique ont été les Aetas, une population autochtone qui vit au pied du volcan.

9 L'évacuation lors de l'éruption du Pinatubo, en 1991

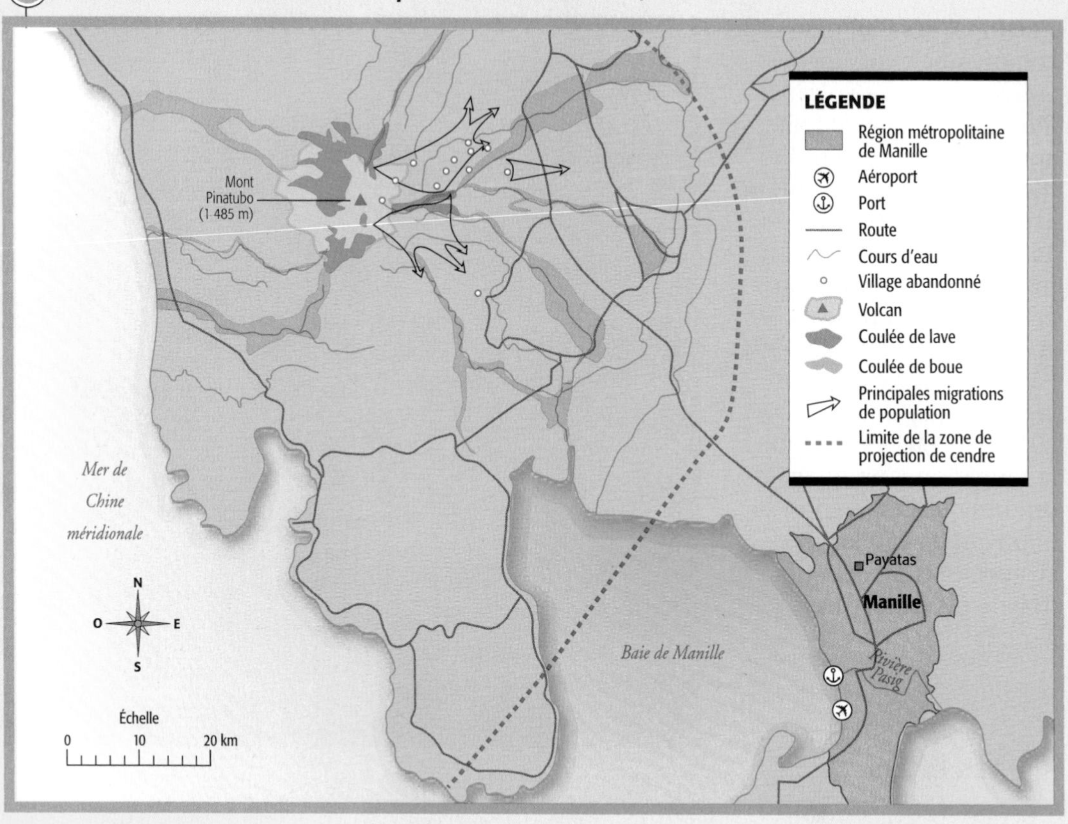

10 La prévention par la formation

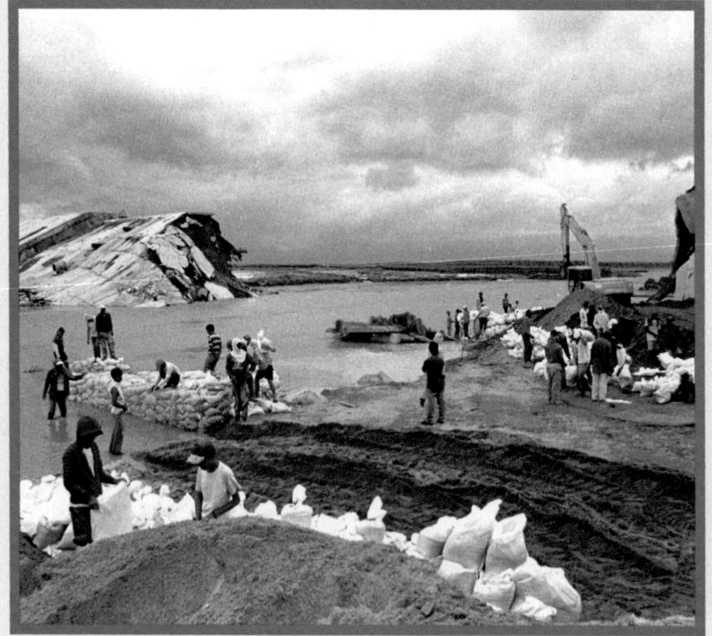

La formation de personnel compétent et la coopération des habitants sont des moyens efficaces de diminuer les dommages liés à une **catastrophe naturelle**. Certaines personnes apprennent à construire une digue pour éviter les coulées de boue et l'inondation de leur région. D'autres s'affairent à solidifier les toits des maisons. Grâce à leur formation, ces gens peuvent sauver des vies et d'importantes sommes d'argent.

Observe et construis 

c Quelles mesures assurent la sécurité des habitants de Manille en cas d'inondation?

d Quels moyens de prévention permettent de faire face aux risques naturels à Manille?

Ton défi

À l'œuvre ! (Troisième partie)

Il est maintenant temps de finaliser ton exposé.

1. Rassemble l'information que tu as recueillie dans le chapitre 1 (p. 190 à 199) et dans la partie A du chapitre 2 (p. 200 à 211). Au besoin, consulte de nouveau la rubrique Ton défi – À l'œuvre! de la page 211.
2. Assure-toi que les mots clés que tu as notés dans ton tableau te serviront d'aide-mémoire efficaces lors de ton exposé. Au besoin, ajoute des précisions.
3. Prépare une carte où tu situeras :
   - la ville à risques que tu as choisie ;
   - le type de risques qui menace cette ville.
4. Prévois des croquis, des schémas ou des photos pour montrer le déroulement d'une catastrophe naturelle.
5. Pense à décrire les conséquences possibles de cette catastrophe pour la population de la ville que tu as choisie. Réfère-toi aux conséquences de tels événements dans le passé.
6. Énumère quelques mesures de prévention mises en place pour protéger la population de la ville que tu as choisie.
7. Pour préparer ta présentation :
   - Prévois une courte introduction qui décrira un risque naturel et les parties de ton texte ou de ton exposé.
   - Utilise les sections de ton tableau pour constituer des parties de ton texte ou de ton exposé.
8. N'hésite pas à compléter ta présentation à l'aide d'informations tirées de ton cours de science et technologie.
9. Demande à d'autres élèves de réagir à ta présentation et ajuste tes propos de façon à tenir compte de leurs commentaires.

Synthèse

Fiche 3.2.13

Pour faire le point sur ce que tu as appris, réponds de nouveau aux questions des «Selon toi» de ce module ou construis un schéma organisateur. Essaie de réutiliser les concepts à l'étude présentés à la page 188.

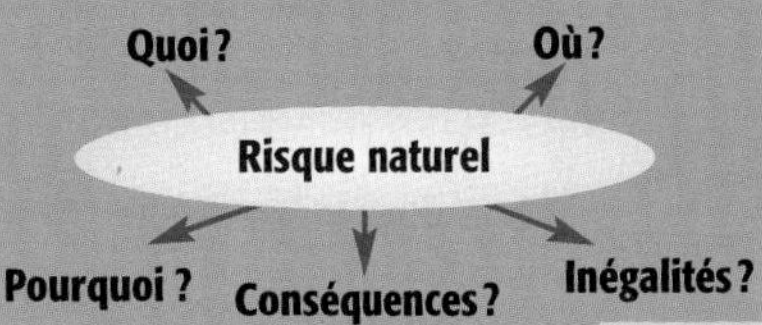

Bilan

1. Comment as-tu choisi les mots clés qui t'ont permis de remplir ton tableau ?
2. Quels moyens techniques t'ont été particulièrement utiles pour illustrer tes explications ?
3. Quelles ont été les réactions des élèves à ta présentation ?
4. Comment comptes-tu en tenir compte dans ta prochaine présentation ?
5. Quelle est l'importance des médias pour les gens qui vivent dans des zones à risques ?

Module 4

Un territoire protégé : le parc naturel

Ce module t'amène à la découverte des territoires protégés. Tu exploreras leur importance pour la sauvegarde des milieux naturels et des espèces vivantes de ton pays et du monde.

Le **chapitre 1** t'invite à découvrir les parcs naturels. Si plusieurs villes existent depuis des millénaires, les parcs naturels sont beaucoup plus récents. Comme tout aménagement du territoire, les parcs naturels répondent à certains besoins des êtres humains. Notre souci collectif de protéger la nature nous permet de bénéficier de sites spectaculaires au Québec et dans les autres provinces et territoires du Canada.

Le **chapitre 2** te propose un survol planétaire des parcs naturels. Tu y découvriras les merveilles du patrimoine naturel mondial et leur importance sur le plan du tourisme. Ce chapitre te présente deux cas remarquables où la fréquentation touristique des milieux protégés constitue un enjeu : le parc national et la réserve marine des îles Galápagos, en Équateur, et les parcs naturels des montagnes Rocheuses canadiennes.

Le lac Maligne, dans le parc national Jasper, au Canada

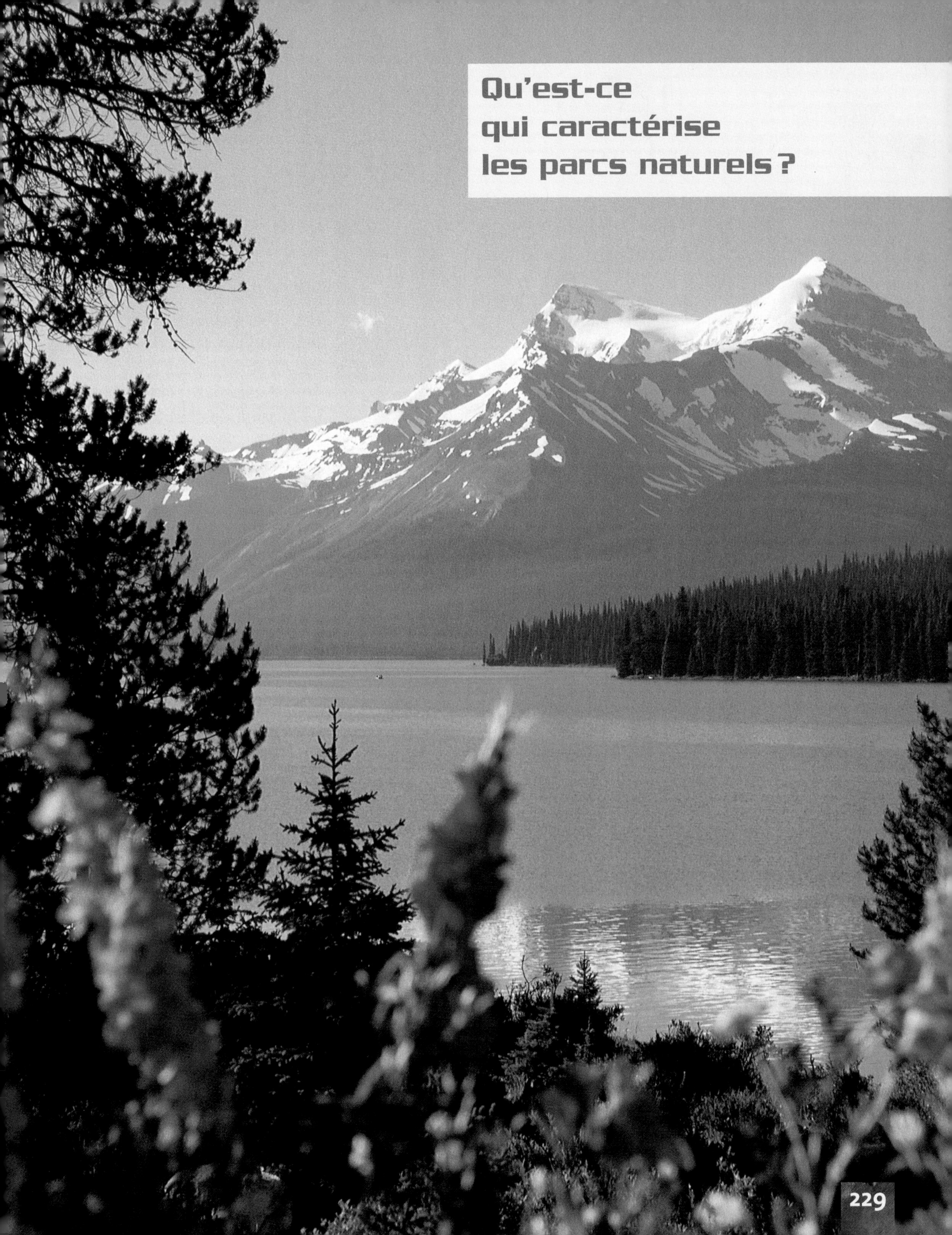

Qu'est-ce qui caractérise les parcs naturels ?

Table des matières

La réserve écologique de l'Île-Garth, au Québec

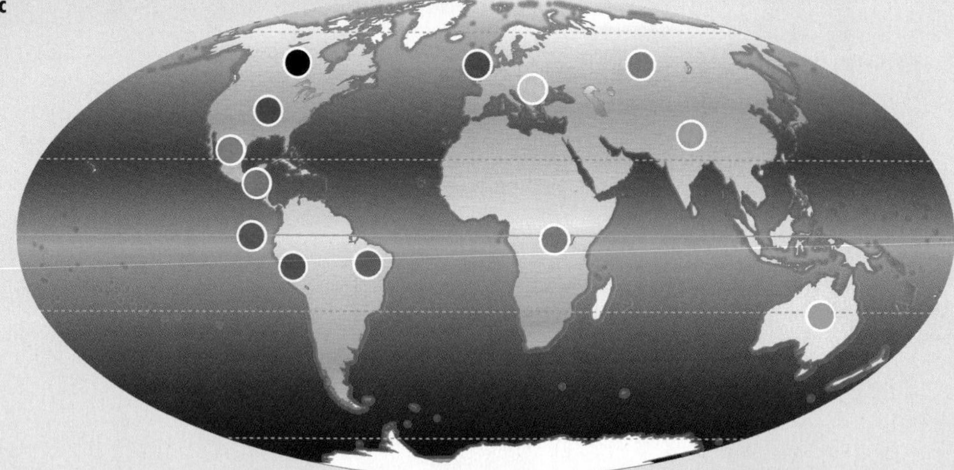

Pays mentionnés dans le chapitre 2

- Australie
- Brésil
- Bulgarie
- Canada
- Costa Rica
- Équateur
- États-Unis
- Mexique
- Népal
- Pérou
- République démocratique du Congo
- Royaume-Uni
- Russie

Concepts à l'étude

Territoire protégé

Parc naturel

- Aménagement
- Conservation
- Environnement
- Patrimoine naturel
- Réglementation

Ressources géo

Techniques à développer

Îles Galápagos, en Équateur

Montagnes Rocheuses canadiennes

Chapitre 1

Les territoires protégés

Un parc naturel est un territoire protégé, c'est-à-dire un territoire dont on contrôle l'accès et l'exploitation. Il existe une grande variété de parcs naturels dans le monde. Un parc naturel peut être un massif de montagnes, l'embouchure d'une rivière, une zone marine, etc. Le plus souvent, les parcs naturels sont des mosaïques de différents milieux naturels où l'on trouve parfois des traces d'activités humaines. Dans tous les cas, un parc naturel est un territoire riche en espèces vivantes et en paysages grandioses.

Le chapitre 1 soulève d'importantes questions : Qu'est-ce qu'un parc naturel ? Pourquoi et quand a-t-on décidé de protéger ce type de territoire ? Quelles menaces pèsent sur les parcs naturels ? Comment assure-t-on leur protection ? La présence d'êtres humains dans les parcs naturels a-t-elle des conséquences ? Quelles relations vois-tu entre tes activités de loisirs et les parcs naturels ? Lesquelles peuvent avoir un impact positif ? un impact négatif ? En quoi tes habitudes de consommation peuvent-elles avoir un impact sur l'environnement ?

Ton défi

À la défense d'un site naturel

Choisis un site naturel du Québec ou du Canada que tu connais bien, que tu as déjà visité ou dont tu as vu des photos. Ce site peut être un boisé, un lac, un étang, une montagne ou un parc.

Imagine que, au cours d'une assemblée publique, tu dois faire un **plaidoyer** qui vise à transformer ce site en territoire protégé. Ton défi consiste à décrire la situation de ce site et à démontrer qu'il a les attraits nécessaires pour devenir un parc. De plus, tu dois présenter les menaces qui pèsent sur ce site et énumérer les avantages d'en faire un territoire protégé.

1. Prévois un ou des moyens pour faire valoir tes arguments : dépliant, exposé, affiche, site Internet, etc.
2. Pense à la documentation que tu prépareras pour présenter le site de ton choix et convaincre les gens : photos ou illustrations de l'endroit, carte, croquis, témoignages, données sur les avantages économiques du projet, etc.

Pour y arriver,

1. Repère les rubriques Ton défi – En marche (p. 235, 239, 243, 244) et fais les activités qui y sont proposées.
2. Consulte au besoin la section Ressources géo (p. 342) pour apprendre comment utiliser les outils dont tu auras besoin : cartes, tableaux, etc. Consulte aussi d'autres sources : documentaires, guides touristiques, atlas, sites Internet, etc.
3. Consulte la rubrique Ton défi – À l'œuvre ! (p. 245) pour finaliser ton argumentation.

Les espaces naturels et les territoires protégés

Selon toi,

- qu'est-ce qu'un espace naturel ?
- qu'est-ce qu'un territoire protégé ?
- quels critères déterminent le fait qu'un espace naturel puisse devenir un territoire protégé ?

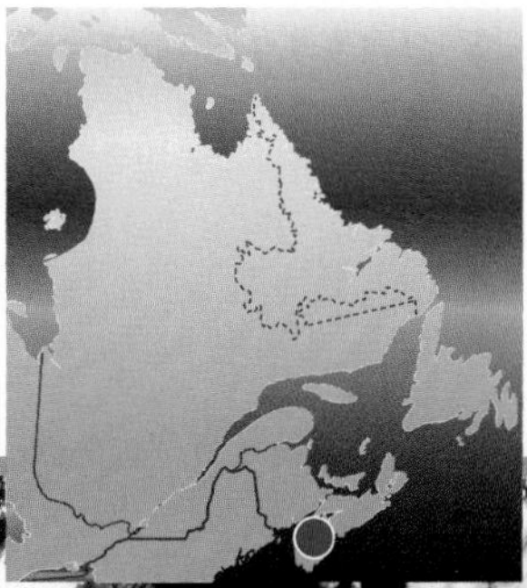

1 Le parc national Kejimkujik, en Nouvelle-Écosse ●

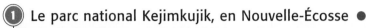

Le gouvernement du Canada a fait de cet espace naturel un territoire protégé, c'est-à-dire une portion de territoire où les activités humaines doivent être pratiquées dans le respect de la nature.

Observe et construis 1

a Que remarques-tu au plan rapproché sur cette photo ? au plan moyen ?

b Nomme des éléments qui n'apparaissent pas sur cette photo et que tu juges caractéristiques d'un territoire protégé.

c Quel sentiment éprouves-tu à la vue de ce paysage ?

② Les six catégories de territoires protégés, selon l'Union mondiale pour la nature (UICN)

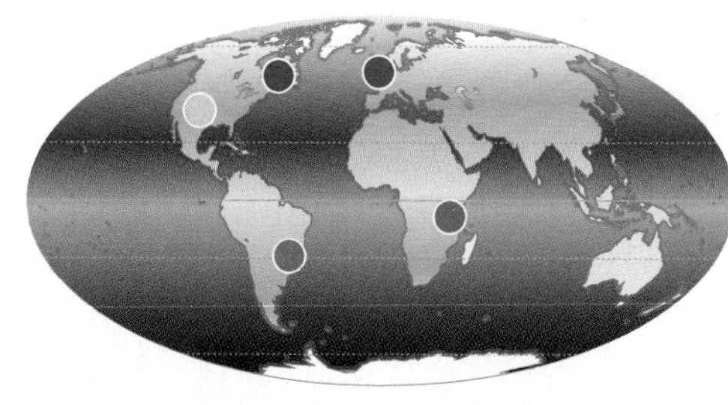

1re catégorie La réserve de nature sauvage

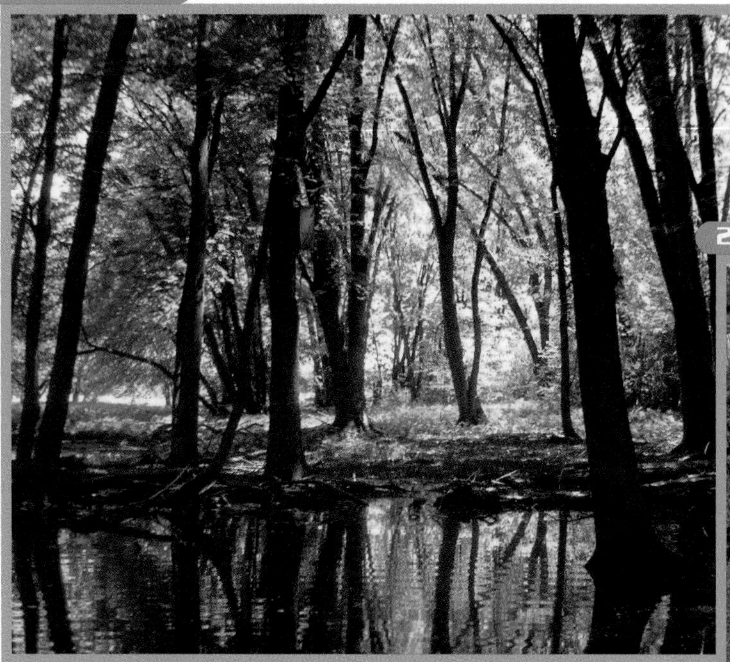

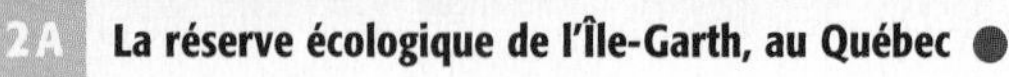

2A **La réserve écologique de l'Île-Garth, au Québec**

Une réserve de nature sauvage est une aire qui a conservé son caractère naturel. Ce type d'aire est principalement protégée pour des études scientifiques et n'est pas accessible au public.

2e catégorie Le parc naturel

2B **Le parc national de l'Iguaçu, au Brésil**

Un parc naturel est un territoire protégé dans le but de préserver les écosystèmes tout en favorisant certaines activités de loisirs.

Écosystème : Ensemble des organismes vivants et de leur milieu de vie. Une forêt, un lac et une rivière sont des écosystèmes.

Ressource : Élément naturel, humain ou économique qui fait la richesse d'une région.

3e catégorie Le monument naturel

2C **Le monument naturel de Devil's Tower, aux États-Unis**

Un monument naturel est un territoire protégé pour préserver un élément naturel remarquable.

arobas

D'autres parcs naturels

Tu voudrais découvrir d'autres parcs naturels pour enrichir ton argumentation ? Pour les trouver, lance une recherche dans Internet à partir d'expressions telles que : parc naturel Québec, parc naturel Canada, parcs Canada, parcs nationaux, parcs provinciaux.

4e catégorie **La réserve de gibier**

2D La réserve de gibier de Selous, en Tanzanie

Une réserve de gibier est un territoire protégé pour y conserver certaines espèces animales. On y permet des activités utiles à l'**environnement** (ex.: la chasse et la pêche contrôlées).

5e catégorie **Le paysage terrestre ou marin protégé**

2E Le parc national de Dartmoor, au Royaume-Uni

Un paysage terrestre ou marin protégé a été façonné par les êtres humains au fil du temps. On le protège pour assurer sa conservation et pour des activités de loisirs.

6e catégorie **L'aire protégée de ressources naturelles**

2F La réserve nationale de faune du cap Tourmente, au Québec

Une aire protégée de ressources naturelles vise la conservation de la diversité biologique. Plusieurs habitats fréquentés par les oiseaux migrateurs font partie de cette catégorie.

Ton défi

En marche

Situe sur une carte du Québec ou du Canada le site naturel que tu as choisi de protéger. Ce site peut être une portion de territoire terrestre, aquatique ou marin.

Fais un croquis de ce site (ses composantes, ses limites géographiques, etc.) ou reproduis une carte des lieux. Rédige un texte qui décrit la ou les particularités du site que tu as choisi. Trouve aussi des photos de ce site.

Observe et construis 

a En quoi les territoires protégés se ressemblent-ils? En quoi sont-ils différents?
b Qu'est-ce qui distingue les territoires protégés des espaces naturels non protégés?

Les territoires protégés au Canada et au Québec

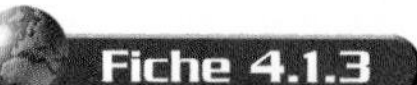

Selon toi,

- quel pourcentage du territoire canadien les territoires protégés occupent-ils ? quel pourcentage du territoire québécois ?

3 Les principaux territoires protégés du Canada

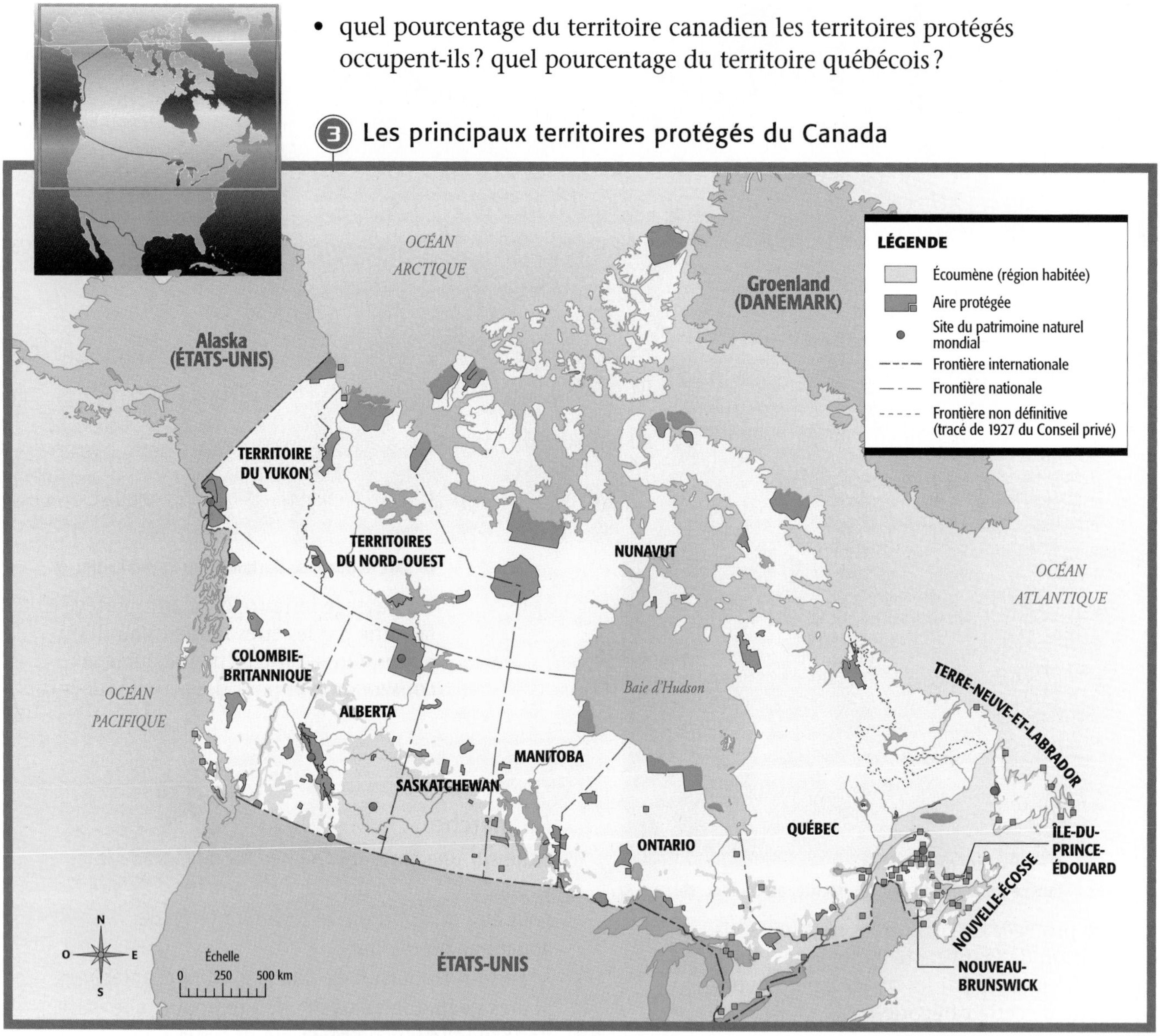

LÉGENDE
Écoumène (région habitée)
Aire protégée
Site du patrimoine naturel mondial
Frontière internationale
Frontière nationale
Frontière non définitive (tracé de 1927 du Conseil privé)

OCÉAN ARCTIQUE
Groenland (DANEMARK)
Alaska (ÉTATS-UNIS)
TERRITOIRE DU YUKON
TERRITOIRES DU NORD-OUEST
NUNAVUT
OCÉAN ATLANTIQUE
COLOMBIE-BRITANNIQUE
ALBERTA
Baie d'Hudson
TERRE-NEUVE-ET-LABRADOR
OCÉAN PACIFIQUE
SASKATCHEWAN
MANITOBA
ONTARIO
QUÉBEC
ÎLE-DU-PRINCE-ÉDOUARD
NOUVELLE-ÉCOSSE
NOUVEAU-BRUNSWICK
ÉTATS-UNIS
N S E O
Échelle 0 250 500 km

Il existe environ 70 noms géographiques différents pour désigner les territoires protégés au Canada : parcs, réserves fauniques ou forestières, aires naturelles ou écologiques, refuges d'oiseaux migrateurs, etc.

4 Des faits et des chiffres

- Au Canada, il y a plus de 3 500 territoires protégés, dont 800 ont une superficie de plus de 1 000 **ha**. Parmi ceux-ci, il y a 41 parcs nationaux, 51 réserves nationales de faune, 92 refuges d'oiseaux migrateurs, etc.
- Environ 9 % du territoire canadien est protégé par les différents gouvernements.
- Le Québec compte près de 1 200 territoires protégés. Ensemble, ils représentent 6 % du territoire.

Sources : Environnement Canada, 2003 ; ministère du Développement durable, de l'Environnement et des Parcs du Québec, 2005.

5 Les principaux territoires protégés du Québec

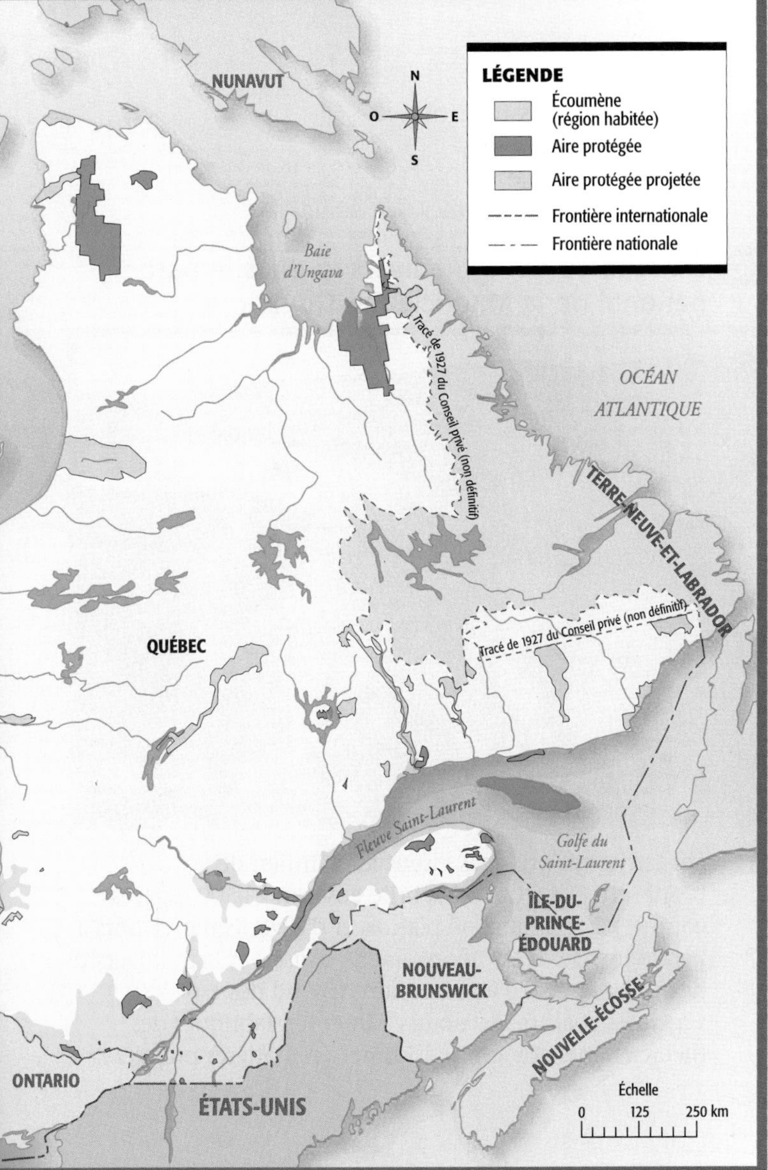

plus vieux site protégé au Québec a été créé en 1876. Il s'agit parc du Mont-Royal, à Montréal. En 2005, le gouvernement du ébec l'a nommé « arrondissement historique et naturel du Mont-yal ». Les territoires protégés sont beaucoup plus nombreux dans régions habitées, mais ils sont souvent de superficie modeste.

ce : Ministère de la Culture et des Communications, 2005.

6 La responsabilité des territoires protégés au Québec

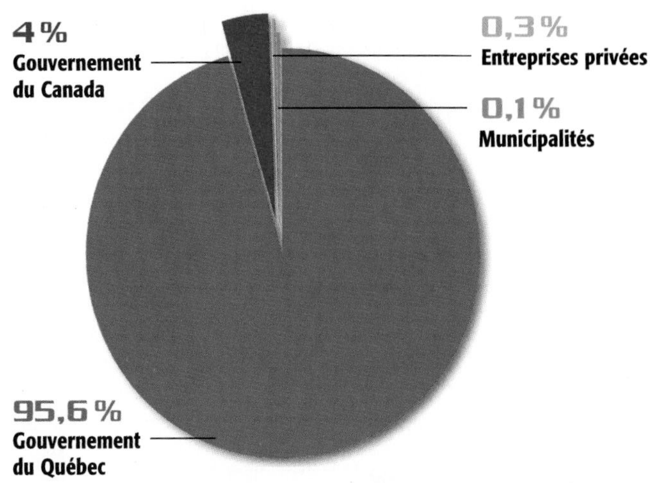

Source : Ministère de l'Environnement du Québec, 1999.

Les territoires protégés doivent être réglementés et administrés de façon efficace pour préserver et maintenir la diversité biologique et l'intégrité du paysage.

7 L'évolution des territoires protégés au Canada

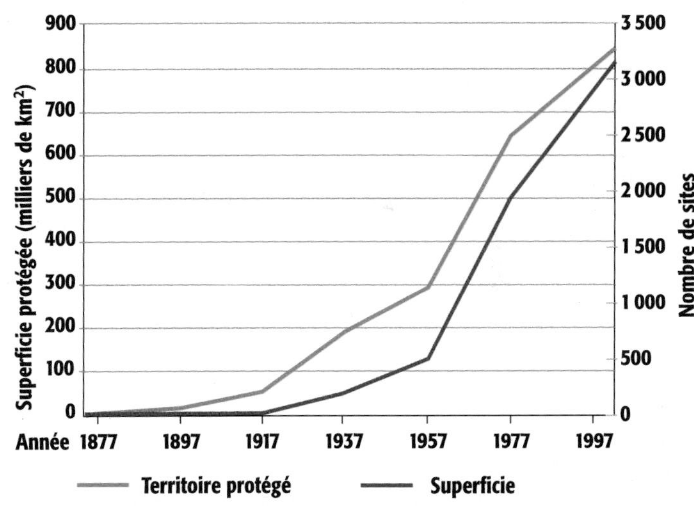

Source : Statistique Canada.

La création de territoires protégés s'est répandue au cours de la seconde moitié du 20e siècle.

Observe et construis 3 4 5 6 7

a Dans quelle partie du Québec et du Canada trouve-t-on la plus forte concentration de grands territoires protégés ?

b Quel lien peux-tu établir entre la répartition des territoires protégés et les zones habitées ? À ton avis, pourquoi en est-il ainsi ?

c Qu'est-ce que le document 7 t'apprend au sujet de l'évolution des territoires protégés du Canada ?

d Qui s'occupe de la gestion des territoires protégés au Québec ?

La mission des territoires protégés

Biodiversité : Diversité des espèces vivantes présentes sur un territoire.

Selon toi,

- pourquoi est-il important de protéger certains territoires ?
- qu'est-ce qui attire les gens dans les parcs naturels ?

8 Les espèces animales vertébrées en péril au Canada

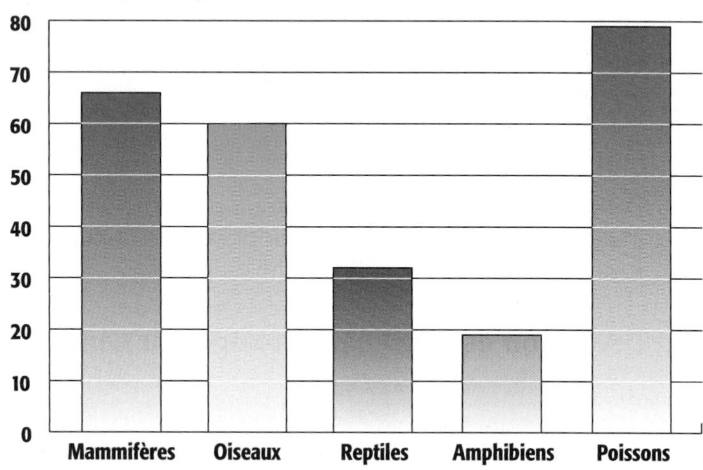

Source : Comité sur la situation des espèces en péril au Canada, 2003.

Les territoires protégés ont pour objectif la conservation des espèces et des **écosystèmes**. Presque la moitié des espèces actuellement inscrites sur la liste des animaux en péril au Canada sont présentes dans les parcs nationaux du Canada. Il y a actuellement 455 espèces d'animaux et de plantes en péril au Canada.

10 La richesse de la biodiversité dans le parc national de la Mauricie, au Québec

Les territoires protégés visent le maintien de la biodiversité. Le Canada abrite environ 71 500 espèces connues d'animaux, de plantes et d'organismes vivants à l'état sauvage. Il est nécessaire de conserver la biodiversité de la planète, car l'être humain dépend des espèces végétales et animales pour s'alimenter, fabriquer des médicaments et s'approvisionner en matières premières.

9 L'écotourisme dans l'arrondissement naturel de l'Archipel-de-Mingan, au Québec

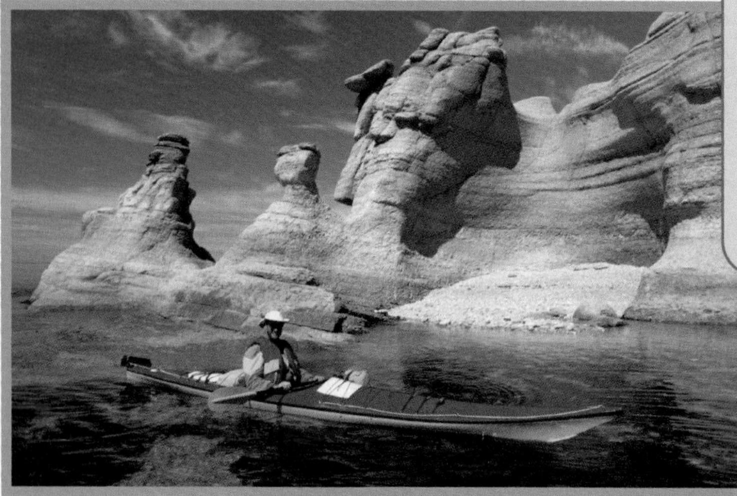

L'écotourisme

- vise à faire découvrir un milieu naturel sans menacer son intégrité ;
- permet d'interpréter les composantes naturelles ou culturelles d'un milieu ;
- mise sur le respect de l'environnement et le développement durable ;
- profite aux communautés locales et régionales.

Les parcs naturels ont favorisé la naissance de l'écotourisme. L'observation des oiseaux et des baleines, la randonnée en montagne, le kayak et l'interprétation de la nature sont des activités d'écotourisme.

⑪ La beauté des paysages dans le parc national Jasper, en Alberta ●

La beauté et la variété des espèces vivantes améliore grandement la qualité de vie des êtres humains. De plus, les territoires protégés servent souvent de laboratoires aux scientifiques qui cherchent à comprendre le fonctionnement des écosystèmes, car l'information qu'ils y trouvent reflète mieux la réalité que dans un zoo, un jardin ou un aquarium.

⑫ La fréquentation des parcs nationaux du Canada par provinces et territoires

Province ou territoire	Nombre de visiteurs
Terre-Neuve-et-Labrador	380 811
Île-de-Prince-Édouard	872 909
Nouvelle-Écosse	452 795
Nouveau-Brunswick	538 824
Québec	812 444
Ontario	967 743
Manitoba	248 577
Saskatchewan	244 845
Alberta	7 090 891
Colombie-Britannique	4 321 660
Territoire du Yukon	39 213
Territoires du Nord-Ouest	2 192
Nunavut	3 819
Total	**15 976 723**

Source : Parcs Canada, 2003-2004.

⑬ Des faits et des chiffres

La fréquentation des 21 parcs naturels du Québec a des impacts sur l'économie :

- Environ 3 millions de personnes visitent ces parcs chaque année, dont la plus grande partie au cours de l'été.
- Près de 1 200 emplois sont directement liés aux parcs naturels, surtout dans les régions éloignées des centres urbains.
- Les activités liées aux parcs naturels entraînent des retombées économiques (hébergement, restauration, etc.) de plus de 110 millions de dollars par année.

Source : Société de la faune et des parcs du Québec.

Ton défi

En marche

Quels éléments naturels du site que tu as choisi devraient être préservés ? Pourquoi ?

Observe et construis ⑧ ⑨ ⑩ ⑪ ⑫ ⑬

a Quelles sont les principales raisons de protéger certains espaces naturels ?

b À quoi servent les territoires protégés ?

c Pourquoi est-il préférable de favoriser l'écotourisme plutôt que d'autres types d'activités ? Quelles activités touristiques et sportives ne correspondent pas à la définition de l'écotourisme ?

d Où sont situés les parcs naturels qui attirent le plus grand nombre de touristes ? Pourquoi ?

Les merveilles des parcs naturels canadiens Fiche 4.1.5

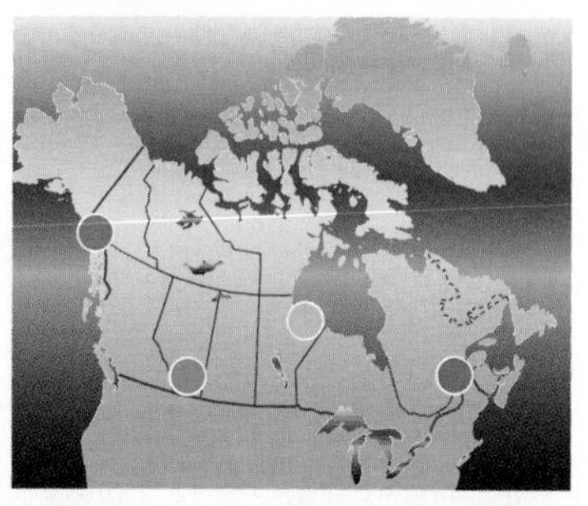

Selon toi,

- qu'est-ce qui fait la beauté et la renommée des parcs naturels canadiens ?
- quels animaux sauvages et quelles plantes y trouve-t-on ?

14 Le parc national Kluane, au Yukon ●

Le parc national Kluane a une superficie de 22 000 km^2. Il abrite les plus hautes montagnes du Canada, dont le mont Logan, qui atteint 5 959 m. Une bonne partie de ce parc, où le climat est très froid, est recouvert de champs de glace et de glaciers. Il est habité par des mouflons, des chèvres des montagnes, des grizzlis et des orignaux.

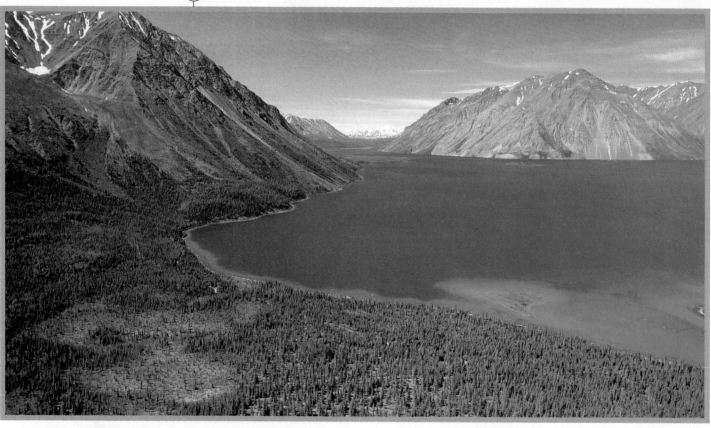

15 Le parc marin du Saguenay–Saint-Laurent, au Québec ●

Le parc marin du Saguenay–Saint-Laurent a une superficie de 1 138 km^2. Il abrite une faune marine diversifiée, dont l'étoile de mer et le béluga du Saint-Laurent, une espèce menacée d'extinction.

(16) Le parc national Wapusk, au Manitoba

Le parc national Wapusk a une superficie de 11 475 km^2. Il abrite une partie de la plus grande région de terres humides de la planète. Plus de la moitié de ce parc est constituée de lacs, de marais, de rivières et de tourbières. Le long de la côte de la baie d'Hudson, le parc est fréquenté par une importante population d'ours polaires.

Dans les territoires protégés du Canada, on trouve plusieurs **écosystèmes** d'importance mondiale dont dépendent un grand nombre d'espèces animales et végétales. Le Canada protège 25 % des milieux humides et des forêts boréales de la Terre.

(17) Le parc provincial Dinosaur, en Alberta

Le parc provincial Dinosaur abrite la plus grande collection de fossiles de dinosaures au monde. On y trouve les fossiles de 35 espèces de dinosaures, qui ont vécu il y a environ 75 millions d'années. Le territoire, sculpté par les eaux de pluie, présente des paysages étonnants.

Observe et construis (14) (15) (16) (17)

a Quelles composantes naturelles trouve-t-on dans ces parcs?

b En quoi ces parcs se ressemblent-ils? En quoi sont-ils différents?

La protection des parcs naturels

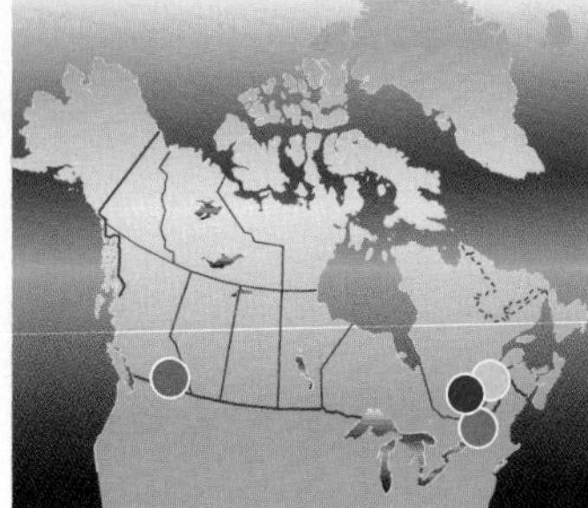

Selon toi,

- quelles menaces pèsent sur les parcs naturels ?
- comment protège-t-on un parc naturel ?

18 Le parc national du Mont-Orford, au Québec

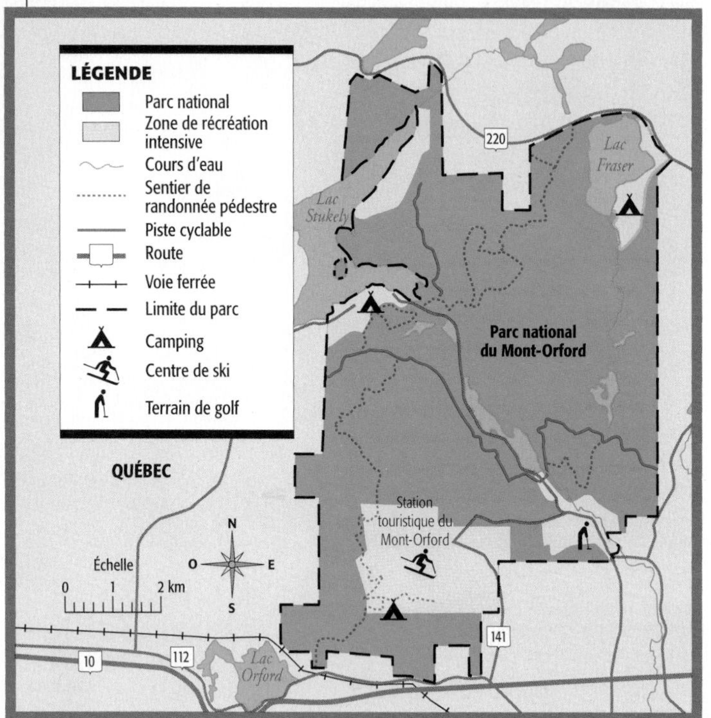

Au parc national du Mont-Orford, au Québec, comme dans d'autres parcs naturels, la création de sentiers, de routes et de voies ferrées divise le territoire en îlots de tailles diverses. Cette fragmentation de l'habitat perturbe la circulation naturelle des animaux. De plus, elle contribue à réduire l'habitat de certains gros carnivores, ce qui entraîne une modification de la relation entre les prédateurs et les proies.

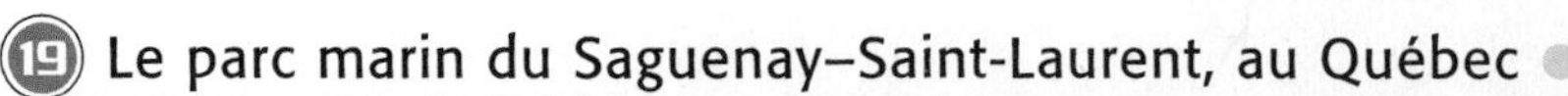

19 Le parc marin du Saguenay–Saint-Laurent, au Québec

Ce parc marin comprend une partie du Saguenay et de l'estuaire du fleuve Saint-Laurent. Plusieurs espèces de rorquals, protégées depuis 1972, s'y rassemblent en été et attirent un grand nombre de visiteurs. Cette forme d'écotourisme a créé près de 100 emplois dans les localités côtières. On estime qu'environ 250 000 personnes participent chaque année aux croisières d'observation. L'intensification de ces croisières (une quarantaine de bateaux offrent jusqu'à cinq croisières par jour) peut déranger les animaux et modifier leur comportement.

Le parc national du Mont-Tremblant, au Québec

Le développement hôtelier, l'exploitation forestière, minière et agricole ainsi que les infrastructures de transport entraînent fréquemment des changements majeurs dans le voisinage des parcs nationaux. C'est le cas de cet ensemble hôtelier situé aux limites du parc national du Mont-Tremblant. Ces **aménagements** réduisent l'habitat des animaux et constituent une source de perturbation des **écosystèmes**.

21 Un sentier dans le parc national du Mont-Revelstoke, en Colombie-Britannique

Construit dans une forêt de thuyas vieux de 800 ans, ce trottoir de bois permet de réduire le piétinement hors des sentiers. De plus, certaines consignes données aux visiteurs des parcs qui interdisent, par exemple, la cueillette de plantes, diminuent l'impact négatif de la présence humaine.

22 Des règles pour les automobilistes au mont Orford

Afin de protéger les animaux d'accidents routiers, une réglementation incite les automobilistes à la vigilance.

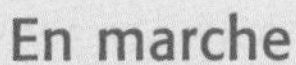

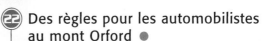

Ton défi

En marche

Note ce qui pourrait constituer une menace pour le site naturel que tu as choisi et explique pourquoi.

Pense aux aménagements et aux règles qui permettraient de préserver ton site et d'en favoriser la fréquentation. Énumère-les et explique leur utilité.

Observe et construis 18 19 20 21 22

a Parmi les menaces qui pèsent sur les territoires protégés, lesquelles viennent de l'intérieur de ces territoires? Lesquelles viennent de l'extérieur?

b Quelle mesures peuvent contribuer à mieux protéger les parcs?

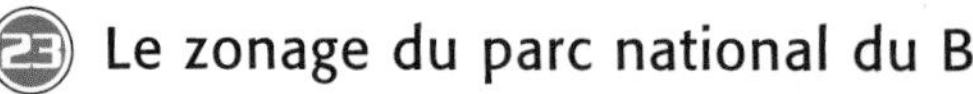

Le zonage du parc national du Bic

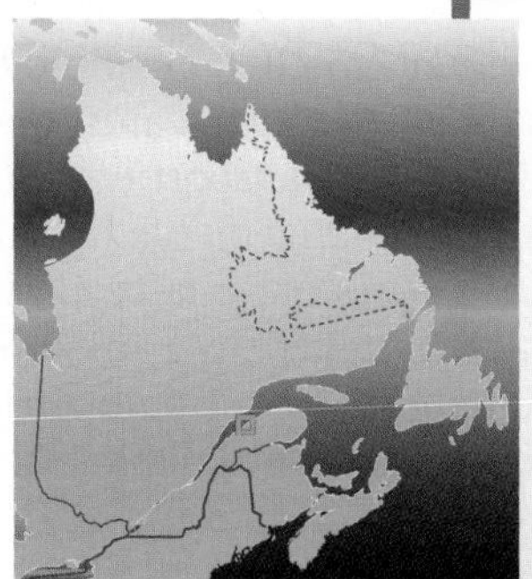

Fleuve Saint-Laurent
Anse à l'Orignal
Havre du Bic
Baie du Ha! Ha!
Accueil
Rivière du Sud-Ouest
QUÉBEC
132
Échelle 0 0,5 1 km

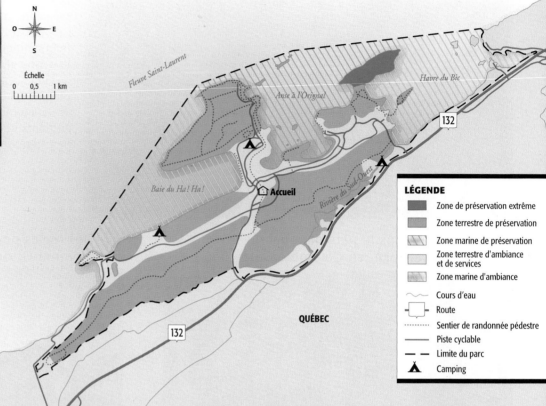

LÉGENDE
- Zone de préservation extrême
- Zone terrestre de préservation
- Zone marine de préservation
- Zone terrestre d'ambiance et de services
- Zone marine d'ambiance
- Cours d'eau
- Route
- Sentier de randonnée pédestre
- Piste cyclable
- Limite du parc
- Camping

Zone de préservation extrême : Milieu naturel à préserver intégralement. L'accès y est interdit, sauf à des fins éducatives ou scientifiques.

Zone terrestre de préservation : Milieu terrestre fragile dont l'accès est limité aux sentiers aménagés.

Zone terreste d'ambiance et de services : La zone d'ambiance est destinée à l'exploration du milieu ainsi qu'à des activités éducatives et de plein air. La zone de services est la zone où l'on trouve des services tels un centre d'accueil, des boutiques de location, etc.

Zone marine de préservation : Milieu marin fragile dont l'accès est limité.

Zone marine d'ambiance : Milieu marin destiné à l'exploration ainsi qu'à des activités éducatives et de plein air.

Le zonage permet de planifier et de contrôler l'utilisation des **ressources** d'un parc naturel. Il s'accompagne d'une réglementation stricte destinée aux visiteurs. La réglementation peut interdire de s'approcher des animaux ou de marcher dans des zones désignées du parc. Elle peut aussi obliger les visiteurs à tenir en laisse leurs animaux de compagnie.

Zonage : Division d'un territoire en zones où certaines activités sont permises.

Réglementation : Ensemble des règles qui imposent des obligations aux gens.

Ton défi

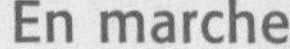

En marche

Choisis les activités qui devraient être privilégiées sur le site que tu as choisi de protéger.

Illustre ces activités à l'aide de photos, d'illustrations ou de pictogrammes. Énumère des avantages économiques à faire connaître ce site protégé.

Observe et construis 23

c Comment le zonage contribue-t-il à la protection des parcs naturels ?

d À ton avis, est-ce que la réglementation et l'**aménagement** des parcs naturels peuvent suffire à protéger les **écosystèmes** et la **biodiversité** ? Pourquoi ?

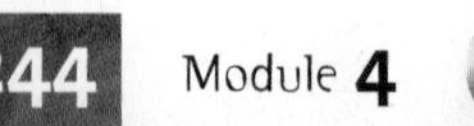

Ton défi

À l'œuvre !

À toi maintenant de faire valoir tes idées pour convaincre les gens de la nécessité de protéger le site que tu as choisi. Tu peux rédiger ton plaidoyer ou le présenter oralement.

1. Assure-toi de présenter clairement les idées suivantes :
   - le nom du site et sa localisation ;
   - les particularités de ce site et les raisons pour lesquelles il mérite d'être protégé ;
   - les menaces qui pèsent sur ce site ;
   - les aménagements et la réglementation dont pourrait bénéficier ce site ainsi que leur utilité ;
   - les activités que les gens pourraient y pratiquer ;
   - les retombées économiques pour la population locale, s'il y a lieu.
2. N'oublie pas de donner un titre accrocheur à ton plaidoyer.
3. N'hésite pas à intégrer des cartes, des photographies, des témoignages et des croquis. Tu trouveras d'autres idées dans les sites Internet des parcs nationaux.
4. Si tu rédiges ton plaidoyer, mets tes idées en valeur à l'aide de différents moyens : couleur, grosseur des caractères, etc.
5. Si tu présentes ton plaidoyer oralement, exprime-toi clairement et n'hésite pas à interpeller les membres de ton auditoire en leur posant des questions.
6. Pour savoir si ton public a été convaincu par tes arguments, prévois un court sondage.

Synthèse

Fais le point sur ce que tu as appris dans cette partie en répondant de nouveau aux questions des « Selon toi » ou en construisant un schéma organisateur à partir du modèle suivant :

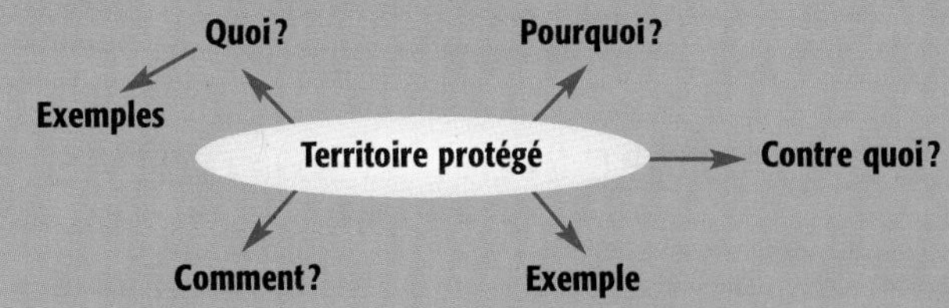

Bilan

Fiche 4.1.9

1. Comment les gens ont-ils réagi à ton plaidoyer ? Pourquoi, selon toi ?
2. Lequel de tes arguments t'a semblé le plus convaincant ?
3. Qu'as-tu appris en relevant ce défi ?
4. Comment réagirais-tu à la construction de pistes de ski et d'un grand complexe hôtelier dans un territoire protégé ?
5. Quels gestes pourrais-tu faire pour aider à préserver les parcs naturels ?
6. Si tu avais à refaire un plaidoyer de ce genre, que ferais-tu autrement ?

Chapitre 2 La planète et ses enjeux

A Le contexte planétaire

Les territoires protégés existent à l'échelle locale et nationale, mais aussi à l'échelle planétaire. Selon l'Organisation des Nations Unies, plus de 100000 aires protégées couvrent environ 12% de la surface terrestre. Ces sites naturels attirent énormément de visiteurs, particulièrement lorsqu'ils font partie du **patrimoine** naturel mondial.

Le développement touristique de ces lieux a, bien sûr, des avantages. Cependant, la présence d'un grand nombre de visiteurs risque d'entraîner la détérioration des paysages qui en font des sites remarquables.

Ce chapitre te permettra de répondre à certaines questions : quels sont les territoires protégés les plus reconnus du monde ? Qu'est-ce qui les caractérise ? Pourquoi a-t-on senti le besoin de protéger ces territoires ? Quels risques courent les territoires protégés fréquentés par de nombreux visiteurs ? Quelles autres menaces pèsent sur ces territoires ?

Ton défi

Fiche 4.2.1

La protection des parcs naturels (Première partie)

Ton défi consiste à créer un **outil promotionnel** (affiche, dépliant, site Internet, etc.) pour sensibiliser la population à l'enjeu que représente la protection des grands parcs naturels du monde. La réalisation de ton outil promotionnel se fera de la façon suivante :

1. Tu présenteras d'abord la situation :
   - Quels sont les sites naturels protégés sur la planète ?
   - Pourquoi doit-on les protéger ?

   Sers-toi d'une carte du monde pour illustrer ton propos.
2. La deuxième partie de ton outil promotionnel présentera l'enjeu de ce chapitre (p. 258 à 272) pour l'un des deux territoires présentés.

Pour y arriver,

1. Repère les rubriques Ton défi – En marche (p. 248, 250 et 253) et suis les étapes proposées.
2. Consulte le chapitre 1 ainsi que d'autres sources : cartes, documentaires, sites Internet, atlas, etc. Pour t'aider, lance une recherche dans Internet à l'aide des mots suivants : patrimoine naturel, espèces, disparition, etc.
3. Consulte la rubrique Ton défi – À l'œuvre ! (p. 257) pour finaliser la première partie de ton outil promotionnel. Rends-toi ensuite à la partie B de ce chapitre (p. 258), choisis un enjeu et complète la deuxième partie de ton outil promotionnel.

Le patrimoine naturel mondial 

- que peut-on voir dans les sites du patrimoine naturel mondial ?
- en quoi ces sites sont-ils particuliers ?

Patrimoine : Objet, ensemble d'objets ou éléments naturels qu'une société souhaite protéger, mettre en valeur et transmettre aux générations futures.

Unesco : Organisation des Nations Unies pour l'éducation, la science et la culture.

1 Le patrimoine mondial

L'Unesco considère comme patrimoine naturel mondial :

- les monuments naturels qui ont une valeur universelle exceptionnelle sur le plan esthétique ou scientifique ;
- les sites naturels et les zones qui constituent l'habitat d'espèces animales et végétales menacées, et qui ont une valeur universelle exceptionnelle du point de vue de la science ou de la conservation.

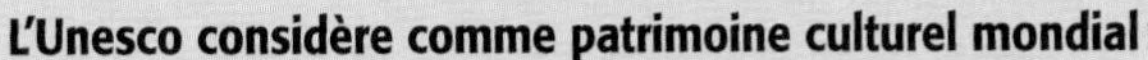

L'Unesco considère comme patrimoine culturel mondial :

- les monuments et les ensembles de constructions et de sites qui ont une valeur historique, esthétique, archéologique, scientifique, etc.

Source : Texte adapté de la Convention pour la protection du patrimoine mondial, culturel et naturel de l'Unesco, 1972.

Aujourd'hui, la plupart des pays ont adopté la Convention pour la protection du patrimoine mondial, culturel et naturel. Les pays participants s'engagent à protéger les sites du patrimoine pour les générations futures.

2 Exemples d'interventions de la Convention pour la protection du patrimoine naturel mondial, culturel et naturel

Lieu	Action récente
Le parc national de l'Iguaçu (Brésil)	Fermeture d'une route illégale construite dans le parc
Le sanctuaire de baleines d'El Vizcaino (Mexique)	Abandon d'un projet d'exploitation d'une mine de sel
Le parc national de Royal Chitwan (Népal)	Annulation d'un projet de barrage
Le parc national Redwood (États-Unis)	Déplacement d'une autoroute pour éviter la coupe d'arbres
La réserve naturelle de Srébarna (Bulgarie)	Restauration des milieux humides et réduction de la pollution agricole

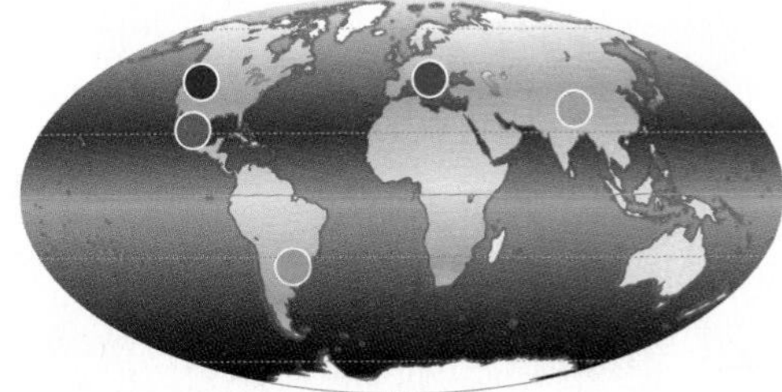

La Convention propose des actions qui renforcent la protection de plusieurs sites de la planète.

Observe et construis  

a Quels liens fais-tu entre l'inscription d'un site au patrimoine naturel mondial et sa conservation ?

3 Les critères de l'Unesco

Pour devenir un site du **patrimoine** naturel mondial, un lieu doit satisfaire à un ou à plusieurs des critères suivants:

Critère 1: Être un exemple remarquable de l'évolution de la Terre ou renseigner sur des formes primitives de vie ou des phénomènes qui ont façonné le paysage (voir exemple 3 A).

Critère 2: Être un exemple de l'évolution biologique (voir exemple 3 B).

Critère 3: Être un phénomène naturel extraordinaire ou une zone d'une beauté exceptionnelle (voir exemple 3 C).

Critère 4: Posséder une faune et une flore importante pour la conservation de la biodiversité (voir exemple 3 D).

Source: Adapté de M. Cattaneo et J. Trifoni, *Le patrimoine mondial de l'Unesco: les sites naturels*, Paris, Gründ, 2003.

3 (A) La Chaussée des Géants, en Irlande du Nord (Royaume-Uni)

4 Les sites du patrimoine naturel mondial

180° 150 °O 120 °O 90 °O 60 °O 30 °O

Cercle polaire arctique

60 °N

AMÉRIQUE DU NORD

(A) (B) (D)

30 °N

Tropique du Cancer

OCÉAN ATLANTIQUE

0° Équateur

OCÉAN PACIFIQUE

AMÉRIQUE DU SUD

Tropique du Capricorne

30 °S

60 °S

Cercle polaire antarctique

OCÉAN AUSTRAL

LÉGENDE
- Site du patrimoine naturel
- Site du patrimoine mixte

En 2005, le patrimoine mondial regroupait 812 sites, dont 628 sites culturels, 160 sites naturels et 24 sites mixtes dans 137 pays.

Ton défi

En marche

Sur ton outil promotionnel, indique ce qu'est un site du patrimoine naturel mondial et pourquoi l'Unesco protège de tels sites.

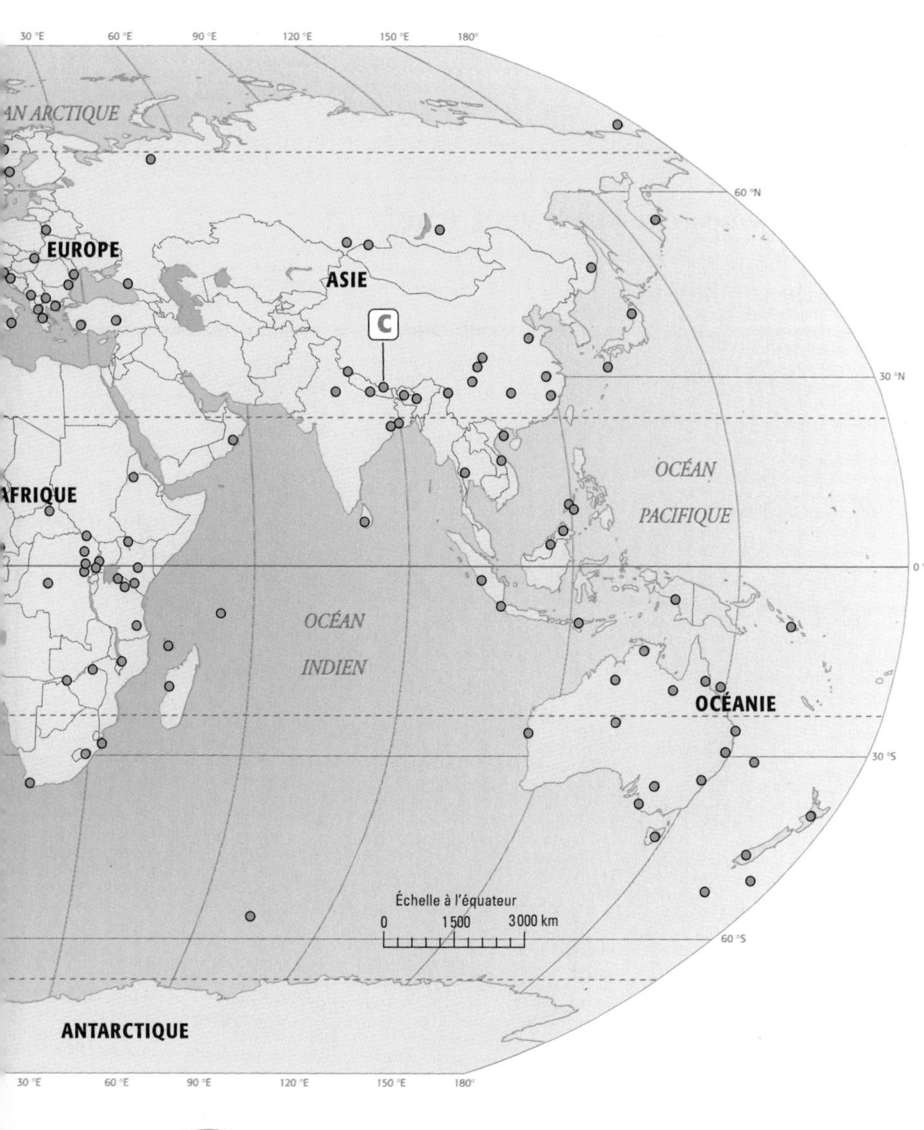

Des sites du patrimoine naturel mondial

- Quels sont les trois plus grands sites du patrimoine naturel mondial?
- Quels sont les trois sites du patrimoine naturel mondial qui attirent le plus de visiteurs annuellement?
- Où sont situés ces sites?

3 (B) **Le parc national Redwood, aux États-Unis**

3 (C) **Le parc national de Sagarmatha, au Népal**

3 (D) **Le sanctuaire de baleines d'El Vizcaino, au Mexique**

Observe et construis ③ ④

b Que peux-tu dire de la situation des sites du patrimoine naturel mondial?

c Quelle caractéristique de chaque site présenté lui donne un caractère exceptionnel?

La conservation d'espaces naturels sur la Terre

Fiche 4.2.3

Selon toi,

- pourquoi faut-il protéger des espaces naturels sur la Terre ?

5 Les zones sensibles de la planète

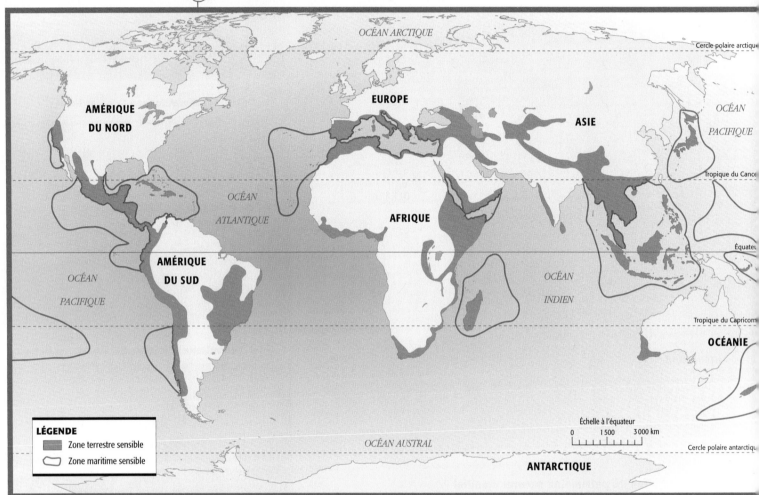

OCÉAN ARCTIQUE
Cercle polaire arctique
AMÉRIQUE DU NORD
EUROPE
ASIE
OCÉAN PACIFIQUE
Tropique du Cancer
OCÉAN ATLANTIQUE
AFRIQUE
Équateur
AMÉRIQUE DU SUD
OCÉAN PACIFIQUE
OCÉAN INDIEN
Tropique du Capricorne
OCÉANIE
Échelle à l'équateur
0 1 500 3 000 km
OCÉAN AUSTRAL
Cercle polaire antarctique
ANTARCTIQUE

LÉGENDE
Zone terrestre sensible
Zone maritime sensible

Source : Conservation International.

Les zones sensibles de conservation sont des territoires qui ont perdu plus de 70 % de leur végétation d'origine ou encore des **écosystèmes** marins vitaux ou des zones sauvages très riches en espèces vivantes. Les 25 zones sensibles de la Terre abritent environ 44 % des espèces végétales et 35 % des espèces vertébrées de la planète.

Ton défi

En marche

Identifie trois ou quatre zones sensibles de la Terre dans ton outil promotionnel. Explique pourquoi il est important de protéger ces espaces.

9D Le lac Baïkal, en Russie ●
(critères 1, 2, 3 et 4)

9E La Grande Barrière de corail, en Australie ●
(critères 1, 2, 3 et 4)

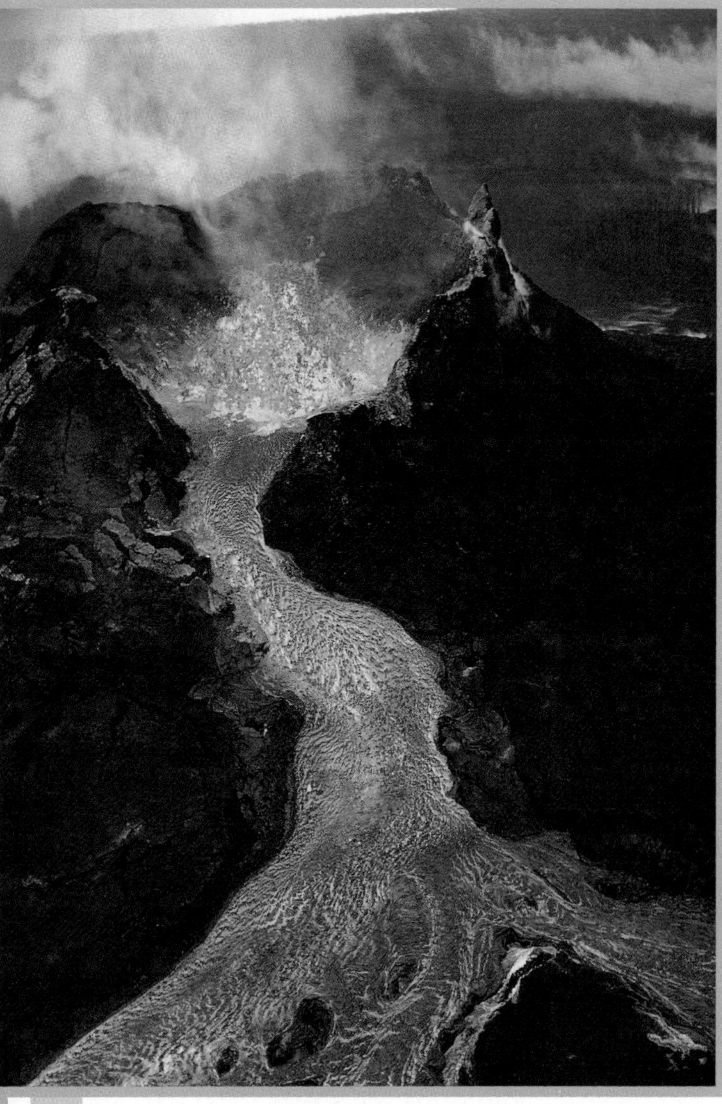

9F Le parc national des volcans, à Hawaii ● (critère 3)

Ton défi

En marche

Situe sur ta carte du monde les deux milieux naturels qui t'impressionnent le plus et explique pourquoi ils doivent être protégés.

Observe et construis 9

a Pourquoi chacun de ces sites du patrimoine naturel mondial doit-il être protégé?

b Que ressens-tu en regardant les photos de ces sites? Quel site trouves-tu le plus impressionnant? Pourquoi?

Des menaces et des mesures de protection dans les parcs naturels

Fiche 4.2.5

Phénomènes géothermiques : Ensemble de manifestations provenant des eaux chauffées par la température interne de la Terre qui remontent à la surface.

Selon toi,

- quelles menaces pèsent sur les territoires protégés ?
- quels sont les avantages et les inconvénients de l'importante fréquentation des sites du patrimoine mondial ?
- quelles mesures doivent être prises pour protéger ces sites ?

10 Point de mire

10 A Le parc national de Yellowstone

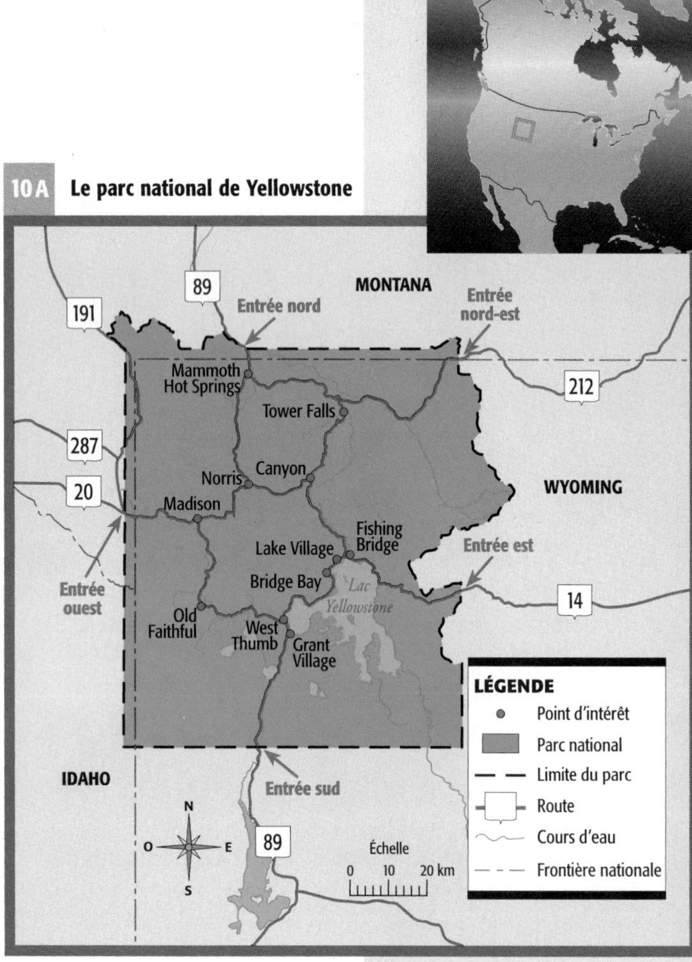

Le parc national de Yellowstone

Le parc national de Yellowstone, situé aux États-Unis, est aujourd'hui un site naturel du **patrimoine** mondial. En 1872, il est devenu le premier territoire mondial classé comme « parc naturel ». Il a été déclaré « réserve internationale de la biosphère » en 1976, et l'**Unesco** l'a intégré au patrimoine naturel mondial en 1978.

Situé dans les montagnes Rocheuses canadiennes, le parc national de Yellowstone chevauche trois États du nord-ouest américain : le Wyoming, le Montana et l'Idaho. Il comprend plus de 750 km de route et accueille annuellement plus de trois millions de visiteurs.

Les attraits du parc

Le parc de national de Yellowstone a une superficie de 9000 km^2, soit 12 fois celle de l'île de Montréal. On y trouve la moitié des **phénomènes géothermiques** du monde. Le parc recèle plus de 300 geysers, des sources d'eau chaude jaillissante qui constituent les deux tiers des geysers de la planète. Le geyser Old Faithful, par exemple, peut jaillir jusqu'à une hauteur de 55 m.

Il est également reconnu pour sa faune sauvage. Il abrite plus de 60 espèces de mammifères, dont 5 espèces menacées ou en voie d'extinction (pygargue, grizzli, lynx, grue blanche d'Amérique et loup), 311 espèces d'oiseaux, 18 espèces de poissons, 6 espèces de reptiles, 4 espèces d'amphibiens. Il abrite également plus de 1700 espèces végétales.

Pour accueillir les visiteurs, le parc compte plus de 49 aires de pique-nique et 12 terrains de camping qui offrent plus de 2200 sites.

La situation

En 1995, l'**Unesco** a inscrit le parc national de Yellowstone sur la liste du patrimoine mondial en péril. Selon cet organisme, plusieurs dangers menaçaient alors le parc. Un projet d'exploitation d'une mine risquait de polluer les rivières et de mettre la faune en péril. La construction de routes et le nombre élevé de visiteurs ont eu des répercussions sur l'habitat de certains animaux. En moins d'un an, par exemple, le nombre de bisons a baissé de 3 500 à 1 900. De plus, les motoneiges causaient des problèmes de pollution sonore et répandaient des gaz toxiques dans l'air.

Les mesures

Différentes mesures ont été prises pour régler ces problèmes. En 1996, le gouvernement a acheté les terrains de la mine, au coût de 65 millions de dollars. En 2003, l'Unesco a retiré le parc de la liste du patrimoine mondial en péril, en invitant les autorités du parc à continuer de prendre des mesures pour protéger son caractère unique. Aujourd'hui encore, les autorités du parc appliquent une **réglementation** très stricte, par exemple :

- restriction du nombre de prises de pêche à cinq ;
- obligation de remettre l'omble (espèce de truite protégée) à l'eau ;
- restriction du nombre de motoneiges et accompagnement obligatoire d'un guide pour les motoneigistes.

Les mesures prises par les autorités du parc démontrent leur volonté de protéger le patrimoine naturel de Yellowstone. En gérant ce parc naturel de manière rigoureuse, elles contribuent à sa **conservation** et vont permettre aux générations futures de visiter des lieux magnifiques.

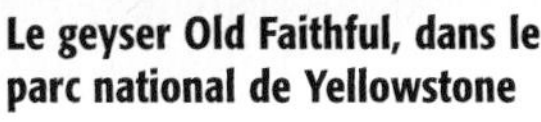

10 B Le geyser Old Faithful, dans le parc national de Yellowstone

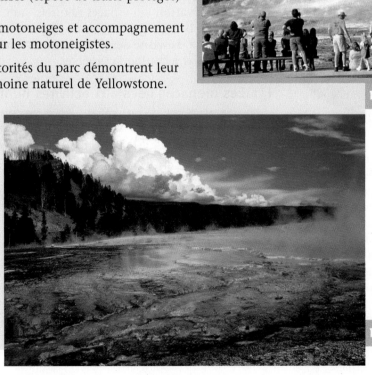

10 C Chaque année, environ trois millions de personnes visitent le parc national de Yellowstone.

Observe et construis (10)

a Pour quelles raisons le parc national de Yellowstone est-il un site remarquable ?
b De quelle nature étaient les problèmes dans ce parc ?
c Quelles solutions ont été mises en pratique pour régler ces problèmes ?

12 Le parc national de Santa Rosa, au Costa Rica

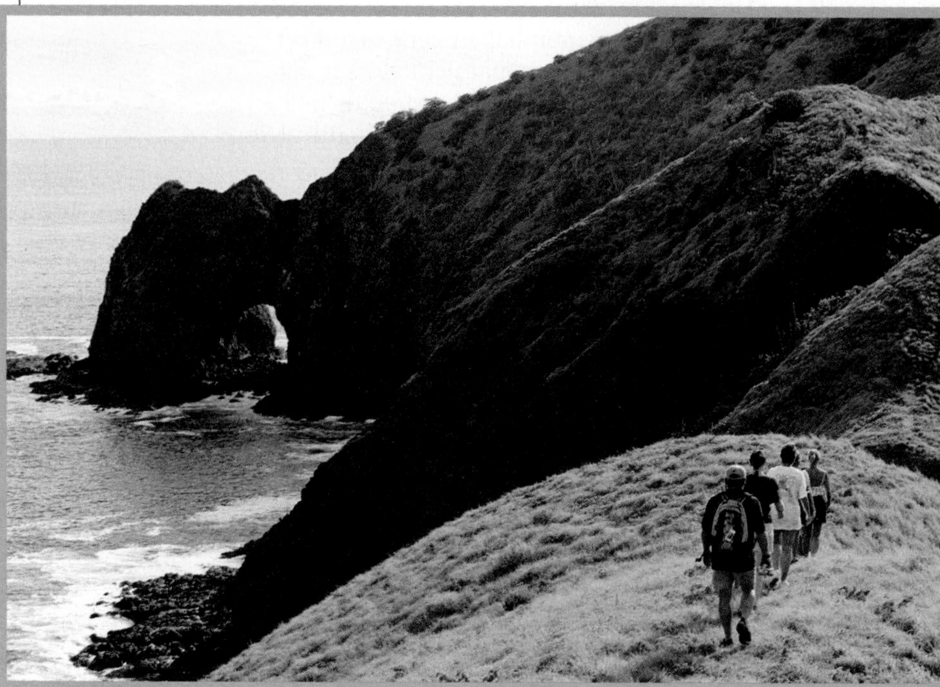

11 Des faits et des chiffres

Certains sites du **patrimoine** naturel mondial attirent beaucoup de visiteurs.

- Un total de 15 sites du patrimoine naturel mondial ont reçu plus d'un million de visiteurs par année.
- Les 32 sites des États-Unis, du Canada, de l'Australie et de la Nouvelle-Zélande ont reçu plus de 84 % des visiteurs de sites du patrimoine naturel mondial.
- Les sites qui se trouvent en Afrique reçoivent en moyenne 23 000 visiteurs par année.

Source : J. Thorsell et T. Sigaty, *Human Use of World Heritage Natural Sites : A Global Overview*, Natural Heritage Program IUCN, 1998.

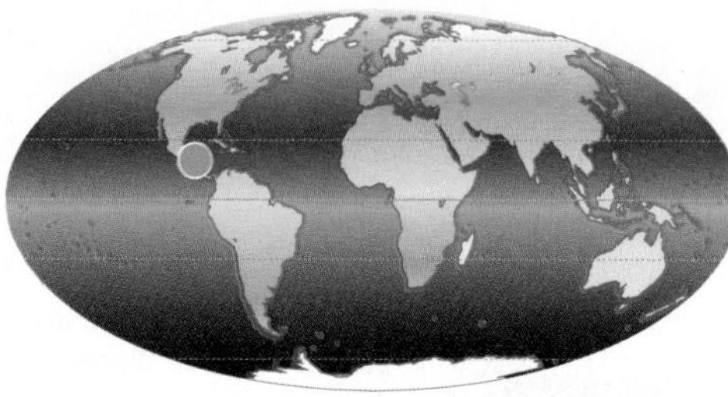

Dans les **pays en développement** comme le Costa Rica, l'écotourisme apporte des revenus directs à la population locale et permet de financer la **conservation** des espaces naturels. Au Costa Rica, plus du quart du territoire bénéficie d'une forme de protection, dont 12 % comme parcs nationaux. La visite des parcs naturels amène les visiteurs à apprécier la nature et à vouloir la protéger.

Dans plusieurs pays, notamment dans certains pays en développement, la fréquentation des parcs naturels génère peu de revenus. Il est donc tentant pour les gouvernements de ces pays de permettre à des promoteurs d'exploiter des **ressources** (pétrole, mine, électricité, etc.) disponibles dans leurs parcs nationaux, même si cette exploitation met en péril les **écosystèmes** et la **biodiversité** de ces milieux. De plus, les territoires protégés sont parfois mal gérés, ce qui laisse place aux pratiques illégales telles que le braconnage, la coupe du bois, etc. Les activités humaines menacent 126 parcs naturels qui comptent parmi les plus remarquables du monde.

13 Les menaces liées aux activités humaines

Activités	Pourcentage des parcs menacés par cette activité
Chasse commerciale, braconnage	44 %
Pâturage	37 %
Agriculture, cueillette, brûlage de déchets	37 %
Exploitation forestière	26 %
Exploitation minière, extraction de pétrole ou de gaz	26 %
Pêche commerciale ou de subsistance	20 %
Production d'énergie hydroélectrique	15 %

Source : *Human Use of World Heritage Natural Sites : A Global Overview*, 1998.

Observe et construis   

d Quelles menaces pèsent sur les territoires protégés des **pays industrialisés** ? sur les territoires protégés des **pays en développement** ? Pourquoi ?
e Quels sont les avantages de l'écotourisme ?
f Quels impacts positifs et négatifs peut avoir la fréquentation des parcs ?

Ton défi

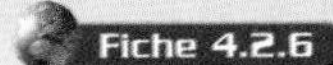

À l'œuvre ! (Première partie)

Il est maintenant temps de compléter la première partie de ton outil promotionnel.

1. Assure-toi de choisir un titre et une légende appropriés pour ta carte.
2. Vérifie si tu as donné des raisons de protéger certains sites.
3. Vérifie également si tu as décrit les particularités et les beautés de certains sites.
4. Ajoute des photos ou des illustrations de sites exceptionnels et indique leur emplacement sur la carte.
5. Vérifie si cette première partie de ton outil promotionnel fournit des réponses aux deux questions énoncées dans la présentation du défi (p. 246).

Synthèse

Fais la synthèse de tes apprentissages en répondant de nouveau aux questions des « Selon toi » ou construis un schéma organisateur à partir du modèle suivant :

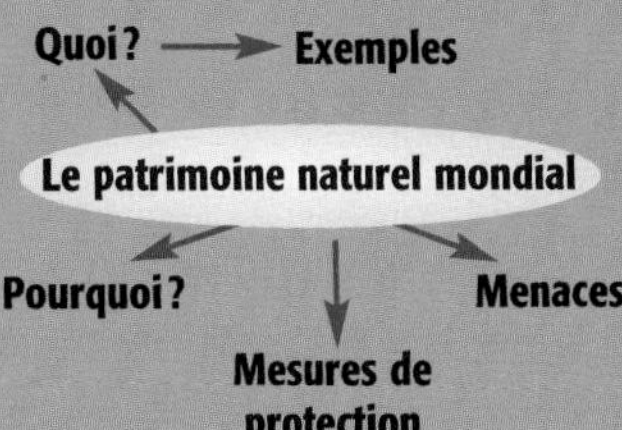

Assure-toi de réutiliser les concepts présentés à la page 230.

Bilan

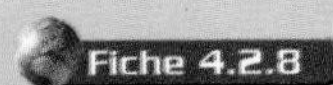

1. Quelles sources autres que ton manuel as-tu consultées ?
2. Comment as-tu procédé pour sélectionner les informations pertinentes dans les sources consultées ?
3. Quelles connaissances t'ont aidé à comprendre l'importance de la préservation de l'environnement ?
4. Comment réagirais-tu si tu voyais des visiteurs qui ne respectent pas la réglementation dans un parc naturel ?

B Un enjeu planétaire

Les territoires protégés de la planète font l'objet de préoccupations contradictoires. On désire à la fois faire découvrir des milieux naturels à un grand nombre de personnes pour les sensibiliser à la protection de la nature et protéger ces milieux de la présence d'un trop grand nombre de visiteurs.

Cette partie du chapitre 2 te présente deux lieux qui illustrent bien l'enjeu que constitue la fréquentation des parcs naturels de la planète. Le premier est un territoire protégé unique au monde, situé en plein océan, dans un **pays en développement** : le parc national et la réserve marine des îles Galápagos. Le second est grandiose et se trouve au cœur d'un continent, dans un **pays industrialisé** : les parcs des montagnes Rocheuses canadiennes.

Ton défi

Fiche 4.2.9

La protection des parcs naturels
[Deuxième partie]

Certains territoires du patrimoine naturel mondial sont menacés. Dans ton outil promotionnel, explique l'enjeu que représente la protection et la fréquentation de l'un des parcs naturels suivants :

- le parc national et la réserve marine des îles Galápagos ;
- les parcs naturels des montagnes Rocheuses canadiennes.

Une fois le parc choisi,

1. Présente les principaux attraits du territoire.
2. Décris les différentes menaces liées à la conservation de ce territoire.
3. Indique les moyens utilisés pour protéger ce territoire.
4. Inscris dans un tableau les informations que tu recueilleras.
5. N'hésite pas à consulter Internet pour trouver de l'information, des photos ou des statistiques. Pour t'aider, cherche à partir de mots comme les suivants : patrimoine mondial, Galápagos, parcs Canada, Unesco, etc.
6. Consulte la rubrique Ton défi – À l'œuvre ! (p. 273) pour finaliser ton outil promotionnel.

Territoire 1

Le parc national et la réserve marine des îles Galápagos, en Équateur

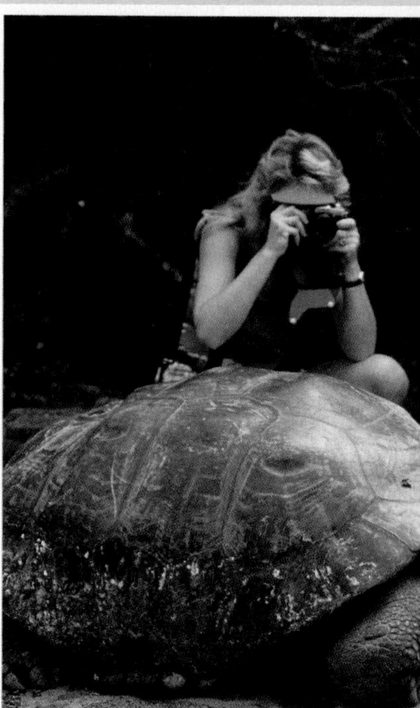

Environ 75 000 visiteurs se rendent chaque année dans les îles Galápagos. Ce nombre est-il trop élevé pour un milieu naturel aussi sensible ? Pourquoi vient-on de partout pour visiter ces îles ? Qu'est-ce qui explique l'originalité de leurs **écosystèmes** ? Qu'est-ce qui menace ce milieu naturel ?

page 260

Protéger des territoires

Territoire 2

Les parcs naturels des montagnes Rocheuses canadiennes

Environ 9 millions de visiteurs se rendent chaque année dans les parcs naturels des montagnes Rocheuses canadiennes. Qu'est-ce qui y attire autant de visiteurs ? Quels problèmes particuliers découlent de leur présence ?

page 266

Comment trouver un équilibre entre la fréquentation et la protection des parcs naturels des îles Galápagos et des montagnes Rocheuses canadiennes ?

Territoire 1

Le parc national et la réserve marine des îles Galápagos

Fiche 4.2.10

Selon toi,

- où se trouve le parc national des îles Galápagos?
- qu'est-ce qui fait de ce territoire un parc naturel mondialement reconnu?

Parc national et réserve marine des îles Galápagos	
Population	18 000
Superficie	8 000 km² de terres émergées
	138 000 km² de réserve marine
Nombre de visiteurs par année	75 000
Revenus générés par le tourisme	100 millions $ US en 2000
Équateur	
PIB/hab.	4 990 $

Source: *L'état du monde*, 2005.

1 Le parc national et la réserve marine des îles Galápagos

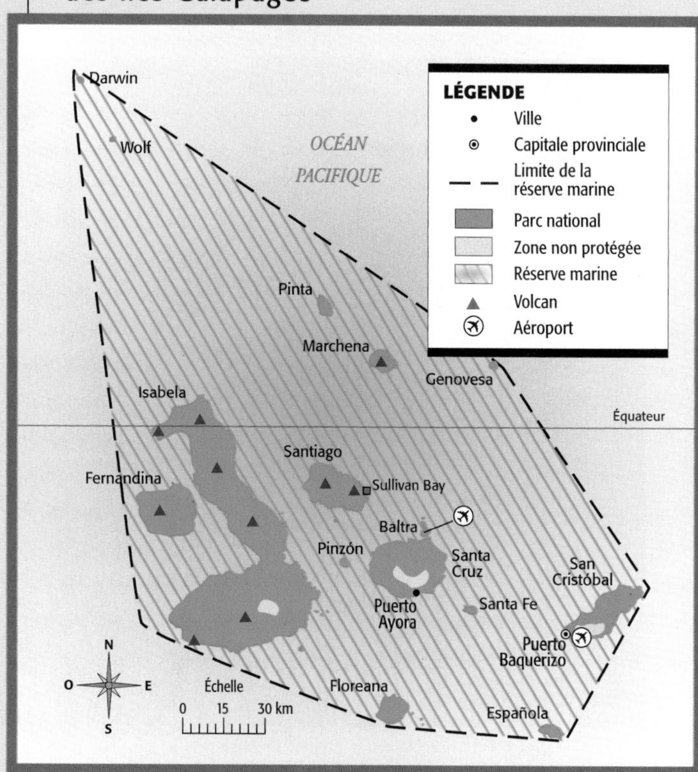

L'**archipel** des îles Galápagos est situé à l'ouest du continent sud-américain. On considère ces îles comme un laboratoire vivant de l'évolution des espèces. En effet, parce qu'elles sont très éloignées du continent, ces îles abritent une faune et une flore **endémiques**. De plus, les eaux de l'archipel recèlent une abondante faune marine.

2 Des faits et des chiffres

Les Espagnols ont découvert les îles Galápagos par hasard en 1535. L'Équateur a pris possession des îles en 1832, puis les a colonisées à partir de 1879. Aujourd'hui, les îles forment une province de l'Équateur, nommée Archipelago de Colón.

- Comme les îles Galápagos ne se prêtent pas à l'agriculture et comptent peu de **ressources** en eau douce, elles sont demeurées peu peuplées jusqu'à tout récemment.
- Le gouvernement de l'Équateur a créé le parc national des îles Galápagos en 1959. La presque totalité des îles (96 %) fait partie de ce parc. Le reste du territoire correspond aux zones habitées.
- Ce parc est l'un des quatre premiers sites que l'**Unesco** a inscrits au **patrimoine** naturel mondial en 1978.
- La réserve marine, créée en 1986, a été considérablement agrandie en 1998. Elle a été ajoutée au patrimoine naturel mondial en 2001.

Sources: Unesco; C. Grenier, *Conservation contre nature: les îles Galápagos*, Paris, IRD Éditions, 2001.

③ Charles Darwin

Depuis plus d'un siècle, les îles Galápagos sont un symbole mondial de la **conservation** de la nature. Elles doivent en partie cette réputation à Charles Darwin, le célèbre naturaliste britannique qui y a séjourné un mois en 1835. Les observations de Darwin sur les êtres vivants des Galápagos ont joué un rôle important dans la conception de sa théorie sur l'évolution des espèces.

Endémique: Caractère d'une espèce animale ou végétale qui ne vit qu'à un endroit sur la Terre.

④ Des faits et des chiffres

La **biodiversité** est plutôt faible dans les Galápagos. On y trouve les espèces indigènes suivantes:

- 58 espèces d'oiseaux nicheurs, dont environ la moitié sont endémiques;
- 40 espèces de reptiles, la plupart endémiques;
- 16 espèces de mammifères, dont 88 % sont endémiques;
- 560 espèces de plantes, dont 32 % sont endémiques.

Source: A. Tye, H. L. Snell, S. B. Peck et H. Adsersen, *Outstanding Terrestrial Features of the Galápagos Archipelago. In a Biodiversity Vision for the Galápagos Islands,* Puerto Ayora, Galápagos, Charles Darwin Foundation and World Wildlife Fund, 2000.

Les tortues géantes

Les tortues terrestres des Galápagos détiennent des records. Cherche de l'information sur ce type de tortue (taille, poids, longévité, etc.).

⑤ Une coulée de lave près de Sullivan Bay, aux îles Galápagos

Les volcans les plus importants se trouvent sur les plus grandes îles des Galápagos. Les paysages volcaniques des Galápagos présentent parfois un aspect lunaire. Les volcans des Galápagos sont très actifs. On a rapporté une soixantaine d'éruptions au cours des deux derniers siècles. Les plus récentes se sont produites sur les îles Marchena (en 1991), Fernandina (en 1995), et Isabela (en 1998).

Observe et construis     

À ton avis, pourquoi ce parc national fait-il partie de la liste du patrimoine naturel mondial de l'Unesco?

Les merveilles du parc national des îles Galápagos

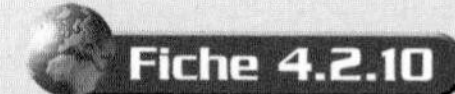
Fiche 4.2.10

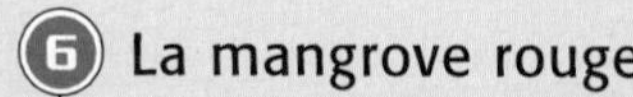
Selon toi,

- comment est la végétation des îles Galápagos ?
- quels sont les animaux les plus remarquables de ces îles ?

6 La mangrove rouge

La mangrove est une forêt du littoral vaseux des mers tropicales. Elle se compose d'arbres et d'arbustes à racines aériennes, c'est-à-dire qui se développent hors du sol et tolèrent l'eau salée de la mer. La mangrove rouge des Galápagos forme un riche **écosystème** où nichent de nombreux oiseaux. Ses eaux peu profondes sont fréquentées par de jeunes poissons, des crabes, des crevettes, des mollusques et des raies. La mangrove pourrait être menacée par des pêcheurs qui la transformeraient en ferme d'élevage de crevettes.

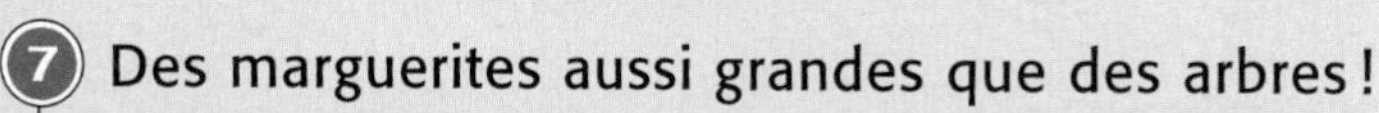
7 Des marguerites aussi grandes que des arbres !

Le *scalesia pedunculata* est une plante de la même famille que la marguerite, mais elle atteint la taille d'un arbre (15 m). C'est l'une des 550 plantes **endémiques** des îles Galápagos. Elle pousse sur les flancs des volcans exposés aux pluies, à une altitude de 300 à 600 m. Les chèvres, introduites dans les îles il y a plus de 100 ans, compromettent la survie du *scalesia*, car elles broutent ses jeunes plants. De plus, le défrichement et la concurrence d'autres plantes venant du continent constituent une menace pour cette espèce unique au monde.

8 Le cactus opuntia

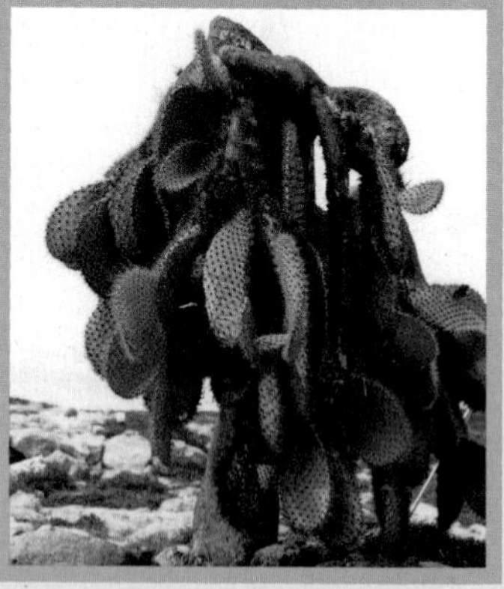

Ce cactus à fleurs jaunes pousse abondamment dans les régions **arides**. Certaines variétés de cette plante, dont se nourrissent les reptiles et les oiseaux, peuvent atteindre 12 m de hauteur !

9 Des espèces animales étonnantes

9A La tortue géante
Cet animal endémique est l'emblème des îles Galápagos.

9B L'iguane marin et terrestre
C'est le reptile le plus commun aux Galápagos.

9C Le cormoran aptère
Cette espèce endémique a peu à peu perdu sa capacité de voler.

9D L'albatros des Galápagos
C'est le plus grand oiseau de l'archipel. Son envergure peut atteindre 2,40 m.

9E Le manchot des Galápagos
Cet animal est le seul spécimen de la famille des manchots à vivre dans des contrées aussi chaudes.

9F La frégate du Pacifique
Lorsqu'il parade, le mâle de cette espèce gonfle la poche rouge située sous son cou.

9G Le fou à pattes rouges
La presque totalité des fous à pattes rouges des Galápagos ont un plumage brunâtre. Ailleurs dans le monde, leur plumage est généralement blanc. Le bec bleu constitue une caractéristique de cet animal.

9H Le fou à pattes bleues
Le fou à pattes bleues est l'une des vedettes des excursions dans les îles Galápagos.

Observe et construis    

a Qu'est-ce qui caractérise la flore des îles Galápagos?
b Qu'est-ce qui caractérise la faune des îles Galápagos?

La conservation et la fréquentation des îles Galápagos

Fiche 4.2.10

Selon toi,

- en quoi le tourisme et d'autres activités humaines peuvent-ils nuire à la conservation des îles Galápagos ?

10 La conservation ou le profit ?

Le parc national des îles Galápagos constitue l'un des sites les plus protégés au monde. L'accès aux lieux se fait principalement en bateau. Lors d'excursions dans les îles, les visiteurs doivent respecter certaines règles : ils ne peuvent débarquer qu'à certains endroits, ils doivent marcher dans les sentiers balisés et ne peuvent cueillir ni ramasser quoi que ce soit. Les bateaux qui circulent dans les eaux de l'**archipel** sont de plus en plus grands, puissants et nombreux. Leurs propriétaires sont souvent davantage préoccupés par le profit commercial que par la protection des îles. Plusieurs visiteurs se plaignent aussi de cet achalandage, qui ne cadre pas avec l'image d'îles sauvages que vantent les promoteurs touristiques.

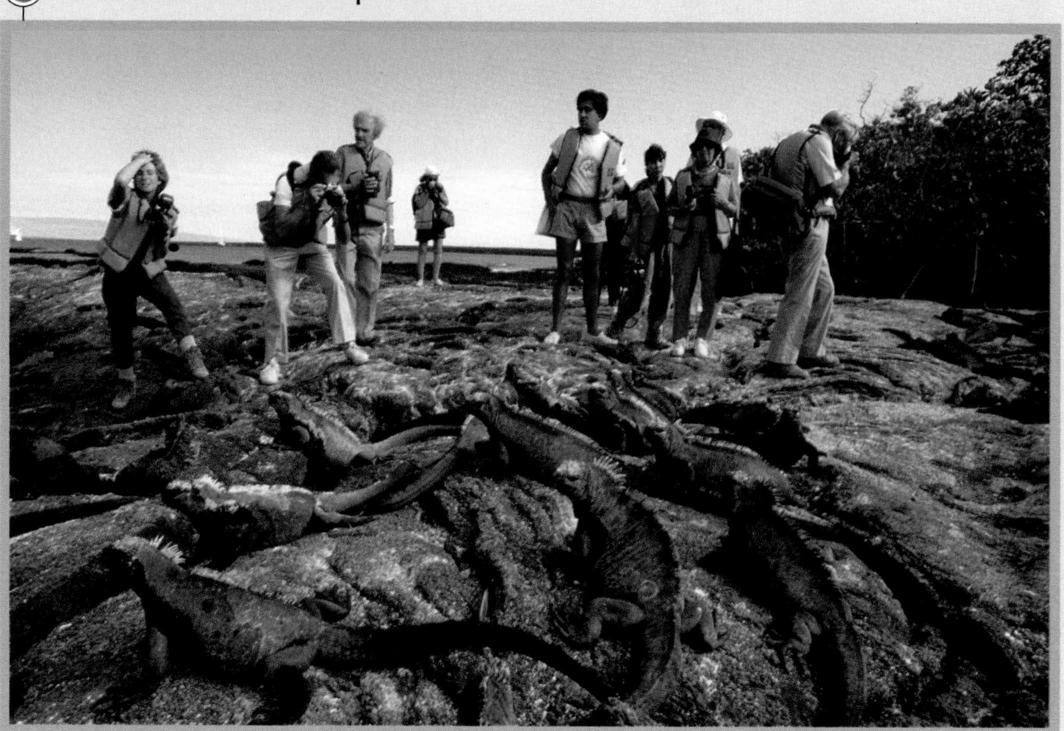

11 Point de vue

Les Équatoriens des îles Galápagos, dont le nombre est passé de 4000 à 18000 en 20 ans, veulent mieux gagner leur vie.

Un peu du parc aux Équatoriens !

Nous sommes venus vivre aux Galápagos parce que nous avions l'espoir de mieux gagner notre vie grâce au tourisme. Après quelque temps, nous avons constaté que ce sont surtout les entreprises touristiques du continent qui profitent de la venue des touristes. Nous avons tout vendu pour venir ici et nous voulons y rester. Pour gagner notre vie, nous réclamons auprès du gouvernement le droit de pratiquer l'agriculture et l'élevage dans certaines zones du parc.

Lucio Moreno
Puerto Ayora, Équateur

12 Des nouvelles des médias

Des milieux naturels en péril

Les espèces vivantes observées sur ces îles isolées sont venues du continent en flottant sur des radeaux de végétation ou en volant. Ce processus a produit des écosystèmes très originaux, mais fragiles. L'introduction de nouveaux organismes vivants liée au peuplement et au tourisme menace la conservation de ces écosystèmes. Les espèces animales ou végétales importées du continent s'adaptent rapidement et peuvent modifier les milieux naturels. C'est ce qui est arrivé lorsque la chèvre, introduite par des marins il y a fort longtemps a causé beaucoup de dommages à la végétation d'origine des Galápagos. Au point où il a fallu clôturer les forêts qui restaient sur les pentes les plus inaccessibles des volcans pour les conserver.

Mary Goldbloom
Fondation Charles Darwin
Puerto Ayora, Équateur

L'augmentation des espèces de plantes importées

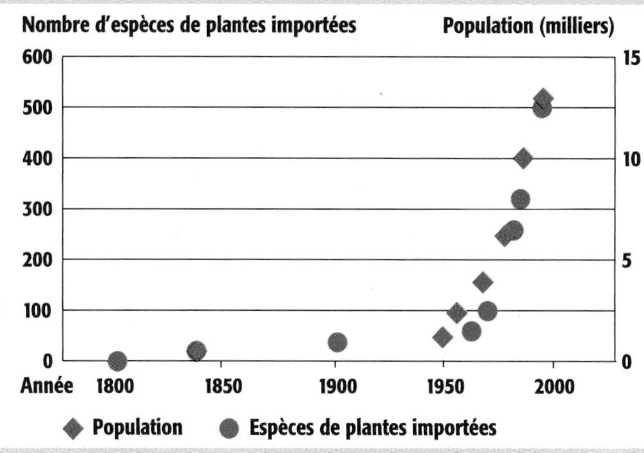

Source : A. Mauchamp, « Threats from Alien Plant Species in the Galápagos Islands », *Conservation Biology*, 1997.

13 Des règles pas toujours respectées

La conservation à des fins touristiques et scientifiques entraîne certains conflits. Il y a quelques années, par exemple, le renforcement de la protection de la zone marine a déplu aux 1 000 pêcheurs des Galápagos. La surpêche menace le homard, le requin et surtout le concombre de mer des eaux de l'archipel. Même si des limites ont été établies, de nombreux pêcheurs ne les respectent pas. Ils pêchent parfois dans des zones protégées où le gouvernement équatorien n'assure pas de surveillance, ce qui entraîne des protestations de la part d'une partie de la population des îles.

Observe et construis 10    13

Quelles menaces pèsent sur les îles Galápagos ?

Pour poursuivre, rends-toi à la page 273.

Territoire 2

Les parcs naturels des montagnes Rocheuses canadiennes

Fiche 4.2.11

Selon toi,

- où se trouvent les parcs naturels des montagnes Rocheuses canadiennes ?
- qu'est-ce qui fait des montagnes Rocheuses canadiennes un territoire protégé reconnu mondialement ?

Parcs naturels des montagnes Rocheuses canadiennes

Population	13 100
Superficie des parcs nationaux Banff, Jasper, Yoho et Kootenay	23 120 km^2
Nombre de visiteurs par année	9 000 000
Revenus générés par le tourisme dans le parc	300 millions $ à Banff et plus de 625 millions $ pour l'ensemble des quatre parcs

Canada

PIB/hab.	30 936 $

Source : *L'état du monde*, 2005.

Les parcs naturels des montagnes Rocheuses canadiennes forment un vaste territoire protégé dans les provinces de l'Alberta et de la Colombie-Britannique.

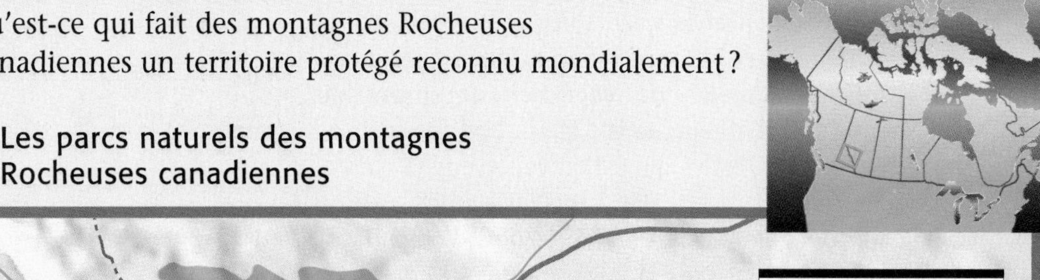

1 Les parcs naturels des montagnes Rocheuses canadiennes

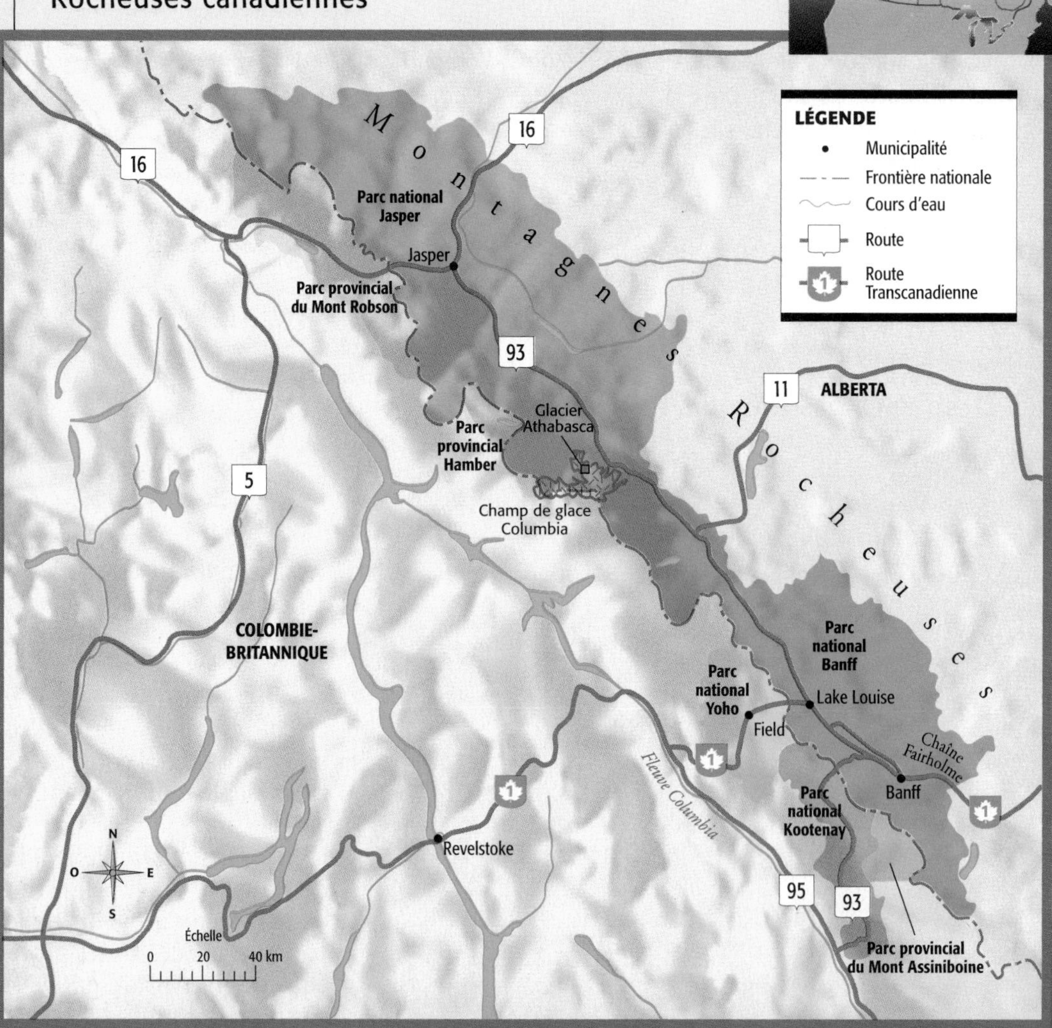

2 Des faits et des chiffres

Les parcs nationaux des montagnes Rocheuses canadiennes sont remarquables à plusieurs points de vue.

- Ils ont été inscrits sur la liste du **patrimoine** naturel mondial de l'**Unesco** à partir de 1984.
- L'ensemble groupe quatre parcs nationaux de l'Alberta et de la Colombie-Britannique (Banff, Jasper, Yoho et Kootenay) et trois parcs provinciaux de la Colombie-Britannique (du Mont Assiniboine, du Mont Robson, Hamber).
- Ensemble, ces parcs présentent une superficie de plus de 23 120 km^2, soit plus de cinq fois le territoire de la région métropolitaine de Montréal.
- Créé en 1885, le parc national Banff a été le premier territoire protégé au Canada et le troisième au monde. Les parcs nationaux Yoho, Jasper et Kootenay ont été créés respectivement en 1886, 1907 et 1920.
- Ces parcs nationaux reçoivent plus de 9 millions de visiteurs chaque année, soit environ les deux tiers des visites effectuées dans tous les parcs nationaux canadiens.

Les parcs nationaux des montagnes Rocheuses canadiennes abritent une grande diversité d'espèces vivantes, par exemple :

- 1 616 espèces de plantes, dont 407 espèces de lichens et 243 espèces de mousses ;
- 280 espèces d'oiseaux ;
- 56 espèces de mammifères.

Sources : Parcs Canada ; Unesco.

arobas

Les sommets

Plusieurs sommets des parcs nationaux des montagnes Rocheuses sont impressionnants. Trouve de l'information sur les principaux sommets, leur altitude et leur situation.

Observe et construis

À ton avis, pourquoi ces parcs nationaux font-ils partie de la liste du patrimoine naturel mondial ?

3 Des montagnes imposantes

Dans les montagnes Rocheuses, des couches de roches déformées ou inclinées dominent une forêt de conifères.

Les merveilles des parcs des Rocheuses canadiennes

Fiche 4.2.11

Selon toi,

- quels sont les attraits des parcs naturels des Rocheuses canadiennes ?
- à quoi ressemble la végétation de ces parcs ?
- quels animaux y trouve-t-on ?

4 Les phénomènes naturels

4A

Les sources thermales

Dans les sources thermales, les eaux souterraines jaillissent d'une profondeur de 3 km, par une cassure de la croûte terrestre. La température de ces eaux chargées de minéraux atteint 40 °C.

4B

Les glaciers

Le glacier Athabaska, situé dans le parc national Jasper, est l'un des bras du champ de glace Columbia, qui occupe une superficie de 325 km^2.

⑤ La flore et la faune

5A 5B  5C  5D  5E

5A Les cactus
Dans le parc national Kootenay, des cactus poussent dans le sol très sec des pentes de la vallée du fleuve Columbia.

5B La toundra alpine
En altitude, on peut voir des arbres rabougris, puis des zones de lande et enfin, des prés.

5C Les grizzlis
Dans les montagnes Rocheuses, le grizzli est une espèce abondante.

5D Les caribous des forêts
Le caribou des forêts est une espèce menacée. Il n'en subsiste que quelques troupeaux dans les parcs nationaux Jasper et Banff.

5E Les mouflons d'Amérique
Le mâle du mouflon d'Amérique possède des cornes impressionnantes. Cet animal très agile en montagne se nourrit essentiellement de l'herbe des prés en altitude.

Observe et construis  

a Quels phénomènes naturels sont visibles dans les montagnes Rocheuses canadiennes?

b Qu'est-ce qui caractérise la flore et la faune des parcs naturels des montagnes Rocheuses?

La conservation et la fréquentation des parcs nationaux

Fiche 4.2.11

Selon toi,

- en quoi la fréquentation des parcs nationaux des montagnes Rocheuses canadiennes peut-elle compromettre leur **conservation** ?
- que peut-on faire pour rendre compatibles la fréquentation des parcs et leur conservation ?

6 Le zonage du parc national Yoho

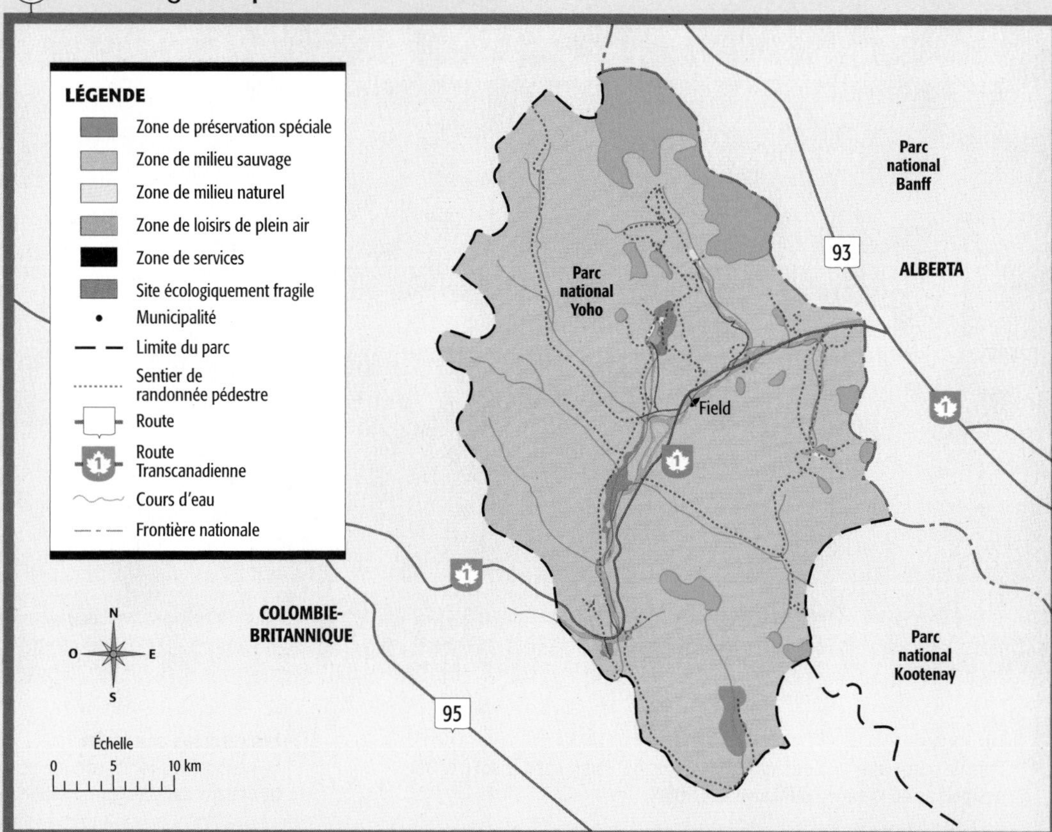

- Les *zones de préservation spéciales* abritent des espèces menacées, en voie de disparition ou représentatives d'une région naturelle. On peut, par exemple, y trouver des caribous des bois ainsi que des grottes et des sources thermales. L'accès à ces zones est très restreint.
- Les *zones de milieu sauvage* sont de grands espaces qui n'ont jamais été modifiés par des activités humaines. Le tourisme massif y est interdit, et elles ne contiennent aucune infrastructure humaine ni la moindre route pour véhicule motorisé.
- Dans les *zones de milieu naturel,* on tolère certaines activités récréatives de plein air qui nécessitent peu de services et des infrastructures rudimentaires. Aucun véhicule motorisé n'y est admis.
- Les *zones de loisirs de plein air* comprennent les principales infrastructures du parc et le territoire qui longe les routes. Ces sites sont accessibles en voiture.
- La *zone de services* du parc national Yoho est constituée de la municipalité de Field.
- Les *sites écologiquement fragiles* sont des zones particulièrement riches qui exigent une protection spéciale. On y trouve des espèces végétales **endémiques** et d'importantes zones humides.

Source : Adapté de Parcs Canada, *Parc national du Canada Yoho, Plan directeur,* 2004.

7 Le contrôle du développement

Le développement des villes, favorisé par l'essor du tourisme, constitue l'une des principales menaces à la conservation des parcs. La ville de Jasper, par exemple, est située à la jonction de trois grandes vallées. L'hiver, la faune se rassemble dans les environs, car la couche de neige y est moins importante qu'en montagne. L'impact du développement urbain s'est déjà fait sentir sur les routes de **migration** de quelques grands mammifères, et certains habitats fauniques ont été détruits. Les plans de développement de la région prévoient le contrôle de l'**étalement urbain**.

8 Le péril sur les routes

La route Transcanadienne traverse le parc national Banff sur 33,5 km. Pour empêcher les animaux de s'aventurer sur cette route et réduire ainsi les accidents, on a installé des clôtures le long de la voie et aménagé deux traverses pour les animaux. Ces mesures ont réduit de 95 % le nombre d'accidents mortels dans le parc national Banff. Il est à noter que 92 % des visiteurs de ce parc s'y rendent en automobile.

9 Des faits et des chiffres

Les visiteurs des parcs naturels des montagnes Rocheuses peuvent profiter de diverses installations, dont :

- plus de 30 terrains de camping ;
- 12 auberges et un grand nombre d'hôtels et de motels dans les villes environnantes ;
- 7 pavillons d'accueil ;
- des aires de pique-nique, des centres de ski, des boutiques, des restaurants et des stations-service.

Source : Parcs Canada, 2004.

Observe et construis    

a Comment l'aménagement du parc national Yoho permet-il d'assurer l'équilibre entre la fréquentation et la conservation ?

b Comment fait-on pour minimiser l'impact du développement touristique et des moyens de transport sur la faune des parcs ?

⑩ Point de vue

Des gestes en faveur du tourisme durable

Il y a parfois des tensions dans notre communauté entre les partisans de la conservation et les promoteurs de l'industrie touristique. Au cours des dernières années, les gens se sont parlé et ont cherché ensemble comment améliorer leur milieu de vie et offrir un tourisme de qualité. Les résultats ne se sont pas fait attendre : le célèbre hôtel Banff Springs a fermé un de ses terrains de golf pour le remettre à l'état naturel, et une école militaire ainsi qu'une piste d'aviation ont été fermées. Pour sensibiliser les visiteurs, les guides qui commentent les visites en autocar abordent maintenant les questions d'écologie.

Hilary Baxter
Banff

L'hôtel Banff Springs, à Banff

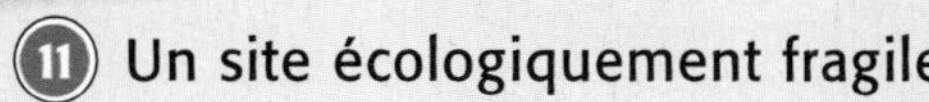

⑪ Un site écologiquement fragile

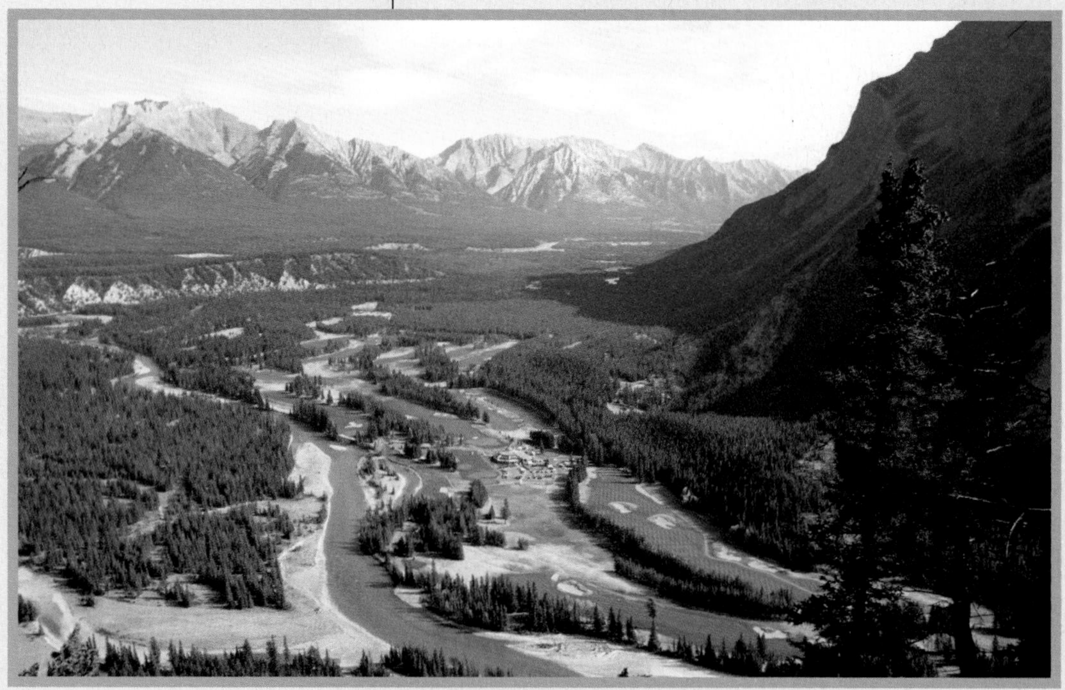

Premier « site écologiquement fragile » reconnu au Canada, la chaîne Fairholme, qui s'étend dans le parc national Banff, comprend des forêts intactes de conifères, une rareté, et constitue un important refuge faunique. Entre autres mesures de protection, on a déménagé les terrains de camping qui y étaient installés, on a cessé d'y entretenir les sentiers existants, on y a interdit la pratique du vélo de montagne et on y a construit une passerelle pour faciliter la **migration** des animaux sauvages.

Observe et construis  

c Quelles mesures mises en place dans les deux endroits représentés dans les documents 10 et 11 favorisent leur conservation ?

Ton défi

Fiche 4.2.12

À l'œuvre ! (Deuxième partie)

Il est maintenant temps de terminer ton outil promotionnel et de soigner sa présentation.

1. Pense à présenter une photo ou une carte du parc naturel que tu as choisi.
2. Situe correctement le parc sur la carte du monde que tu as utilisée dans la partie A du chapitre 2.
3. Parmi les renseignements que tu as recueillis, choisis ceux qui décrivent :
   - ce qui pourrait menacer ce parc ;
   - les moyens qui pourraient être mis en place pour le protéger.
4. Choisis des données éloquentes et pertinentes pour illustrer tes idées.
5. Sers-toi des procédés graphiques (taille des caractères, couleurs, etc.) que tu connais pour rendre ton outil promotionnel attrayant.
6. N'oublie pas d'indiquer les sources des données que tu présentes.

Bilan

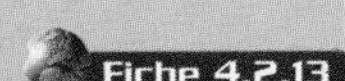

Fiche 4.2.13

1 Quelles informations t'ont été particulièrement utiles pour créer ton outil promotionnel ?

2 Que penses-tu maintenant de la protection des parcs naturels ?

3 Quelles bonnes idées retiens-tu des outils promotionnels présentés par tes camarades de classe ?

4 Quelles difficultés as-tu éprouvées en relevant ce défi ? Comment les as-tu surmontées ?

5 À ton avis, faut-il favoriser la fréquentation des parcs naturels ? Explique ton point de vue.

Module 5

Le territoire touristique

Ce module te permettra de mieux comprendre ce qui fait d'une région un territoire touristique et de connaître les enjeux propres à ce type de territoire.

Le **chapitre 1** te présente la région touristique, un territoire organisé autour d'un ou de plusieurs attraits. Pour accueillir des milliers de visiteurs par année dans une région touristique, on doit relever un défi de taille : développer le tourisme sans faire perdre à la région son caractère particulier.

Le **chapitre 2** aborde le tourisme à l'échelle planétaire. Tu y découvriras un portrait de l'industrie touristique mondiale : qui sont les touristes et où vont-ils ? Que recherchent-ils ? Quelles sont les conséquences du tourisme de masse sur l'environnement et la population d'une région ?

Dans la partie **Dossiers**, tu trouveras de l'information sur cinq régions touristiques célèbres dans le monde : les grands lacs africains, l'Île-de-France, la Savoie, Tahiti et la lagune de Venise. Ces dossiers te fourniront des exemples de développement touristique et de ses impacts sur une région.

Les chutes du Niagara, au Canada

Qu'est-ce qui caractérise un territoire touristique ?

Table des matières

Les Îles-de-la-Madeleine, au Québec

Concepts à l'étude

Territoire région
- Aménagement
- Commercialisation
- Mondialisation
- Multinationale
- Ressource

Tourisme
- Acculturation
- Flux touristique
- Foyer touristique

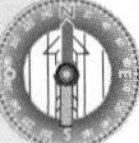

Ressources géo

Technique à développer

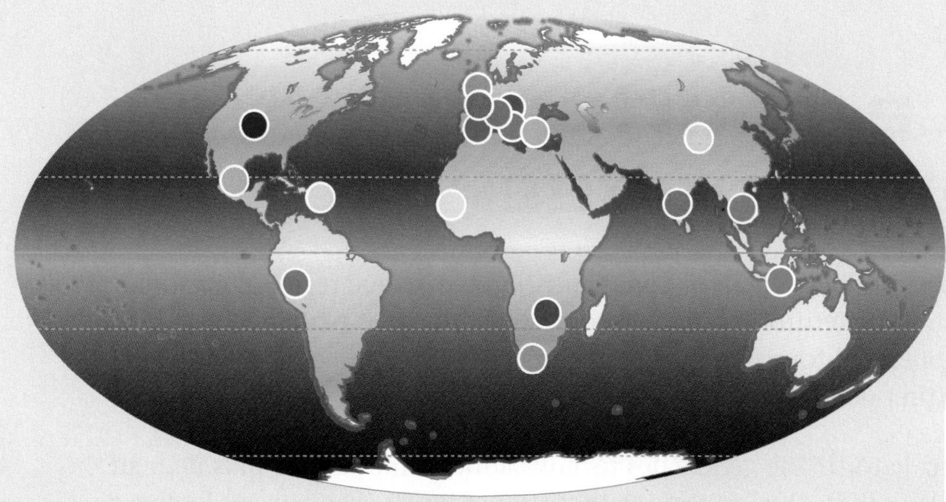

Pays mentionnés dans le chapitre 2

- Afrique du Sud
- Allemagne
- Autriche
- Chine
- Espagne
- États-Unis
- France
- Grèce
- Inde
- Indonésie
- Italie
- Mexique
- Pérou
- Royaume-Uni
- Sainte-Lucie
- Sénégal
- Thaïlande
- Zimbabwe

Chapitre 1

La région touristique et ses enjeux

A Le tourisme au Québec

Tourisme : Activité des gens qui séjournent à 80 km ou plus de leur domicile pendant plus de 24 heures, pour le plaisir, les affaires ou d'autres motifs.

Le Québec est divisé en 21 régions touristiques. Chaque région correspond à une portion de territoire possédant des caractéristiques particulières. Le développement touristique consiste à mettre en valeur ces caractéristiques afin d'y attirer des visiteurs.

Au Québec, le tourisme génère des revenus annuels moyens de plus de neuf milliards de dollars. Quelles régions touristiques du Québec attirent le plus de touristes ? Quels sont les attraits des régions touristiques du Québec ? Comment développe-t-on le tourisme dans une région ? Le tourisme est-il toujours profitable pour une région ?

Ton défi

Fiche 5.1.1

Un portrait du tourisme au Québec (Première partie)

Chaque année, les régions touristiques tentent d'attirer davantage de visiteurs. Quels projets mettre de l'avant pour y arriver ? Quelle clientèle viser ? Ton défi consiste à réaliser une grande **planche descriptive** sur le développement touristique d'une région du Québec.

Ton défi comporte deux parties. Dans la première partie, tu décriras le tourisme au Québec. Dans la deuxième, tu présenteras ton opinion sur un projet de développement d'un village de vacances dans une région touristique du Québec.

Pour y arriver,

1. Réserve une moitié de ta planche descriptive à une carte des régions touristiques du Québec. Mets-y également tes notes sur des aspects importants du tourisme québécois.
2. Construis ensuite un tableau dans lequel tu consigneras, à l'aide de mots clés, les renseignements essentiels à ta présentation. Ce tableau te servira d'aide-mémoire lorsque viendra le temps de réaliser ta planche descriptive. Conserve ce tableau, que tu pourras utiliser avec celui de la seconde partie du défi de ce chapitre (p. 284) pour compléter ton projet.
3. Consulte au besoin la section Ressources géo (p. 342) pour apprendre à utiliser une carte routière ou pour te rappeler l'une ou l'autre des habiletés techniques qui ont déjà été abordées.
4. Utilise d'autres sources : cartes, encyclopédies, documentaires, guides touristiques, sites Internet, atlas, etc.
5. Consulte la rubrique Ton défi – À l'œuvre ! (p. 291) pour finaliser ta planche descriptive.

La réalité touristique du Québec 

Selon toi,

- quelles sont les régions touristiques du Québec les plus visitées ? Pourquoi ?

1 Les régions touristiques du Québec

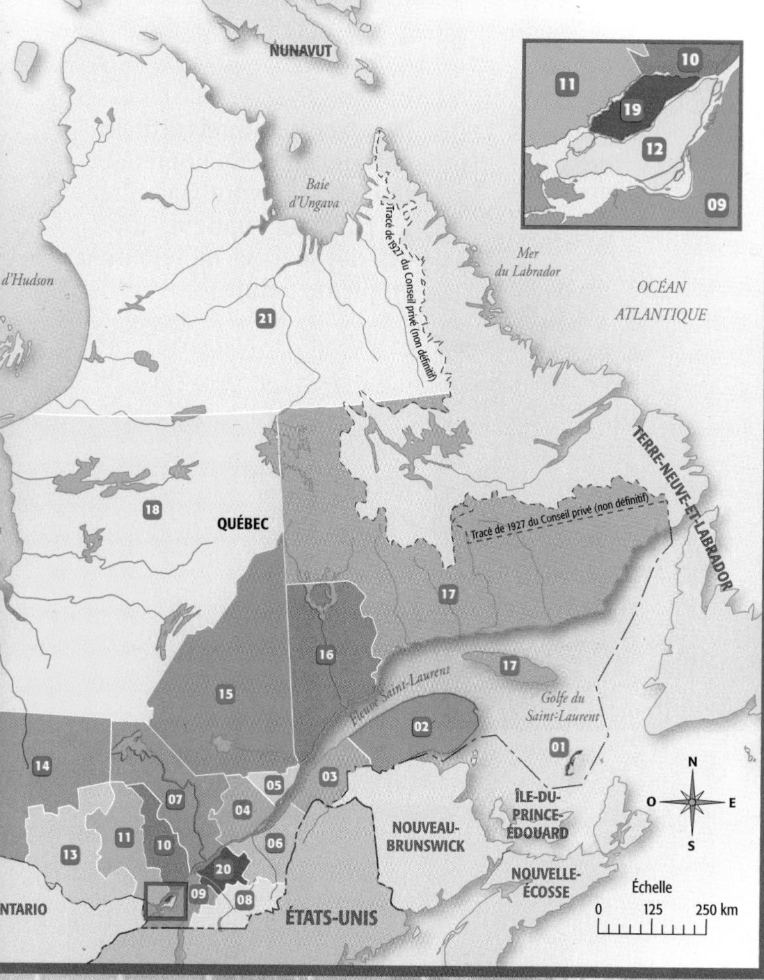

Source : Gouvernement du Québec, 2005.

2 Le tourisme dans les régions du Québec

Région touristique	Nombre de touristes par année (milliers)
01 Îles-de-la-Madeleine	37*
02 Gaspésie	826
03 Bas-Saint-Laurent	1 024
04 Région de Québec	5 520
05 Charlevoix	728
06 Chaudière-Appalaches	1 156
07 Mauricie	1 487
08 Cantons-de-l'Est	2 550
09 Montérégie	1 035
10 Lanaudière	1 138
11 Laurentides	2 760
12 Montréal	6 954
13 Outaouais	1 594
14 Abitibi-Témiscamingue	547
15 Saguenay–Lac-Saint-Jean	1 199
16 Manicouagan	414
17 Duplessis	213*
18 Baie-James**	51*
19 Laval	152*
20 Centre-du-Québec	714
21 Nunavik	non disponible
Non précisé	389*
Total	**30 491**

*La marge d'erreur associée à ces données est élevée.
**Avant 2005, la région administrative de la Baie-James était appelée « Nord-du-Québec ».

Au Québec, chaque touriste dépense en moyenne 274 $ par séjour. La durée moyenne d'un séjour dans une région est de deux jours et demi. Les Québécois, suivis des Canadiens, forment la majorité des touristes qui visitent le Québec.

Observe et construis  

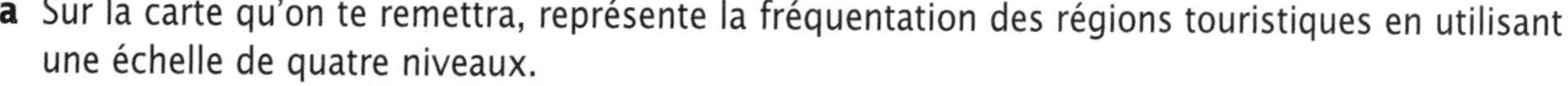

a Sur la carte qu'on te remettra, représente la fréquentation des régions touristiques en utilisant une échelle de quatre niveaux.

b Quelles régions touristiques sont les plus fréquentées au Québec ? Pourquoi, à ton avis ? Prête une attention particulière à la situation géographique de ces régions.

Les attraits touristiques 

Selon toi,

- qu'est-ce qui attire les visiteurs dans les différentes régions touristiques du Québec ?

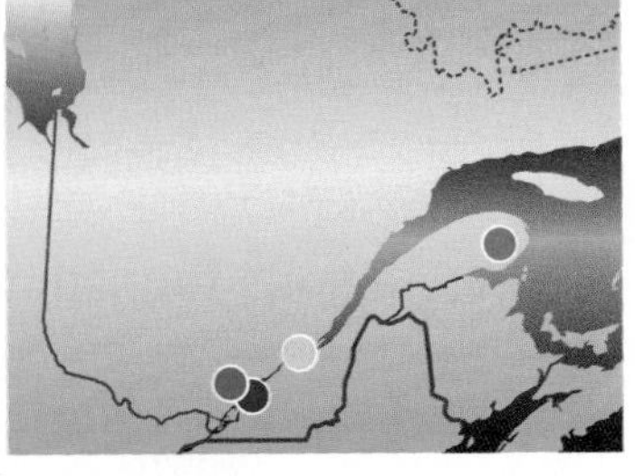

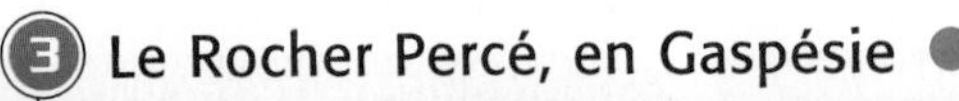

3 Le Rocher Percé, en Gaspésie

Les attraits naturels attirent chaque année de nombreux touristes qui vont y admirer les paysages, pratiquer une activité sportive ou séjourner en pleine nature.

4 Le Biodôme de Montréal

La construction d'infrastructures spécialisées permet d'attirer plus de touristes dans une région. Certaines sont mises en place dans le cadre d'un événement spécial, par exemple les Jeux olympiques, l'Exposition universelle ou un grand festival. La plupart de ces infrastructures sont destinées à l'éducation, à la recherche et à la conservation (ex. : le Biodôme de Montréal) ou à la récréation (ex. : La Ronde).

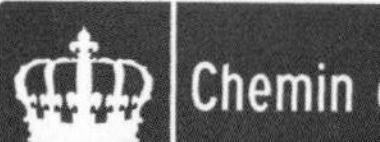

Chemin du Roy

5 Sur les traces du passé

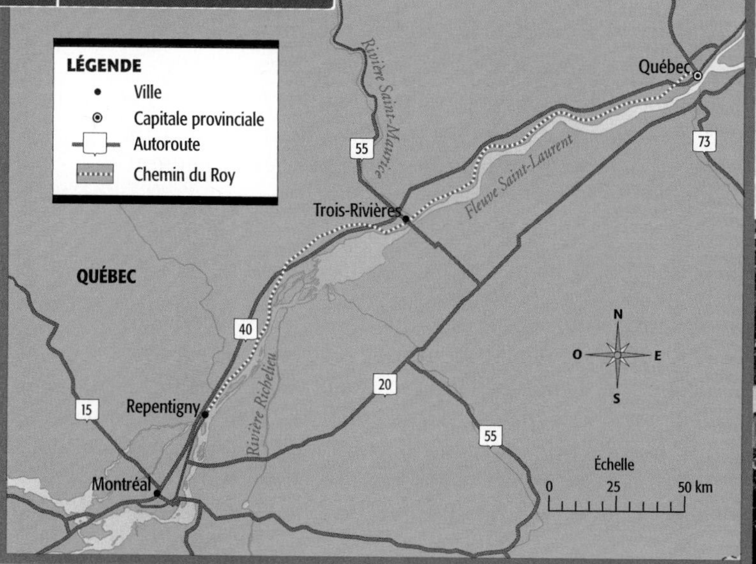

5A Le chemin du Roy

5B Le Vieux-Montréal

Les circuits historiques des régions et des vieux quartiers des villes permettent aux touristes de se familiariser avec l'histoire et la culture locales. Ils peuvent y voir des édifices qui témoignent de l'architecture traditionnelle associée au mode de vie d'autrefois.

6 Des traditions et des événements culturels

6A Le Carnaval d'hiver de Québec

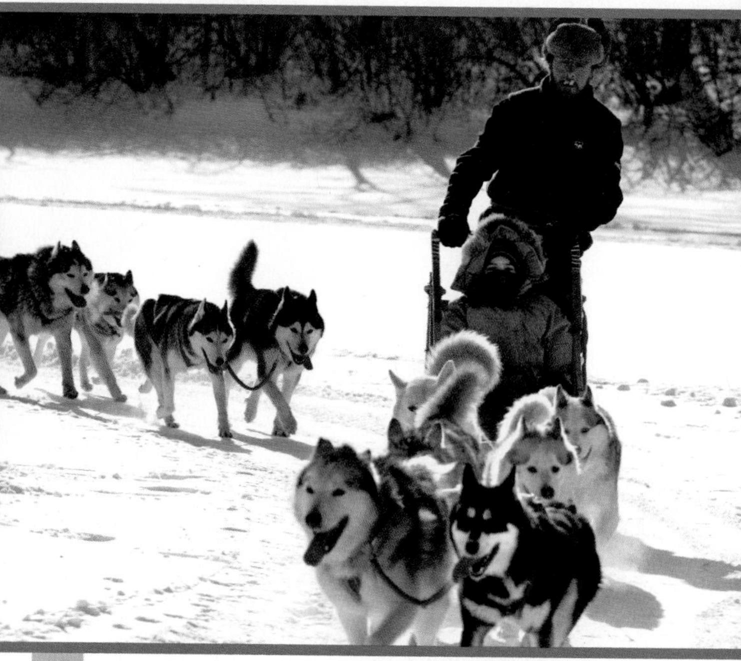

6B Sainte-Marguerite-Estérel, dans les Laurentides

Les traditions des Autochtones et l'hiver québécois, entre autres, attirent de nombreux visiteurs étrangers. Vivre une expérience liée au mode de vie autochtone ou participer au Carnaval d'hiver de Québec sont des activités qu'ils apprécient.

Observe et construis    

a En quoi les attraits présentés dans les documents 3 et 4 sont-ils différents ? En quoi sont-ils semblables ?
b En quoi ceux des documents 5 et 6 sont-ils différents ? En quoi sont-ils semblables ?

Point de mire

Le développement de la station touristique du Mont-Tremblant

Le **tourisme** est une source importante de revenus pour une région. Au Québec et ailleurs dans le monde, de nombreuses régions subissent des transformations afin d'attirer davantage de visiteurs. Or, le développement touristique entraîne inévitablement la **commercialisation** de certains lieux.

La région du Mont-Tremblant

La fréquentation du mont Tremblant a commencé bien avant que les Laurentides ne deviennent une région touristique. Déjà, les Autochtones et les colons français connaissaient les richesses naturelles de ses forêts. Depuis, les activités forestières, qui dominaient au début du 20e siècle, ont été éclipsées par les activités récréatives. Le parc national du Mont-Tremblant, qui occupe une partie de la montagne, a une importante vocation de **conservation** des espèces animales et végétales. La station touristique du Mont-Tremblant, consacrée aux activités récréotouristiques, occupe l'autre partie de la montagne.

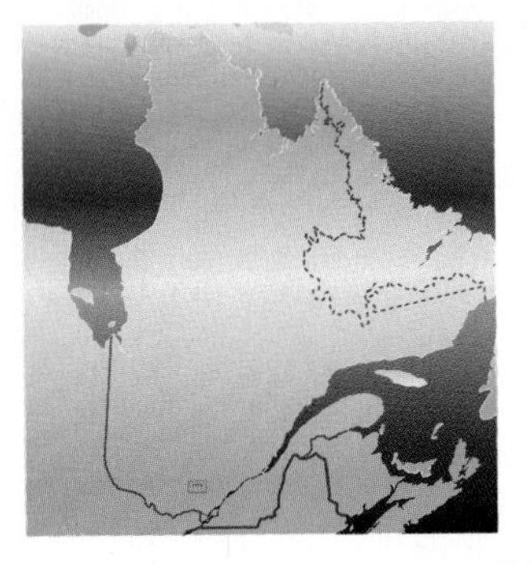

Le projet

Les **ressources** naturelles de la région du Mont-Tremblant et des Laurentides constituent un attrait majeur. Son relief accidenté, dont le sommet du mont Tremblant, qui atteint 968 m, est composé de lacs, de forêts, de vallées et de rivières. De plus, la région jouit d'abondantes chutes de neige, idéales pour les activités sportives d'hiver.

7A

LÉGENDE
- Ville
- Parc national
- Zone d'activité
- Zone d'activité projetée
- Cours d'eau
- Piste cyclable
- Golf
- Domaine skiable
- Remontée mécanique
- Route
- Limite du parc

QUÉBEC
Lac Tremblant
Versant Sud
Versant Nord
Camp Nord
Mont Tremblant (968 m)
Village piétonnier
Domaine de la Forêt
Versant Soleil
Parc national du Mont-Tremblant
Rivière du Diable
327
Domaine du Géant
Domaine du Versant Soleil
Montée Ryan
Chemin Duplessis
Lac Mercier
Lac Moore
Mont-Tremblant (secteur Le Village)
Aéroport international de Mont-Tremblant (35 km)
Échelle 0 1,5 3 km
N E S O

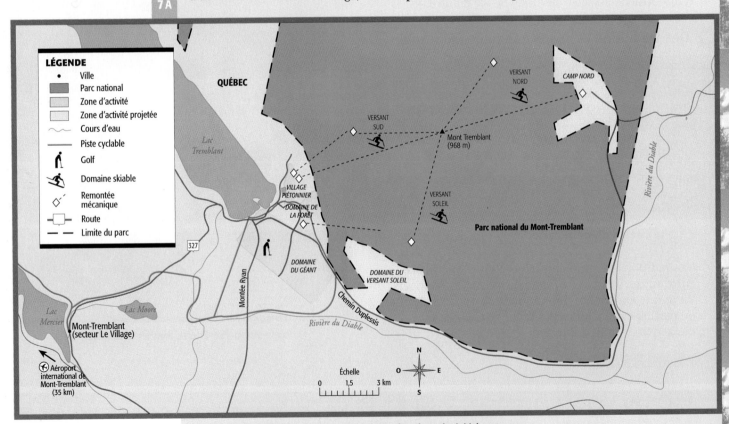

Les travaux liés aux trois zones d'activité prévues dans le projet initial sont maintenant achevées. Ces zones sont le Domaine du Géant, le Domaine de la Forêt et le Village piétonnier. Les promoteurs projettent deux autres développements, le Versant Soleil et le Camp Nord.

Commercialisation : Action de mettre en marché un produit ou un service.

En 1938, Joe Ryan, un riche américain, a conçu un projet d'**aménagement** du mont Tremblant en centre de ski. Ce projet a été poursuivi au cours des années 1990 par une importante **multinationale** du secteur touristique. Avec l'aide financière des gouvernements du Québec et du Canada, qui ont investi dans les infrastructures (routes, aqueducs, égouts, etc.), cette entreprise a réalisé un projet récréotouristique d'envergure internationale. Aujourd'hui, la station touristique du Mont-Tremblant compte parmi les développements touristiques les plus ambitieux de la décennie en Amérique du Nord. Elle accueille 2,3 millions de touristes par année, et les promoteurs prévoient doubler ce nombre lorsque les nouveaux aménagements seront complétés.

Les impacts

Le Village piétonnier de la station est au centre des activités commerciales de la région. Les touristes apprécient le fait de trouver toutes les infrastructures (récréation, sport, hébergement) dans un même lieu. De plus, les intervenants du milieu économique voient d'un bon œil la création de nombreux emplois liés à la station.

Cependant, la réalisation d'un tel projet n'est pas sans conséquences moins positives. L'aménagement des infrastructures routières et aériennes augmente la fréquentation de la région, de sorte que certains résidants se sentent envahis. De plus, une telle concentration de biens et de services a pour conséquence de diminuer l'achalandage dans les autres commerces de la municipalité de Mont-Tremblant.

Par ailleurs, l'arrivée de la station touristique a entraîné une hausse importante du prix des maisons et des logements, ce qui rend la situation difficile pour les résidants. Pour leur part, des intervenants pour la conservation du milieu naturel voient dans la station touristique une menace pour les **écosystèmes** de la montagne. Cependant, les promoteurs doivent se plier aux lois environnementales qui visent la préservation des zones naturelles. Ainsi, seul le domaine skiable a été aménagé dans une zone protégée, ce qui a quand même pour effet de fragmenter l'habitat des animaux. Les lieux récréotouristiques (boutiques, restaurants, hôtels, appartements, etc.) se trouvent à l'extérieur des zones protégées.

7B La station touristique du Mont-Tremblant ressemble à beaucoup d'autres installations de ce genre dans le monde. On y trouve les mêmes types de boutiques, de restaurants, de chaînes d'hôtels, etc.

Observe et construis ⑦

c Décris les principaux aménagements nécessaires au développement de la station touristique du Mont-Tremblant.

d À ton avis, est-ce que les particularités de la région ont été préservées au cours des travaux d'aménagement ? Pourquoi ?

e À l'aide d'une carte routière du Québec, décris le trajet pour te rendre à la station touristique du Mont-Tremblant. Calcule la distance entre Montréal et cette station touristique.

B Un enjeu territorial

Le développement du **tourisme** contribue à l'essor d'une région. Il est donc tentant de vouloir attirer les touristes à tout prix. Les autorités tentent évidemment de favoriser le développement touristique tout en préservant les particularités de la région. Comment certaines régions touristiques y arrivent-elles? Quels aspects faut-il considérer pour réussir le développement touristique d'une région?

Enjeu

Développer une région touristique: les Îles-de-la-Madeleine

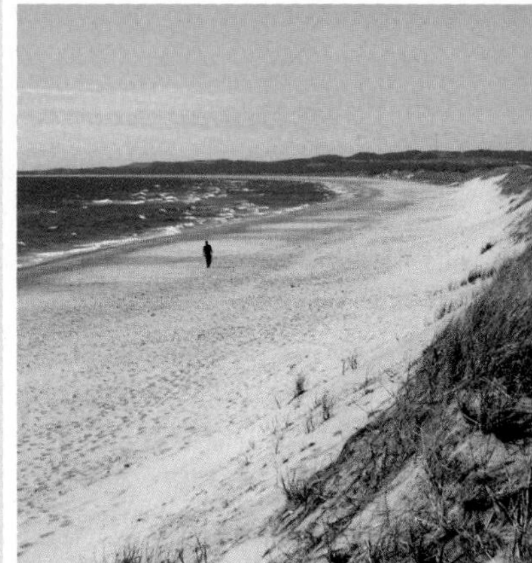

A La plage du Havre

Aux Îles-de-la-Madeleine, est-il possible de développer le tourisme tout en préservant les particularités de la région?

page 286

Ton défi

Fiche 5.1.4

Un portrait du tourisme au Québec: pour ou contre un village de vacances? (Deuxième partie)

Cette deuxième partie du chapitre 1 te présente la région touristique des Îles-de-la-Madeleine. Dans cette partie, tu te prononceras pour ou contre un projet fictif d'aménagement d'un village de vacances dans cette région et tu présenteras tes arguments sur ta planche descriptive.

1. Tiens compte des particularités de la région et des infrastructures nécessaires (hôtels, routes, restaurants, boutiques, etc.) pour répondre aux besoins des visiteurs. Considère également les opinions des groupes de pression de la région: citoyens, environnementalistes, gens d'affaires, etc.
2. La deuxième partie de ta planche descriptive doit présenter une carte touristique de la région, à laquelle tu ajouteras des photos, des tableaux ou des diagrammes.

Pour y arriver,

1. Fais un tableau semblable au suivant pour organiser l'information que tu recueilleras sur la région.

	Sources
Caractéristiques géographiques	
Caractéristiques économiques	
Caractéristiques sociales	
Attraits touristiques	
Portrait de l'industrie touristique de la région	
Infrastructures nécessaires à l'aménagement d'un village de vacances	

2. N'hésite pas à recourir à d'autres sources d'information (Internet, guides touristiques, cartes routières, atlas, etc.) ou à tes propres expériences touristiques.
3. Au besoin, consulte la section Ressources géo (p. 342) pour revoir les techniques dont tu auras besoin.
4. Consulte la rubrique Ton défi – À l'œuvre! (p. 291) pour finaliser ta planche descriptive.

Un enjeu lié au territoire touristique

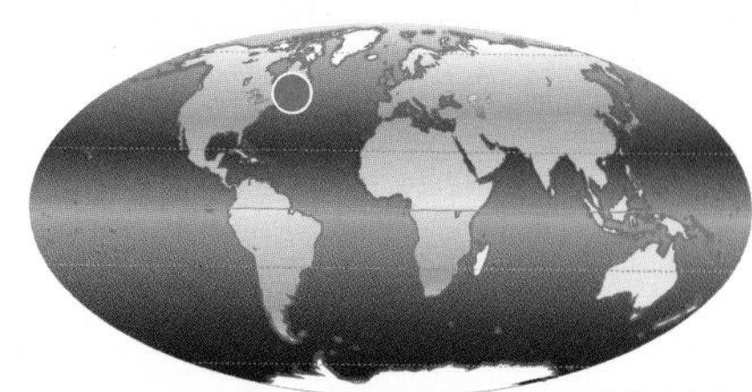

B Une occupation originale du territoire

C Un sport de vent dans la baie du Havre aux Basques

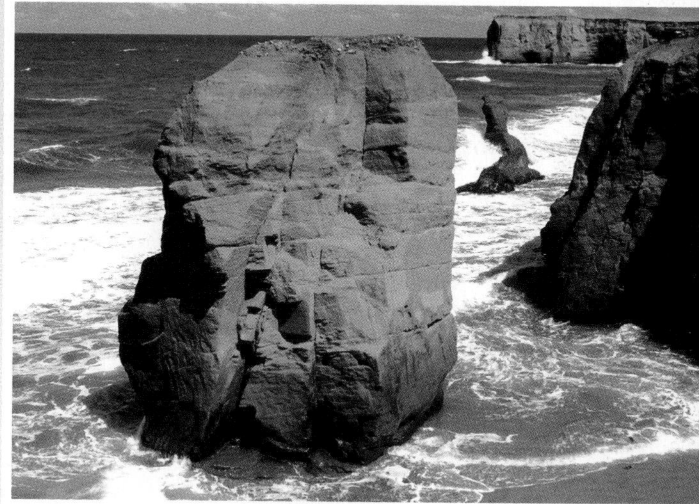

D Des falaises rouges aux formes spectaculaires

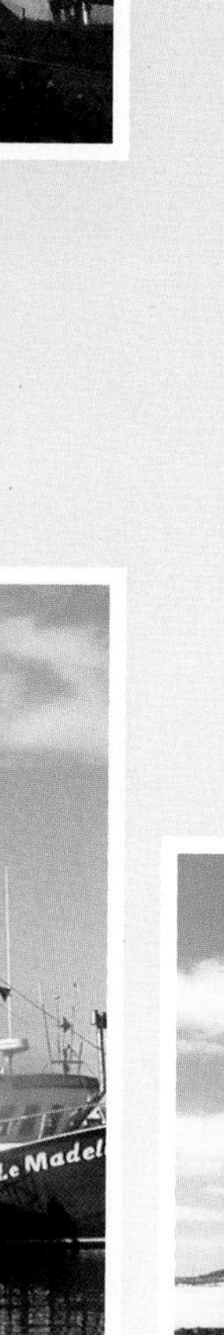

E Des bateaux de pêche au quai de Cap-aux-Meules

F Un hommage aux marins disparus, à L'Étang-du-Nord

Enjeu

Développer une région touristique : les Îles-de-la-Madeleine

Fiche 5.1.5

Selon toi,

- quelles sont les particularités des Îles-de-la-Madeleine ?
- de quoi vivent les Madelinots ?

Pour te familiariser avec le phénomène du tourisme,

1. Mène une enquête auprès d'une dizaine de personnes de ton milieu. Questionne-les sur leur dernière destination de vacances, la durée de leur voyage, les attraits qu'ils recherchaient, etc.
2. Compile les résultats obtenus, formule des conclusions et compare-les avec celles d'autres élèves.

1 Une région touristique en pleine mer

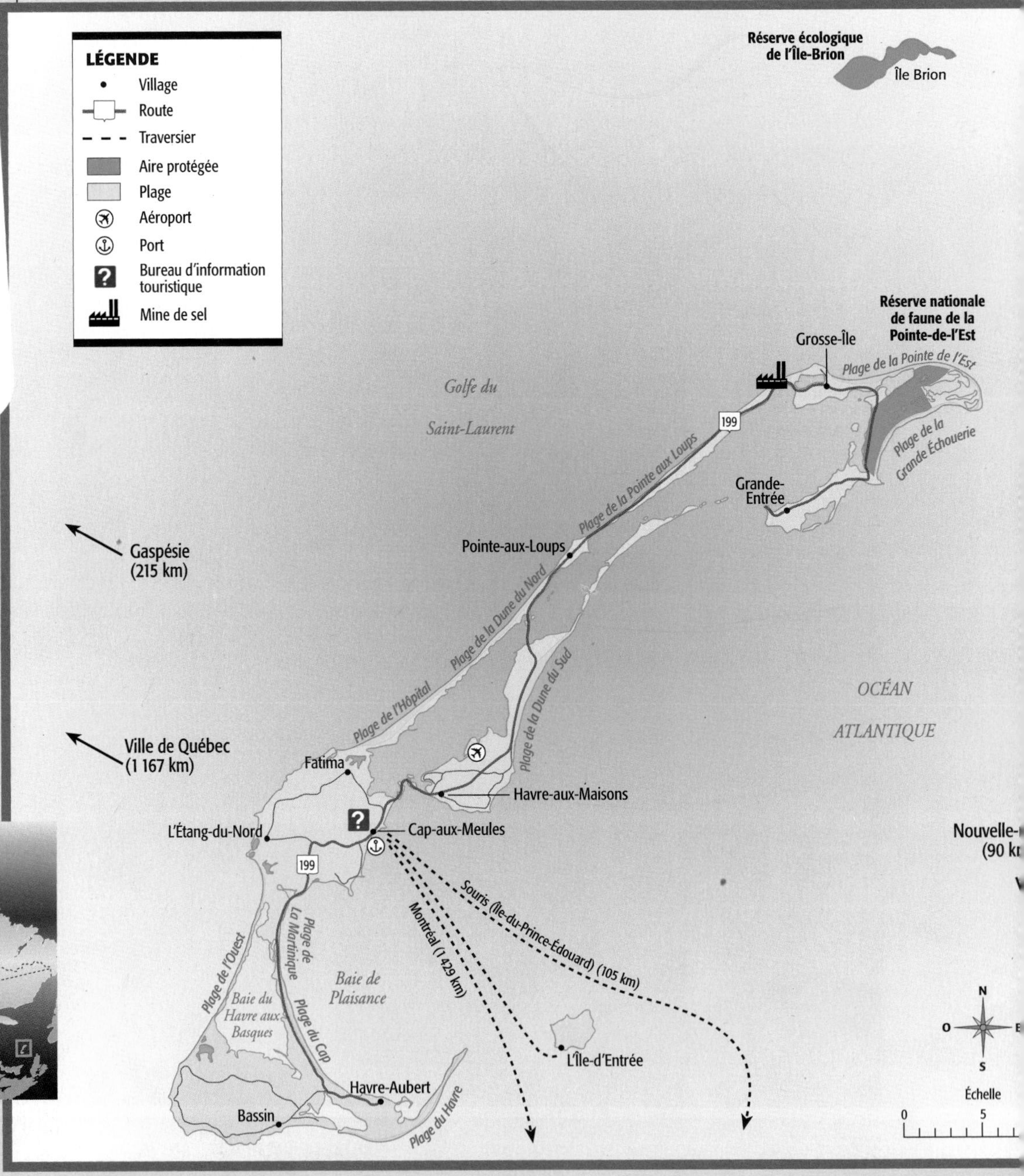

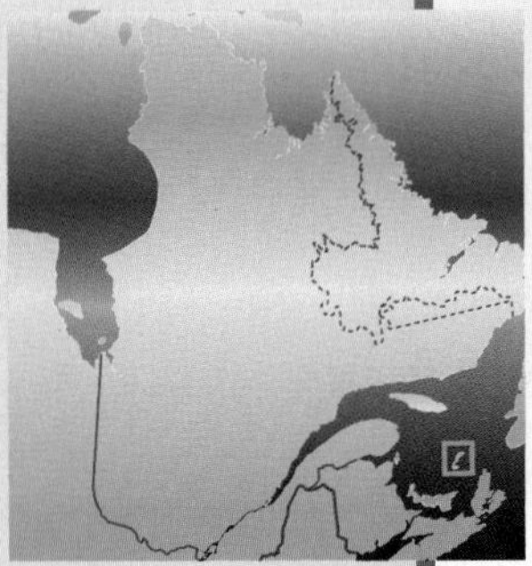

L'**archipel** des Îles-de-la-Madeleine forme un mince croissant de quelque 65 km. Plus de 30 % de la superficie terrestre de l'archipel est constitué de dunes, et 300 km de plages ceinturent les Îles. En 2004, près de 12 800 personnes habitaient les Îles-de-la-Madeleine.

2 Des faits et des chiffres

L'économie des Îles-de-la-Madeleine repose sur différents secteurs, mais les emplois y sont souvent temporaires ou saisonniers.

- L'industrie de la pêche est le secteur économique le plus important des Îles. Elle procure deux emplois sur trois et génère des revenus de plus de 54 millions de dollars par année. L'archipel compte 12 ports de pêche et 9 usines de transformation.
- L'exploitation minière fait travailler plus de 200 personnes. La mine de sel génère des revenus annuels d'environ 12 millions de dollars.
- L'industrie touristique fait vivre environ 1 500 personnes. Elle rapporte 25 millions de dollars par année.
- Durant la saison estivale, les Madelinots accueillent près de 50 000 visiteurs, qui passent en moyenne 7 jours aux Îles. On estime qu'une centaine d'entreprises vivent directement du tourisme. Plusieurs d'entre elles affichent un chiffre d'affaires annuel supérieur à 100 000 $.
- Le chômage n'épargne pas la région, surtout l'hiver, alors que le quart de la population active est sans emploi. Le taux de chômage est à son plus bas niveau en été.
- La population des Îles-de-la-Madeleine a chuté de 6,4 % entre 1996 et 2001. Les jeunes quittent l'archipel pour poursuivre leurs études ou trouver du travail. L'âge moyen de la population a donc tendance à s'élever.

Sources : Gouvernement du Québec, 2003 ; SADC des Îles-de-la-Madeleine, 2003.

3 Le climat et les précipitations

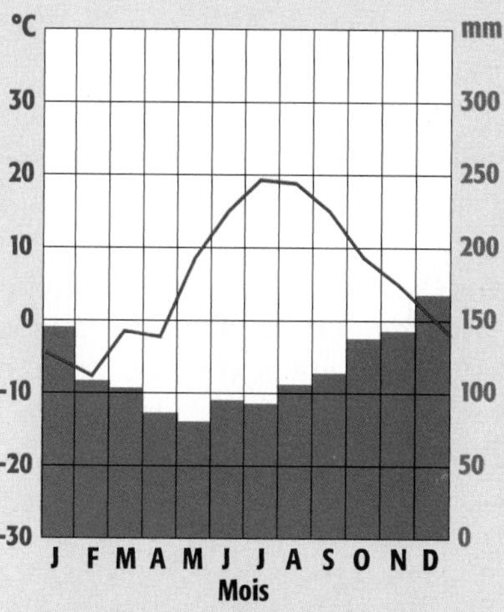

La région des Îles-de-la-Madeleine jouit d'un climat maritime. Les hivers sont doux et les étés sont frais.

4 Les dunes

La végétation joue un rôle important dans le maintien des dunes. Elle empêche le vent et les vagues d'emporter le sable, particulièrement lors des tempêtes.

Observe et construis 1 2 3 4

a Décris la région des Îles-de-la-Madeleine.

b Décris le contexte économique et social de cette région.

c Compare le nombre de touristes qui visitent l'archipel au cours d'une année avec sa population locale. Que constates-tu ?

d Sur une carte routière du Québec, repère ta ville ou ton village et trace la route qui te mènerait aux Îles-de-la-Madeleine. Calcule la distance à parcourir pour t'y rendre. Énumère chacun des moyens de transport que tu pourrais utiliser. Combien de provinces canadiennes traverserais-tu ?

e Qu'aimerais-tu voir et faire lors d'un séjour aux Îles-de-la-Madeleine ?

Le développement touristique des Îles-de-la-Madeleine

Fiche 5.1.6

Selon toi,

- quelle forme de **tourisme** pratique-t-on aux Îles-de-la-Madeleine ?
- quelles installations touristiques y trouve-t-on ?
- de quelles contraintes le développement touristique de la région doit-il tenir compte ?

5 Les infrastructures d'accueil

Type	Nombre
Aéroport	De 35 à 55 vols par semaine en provenance de Montréal, auxquels s'ajoutent des vols d'autres provenances.
Port (ouvert 10 mois par année)	Un traversier (750 places) 9 fois par semaine, un bateau de croisière (400 places) en provenance de Montréal, une fois par semaine
Hébergement (hôtels, gîtes, campings, etc.)	Environ 1 100 chambres et 700 emplacements de camping
Restaurants	Environ 25 restaurants qui offrent plus de 1 500 places
Excursions nautiques	6 entreprises qui offrent différents forfaits
Location d'automobiles	6 bureaux de location
Aires protégées et musées	3 aires protégées et 12 musées

Source : Tourisme Îles-de-la-Madeleine, 2004.

La fréquentation touristique des Îles-de-la-Madeleine a doublé depuis le milieu des années 1970. Accueillir 50 000 visiteurs chaque année nécessite de l'ingéniosité, car il n'y a pas de grands complexes hôteliers dans l'**archipel**. On tend à privilégier le plus possible un mode d'hébergement simple (camping, hébergement chez les Madelinots, etc.), qui nécessite peu d'infrastructures. Pour les séjours estivaux, il faut parfois réserver un vol ou une traversée très tôt en raison du fort achalandage.

6 Attention ! Frag'îles

Le piétinement hors des sentiers et la circulation de véhicules tout-terrain empêchent l'enracinement de la végétation. La venue de milliers de touristes chaque été augmente ces risques. Pour préserver le caractère unique des Îles-de-la-Madeleine, le Comité Frag'îles, créé en 1988, a mis sur pied plusieurs projets : sensibilisation de la population locale et des visiteurs à l'importance de protéger l'archipel, **aménagement** de sentiers d'interprétation, construction de trottoirs de bois, pressions auprès des autorités pour restreindre l'utilisation des quatre-quatre dans les dunes, etc.

7 Points de vue

7A J'en ai assez !

Chaque année, entre le 15 juin et le 15 septembre, je vois débarquer aux Îles un nombre grandissant de touristes. Leur venue est une source de revenus et d'emplois, mais ils envahissent ma vie ! Par exemple, le nombre d'autos augmente tellement sur les routes qu'elles finissent par créer des bouchons de circulation dans mon village ! Qu'arrivera-t-il lorsque nous devrons faire la file au marché, à la banque, au garage et au club vidéo ? Si le nombre de touristes augmente chaque été, nous vivrons comme en ville ! Déjà, certains commerçants en profitent pour augmenter leurs prix. Mais je ne peux pas aller magasiner ailleurs, puisque je vis sur une île...

Rémi Dussault
Cap-aux-Meules

7B Amenez-en des touristes !

Au mois de février, je mets toujours une petite annonce dans le journal pour louer ma maison aux touristes. D'ailleurs, plusieurs Madelinots font comme moi. Les touristes aiment loger dans une maisonnette ou un chalet avec vue sur la mer. La plupart préfèrent de loin cette forme d'hébergement. L'an dernier, en une semaine seulement, j'ai loué ma maison pour toute la saison estivale, à 900 $ par semaine. L'été venu, ma famille déménage dans la roulotte installée derrière la maison. Ce revenu d'appoint que nous apportent les touristes est bien utile. Nous avons trois enfants en bas âge, et mon mari travaille comme guide touristique au musée. L'été, il est très occupé, mais il se retrouve sans emploi en hiver.

Iris Leducq
Havre-aux-Maisons

La haute saison touristique estivale dure en moyenne 60 jours. Depuis quelques années, les Madelinots se tournent vers le tourisme d'hiver pour lutter contre le chômage saisonnier. Au programme : excursions en kayak de mer, promenades en traîneau à chiens, observation des blanchons sur la banquise, etc. Cependant, les très beaux paysages d'hiver sont réservés à une clientèle restreinte. En effet, l'accès aux Îles-de-la-Madeleine et aux gîtes est limité pendant cette saison. Le service de traversier, par exemple, est interrompu durant les mois de février et mars.

8 Un blanchon sur la banquise

Observe et construis 5 6 7 8

a À ton avis, que recherchent les touristes aux Îles-de-la-Madeleine ?

b À ton avis, l'aménagement touristique actuel des Îles respecte-t-il les particularités de la région ?

c De quelle manière les Madelinots tentent-ils de préserver leur milieu de vie ? Quel aspect particulier de la situation géographique des Îles accentue les problèmes provoqués par la fréquentation touristique ?

9 Des nouvelles des médias

COMMUNIQUÉ
UNE CARTE D'ACCÈS AUX ÎLES-DE-LA-MADELEINE?

Ministère de l'Environnement du Québec – L'idée d'une carte d'accès fait l'objet d'une étude aux Îles-de-la-Madeleine. En effet, on évalue la possibilité de faire payer une taxe d'entrée de 10 $ aux touristes. Certains y voient un moyen de faire d'une pierre deux coups.

L'appui de la population au projet pourrait signifier un apport de revenus d'environ 400 000 $ par année. Cet argent pourrait servir à améliorer les infrastructures destinées aux touristes, mais aussi à financer des projets de protection de l'environnement. Si le flot annuel de touristes est essentiel à l'économie de la région, il affecte aussi son environnement. Par exemple, la présence d'un grand nombre de touristes contribue à la baisse des réserves d'eau potable des Îles. De plus, les services de la voirie arrivent à peine à traiter les déchets associés à la venue massive de touristes. Le problème est d'autant plus important que ceux-ci ne respectent pas toujours le règlement de la région en matière de recyclage des déchets.

arobas

Les attraits d'une autre région touristique

Choisis une région touristique du Québec autre que les Îles-de-la-Madeleine et décris quelques-uns de ses attraits.

Pour trouver de l'information sur une région touristique du Québec, lance une recherche dans Internet à l'aide du mot « Tourisme » et du nom d'une autre région du Québec.

10 Les facteurs de succès du tourisme

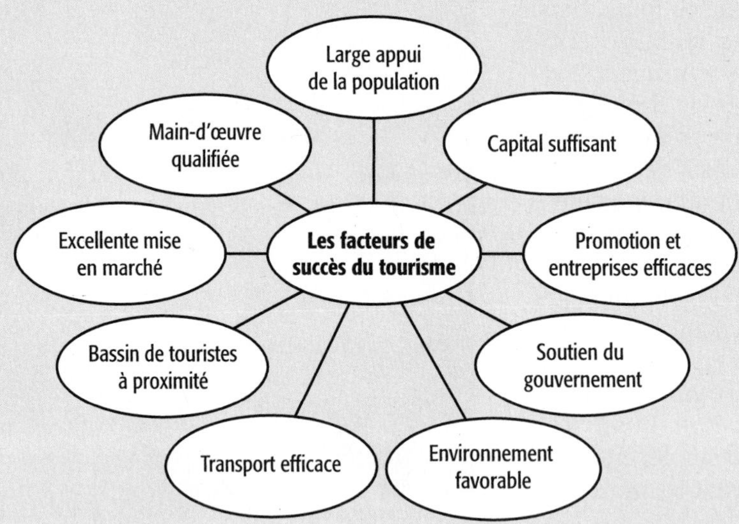

Il ne suffit généralement pas de décider de promouvoir le tourisme pour qu'il soit rentable. Le succès ou l'échec du tourisme dans une région dépend de plusieurs facteurs.

Observe et construis 9 10

d Parmi les facteurs de succès du tourisme, lesquels sont déjà présents aux Îles-de-la-Madeleine? Lesquels faudrait-il développer? Quelles conséquences ce développement aurait-il?

e Quelle solution permettrait de diminuer les effets négatifs du tourisme aux Îles-de-la-Madeleine?

Ton défi

Fiche 5.1.7

À l'œuvre !

Il est maintenant temps de compléter ta planche descriptive à l'aide des renseignements que tu as recueillis.

1. Assure-toi que ta planche descriptive est divisée en deux parties. La première partie doit présenter des aspects du tourisme au Québec et une carte des régions touristiques du Québec. La seconde partie doit être consacrée à la région touristique des Îles-de-la-Madeleine et inclure une carte de cette région.
2. Assure-toi que tes deux cartes comportent un titre et une légende claire.
3. Ajoute sur ta carte des Îles-de-la-Madeleine l'information que tu as trouvée pour soutenir ton point de vue.
4. Pour évaluer pleinement la faisabilité du projet de village de vacances, réfléchis aux questions suivantes :

- À quel endroit des Îles-de-la-Madeleine pourrait être construit ce village de vacances ? Qu'est-ce qui en ferait un endroit approprié ?
- Quelles activités pourraient être proposées aux touristes qui fréquenteraient ce village de vacances ?
- Quelles infrastructures faudrait-il y construire ?
- Quelles conséquences la venue d'un plus grand nombre de touristes aurait-elle sur l'hébergement ? sur les restaurants ? sur les déplacements routiers ? sur le milieu naturel ? sur les emplois et la vie des Madelinots ?
- Quels aménagements additionnels seraient nécessaires pour faciliter l'accès des touristes aux Îles ?

DOSSIERS

Fiche 5.1.9

Ailleurs

À l'aide de la section Dossiers du module 5 (p. 310), compare le territoire touristique des Îles-de-la-Madeleine avec celui d'une autre région du monde. Qu'est-ce que ces territoires ont en commun ? Qu'est-ce qui les distingue ?

Synthèse

Fiche 5.1.8

Fais le point sur ce que tu as appris dans cette partie du module en répondant de nouveau aux questions des « Selon toi » ou en construisant un schéma organisateur.

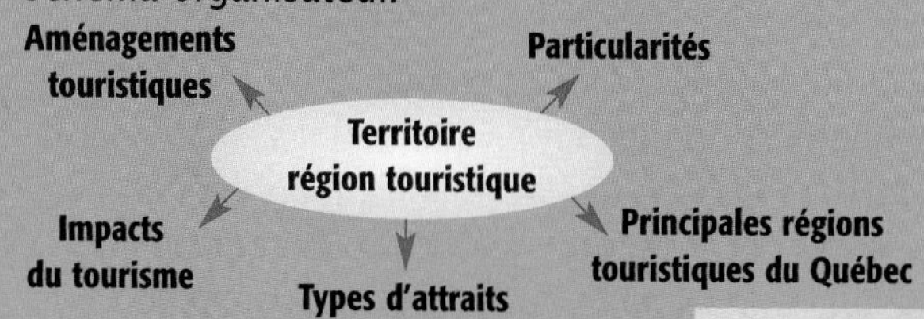

Bilan

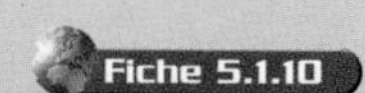

Fiche 5.1.10

1 Comment as-tu procédé pour analyser les conséquences d'un projet de village de vacances aux Îles-de-la-Madeleine ?

2 Que voudrais-tu améliorer lors d'une prochaine production ?

3 Ton attitude par rapport au tourisme a-t-elle changé ? est-elle restée la même ? Explique pourquoi.

4 Que souhaiterais-tu améliorer dans ta façon de travailler en équipe ?

Chapitre 2 La planète et ses enjeux

A Le contexte planétaire

De tout temps, les habitants de la Terre ont eu envie de découvrir d'autres paysages et de connaître d'autres cultures. Autrefois, les explorateurs partaient à la recherche de terres lointaines alors qu'aujourd'hui, lorsque nous faisons du tourisme, c'est pour le plaisir — ou les affaires. Depuis les années 1800, nous connaissons mieux notre planète, et les moyens de transport se sont constamment améliorés. Le **tourisme** est aujourd'hui l'activité économique la plus importante au monde. C'est une vraie mine d'or !

Pourquoi le tourisme a-t-il pris une telle importance ? De quelles parties du monde proviennent surtout les touristes ? Quelles parties du monde les attirent le plus ? Quels moyens sont utilisés pour faire la promotion du tourisme ?

Ton défi

Fiche 5.2.1

Pour ou contre le tourisme de masse ? [Première partie]

Aujourd'hui, le tourisme prend diverses formes : expédition sportive, visite culturelle, séjour au soleil ou à la montagne, safari, croisière, etc. Par ailleurs, il est lié à des destinations de plus en plus lointaines. À première vue, le tourisme n'a que des avantages, mais est-ce vraiment le cas ? Et si le tourisme, particulièrement le tourisme de masse, avait autant de conséquences négatives que d'avantages ?

Ton défi consiste à te prononcer pour ou contre le tourisme au cours d'un débat qui aura lieu en classe.

La réalisation de ton défi se fera en deux temps. Dans la première partie, tu auras à démontrer ta compréhension du phénomène du tourisme dans le monde. Dans la deuxième partie, tu te consacreras à la préparation et à la présentation d'arguments pour et contre le tourisme de masse.

Pour y arriver,

1. Décris la situation en tenant compte des aspects suivants :
   - le tourisme de masse ;
   - les lieux les plus fréquentés par les touristes ;
   - l'industrie touristique ;
   - les retombées mondiales du tourisme.
2. Repère la rubrique Ton défi – En marche (p. 297) et fais l'activité qui y est proposée.
3. Consulte, au besoin, la section Ressources géo (p. 342) pour savoir comment lire une carte routière ou pour revoir les habiletés techniques qui ont déjà été abordées.

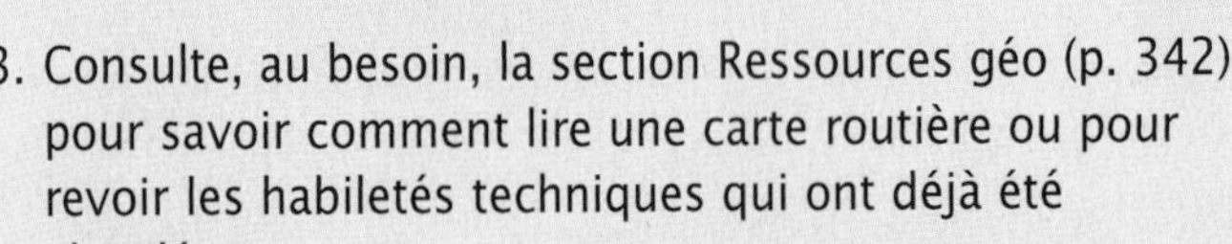

4. Consulte d'autres sources : atlas, sites Internet, encyclopédies, guides touristiques, documentaires, etc.
5. Lis la rubrique Ton défi – À l'œuvre ! (p. 299) pour finaliser ta préparation du débat.

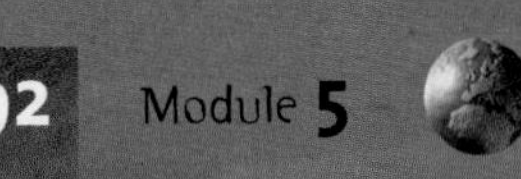

Le tourisme de masse 

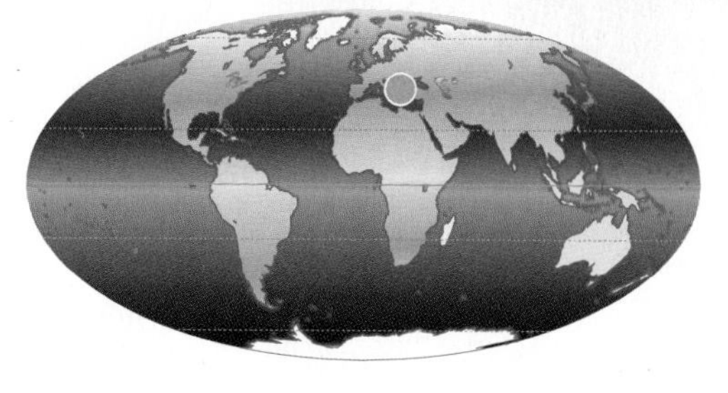

- qui sont les touristes?
- qu'est-ce que le tourisme de masse?
- pourquoi le tourisme a-t-il pris tant d'importance au fil des ans?

1 Les catégories de voyageurs

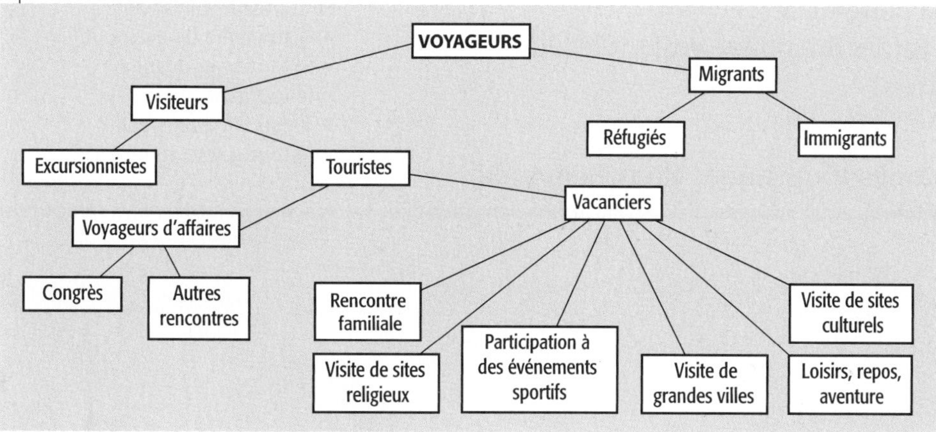

Tourisme de masse: Voyages accessibles à un grand nombre de personnes. Cette possibilité entraîne un grande fréquentation de certains lieux touristiques.

Selon l'industrie touristique, 37,5 % des voyageurs préfèrent les voyages organisés. Ils achètent un forfait, c'est-à-dire un séjour « tout compris ». Ce forfait comprend habituellement le gîte, les repas, le transport et certaines activités.

2 Des touristes sur la place de la basilique Saint-Pierre de Rome, en Italie

Le **tourisme de masse** a commencé à se développer vers la fin des années 1950. À cette époque, les gens ont connu une amélioration de leur niveau de vie, et les travailleurs ont peu à peu bénéficié de congés payés. Par ailleurs, les transports aériens se sont beaucoup développés, et les prix des voyages ont baissé. À l'échelle de la planète, le tourisme demeure toutefois un privilège réservé à une minorité aisée.

Observe et construis  

a En quoi les visiteurs et les migrants diffèrent-ils? Pourquoi les excursionnistes sont-ils à part?

b Quelles sont les principales caractéristiques du tourisme de masse?

Le tourisme dans le monde

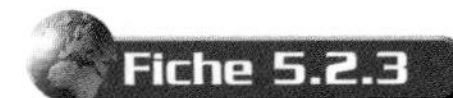

Selon toi,

- quels sites touristiques méritent d'être visités? Où sont-ils situés?
- dans quelles parties du monde trouve-t-on de nombreux sites touristiques importants?
- qu'est-ce que l'industrie touristique? À qui rapporte-t-elle?
- quelles parties du monde attirent le plus de touristes?

Des voyages pour tous les goûts

Trouve un lieu et une activité associés aux différentes formes de tourisme suivantes:

- le tourisme balnéaire,
- le tourisme «blanc»,
- le tourisme «vert»,
- le tourisme religieux,
- le tourisme culturel.

L'existence de foyers touristiques repose sur des **ressources** naturelles ou culturelles, ou encore sur des infrastructures transformées en produits de consommation. Les zones côtières et les grandes villes sont les principaux **foyers touristiques**.

3 Les attraits touristiques dans le monde

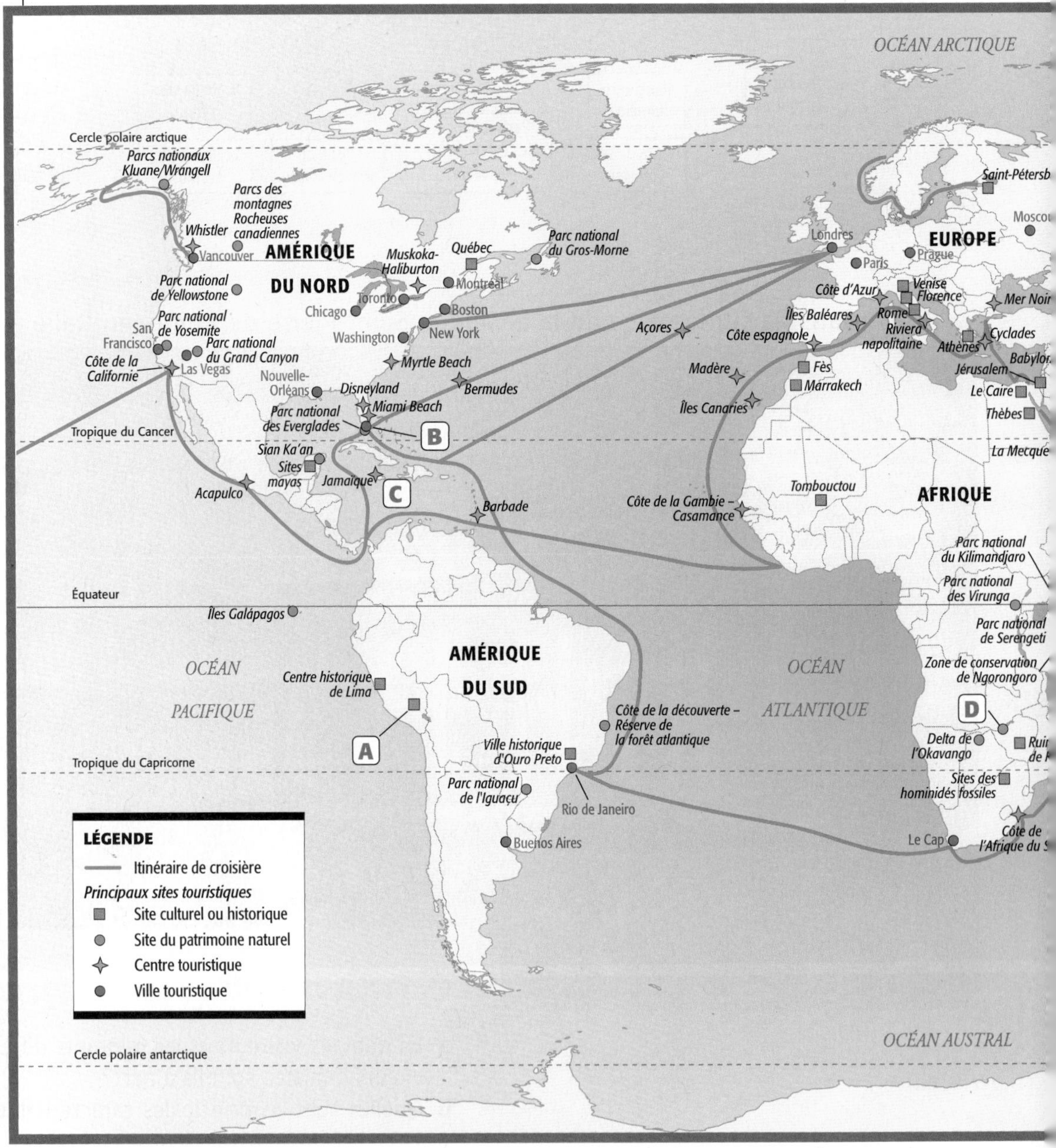

OCÉAN ARCTIQUE
Cercle polaire arctique
Parcs nationaux Kluane/Wrangell
Parcs des montagnes Rocheuses canadiennes
Whistler
Vancouver
AMÉRIQUE DU NORD
Parc national de Yellowstone
Parc national de Yosemite
San Francisco
Parc national du Grand Canyon
Côte de la Californie
Las Vegas
Chicago
Muskoka-Haliburton
Toronto
Québec
Montréal
Parc national du Gros-Morne
Boston
New York
Washington
Myrtle Beach
Nouvelle-Orléans
Disneyland
Bermudes
Miami Beach
Parc national des Everglades
B
Tropique du Cancer
Sian Ka'an
Sites mayas
Jamaïque
C
Acapulco
Barbade
Açores
Londres
Paris
Prague
Saint-Pétersb
Moscou
EUROPE
Côte d'Azur
Venise
Florence
Îles Baléares
Rome
Riviera napolitaine
Côte espagnole
Athènes
Cyclades
Mer Noir
Babylon
Jérusalem
Le Caire
Thèbes
La Mecque
Madère
Fès
Marrakech
Îles Canaries
Tombouctou
AFRIQUE
Côte de la Gambie – Casamance
Parc national du Kilimandjaro
Parc national des Virunga
Parc national de Serengeti
Zone de conservation de Ngorongoro
D
Delta de l'Okavango
Ruin de
Sites des hominidés fossiles
Le Cap
Côte de l'Afrique du S
Équateur
Îles Galápagos
OCÉAN PACIFIQUE
AMÉRIQUE DU SUD
Centre historique de Lima
A
Côte de la découverte – Réserve de la forêt atlantique
Ville historique d'Ouro Preto
Tropique du Capricorne
Parc national de l'Iguaçu
Rio de Janeiro
Buenos Aires
OCÉAN ATLANTIQUE
OCÉAN AUSTRAL
Cercle polaire antarctique

LÉGENDE
Itinéraire de croisière
Principaux sites touristiques
Site culturel ou historique
Site du patrimoine naturel
Centre touristique
Ville touristique

A Le Machu Picchu, au Pérou

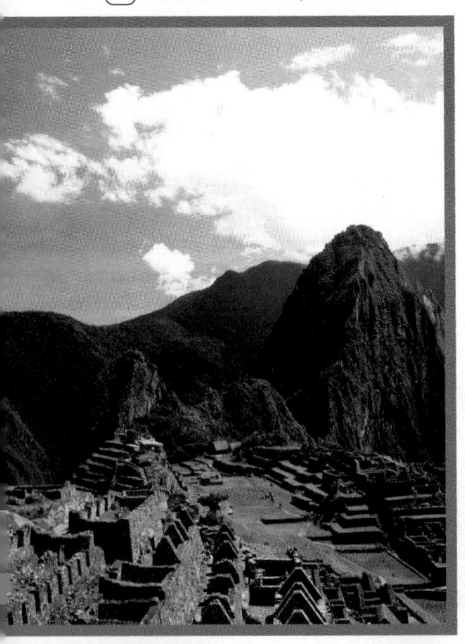

B La ville de Miami, aux États-Unis

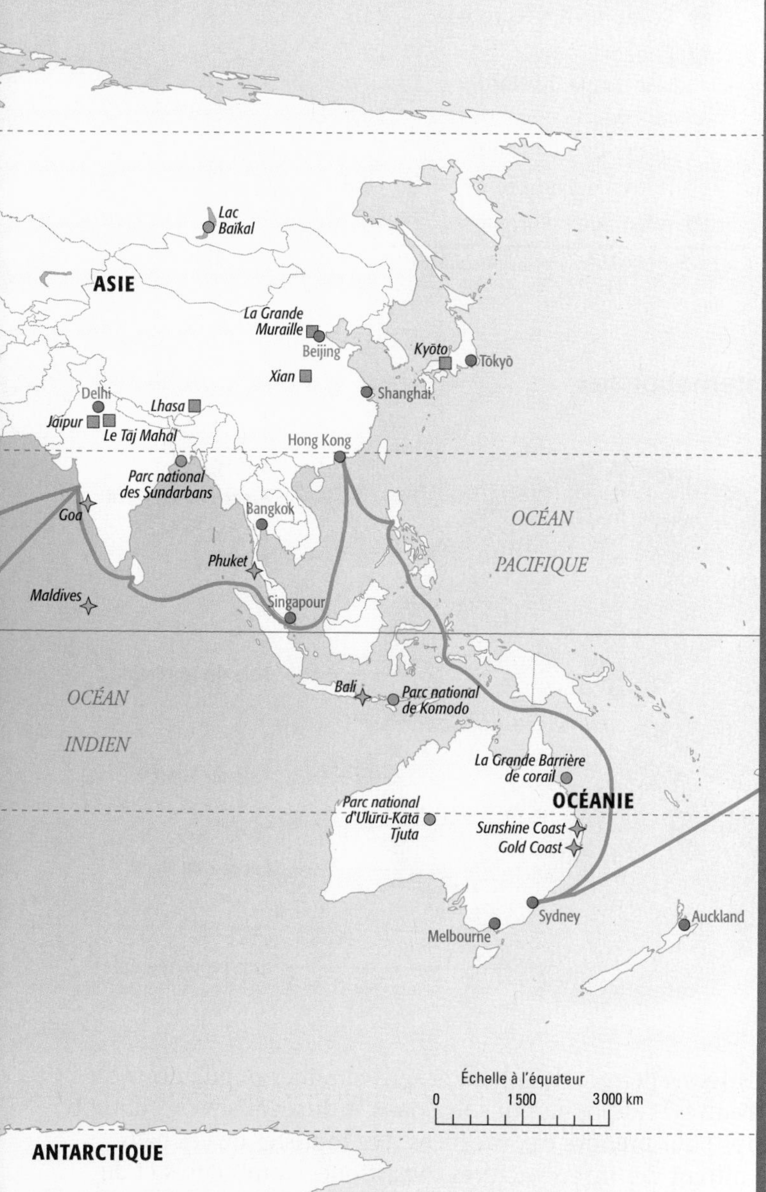

Foyer touristique : Région présentant un ou plusieurs attraits touristiques qui attirent des millions de visiteurs chaque année.

C Une croisière dans les Antilles

D Les chutes Victoria, au Zimbabwe

Observe et construis ③

a Nomme deux parties du monde connues pour leur nombre impressionnant de sites culturels et historiques.

b Dans quelle partie du monde trouve-t-on le plus de villes touristiques ?

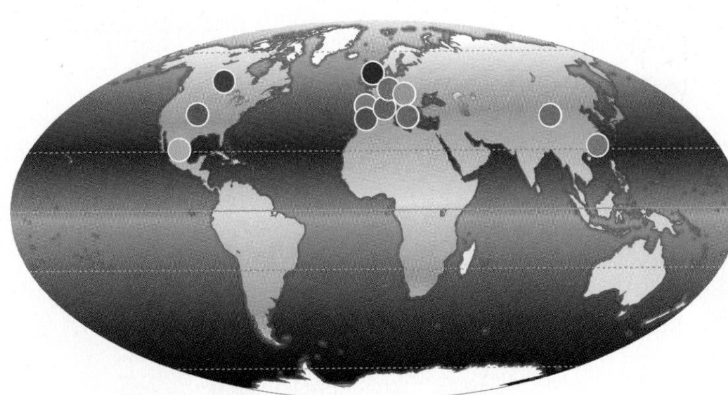

4 Les destinations touristiques internationales les plus fréquentées

Pays (Parties du monde)	Nombre de touristes internationaux en 2002 (millions)
France (Europe)	77
Espagne (Europe)	51,7
États-Unis (Amérique du Nord)	41,9
Italie (Europe)	39,8
Chine (Asie)	36,8
Royaume-Uni (Europe)	24,2
Canada (Amérique du Nord)	19,7
Mexique (Amérique du Nord)	19,7
Autriche (Europe)	18,6
Allemagne (Europe)	18

Source : Organisation mondiale du tourisme, 2003.

Flux touristique : Déplacement de touristes d'un lieu à un autre.

Plus de la moitié des activités liées au **tourisme** international se concentrent dans ces 10 pays. Chacun d'eux abrite d'importants **foyers touristiques.**

arobas

Des sites touristiques

Choisis cinq sites touristiques du document 4 et documente-toi sur ces endroits de diverses façons : Internet, guides touristiques, documentaires, atlas, encyclopédies, etc.

- Dans quels pays ces sites sont-ils situés ?
- De quel type de sites s'agit-il ?
- Quels sont leurs attraits ?
- Combien de touristes les visitent chaque année ?

5 L'origine des touristes internationaux

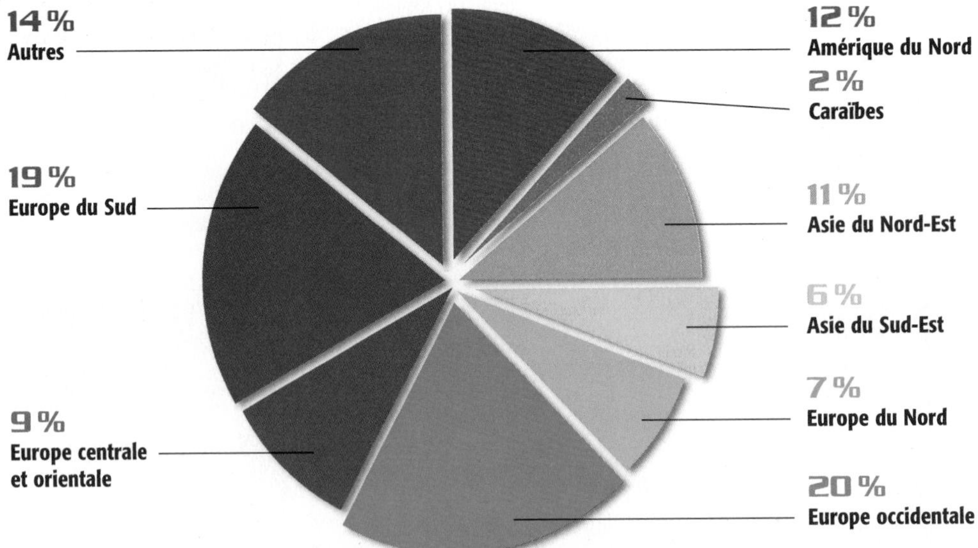

Source : Organisation mondiale du tourisme, 2003.

L'observation des flux touristiques permet de constater que certaines populations du monde voyagent plus que d'autres. Les populations des **pays industrialisés** ont un bon niveau de vie et plus de temps pour prendre des vacances. Les touristes de ces pays privilégient les endroits qui offrent des infrastructures touristiques nombreuses et de bonne qualité (confort, activités, facilité d'accès, etc.).

6 Les revenus du tourisme international

Pays (Parties du monde)	Revenus en 2002 (milliards de dollars US)
États-Unis (Amérique du Nord)	66,5
Espagne (Europe)	33,6
France (Europe)	32,3
Italie (Europe)	26,9
Chine (Asie)	20,4
Allemagne (Europe)	19,2
Royaume-Uni (Europe)	17,8
Autriche (Europe)	11,2
Chine (Hong Kong, Asie)	10,1
Grèce (Europe)	9,7
Monde	474

Source : Organisation mondiale du tourisme, 2003.

Le tourisme est un secteur clé de l'économie, car il génère d'importants revenus. Par contre, c'est un secteur très sensible aux crises économiques et politiques. Les touristes fuient les régions qui ont un climat politique instable, qui sont en guerre ou qui viennent de subir une catastrophe naturelle.

Ton défi

En marche

Réalise une carte schématique sur laquelle tu présenteras :

- les parties du monde les plus fréquentées par les touristes ;
- les parties du monde d'où proviennent la majorité des touristes.

Utilise des couleurs, des symboles ou des hachures pour les illustrer.

7 Les composantes de l'industrie touristique

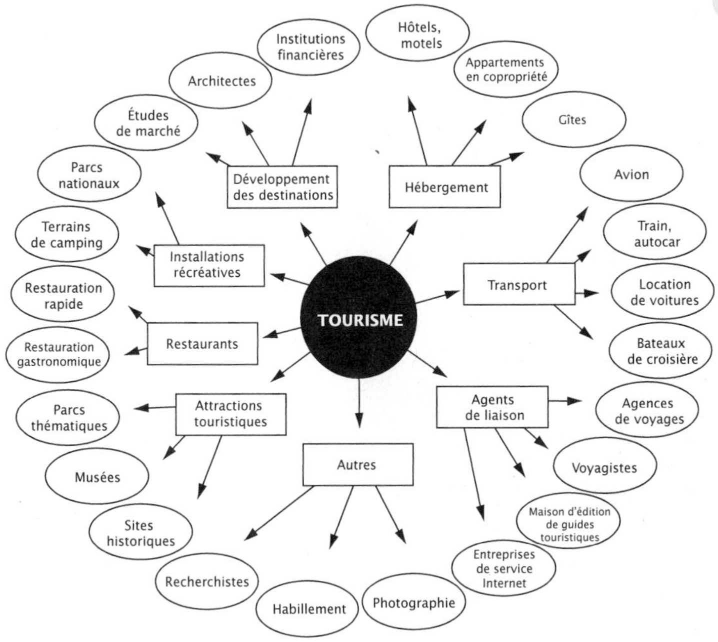

TOURISME

- Développement des destinations : Études de marché ; Architectes ; Institutions financières
- Hébergement : Hôtels, motels ; Appartements en copropriété ; Gîtes
- Transport : Avion ; Train, autocar ; Location de voitures ; Bateaux de croisière
- Agents de liaison : Agences de voyages ; Voyagistes ; Maison d'édition de guides touristiques ; Entreprises de service Internet
- Autres : Photographie ; Habillement ; Recherchistes
- Attractions touristiques : Parcs thématiques ; Musées ; Sites historiques
- Restaurants : Restauration rapide ; Restauration gastronomique
- Installations récréatives : Parcs nationaux ; Terrains de camping

L'industrie touristique est un univers complexe. Les entreprises et les travailleurs représentés dans ce schéma bénéficient directement de l'argent dépensé par les touristes. Par ailleurs, d'autres entreprises et travailleurs (personnel des hôtels et des aéroports, guides touristiques, etc.) bénéficient indirectement de la présence des touristes.

Observe et construis 4 5 6 7

c Quelles observations peux-tu faire à partir des documents, 4, 5 et 6 ?

d Quels liens peux-tu établir entre le **niveau de développement** des pays et le tourisme ? Sers-toi de la carte « Les niveaux de développement des pays du monde » (p. 386) pour répondre aux questions précédentes.

e Quel lien peux-tu établir entre les destinations les plus fréquentées et les pays qui reçoivent la plus grande part des revenus touristiques ?

f À l'aide d'exemples, explique pourquoi les touristes sont d'abord des consommateurs.

g Donne des exemples de revenus indirects liés au tourisme.

8 Faut-il croire la publicité ?

La publicité qui fait la promotion du tourisme montre souvent des gens beaux, bien vêtus et heureux qui se détendent dans un décor de rêve...

Banque mondiale : Organisation internationale dont la mission principale est de combattre la pauvreté dans les pays en développement en y offrant divers services (prêts, conseils, assistance technique et partage d'expertise).

Mondialisation : Étendue des activités commerciales et des communications à toute la planète, sans égard aux frontières.

9 Des faits et des chiffres

L'industrie touristique groupe des entreprises comme les agences de voyages, les hôtels, les restaurants, les transporteurs, les guides touristiques et les services spécialisés (musées, parcs d'attractions, grands jardins, etc.).

- L'industrie touristique représente 11 % du **PIB** mondial (total de la production de biens et de services de tous les pays) et procure du travail à plus de 200 millions de personnes.
- L'industrie touristique produit des revenus annuels de 475 milliards de dollars US, ce qui représente environ 1,3 milliard de dollars par jour.
- Selon la **Banque mondiale**, 55 à 80 % des sommes dépensées par les touristes vont à des **multinationales** de l'industrie touristique, dont les sièges sociaux se trouvent dans les **pays industrialisés**.
- Sous l'effet de la **mondialisation**, le tourisme international est contrôlé par une vingtaine de multinationales qui se partagent la plus grande part des revenus.
- Entre 1950 et 2003, le nombre de touristes voyageant pour le travail, la famille ou les vacances est passé de 25,3 millions à plus de 700 millions par année, ce qui correspond à environ 10 % de la population du monde. Le nombre de touristes devrait doubler d'ici 2020.
- Les citadins représentent plus de 90 % des touristes, tant à l'échelle nationale qu'internationale.
- Depuis 50 ans, le nombre de touristes augmente de 4 % chaque année dans le monde.
- Plus de 80 % des touristes voyagent dans leur propre pays ou sur leur propre continent.

Sources : Programme des Nations Unies pour l'environnement, 2003 ; Organisation mondiale du travail, 2003.

Observe et construis 8 9

h Quelle est l'importance économique du tourisme dans le monde ?

i À ton avis, quel message est véhiculé par la publicité sur les voyages ? Qu'en penses-tu ?

Des multinationales de l'industrie touristique

Trouve dans Internet des multinationales de l'industrie touristique. Indique où se trouve leur siège social et le nombre de pays où elles sont présentes. Pour lancer ta recherche, utilise les mots clés suivants : multinationale et tourisme, multinationale et aéronautique, multinationale et croisière, multinationale et voyage.

Ton défi

À l'œuvre !

La meilleure façon de convaincre ton auditoire lors d'un débat, c'est d'abord de bien comprendre ton sujet.

1. Assure-toi que tu peux décrire correctement l'industrie touristique (ses intervenants, son importance, etc.) et le tourisme de masse (sa nature, sa clientèle, ses destinations).
2. Vérifie si tu as présenté les éléments suivants sur ta carte schématique :
   - les parties du monde les plus fréquentées par les touristes ;
   - les parties du monde d'où proviennent la majorité des touristes.
3. Assure-toi que ta carte présente les éléments suivants :
   - un titre pertinent ;
   - une légende qui explique la signification des couleurs, des symboles ou des hachures.
4. Finalise ta carte schématique du tourisme dans le monde en y ajoutant des renseignements supplémentaires liés aux découvertes que tu as faites dans tes voyages ou au fil de tes recherches.

Synthèse

Fiche 5.2.5

Pour faire le point sur ce que tu as appris dans cette partie du chapitre, réponds de nouveau aux questions des « Selon toi » ou décris le tourisme dans le monde à l'aide d'un schéma organisateur.

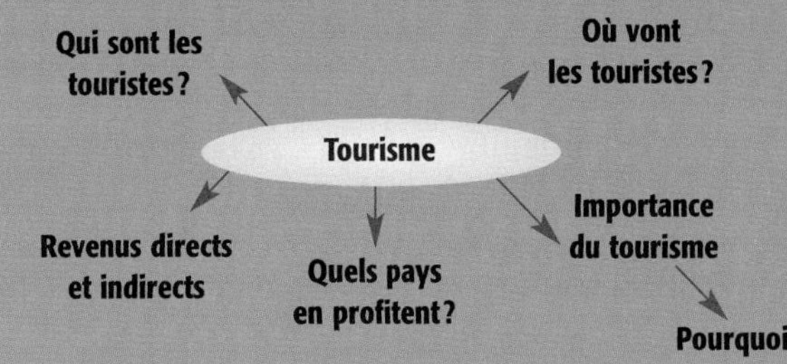

Bilan

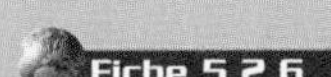

1. Comment as-tu procédé pour faire une carte schématique ?
2. Quelles difficultés as-tu éprouvées dans la réalisation de cette carte ?
3. Quels documents t'ont été les plus utiles pour la réaliser ?
4. Qu'est-ce que tu améliorerais si tu refaisais une activité semblable ?
5. Quelles sources liées au tourisme t'ont semblé les plus pertinentes et les plus fiables ? Pourquoi ?

B Des enjeux planétaires

Tu sais maintenant que le **tourisme** est en croissance dans le monde et qu'il génère des retombées économiques majeures. Tu as également découvert que ces retombées sont plus importantes dans les **pays industrialisés**, car c'est là que sont concentrés les **multinationales** du tourisme et d'importants **foyers touristiques**.

Le tourisme a-t-il d'autres impacts dans les régions du monde où il se pratique ? Comment peut-on diminuer ses impacts négatifs ?

Ton défi

Fiche 5.2.7

Pour ou contre le tourisme de masse ?

[Deuxième partie]

Dans cette deuxième partie, ton défi consiste à participer à un **débat** portant sur le tourisme de masse. Forme une équipe avec trois camarades de classe et, le moment venu, deux personnes défendront chaque point de vue.

Chaque équipe pourra se référer à l'un des deux enjeux pour étoffer son point de vue.

Tu peux aussi exprimer ta position dans un texte qui pourrait être envoyé à une revue d'écotourisme ou à un forum Internet, ou encore faire une présentation orale devant d'autres élèves de ta classe.

Pour te préparer au débat,

1. Analyse les impacts du tourisme en consultant les pages consacrées à l'un des enjeux ou, mieux, aux deux enjeux.
2. Fais le relevé des arguments pour et contre, puis appuie-les à l'aide d'exemples, de faits et de chiffres. La meilleure façon de te préparer est de prévoir les arguments de tes opposants, car tu ne connaîtras qu'au moment du débat le point de vue que ton ou ta partenaire et toi devrez défendre.
3. Dans un tableau semblable au suivant, consigne les arguments de chaque point de vue. Assure-toi d'aborder les aspects économique, social et environnemental.

Pour ou contre le tourisme de masse ?

Aspect économique

Pour	Contre
▪ parce que...	▪ parce que...
▪ exemple :	▪ exemple :

4. N'hésite pas à consulter de nouveau le chapitre 1 (p. 278 à 291) ainsi que d'autres sources d'information (cartes, documents, sites Internet, atlas, etc.).
5. Consulte la rubrique Ton Défi – À l'œuvre ! (p. 309) pour connaître le déroulement du débat.

Enjeu 1

Concilier le tourisme de masse et le respect de l'environnement

La plage de Cadix, en Espagne

Dans certains foyers touristiques, la visite annuelle de millions de touristes a forcément un impact sur le milieu naturel.

Quels sont les effets positifs du tourisme de masse sur l'environnement ? Quels en sont les effets négatifs ? page 302

Deux enjeux liés au tourisme de masse

Enjeu 2

Concilier le tourisme de masse et la vie d'une région

Afrique du Sud

Le nombre grandissant de touristes met en contact des populations dont le niveau de vie, les valeurs et la culture sont parfois très différents.

Quels sont les effets positifs des contacts entre les touristes et la population locale? Quels en sont les effets négatifs? page 306

Enjeu 1

Concilier le tourisme de masse et le respect de l'environnement

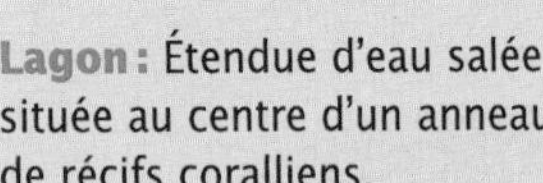

Les conséquences du tourisme de masse sur l'environnement

Fiche 5.2.8

Lagon : Étendue d'eau salée située au centre d'un anneau de récifs coralliens.

Selon toi,

- quel est l'impact du **tourisme de masse** sur les milieux naturels et construits d'une région touristique ?

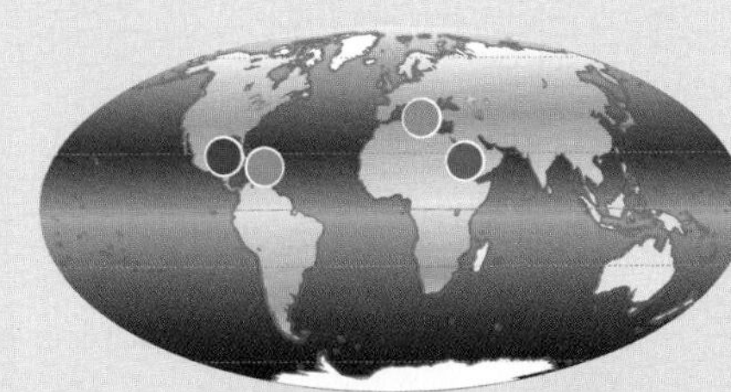

1 La mer Rouge, un milieu fragile

Dans les régions côtières, la faune et la flore souffrent grandement des **aménagements** qu'impose le tourisme de masse. La mer Rouge, par exemple, abrite plus de 400 variétés de coraux et 1 500 espèces de poissons. À longueur de journée, des dizaines de bateaux y amènent des plongeurs venus admirer les fonds marins. Leurs coups de palmes répétés soulèvent le sable qui, en se déposant, asphyxie les coraux.

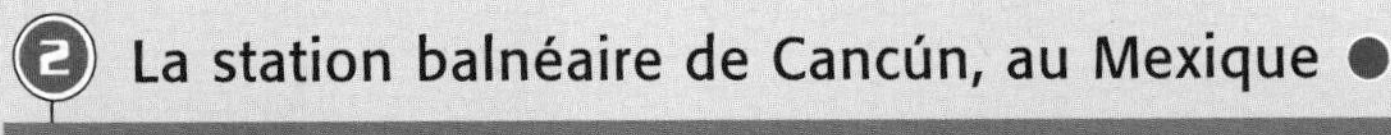

2 La station balnéaire de Cancún, au Mexique

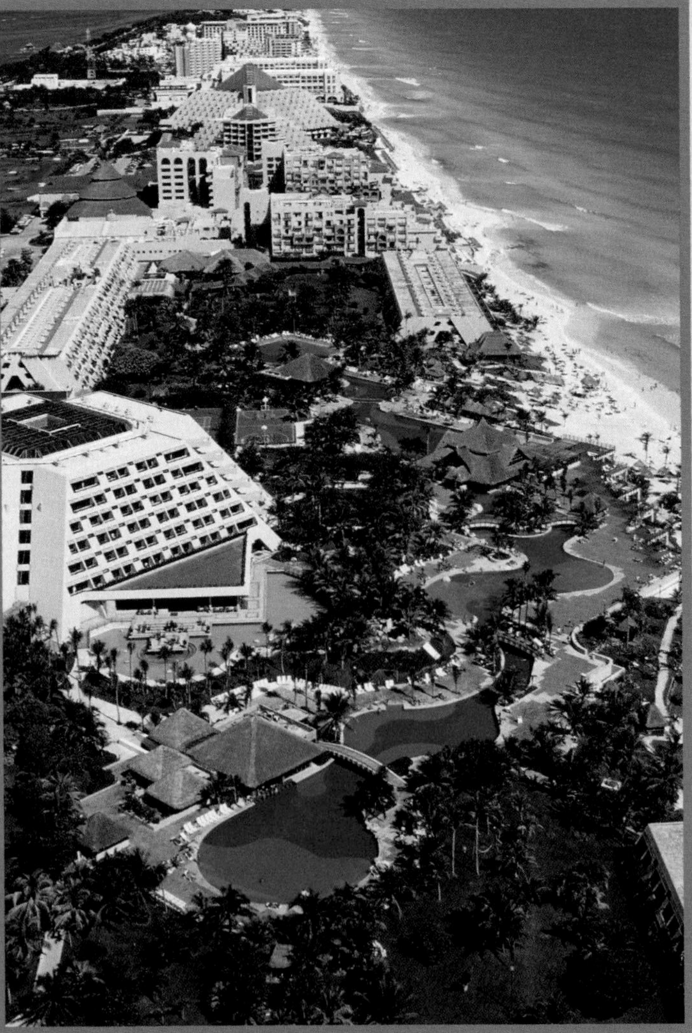

Pour attirer un plus grand nombre de touristes, les stations balnéaires doivent offrir plus que de belles plages. Elles proposent donc une grande variété d'installations : piscines, tennis, parcours de golf, boutiques, restaurants, salles de spectacles, sports nautiques, etc. À Cancún, au Mexique, des lagons ont été asséchés et des dunes déplacées pour permettre la construction de complexes hôteliers et l'aménagement d'infrastructures touristiques.

③ Les zones menacées par le tourisme en Méditerranée

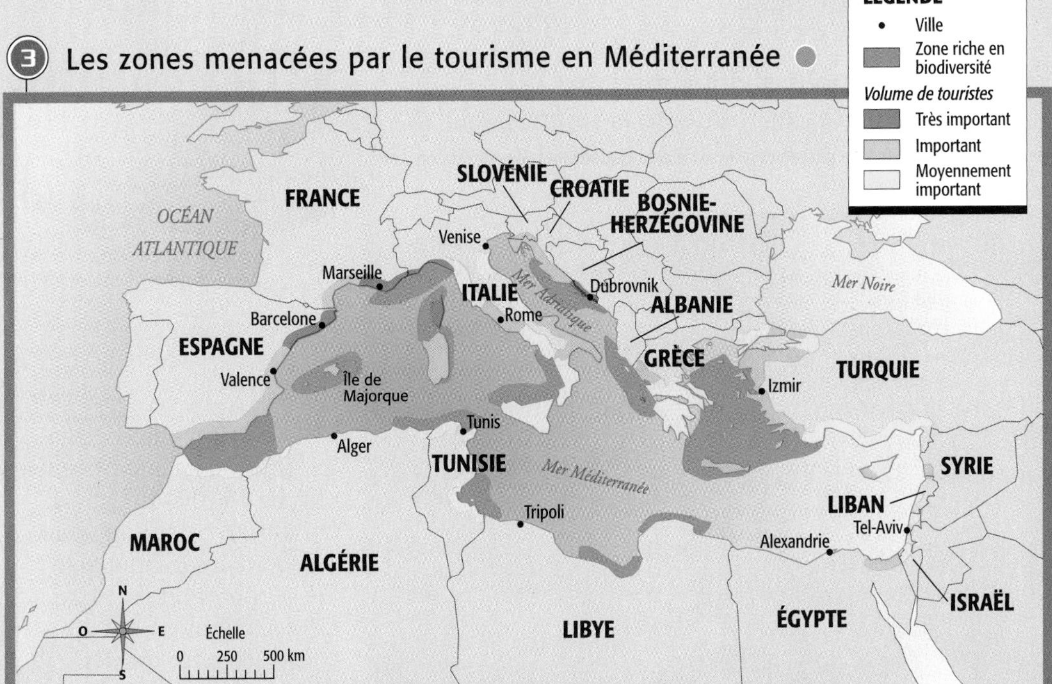

Chaque année, la région de la Méditerranée accueille plus de 250 millions de touristes. La région doit constamment agrandir les infrastructures existantes (autoroutes, complexes hôteliers, ports, aéroports, etc.) ou en construire de nouvelles. Ces aménagements, combinés à l'afflux de nouveaux touristes, exercent une pression accrue sur l'**environnement**, menaçant la faune et la flore, et augmentant la difficulté de gérer les déchets.

④ La surutilisation des ressources naturelles en Guadeloupe

Les aménagements touristiques tels que les parcours de golf et les piscines exigent beaucoup d'eau. Lorsque l'eau douce est rare, par exemple en Guadeloupe, une île des Antilles, l'approvisionnement en eau potable pour l'ensemble de la population frôle la catastrophe. L'arrosage d'un seul terrain de golf de cette île représente la consommation quotidienne de 2500 personnes!

⑤ Des faits et des chiffres

Le nombre grandissant de touristes dans les différentes régions du monde a des conséquences directes sur l'environnement.

- En 2003, l'érosion menaçait 50 % des côtes de la Méditerranée.
- Un habitant du littoral espagnol consomme en moyenne 250 L d'eau par jour, alors qu'un touriste en utilise plus de 880.
- L'île de Majorque, en Espagne, est l'une des îles les plus fréquentées par les touristes en Méditerranée. On y produit habituellement 900 tonnes de déchets par jour. Cependant, durant la haute saison touristique, la production quotidienne s'élève à 3000 tonnes.
- Selon le groupe d'écologistes Les amis de la nature, plus de 50 % des déplacements (en voiture, en avion, en train, etc.) qui ont lieu dans le monde sont liés au tourisme. Cette situation contribuerait à augmenter considérablement la production de gaz à effet de serre.

Source: Organisation mondiale de la protection de la nature, 2004.

Observe et construis ① ② ③ ④ ⑤

a Quels pays du document 3 risquent de voir leurs côtes menacées par l'activité touristique? Selon ce que tu connais de cette partie du monde, pourquoi les rivages de la Méditerranée sont-ils aussi achalandés?

b Décris les effets négatifs du tourisme de masse sur l'environnement.

6 L'aménagement d'infrastructures aéroportuaires et routières à Sainte-Lucie

L'île de Sainte-Lucie, dans les Antilles, ne compte guère plus de 140 000 habitants. On y trouve pourtant deux aéroports internationaux. Ces aéroports et les routes qui y conduisent ont été construits pour que les touristes accèdent rapidement au bord de la mer. La population locale bénéficie cependant de ces **aménagements**, dont la construction a été payée en grande partie par les revenus du **tourisme**.

7 Le parc national des éléphants d'Addo, en Afrique du Sud

En 1931, au moment où ce parc a été fondé, il ne restait plus que 11 éléphants dans la région. Depuis, ils se sont reproduits, et on en compte maintenant 316. Grâce à la contribution d'un fonds international, le parc national d'Addo a été agrandi et pourra accueillir jusqu'à 2 500 éléphants. Ce parc est aujourd'hui le meilleur endroit de la Terre où observer des éléphants dans leur habitat naturel. Il attire environ 100 000 touristes par année et crée à peu près 8 000 emplois directs et indirects. Les revenus générés par le tourisme sont vitaux pour cette région, car il s'agit d'une des plus pauvres de l'Afrique du Sud.

8 L'affluence de touristes dans l'île de Majorque, en Espagne

La grande affluence de touristes dans l'île de Majorque a rendu cette région moins attrayante pour les touristes. Pour régénérer le tourisme et l'intégrer à un développement local durable plus respectueux de l'**environnement**, les autorités de l'île ont adopté, en 1995, une nouvelle **réglementation**:

- Entre 1995 et 2004, les touristes ont dû payer une écotaxe.
- Les touristes sont incités à limiter leur consommation d'eau.
- La construction de nouveaux hôtels est limitée, et les vieux hôtels sont remplacés par des espaces verts.
- Les hôtels qui diminuent leur production de déchets bénéficient d'une réduction de taxes.
- etc.

9 Le temple de Borobudur, en Indonésie

En Indonésie, des millions de touristes visitent chaque année le temple de Borobudur, situé dans une région extrêmement chaude et humide. Pour garder la fraîcheur dans leur véhicule, la plupart des chauffeurs d'autocars climatisés laissent tourner le moteur pendant la visite. En plus de polluer l'air, les émanations d'oxyde de carbone que dégagent les autocars endommagent les pierres du temple.

Le WWF

Trouve les renseignements suivants dans Internet:

- Que signifient les lettres WWF?
- Quelle est la mission de cet organisme?
- Combien de pays sont membres du WWF?
- Comment cet organisme a-t-il été créé?

Observe et construis 6 7 8 9

c Quelles sont les principales conséquences positives du tourisme de masse sur l'environnement ? les principales conséquences négatives?

d À ton avis, est-il possible de développer le tourisme de masse tout en préservant l'environnement? Si oui, comment?

Pour poursuivre, rends-toi à la page 309.

Enjeu 2

Concilier le tourisme de masse et la vie d'une région

Les conséquences du tourisme de masse sur les populations locales

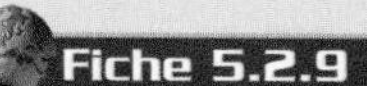

Selon toi,

- quelles sont les conséquences du **tourisme** de masse sur la population d'une région touristique?

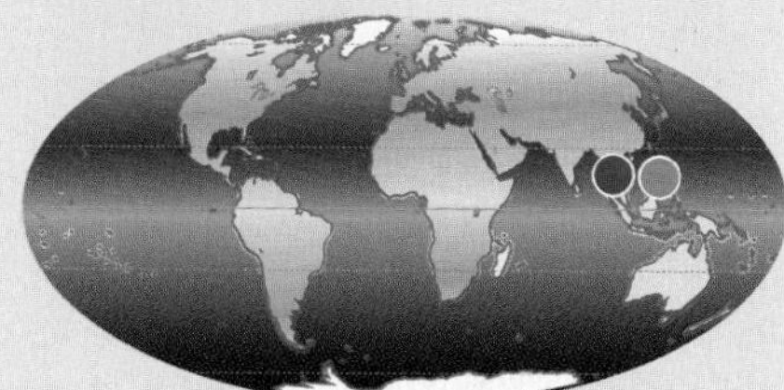

1 Quelques impacts négatifs du tourisme de masse dans le monde

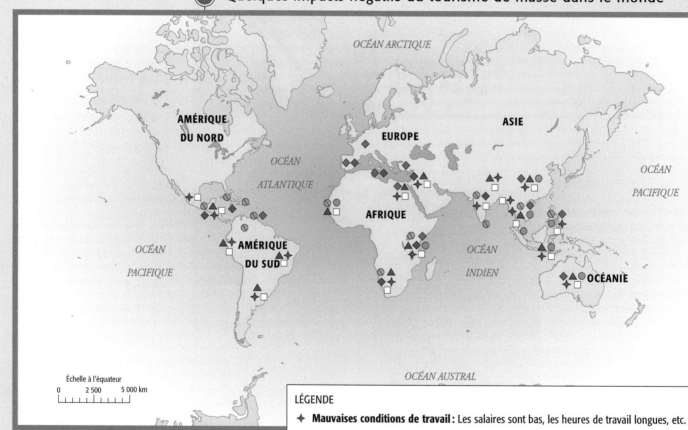

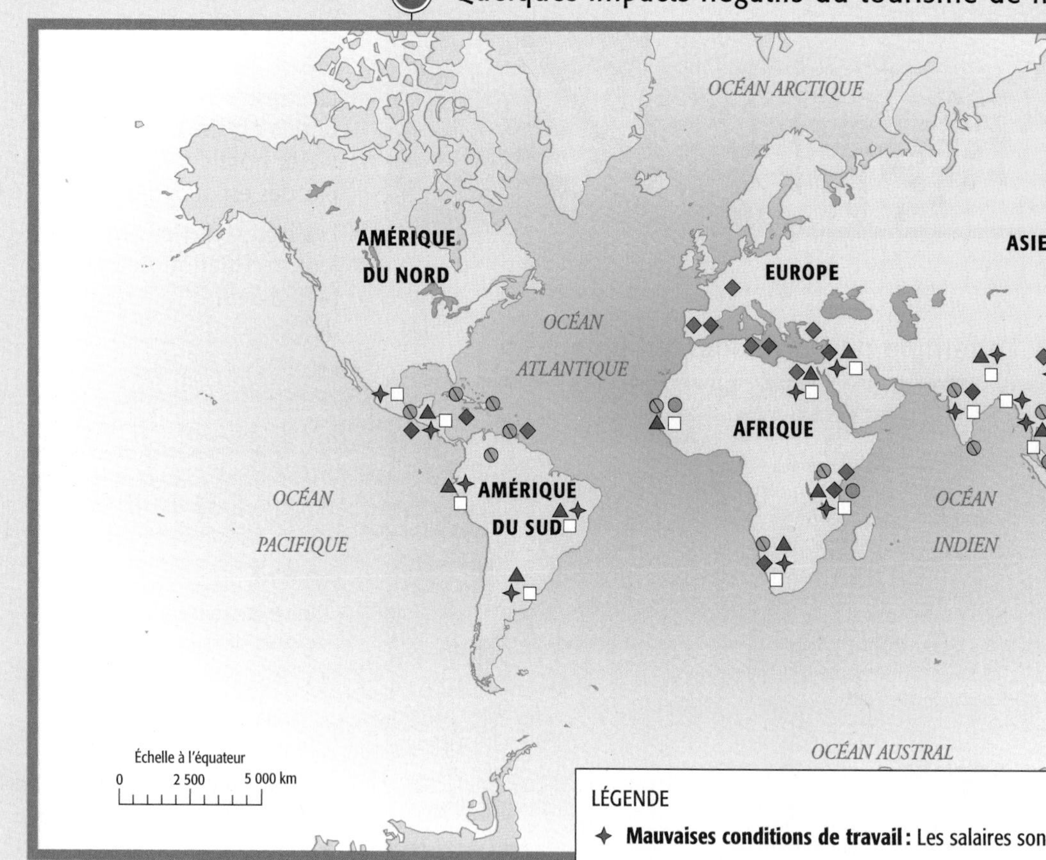

LÉGENDE

- ✦ **Mauvaises conditions de travail:** Les salaires sont bas, les heures de travail longues, etc.
- ◆ **Atteintes à l'environnement:** Des forêts sont rasées et des littoraux bétonnés pour faire place aux aménagements touristiques.
- ▲ **Conflits culturels:** De nombreux sites (temples sacrés, monuments culturels) sont commercialisés par des entreprises étrangères.
- ⊘ **Tourisme sexuel:** Plus d'un million d'enfants sont victimes d'abus de la part de touristes.
- □ **Déplacement des populations:** Les populations de villages entiers sont évincées pour faire place à des complexes hôteliers.
- ◆ **Gaspillage de l'eau:** D'énormes quantités d'eau sont utilisées par les touristes.
- ● **Exploitation des femmes:** Les femmes représentent 70 % des travailleurs de l'industrie mondiale du tourisme. Elles occupent pour la plupart des emplois de domestiques ou de cuisinières.

Source: Tourism Concern, 2003.

Le **tourisme** met en évidence le fossé entre les pays riches et les pays pauvres, entre les sociétés de consommation et les sociétés de besoins. Dans certains **pays en développement**, les dépenses quotidiennes d'un ou d'une touriste représentent l'équivalent de la nourriture annuelle de deux habitants sur trois. Ce **déséquilibre** incite, entre autres, les habitants des pays pauvres à la mendicité.

② Les femmes girafes, en Thaïlande ●

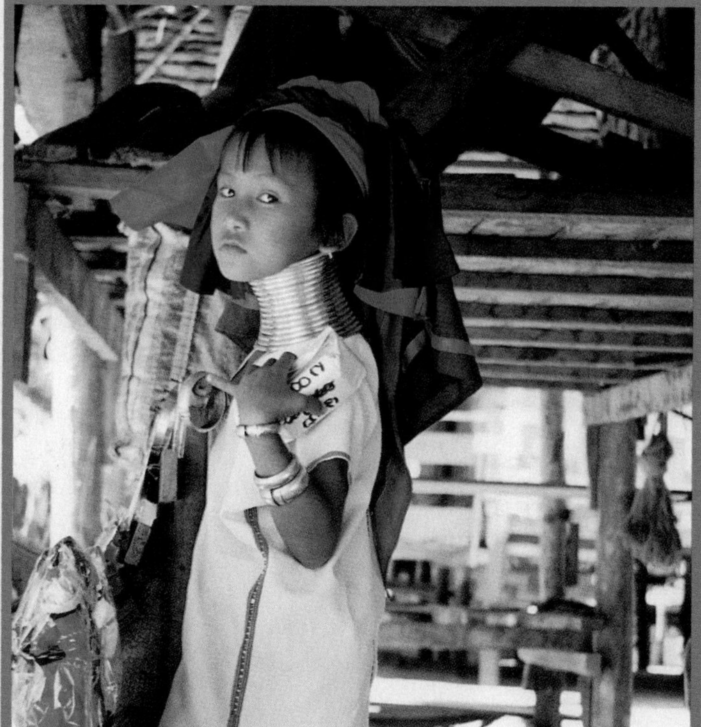

Acculturation : Assimilation partielle ou totale d'une culture au contact d'une autre.

La visite du village de Huang-Haen, situé dans l'extrême nord-ouest de la Thaïlande, figure dans la plupart des forfaits touristiques de ce pays. Plus de 20 femmes girafes sont confinées dans ce village reconstitué par un entrepreneur thaïlandais. Ces femmes perpétuent une tradition qui les a rendues célèbres : elles portent de nombreux anneaux de cuivre au cou, aux jambes et aux bras. Cependant, cette coutume leur cause d'importants problèmes de santé, car les lourds anneaux atrophient leurs membres et affaissent leurs épaules. La curiosité des touristes contribue à encourager l'exploitation des femmes girafes.

③ Les contacts entre les populations

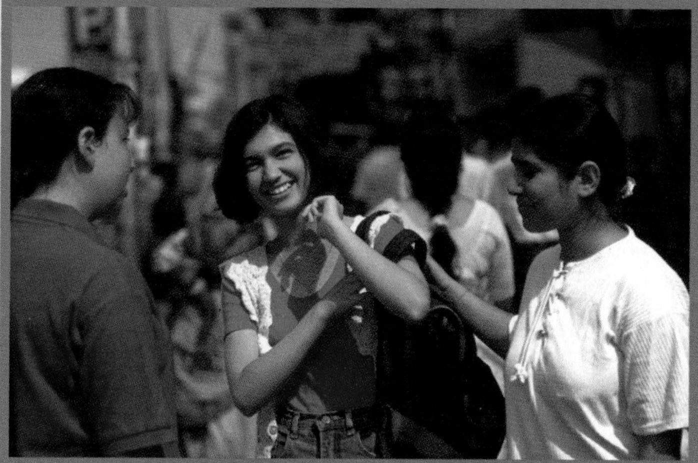

Le tourisme de masse peut être un facteur déstabilisant pour les populations des **pays en développement**, et même provoquer une certaine acculturation. L'arrivée d'un nombre grandissant de touristes dans ces pays, combinée à l'influence des médias, incite un grand nombre de personnes à vivre à l'occidentale (vêtements, alimentation, musique, etc.).

④ Des habitants chassés de leur maison aux Philippines ●

Dans la région de Calabarzon, aux Philippines, un projet de construction d'un hôtel de luxe et d'**aménagement** de plages privées sur plus de 8 600 **ha** de terrain pourrait chasser 10 000 familles de leur demeure. En pareil cas, les personnes expropriées ont peu de recours contre les **multinationales** qui investissent des millions de dollars.

Observe et construis    

a Selon le document 1, dans quelles parties du monde le tourisme de masse entraîne-t-il le plus de conséquences négatives ? Quel est le niveau de développement des pays qui composent ces parties du monde ?

b Quelles conséquences peut avoir le tourisme de masse sur les populations locales ?

5 Le choc des cultures au Cambodge

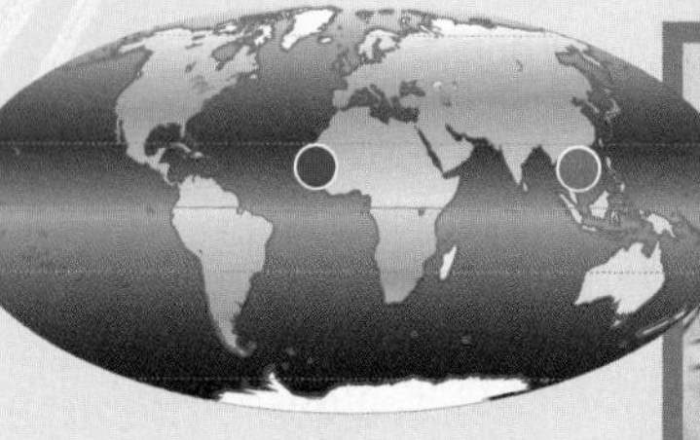

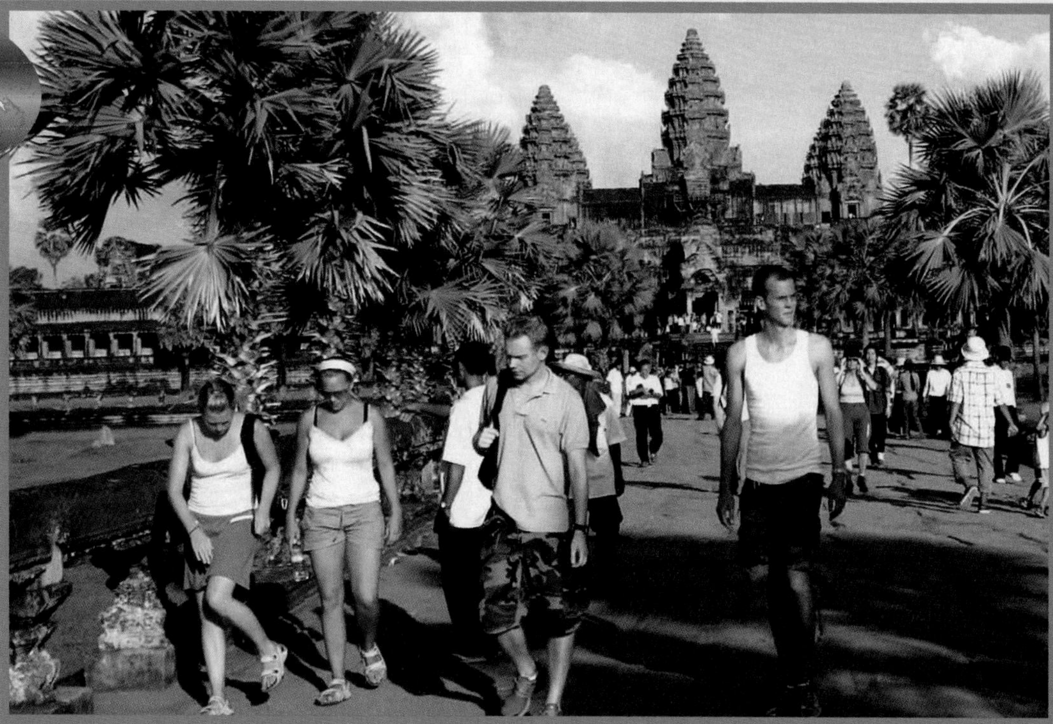

Au Cambodge, le fait d'entrer dans un temple les épaules nues peut être perçu comme un manque de respect à l'égard des coutumes locales. Par ailleurs, dans les pays musulmans, la consommation d'alcool et le port de certains vêtements peuvent choquer la population locale.

arobas

La Charte du tourisme durable

Cherche dans Internet la Charte du tourisme durable. Explique ses grands principes et trouve des circuits ou des forfaits qui privilégient ce type de tourisme. Lance une recherche à l'aide des mots clés suivants : environnement, tourisme écologique, écotourisme, développement durable, etc.

6 Le respect des coutumes au Sénégal

Chaque pays a ses coutumes, qui peuvent être très éloignées des habitudes de vie de certains touristes. Voici un aperçu des usages à respecter au Sénégal.

Les salutations : Elles sont extrêmement importantes : il faut dire bonjour à tout le monde, même aux inconnus.

La tenue : Montrer ses jambes, pour les hommes comme pour les femmes, est très mal vu. Le port du short et de la minijupe est donc déconseillé.

Les repas : Les gens mangent dans un plat commun, accroupis ou assis sur de petits tabourets. Ils doivent se déchausser avant de marcher sur le tapis, se laver les mains et n'utiliser que la main droite. Le plus souvent, les hommes mangent avant les femmes et les enfants.

Observe et construis 5 6

c Pourquoi certains comportements des touristes peuvent-ils choquer les populations locales ?

d Si tu devais te rendre dans une région où les habitants ont une culture, des coutumes et un niveau de vie différents des tiens, que ferais-tu avant ton départ ? Comment procéderais-tu ?

Ton défi

Fiche 5.2.10

À l'œuvre !

Il est maintenant temps de participer au débat.

Avant le débat

1. Présente tes arguments à ton ou à ta partenaire et prends connaissance des siens. Assurez-vous de bien comprendre mutuellement vos arguments (pour et contre).
2. Tirez au hasard les noms des deux élèves qui défendront le pour et des deux élèves qui défendront le contre.
3. Assurez-vous d'illustrer vos arguments à l'aide d'exemples.
4. Préparez-vous à recourir à la carte schématique réalisée dans la partie A de ce chapitre pour illustrer vos arguments.
5. Dans chaque équipe de deux, choisissez l'élève qui prendra la parole en premier.

Au cours du débat

1. Présentez à tour de rôle vos arguments en laissant un temps de réaction à vos opposants.
2. Écoutez attentivement les arguments de vos opposants, afin d'être prêts à y répondre lorsque viendra votre période de réplique.

Après le débat

1. Lorsque tous les arguments auront été présentés, invitez les membres de l'auditoire à choisir un camp. Enregistrez ou notez leurs commentaires.
2. Rédige ton point de vue sur la question. Tiens compte de tous les arguments et commentaires que tu as entendus.

DOSSIERS

Ailleurs

Consulte la section Dossiers (p. 310) pour enrichir ton argumentation en faveur du tourisme de masse ou contre ce type de tourisme. Trouves-y des exemples pour appuyer les deux points de vue.

Bilan

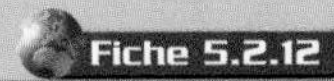

1. Est-ce que ton opinion sur le tourisme a changé au cours de cette activité? Pourquoi?
2. Quel aspect du travail d'équipe as-tu trouvé le plus difficile?
3. Comment te sens-tu quand tu dois faire valoir publiquement ton opinion?
4. Que pourrais-tu améliorer dans ta façon de travailler avec les autres?
5. Quelles qualités as-tu particulièrement appréciées chez tes coéquipiers?

DOSSIERS

Ailleurs

Grands lacs africains

Île-de-France

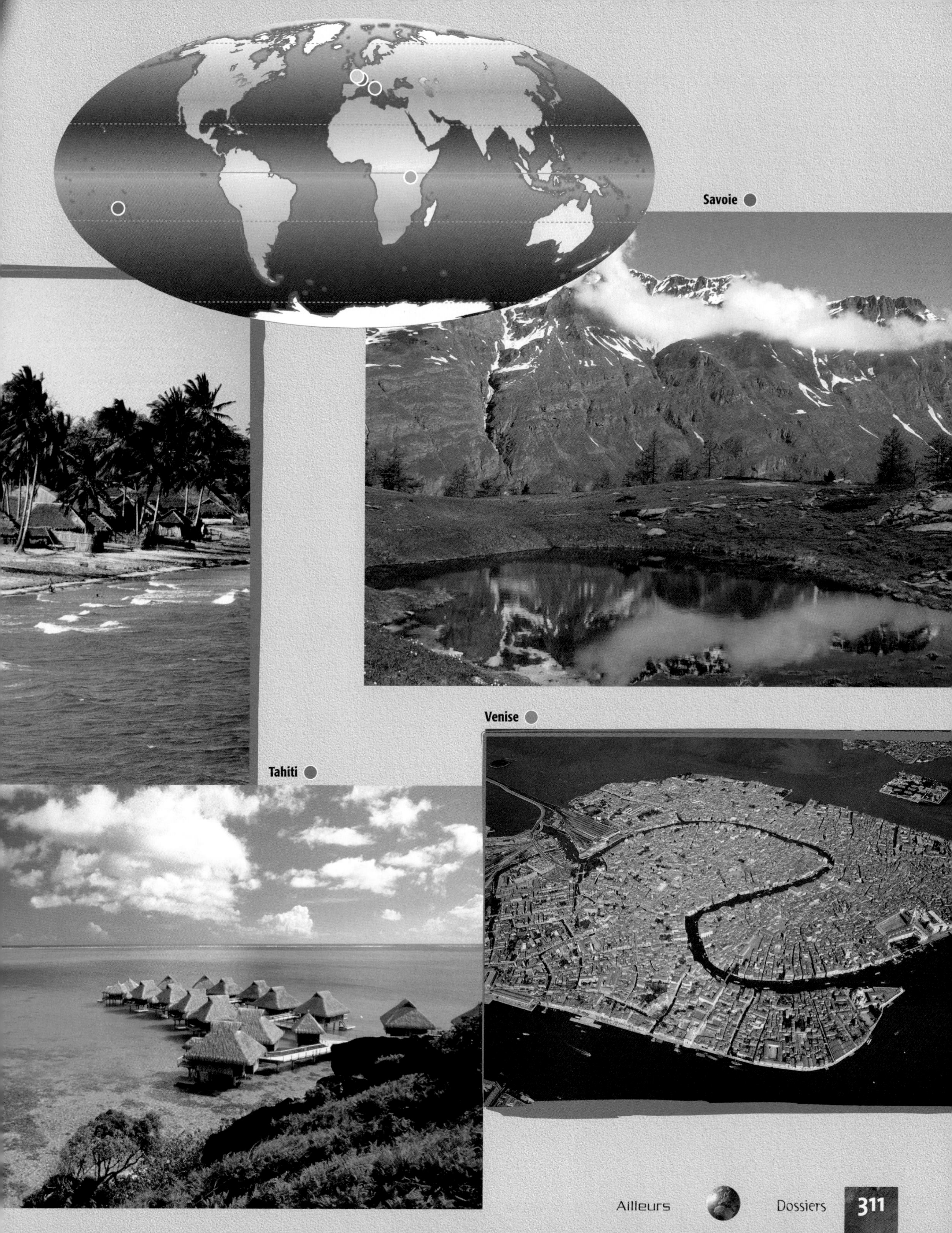
Savoie
Venise
Tahiti

LES GRANDS LACS

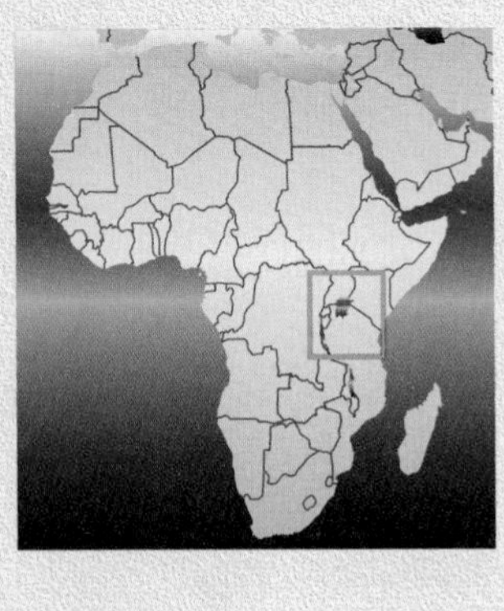

Pays de la région des grands lacs africains
Burundi, République démocratique du Congo, Ouganda, Rwanda, Kenya, Tanzanie

Population des six pays	170 millions
Superficie des six pays	4 165 000 km²
Densité de population des six pays	40 hab./km²
PIB/hab. moyen	836 $
Climat	Tropical, sauf en République démocratique du Congo, où il est équatorial

Source : Unesco, 2004.

Le territoire

La région des grands lacs africains est située au sud-est de l'Afrique. Elle comprend six pays : le Burundi, la République démocratique du Congo, l'Ouganda, le Rwanda, le Kenya et la Tanzanie.

Cette région connaît de graves conflits politiques. À cause de ces conflits, cinq millions de personnes vivent dans des camps de réfugiés dans leur propre pays ou dans un pays voisin. La région subit aussi un grave problème de santé publique, puisqu'elle est l'une des régions du monde les plus touchées par le **sida.**

1 La région des grands lacs africains

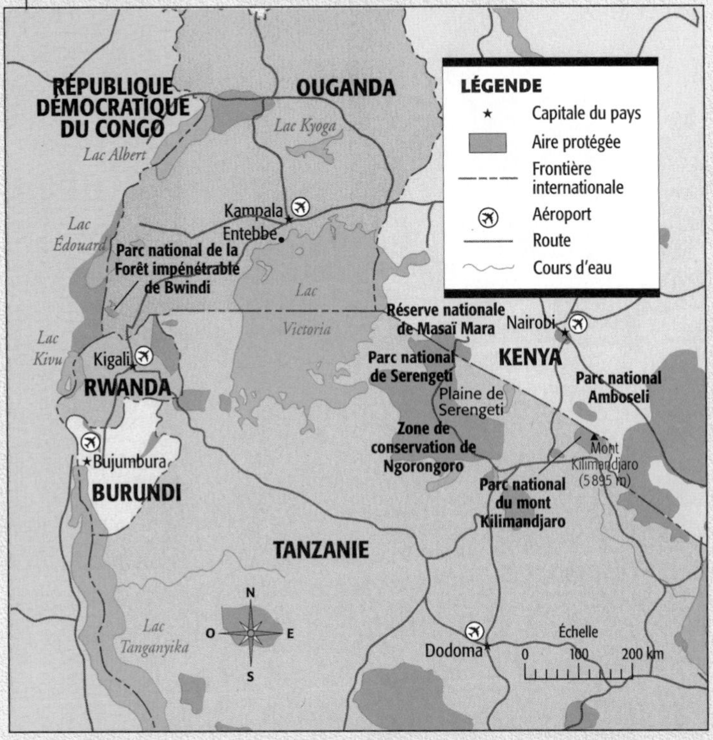

La région tire son nom de cinq grands lacs qui servent de frontières entre les pays. Ce sont les lacs Victoria, Tanganyika, Albert, Édouard et Kivu.

Le climat

Le climat de la région des grands lacs africains est principalement tropical. La température, qui varie selon le lieu et l'**altitude**, est en moyenne de 20 à 22 °C tout au long de l'année. Le nord de la région est plus chaud et plus sec que le sud. Dans les montagnes, il fait plus froid et il arrive même qu'il neige.

2 La température et les précipitations

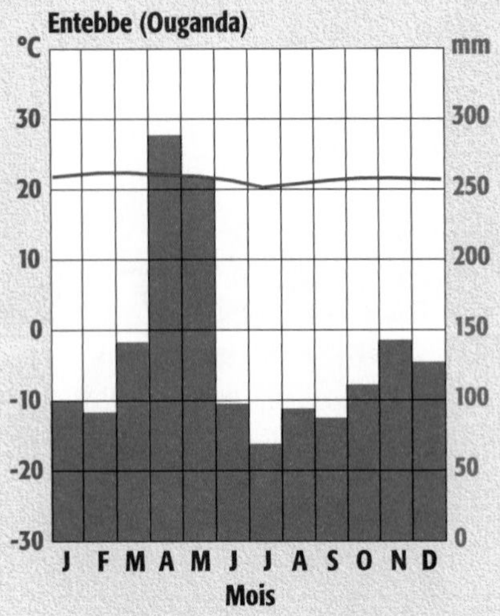

Dans la région des grands lacs africains, il y a deux saisons des pluies : la grande saison, en avril et mai, et la petite saison, vers le mois de novembre.

Les attraits

En plus des lacs, la région des grands lacs africains compte plusieurs types de milieux naturels (montagnes, plaines, savanes, forêts, marécages, etc.).

Cette région abrite aussi une faune diversifiée. Dans le seul parc national de la Forêt impénétrable de Bwindi, en Ouganda, on trouve neuf espèces de primates (dont la moitié des 600 gorilles des montagnes du monde), 340 espèces d'oiseaux, plus de 200 espèces de papillons, des éléphants et au moins 120 autres espèces de mammifères. C'est l'un des **écosystèmes** les plus riches de l'Afrique.

3 La diversité faunique

3A

Presque toutes les espèces de grands mammifères d'Afrique sont présentes dans la région des grands lacs africains.

3B

3C

Des dizaines de parcs naturels ont été créés dans la région pour protéger la faune. L'un des plus connus est le parc national de Serengeti, en Tanzanie, qui a été inauguré en 1951. En 1981, ce parc a été inscrit sur la liste du **patrimoine** mondial de l'**Unesco**. Plus de 30 000 animaux (zèbres, rhinocéros, éléphants, lions, crocodiles, etc.) vivent dans les 14 763 km^2 de plaine de ce parc.

4 La migration annuelle des gnous et des zèbres

Chaque année, un million de gnous (animaux de la famille des antilopes) et 500 000 zèbres entreprennent une grande **migration**. À l'arrivée de la saison sèche, ils quittent le parc national de Serengeti pour aller vers la réserve nationale de Masaï Mara, au Kenya, où ils trouveront de la nourriture et de l'eau.

Le massif volcanique du Kilimandjaro, à l'est du lac Victoria, est un autre attrait naturel important de la région des grands lacs africains. Pour atteindre le sommet enneigé de ce massif, il faut traverser une forêt humide, une savane désertique et des champs de lave refroidie.

5 Le Kilimandjaro

Le mont Kilimandjaro est le plus haut sommet de l'Afrique. Il atteint 5 895 m d'altitude. Des glaciers s'étalent de 4 270 m d'altitude jusqu'à ses sommets.

Les traces du passé et la culture

Dans l'ouest du Kenya se trouve le rift africain, où des archéologues ont trouvé les plus vieux fossiles humains de la Terre. Ils considèrent l'endroit comme le « berceau de l'humanité ». Un rift est un fossé tectonique qui correspond à une zone de fracture de l'écorce terrestre. Il peut atteindre des milliers de kilomètres de longueur.

Ce n'est qu'au 19e siècle, après avoir parcouru le reste du continent africain, que les Occidentaux ont exploré la région des grands lacs. David Livingstone, un célèbre explorateur écossais, y est parvenu en 1867. Il a ensuite été rejoint par Henry Morton Stanley, un reporter anglo-américain. Ces deux hommes ont fait connaître au reste du monde les habitants de cette région.

6 Un paysage de la région des grands lacs africains

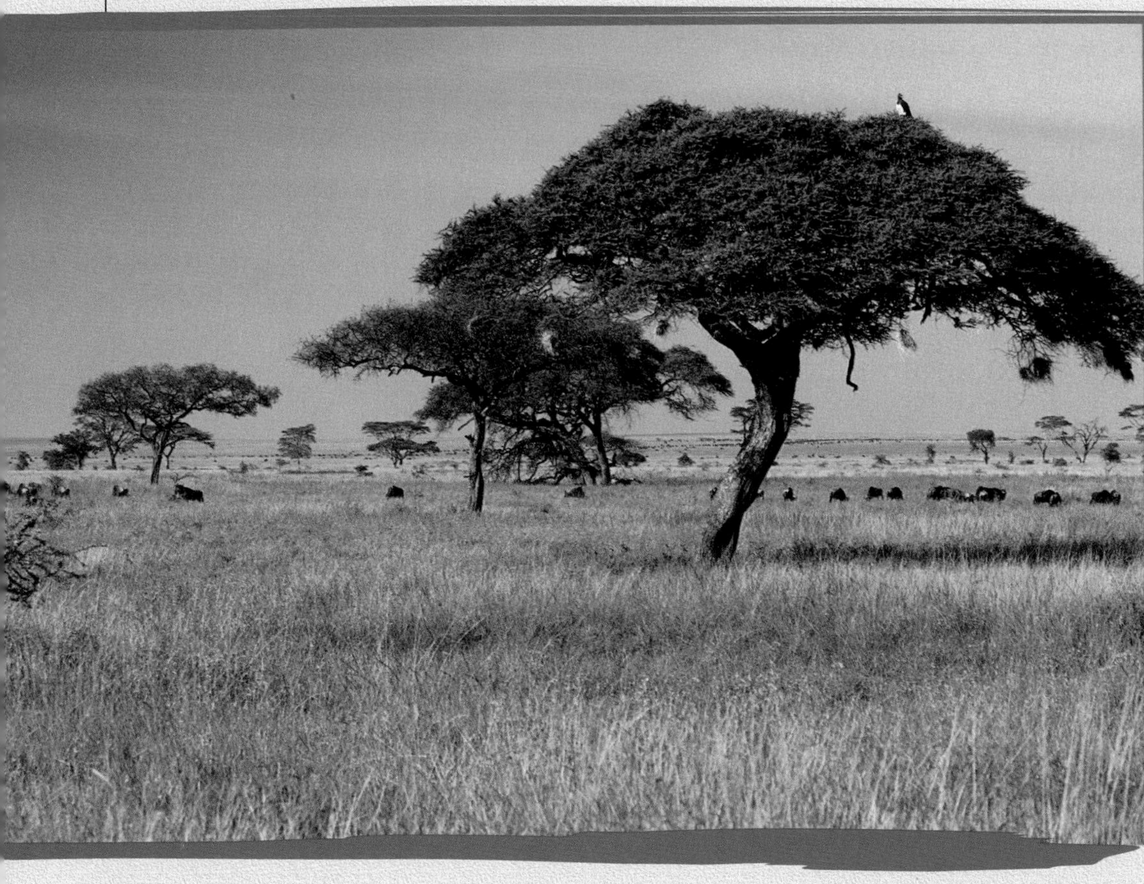

Dans cette région, il existe plusieurs variétés d'acacias dont la forme en parasol permet de les distinguer facilement dans la broussaille.

Le tourisme de masse

Malgré son **instabilité** politique et les épidémies qui y surviennent, la région des grands lacs africains reçoit énormément de touristes, principalement en Tanzanie et au Kenya. Les principales activités touristiques sont liées à la nature. Les safaris, en particulier, sont très appréciés. Au cours de safaris-photos, par exemple, les touristes observent et photographient des animaux sauvages dans leur **environnement** naturel. La plupart du temps, un safari-photo se compose d'une dizaine de personnes qui séjournent dans un parc pendant une vingtaine de jours avec leur guide. Ce type de safaris est particulièrement populaire dans la réserve nationale de Masaï Mara, au Kenya.

Pour les pays de la région des grands lacs, le **tourisme** nature est une importante source de revenus. En Tanzanie, par exemple, le tourisme rapporte 450 millions de dollars américains par année, ce qui représente 30 % du **PIB**. Au Kenya, 925 000 visiteurs ont généré des revenus de 340 millions de dollars en 2003.

Les impacts du tourisme de masse sur l'environnement

Pour attirer les touristes, les gouvernements construisent des routes qui facilitent l'accès aux villages, où ils bâtissent des gîtes munis de commodités (douche, toilette, etc.). De plus, comme le tourisme est une industrie florissante, les **multinationales** font leur apparition dans la région des grands lacs africains. Elles projettent d'y construire des ensembles hôteliers et d'y développer diverses activités nautiques. Ces **aménagements** modifieront le caractère sauvage de la région et réduiront l'étendue de l'habitat des animaux.

Les safaris-photos ont des conséquences négatives sur l'environnement. Durant la saison touristique, les guides utilisent des radios pour se signaler les endroits où se trouvent des groupes d'animaux. Les camions des safaris-photos sont alors tellement nombreux qu'ils provoquent des embouteillages sur les pistes des parcs.

Un safari-photo dérangeant

Imagine le stress qu'éprouvent cette lionne et ses petits lorsqu'ils sont entourés de véhicules remplis de touristes !

Dans la réserve nationale de Masaï Mara, les véhicules quatre-quatre sont autorisés à faire de la randonnée hors-piste. Ces véhicules écrasent des plantes et de jeunes arbustes qui, à cause de l'appauvrissement des sols, mettront des mois, voire des années, à renaître.

De plus, le passage fréquent de ces véhicules contrarie la reproduction des animaux en empiétant sur leur habitat naturel. Par ailleurs, l'aménagement de nouvelles pistes ferme les couloirs de migration, une situation qui incite les bêtes à modifier leur comportement de chasse. C'est ce qui se produit, par exemple, chez les guépards, au Kenya.

L'Union internationale pour la conservation de la nature (UICN) a constaté une importante réduction de la population de certaines espèces animales dans des parcs nationaux de l'Afrique de l'Est. Par exemple, dans la zone de conservation de Ngorongoro, en Tanzanie, la population de gnous est passée de 25 000 à 19 000 individus entre 1980 et aujourd'hui.

Comme la faune et la flore constituent une importante **ressource** pour l'économie des pays de la région, certains gouvernements ont pris des mesures pour préserver les milieux naturels. En Ouganda, une **réglementation** très stricte régit l'observation des gorilles. Un maximum de 20 personnes par jour peuvent partir à la recherche des grands singes. De plus, les groupes doivent être formés d'un maximum de six ou sept personnes et se limiter à une heure d'observation.

Dans la plaine de Serengeti, le gouvernement de la Tanzanie a interdit la construction de tout nouvel établissement hôtelier pendant 10 ans, ce qui limite le nombre de touristes dans le parc. De plus, 10 % du territoire de la Tanzanie a été classé comme réserve et parc naturel. Les revenus générés par le tourisme nature permettent d'entretenir ces zones protégées. C'est le cas, par exemple, du parc national Amboseli, au Kenya. Dans ce parc, le tourisme rapporte 50 % plus de revenus que l'**agriculture**.

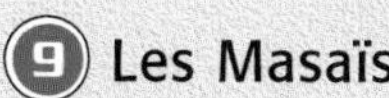

Les impacts du tourisme sur la vie des habitants

Le tourisme joue un rôle important dans la région des grands lacs africains, car il met en contact des populations très différentes par leur niveau de vie, leurs valeurs et leurs habitudes. Par exemple, la venue de touristes a fortement modifié le mode de vie des Masaïs, un peuple du Kenya.

À l'origine, ce peuple d'éleveurs était semi-nomade. Il s'est progressivement sédentarisé au contact des touristes. Aujourd'hui, les Masaïs vivent dans un parc protégé par le gouvernement du Kenya. Leur territoire d'élevage est de plus en plus restreint, alors que la majorité des terres maintenant occupées par les parcs et les réserves leur appartenaient autrefois. Cette situation provoque la présence d'un trop grand nombre de bêtes d'élevage aux mêmes endroits, ce qui entraîne le surpâturage. Par ailleurs, le tourisme place les Masaïs devant un dilemme : doivent-ils protéger les prédateurs comme les lions, qui attirent les touristes, même si ces bêtes massacrent leurs troupeaux ?

9 Les Masaïs

Des Masaïs dans leur costume traditionnel.

8 La rencontre des cultures

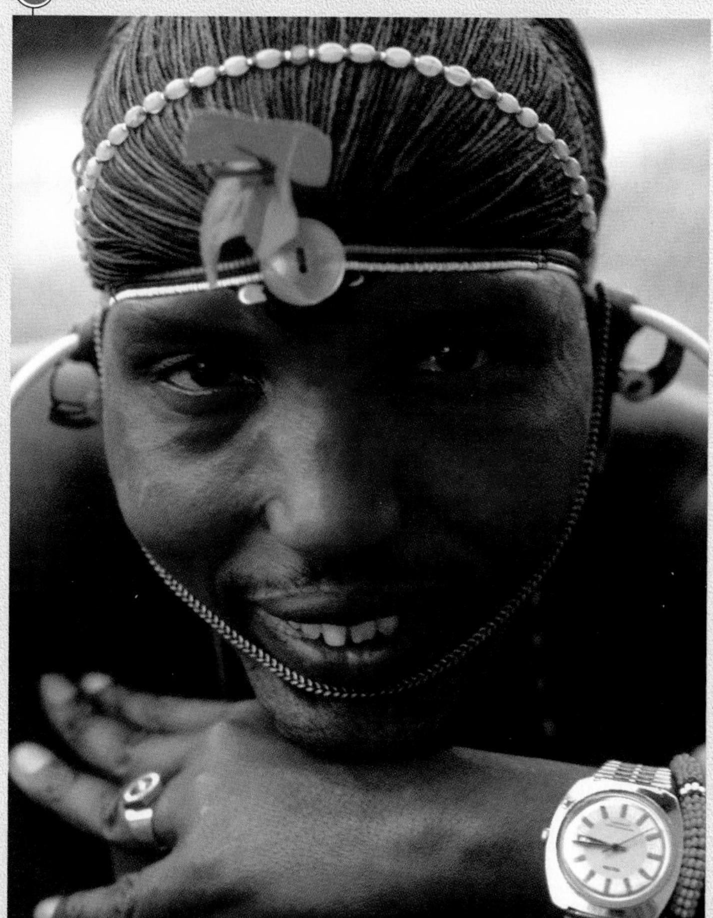

Certaines communautés masaïs louent leurs terres à des promoteurs privés, qui y organisent des safaris. Plusieurs Masaïs sont aussi engagés comme cuisiniers, gardiens ou guides. Cependant, ces activités ne leur permettent de récupérer que 14 % des revenus du tourisme, alors que la plus grande partie de ces revenus va aux organisateurs de voyages organisés et de safaris ainsi qu'aux propriétaires d'hôtels et de camps.

La visite d'une communauté masaï fait généralement partie des forfaits proposés aux touristes dans la région. Certains villages ont même été créés pour mettre en évidence la culture masaï.

Les Masaïs sont attirés par les objets familiers des touristes : boisson gazeuse, lunettes de soleil, appareil photo, etc. Ce Masaï porte une montre même si elle ne fonctionne pas !

L'Île-de-France

L'Île-de-France	
Pays	France
Population de la région	11 millions
Superficie de la région	12 012 km²
Densité de population de la région	910 hab./km²
PIB/hab. du pays	26 345 $
Climat	Océanique

Sources : Conseil régional d'Île-de-France, 2004 ; *L'état du monde*, 2005.

Le territoire

Le territoire de la France est découpé en départements groupés en régions administratives. L'Île-de-France, qui constitue l'une de ces régions, est située dans le nord du pays. Elle est formée de huit départements et inclut Paris, la capitale et **métropole** du pays. L'Île-de-France n'est pas vraiment une île : la région doit son nom aux fleuves qui ceinturent son territoire. Cette région est la plus petite de la France, mais la plus peuplée et la plus prospère. C'est la troisième plus importante région économique du monde, après New York et Tōkyō.

1 La région de l'Île-de-France

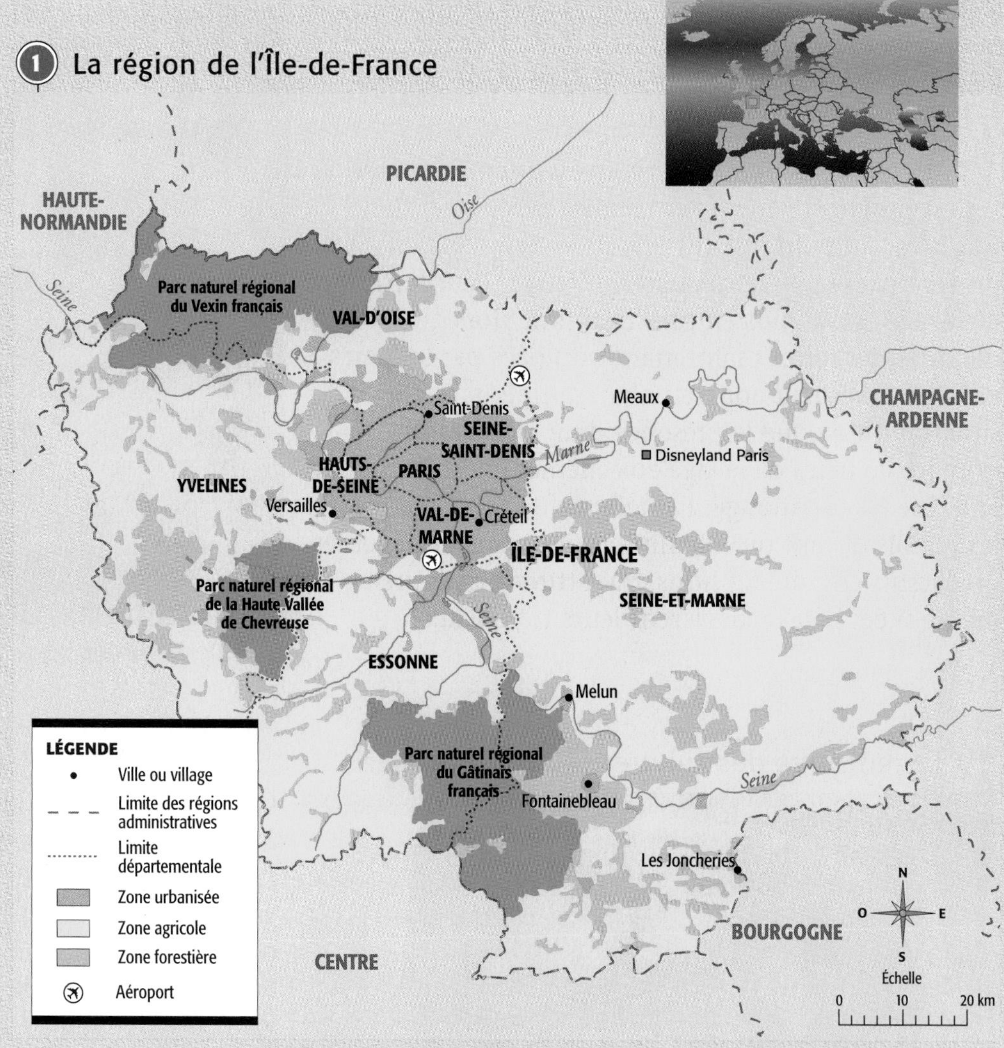

L'Île-de-France compte 11 millions d'habitants, soit 20 % de la population de la France.

Le climat

Le climat de l'Île-de-France est à dominante océanique avec une influence continentale. Le temps y est variable sans être très humide.

2 La température et les précipitations

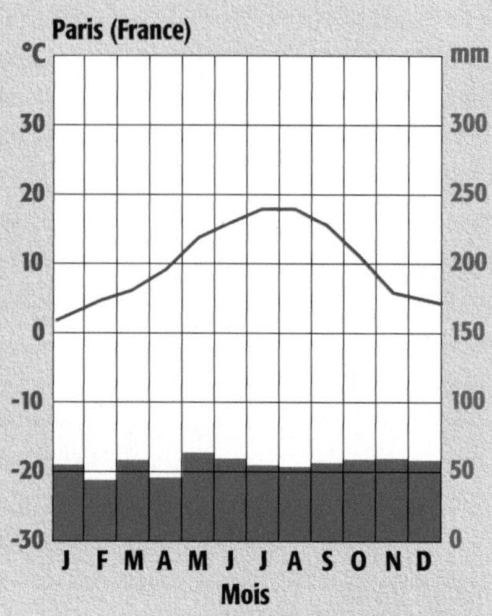

En Île-de-France, la température moyenne est de 17,9 °C en été et de 3 °C en hiver. Les précipitations y atteignent 620 mm par an.

Les attraits

Le relief de l'Île-de-France est plat : il ne dépasse pas 217 m d'**altitude**. Cependant, on y trouve plusieurs buttes et vallées herbeuses aux versants parfois abrupts. Le milieu agricole et naturel couvre 57 % du territoire de la région, alors que les forêts en occupent 23 %. Le milieu urbain couvre les autres parties du territoire.

La ville de Paris, où vivent près de 90 % des habitants de l'Île-de-France, est le principal pôle d'attraction de la région. La capitale politique, économique et culturelle de la France est aussi l'une des grandes métropoles du monde et un carrefour international. En 2005, selon le Conseil régional d'Île-de-France, la région a accueilli 36 millions de touristes, dont 60 % d'étrangers, ce qui fait de l'Île-de-France la première destination touristique mondiale.

De nombreux attraits expliquent l'importance touristique de Paris : un climat ni trop chaud ni trop froid, un site facile d'accès et, surtout, un **patrimoine** historique, artistique, culturel et humain considérable. Des artistes et des écrivains célèbres ont fait connaître cette région dans le monde entier.

De forme circulaire, Paris est traversée par la Seine, un fleuve qui divise la ville en deux parties, la rive gauche et la rive droite. Les deux rives sont reliées par plus de 32 ponts qui constituent l'un des attraits de la ville.

Paris est une grande ville où se côtoient des édifices et des monuments qui témoignent du passé et du présent : la cathédrale Notre-Dame de Paris, le musée du Louvre, l'Arc de Triomphe, le **quartier** de la Défense, le Centre Georges-Pompidou, la tour Eiffel, etc. La diversité de ses quartiers (historiques, culturels, commerciaux, etc.) offre aux touristes un grand nombre de lieux pittoresques et impressionnants.

3 Des édifices historiques et modernes

3A **L'Arc de Triomphe et, en arrière-plan, le quartier de la Défense**

3B **Le Centre Georges-Pompidou**

La tour Eiffel **3C**

La tour Eiffel a reçu 6 millions de visiteurs en 2004. Ce monument métallique d'une hauteur de 320 m est un symbole de la ville de Paris. Depuis sa construction, en 1889, la célèbre tour de Gustave Eiffel a attiré plus de 200 millions de visiteurs.

Des plaines agricoles et des zones forestières s'étendent autour de Paris. Les forêts de l'Île-de-France sont composées d'une grande variété d'arbres, autant feuillus que résineux.

Situé dans le département de Seine-et-Marne, le château de Fontainebleau se trouve au cœur d'une des plus belles et des plus célèbres forêts de France. La forêt et le château de Fontainebleau, ainsi que les nombreux villages voisins, attirent chaque année près de 12 millions de visiteurs.

4 La ville de Paris

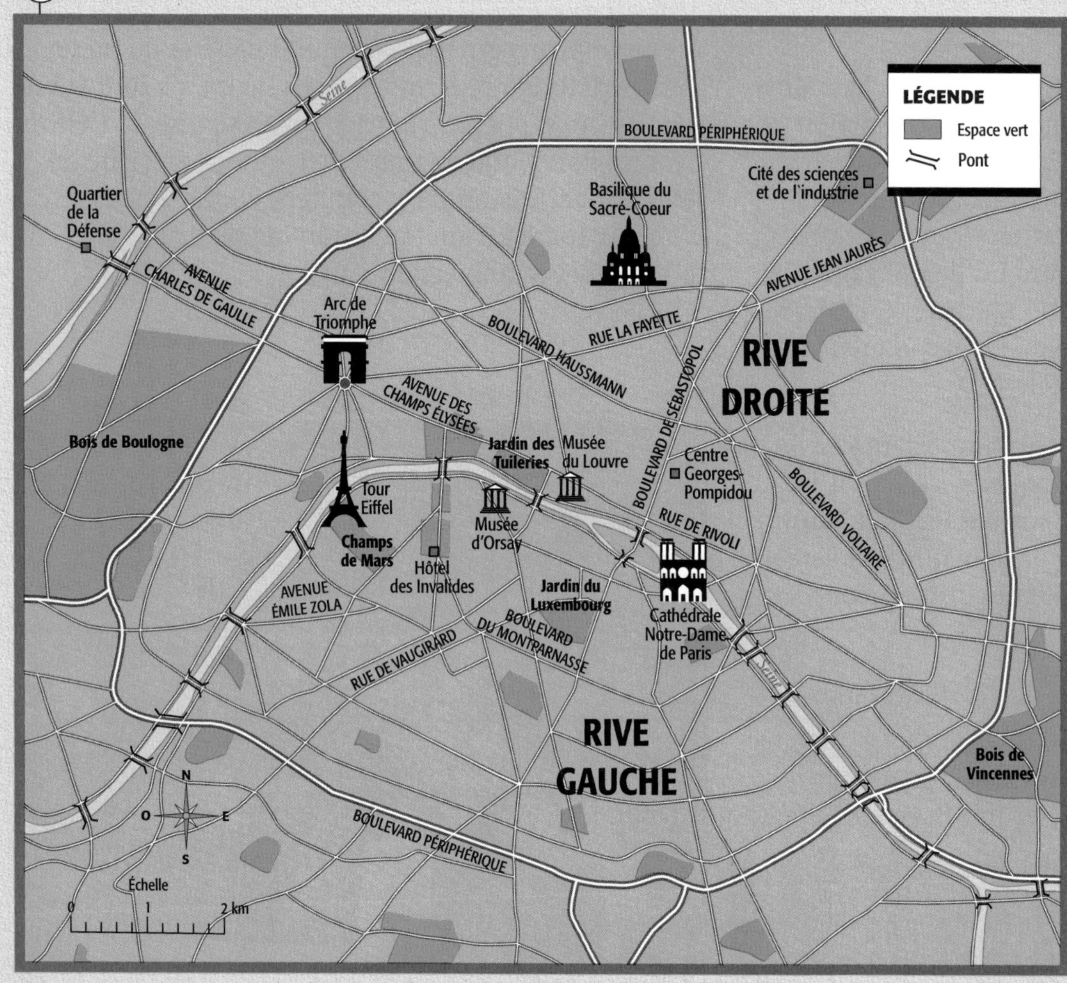

On trouve à Paris des édifices, des monuments, des boulevards, des parcs et des jardins célèbres dans le monde entier.

5 Le hameau des Joncheries

Dans les environs de Paris, de charmants petits villages ont préservé leur aspect rural.

⑥ Le château et la forêt de Fontainebleau

Le château de Fontainebleau a servi de résidence à plusieurs rois de France entre le 12e et le 18e siècle. Il est entouré de parcs et de jardins somptueux. En 1981, il a été classé dans la liste du patrimoine mondial de l'**Unesco**.

Les traces du passé et la culture

Les premiers habitants de l'Île-de-France se sont installés dans la région vers l'an 100 av. J.-C. Proclamée capitale de la France en l'an 508, Paris a été le centre de l'administration royale du pays pendant presque tout le Moyen Âge (476-1492). À la fin du 18e siècle, la ville comptait déjà 600 000 habitants. Au cours des siècles suivants, l'industrialisation et le développement des transports ont favorisé sa **croissance**.

⑦ La cathédrale Notre-Dame de Paris

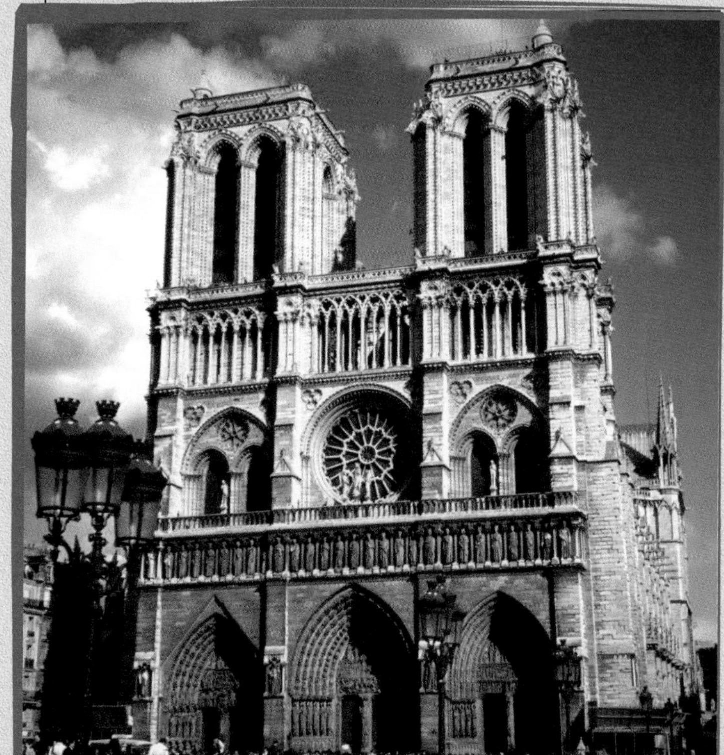

Chef-d'œuvre d'architecture, la cathédrale Notre-Dame de Paris peut accueillir 9 000 personnes à la fois. Elle reçoit chaque année 10 millions de visiteurs.

La région de l'Île-de-France a été le théâtre de plusieurs événements historiques importants. Ainsi, le 14 juillet 1789, le peuple français s'est révolté contre la royauté, qui possédait toutes les richesses. Cette date correspond aujourd'hui à la fête nationale des Français.

De nombreux édifices de l'Île-de-France ont plus de 800 ans. La construction de la cathédrale Notre-Dame de Paris a commencé en 1163 et a duré près de 200 ans. Celle du palais du Louvre a été entamée vers l'an 1190.

Le Louvre, un ancien palais royal, est aujourd'hui le plus grand musée du monde par sa taille et par la richesse de sa collection. Ses 600 salles présentent plus de 35 000 œuvres couvrant la période allant de l'Antiquité (5 500 à 5 000 av. J.-C–500 apr. J.-C.) aux années 1850.

Le château de Versailles, situé dans le département des Yvelines, est l'un des plus prestigieux au monde. Au départ, en 1624, il s'agissait d'un pavillon de chasse du roi Louis XIII. Quarante ans plus tard, Louis XIV y installait sa cour et son gouvernement. L'édifice, entouré d'un parc de 730 **ha**, contient plus de 700 chambres et 1 250 foyers. Sa célèbre galerie des Glaces expose des tapisseries, des sculptures, des peintures et des meubles réalisés par des artistes français et italiens.

8 Le musée du Louvre

En 2003, le Louvre a accueilli plus de 6 millions de visiteurs.

Le tourisme de masse

La région de l'Île-de-France est le cœur de l'industrie touristique du pays. La ville de Paris constitue le plus important **foyer touristique** de la France. Les gens visitent la capitale française pendant leurs vacances, mais aussi au cours de voyages d'affaires. Le **tourisme** d'affaires représente 46 % de l'occupation des chambres d'hôtels de Paris.

Ce sont avant tout les lieux culturels qui attirent les touristes en Île-de-France. Cependant, depuis 1992, un important flux de touristes visite aussi Disneyland Paris, un gigantesque parc d'attractions aménagé par la **multinationale** Walt Disney. Ce parc, situé à 30 km à l'est de Paris, a été implanté en Île-de-France à cause de l'importante activité touristique de la région. De plus, la situation centrale qu'occupe cette région en Europe permet une grande facilité d'accès par train, par avion ou par la route.

Disneyland Paris est la destination touristique la plus importante de l'Europe : le site accueille au-delà de 12 millions de visiteurs par année, dont 60 % de visiteurs étrangers. Le village Disney, qui s'étale sur 1 943 **ha**, compte sept hôtels (5 800 chambres), un terrain de golf, 68 restaurants, 54 boutiques, un cinéma, un ranch, une patinoire, des courts de tennis et deux parcs : le parc Disneyland et le parc Walt Disney Studio. Il compte aussi le cinquième plus grand centre de congrès de la France. En moyenne, près de 12 000 personnes par année travaillent à Disneyland Paris.

9 Le château et les jardins de Versailles

Les jardins du château de Versailles ont été créés par André Le Nôtre entre 1661 et 1668. Il a conçu une organisation symétrique des espaces et de grandes allées qui convergent vers la façade.

Les impacts du tourisme de masse sur l'environnement

Pour permettre la construction de Disneyland Paris, les autorités ont exproprié des fermes. Elles ont fait rénover des routes et construire des infrastructures (toilettes publiques, haltes routières, etc.) et des hôtels pour accueillir les touristes.

L'**environnement** est cependant une préoccupation importante dans le village de Disneyland. Un programme de gestion de l'énergie a été mis en place en 1997, afin de réduire et de contrôler la consommation d'eau, d'électricité et de gaz. Sur le site, qui correspond à une ville de 45 000 habitants (travailleurs et visiteurs), 50 % des véhicules légers fonctionnent à l'électricité.

Les impacts du tourisme de masse sur les habitants

Dans l'Île-de-France, l'industrie du tourisme génère 250 000 emplois, ce qui représente 10 % du **PIB** de cette région. Cependant, la fréquentation touristique a des répercussions sur la vie des populations locales, qui sont dérangées par les embouteillages et la pollution (bruits, émanations des automobiles, etc.).

C'est le cas, par exemple, de la célèbre butte Montmartre, à Paris, où est située la basilique du Sacré-Cœur. Cette basilique attire chaque année plusieurs millions de personnes (8 millions en 2003). Les habitants du quartier ont dû négocier pendant trois ans avant d'obtenir des autorités locales qu'elles interdisent aux autobus de se garer sur le principal boulevard et qu'elles imposent des stationnements payants dans toutes les zones de la butte. Ces mesures ont entraîné une diminution des embouteillages. De plus, des minibus électriques écologiques, les montmartrobus, sillonnent maintenant les rues de Montmartre.

10 Disneyland Paris

Depuis son ouverture, Dysneyland Paris a accueilli plus de 120 millions de visiteurs.

11 Un montmartrobus

Une solution à la pollution et aux embouteillages : l'autobus électrique.

La Savoie	
Pays	France
Population du département	373 250 hab.
Superficie	6 028 km^2
Densité de population	62 hab./km^2
PIB/hab. du pays	26 345 $
Climat	Climat de montagne

Sources : Département de la Savoie; ONU, 2002; *L'état du monde*, 2005.

La Savoie

Le territoire

Le territoire de la France est découpé en départements groupés en régions administratives. La Savoie est un département du sud-est de la France. Elle est bordée à l'est par l'Italie et se trouve à 26 km de la Suisse. Son territoire s'étend sur une largeur de 100 km et une longueur de 150 km.

Le territoire savoyard ne contient que 2 % d'étendues d'eau. Il compte cependant plus de 100 lacs, dont le lac du Bourget (4 460 **ha**) est le plus important. En plus des lacs, trois grands cours d'eau traversent la Savoie : l'Isère, l'Arc et le Rhône.

La végétation varie selon l'**altitude**, car, tous les 100 m, la température baisse de 0,6 °C et l'air se raréfie. Ainsi, au sommet des montagnes, il neige même en été. À basse altitude, dans la vallée, 28 % du territoire est couvert de forêts de feuillus. Dans les zones plus élevées, les conifères apparaissent et, à 1 800 m, seules la végétation de la toundra et la flore alpestre peuvent subsister. La faune qui vit sur les hauts versants, jusqu'à la limite des neiges, comprend des bouquetins, des chamois, des marmottes, des lièvres et des souris des neiges.

1 La Savoie

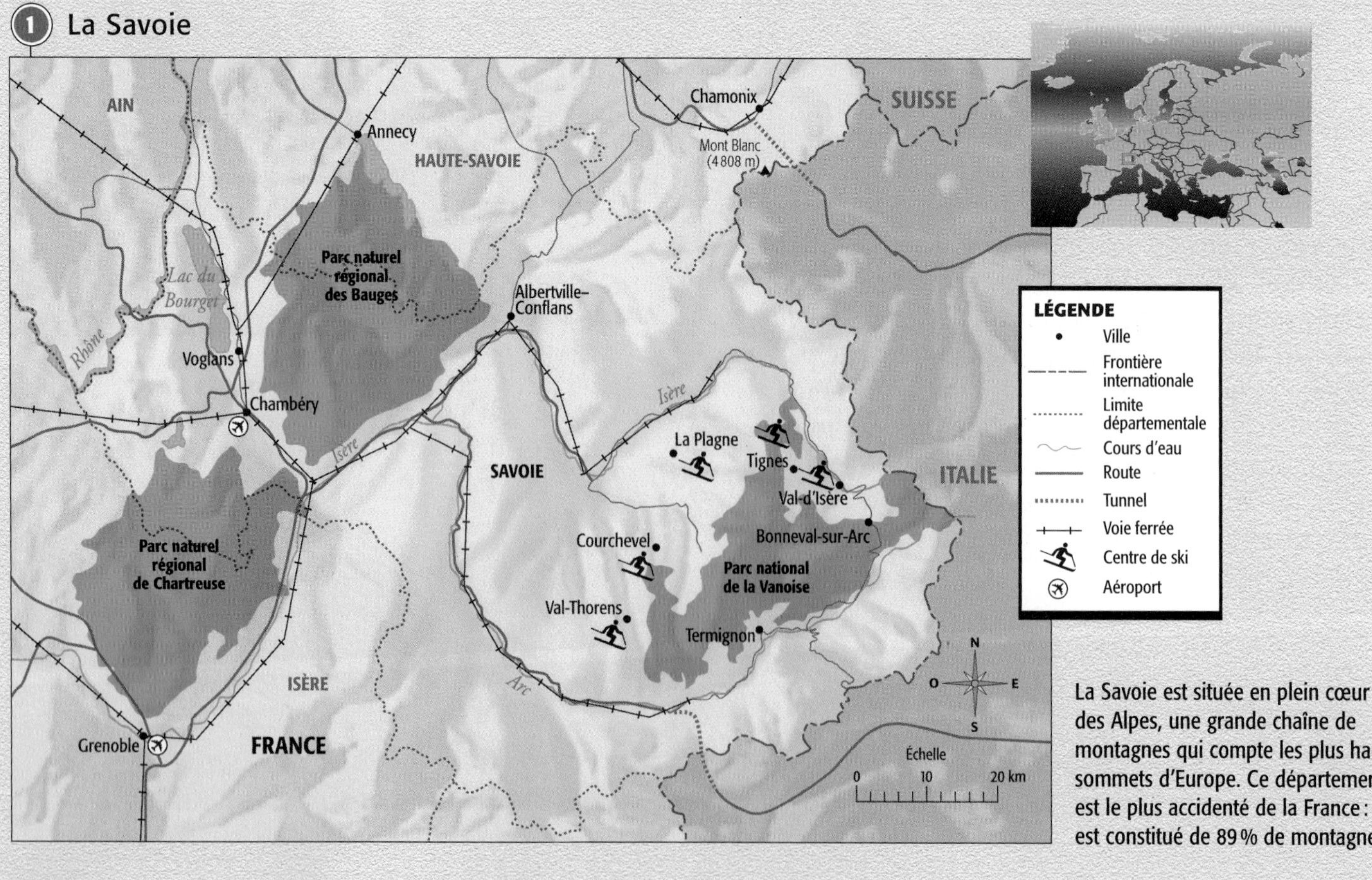

La Savoie est située en plein cœur des Alpes, une grande chaîne de montagnes qui compte les plus hauts sommets d'Europe. Ce département est le plus accidenté de la France : il est constitué de 89 % de montagnes.

Le climat

Le climat de la Savoie est largement influencé par son relief, dont l'altitude moyenne est de 1 500 m. Dans la vallée, les **précipitations** sont relativement semblables tout au long de l'année et les températures en général assez douces. En hiver, les chutes de neige sont abondantes. Au sommet des montagnes, la température est basse toute l'année. La neige n'y fond jamais complètement: c'est la raison pour laquelle on dit que ces sommets sont recouverts de « neiges éternelles ». Le climat de montagne est idéal pour les randonneurs et les adeptes du plein air.

2 La température et les précipitations en Savoie

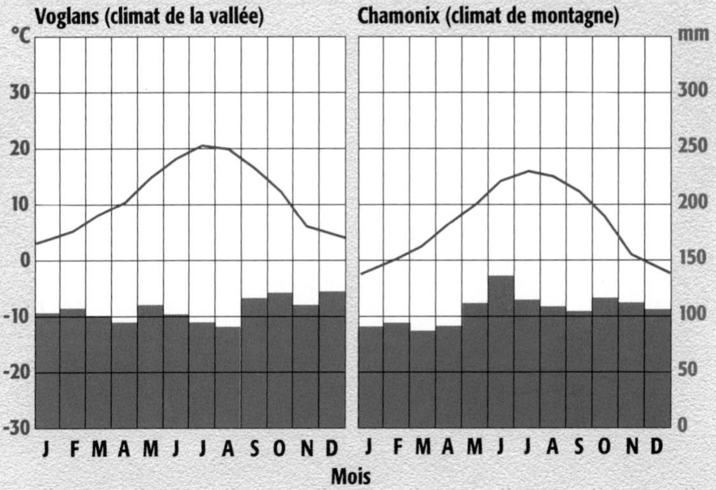

Les attraits

La nature est l'attrait principal de la Savoie. Avec ses 36 sommets de plus de 3 500 m d'altitude, ce département est un véritable paradis pour les amateurs de ski, de randonnée pédestre et d'escalade! De plus, comme elle est située au cœur du continent européen, à proximité des grandes plaines, et desservie par un bon réseau d'autoroutes et de voies ferrées, la Savoie est accessible à un large bassin de population.

La Savoie est reconnue pour ses quelque 60 stations de sports d'hiver: Val-d'Isère, La Plagne, Tignes, Courchevel, Val-Thorens... Grâce aux conditions exceptionnelles qu'offre la région, Albertville a été l'hôte des Jeux olympiques d'hiver, en 1992.

Un grand parc national d'environ 53 000 **ha** s'étend sur le massif de la Vanoise. Ce massif, qui compte près de 500 km de sentiers, reçoit à lui seul 800 000 visiteurs par année. En plus des activités récréatives et sportives, les visiteurs peuvent y pratiquer des activités de préservation du **patrimoine naturel** et culturel de la montagne.

3 Le parc national de la Vanoise

Les paysages du parc national de la Vanoise sont splendides.

④ Une auberge sur le canal de Savières

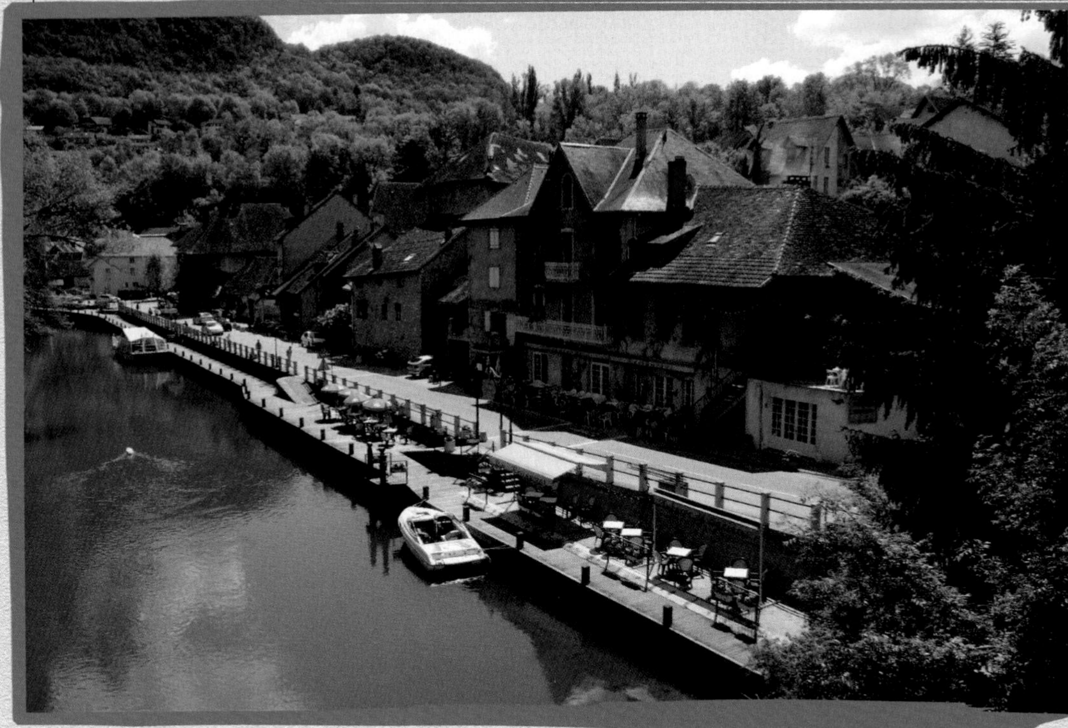

D'une superficie de 45 km^2, le lac du Bourget est le lac naturel le plus grand et le plus profond de France.

Ce lac reçoit un grand nombre de touristes. La plupart des villes situées autour du lac disposent d'un port de plaisance où sont pratiquées des activités nautiques.

Le canal de Savières, qui mène au lac du Bourget.

Les traces du passé et la culture

La Savoie conserve l'empreinte de sa longue et riche histoire : châteaux, villes fortifiées, églises, etc. Dans les vallées savoyardes, on peut voir des fermes et des chalets traditionnels dont les matériaux s'harmonisent avec l'**environnement**. Les murs et les toits de ces maisons sont fabriqués avec des pierres de la région (schiste ou calcaire). Elles ont souvent un étage fait de bois d'épicéa et de mélèze.

⑤ La cité médiévale de Conflans, à Albertville

Fondée au 11e siècle, la cité médiévale de Conflans abritait les habitations de puissants seigneurs au 14e siècle.

⑥ L'architecture traditionnelle

Des chalets bordant une petite rue dans le village de Bonneval-sur-Arc, en Haute-Maurienne. Ce village a été classé monument historique en 1911.

Le tourisme de masse

Entre 1930 et 2000, les autorités de la Savoie ont développé le **tourisme** de masse pour relancer l'économie de la région. On y a construit des routes, des tunnels et des viaducs pour accéder à la montagne et suffisamment de gîtes et d'hôtels pour héberger 400 000 personnes.

La Savoie est aussi magnifique en été qu'en hiver. Cependant, près de 60 % des touristes, dont les deux tiers sont étrangers, s'y rendent au cours de la saison hivernale.

Les stations de ski Val-d'Isère et La Plagne comptent à elles seules plus de 525 km de pistes. Durant la saison hivernale, Val-d'Isère reçoit en moyenne 9 000 skieurs par jour sur les 274 pistes de ses 10 000 **ha** de domaine skiable. Ce site est considéré comme l'un des plus favorables au monde pour la pratique du ski : longue période d'enneigement, bonne exposition des pentes, surfaces de neige nombreuses et étendues... Pour sa part, La Plagne compte 10 stations de ski, toutes reliées à l'ensemble du domaine skiable La Grande Plagne. Les atouts de ce domaine sont une grande étendue skiable protégée du vent, un enneigement constant et un ensoleillement optimum. De plus, il offre une vue impressionnante sur le Mont-Blanc.

8 La Plagne

La Plagne est un complexe où sont intégrés la station de ski, avec ses téléphériques et ses remonte-pente, de même que l'hébergement, les stationnements, les installations de divertissement, les restaurants, les boutiques, etc.

7 Le Tour de France cycliste

Chaque année, au Tour de France, le passage des cyclistes à La Plagne attire près d'un million de spectateurs.

Les impacts du tourisme de masse sur l'environnement

En Savoie, l'**urbanisation** rapide et la **commercialisation** des espaces naturels par l'industrie touristique constituent de graves menaces pour l'environnement. Au cours des 30 dernières années, la population a augmenté de 36 %, alors que la superficie urbanisée s'est accrue de 112 %. La présence des touristes, l'**aménagement** de domaines skiables de plus en plus grands et la construction d'un nombre croissant d'infrastructures d'accueil entraînent la destruction d'une partie de l'habitat de certains animaux. De plus, les routes, les hôtels et les aménagements touristiques, qui sont souvent érigés dans les plus beaux endroits, altèrent la beauté du paysage.

Au cours des années 1960-1970, des groupes environnementaux se sont opposés à la multiplication des projets de stations touristiques, que certains qualifiaient d'« usines à ski ».

C'est dans ce contexte que le parc national de la Vanoise a été créé, en 1963, presque un siècle après la création du premier parc national américain. En 1971, le président de la république française, Georges Pompidou, est intervenu auprès du Ministère de l'Environnement et de la Qualité de vie pour empêcher un promoteur d'installer une remontée mécanique dans un centre de ski. Cependant, la forte pression touristique et les importants intérêts financiers en jeu ont finalement eu raison des protecteurs de l'environnement : un téléphérique traverse aujourd'hui la zone du parc. Par contre, l'installation de ce téléphérique a eu un impact limité sur l'environnement, car elle n'a pas nécessité la construction de pylônes.

Le périmètre du lac du Bourget a connu un important développement démographique : il abrite près de la moitié de la population de la Savoie (170 000 personnes). En 30 ans, la population des villes riveraines s'est accrue de 57 %. Les infrastructures de transport qui entourent le lac génèrent un trafic intense. Une voie ferrée, sur laquelle passent 140 trains par jour, longe le tiers de ses rives. En hiver, des dizaines de milliers de voitures encombrent quotidiennement les deux grands axes routiers de la région. Ces infrastructures, bien qu'elles soient utiles à la collectivité, constituent des menaces pour les environs du lac du Bourget.

Des barrages ont été construits sur certaines rivières pour produire de l'électricité et éviter les crues printanières. Ces barrages permettent d'assurer un niveau d'eau stable qui favorise les activités nautiques sur les lacs alimentés par l'eau des rivières. Cependant, la végétation des berges des rivières a besoin des crues, qui lui fournissent des éléments nutritifs provenant de l'eau de ruissellement venue des montagnes. En l'absence de crues, la végétation est moins abondante sur les berges des rivières. Les racines des plantes ne retiennent donc plus la terre, et l'érosion gruge peu à peu les berges.

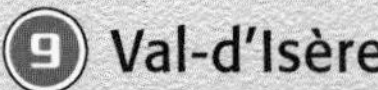

9 Val-d'Isère

Au début du 20e siècle, Val-d'Isère était un petit village savoyard que l'hiver isolait du reste du monde pendant de longs mois. Aujourd'hui, la station de ski est mondialement connue.

10 Des bouquetins dans le parc national de la Vanoise

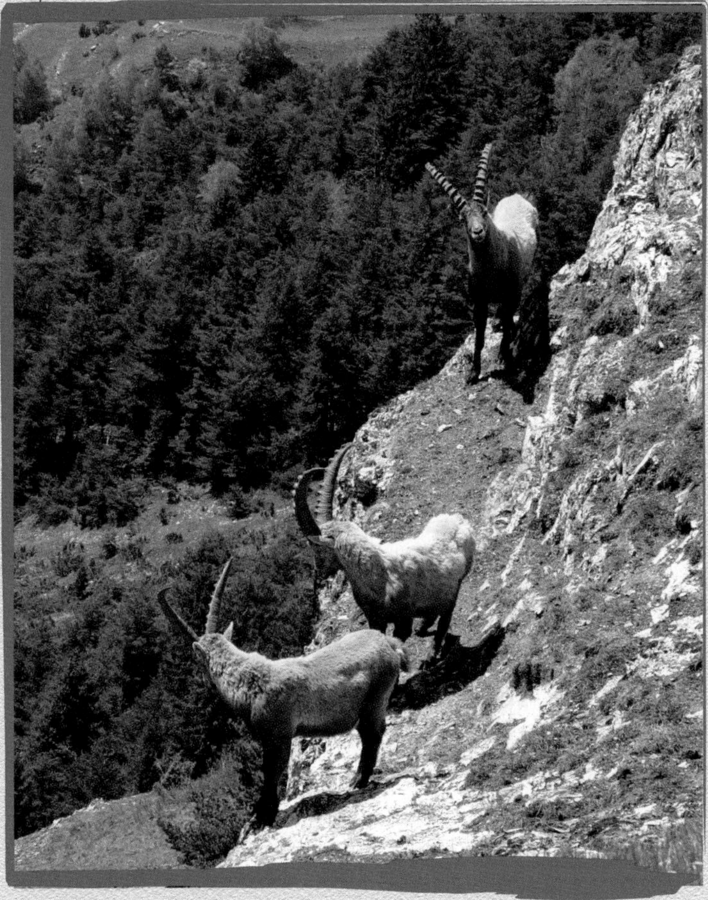

Lors de la création du parc national de la Vanoise, en 1963, il y avait 60 bouquetins dans cette zone. Aujourd'hui, ils sont plus de 2 000 !

11 Une auberge de montagne en Savoie

Les impacts du tourisme de masse sur les habitants

Le tourisme est l'activité commerciale la plus importante de la Savoie. Les revenus annuels des activités touristiques s'élèvent à près de 7 milliards de dollars CAN, soit la moitié du **PIB** de la Savoie. Au-delà de 20 % des emplois de la région sont liés au secteur touristique.

La population du lac du Bourget, qui reçoit annuellement des millions de touristes, est divisée sur la question de l'exploitation des **ressources** touristiques de la région.

Certains habitants aimeraient profiter des richesses de leur environnement sans rencontrer une foule de touristes. Les ports de plaisance du lac du Bourget, par exemple, peuvent accueillir 2 500 embarcations, ce qui signifie qu'à certaines périodes de l'été, on y trouve en moyenne 56 bateaux par km^2 !

D'autres habitants gagnent leur vie grâce au tourisme. Cependant, les **multinationales** propriétaires des grandes stations engagent des étrangers pendant les hautes saisons d'été et d'hiver. Comme ces travailleurs saisonniers ne sont pas très exigeants sur les conditions de travail, ils nuisent aux travailleurs locaux.

Les agriculteurs savoyards, qui se sont longtemps opposés au développement touristique dans leur région, en profitent maintenant. Un certain nombre d'entre eux exploitent des gîtes de montagne ou des auberges campagnardes. Les touristes aiment s'y arrêter pour s'imprégner de grand air et de culture locale.

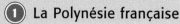

Tahiti

Tahiti	
Pays	Polynésie française (France)
Population de Tahiti	140 000 hab.
Superficie de Tahiti	1 042 km²
Densité de population	Polynésie française : 40 hab./km² Tahiti : 134 hab./km²
PIB/hab. du pays	17 500 $
Climat	Tropical

Sources : Office du tourisme de Tahiti, 2004 ; *Tahiti Traveler*, 2005; Banque d'Hawaii.

1 La Polynésie française

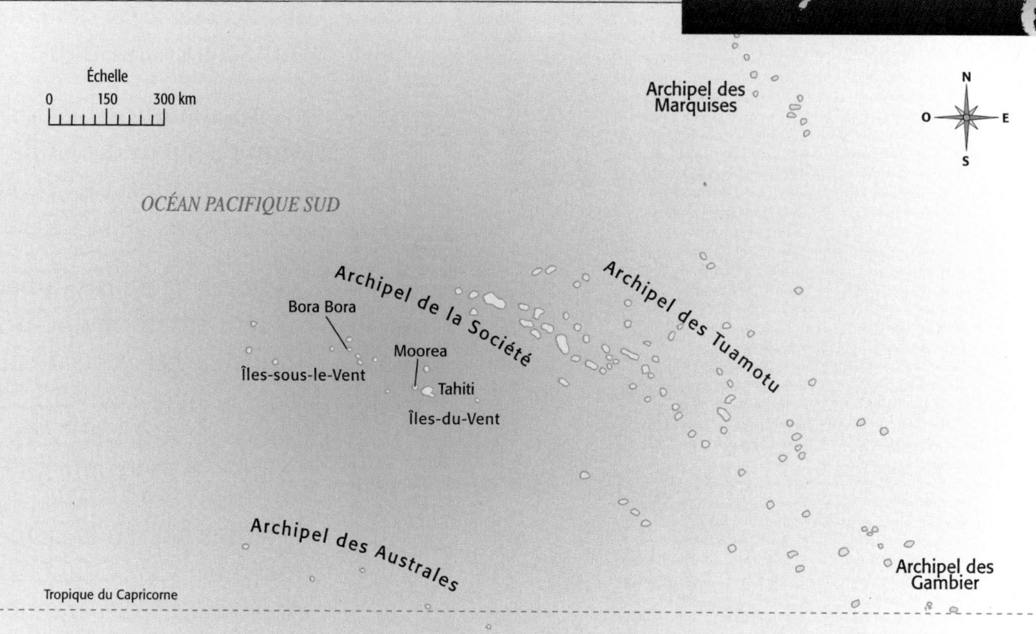

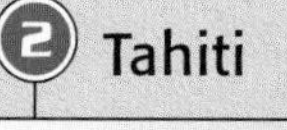

Les îles de l'archipel de la Société abritent 86 % de la population de la Polynésie française.

Le territoire

Tahiti est l'une des 30 000 îles de l'océan Pacifique Sud. Elle fait partie de la Polynésie française, un groupement de cinq **archipels** formés de 18 îles. Tahiti est la principale île de l'archipel de la Société. Cet archipel est divisé en deux groupes d'îles : les Îles-du-Vent et les Îles-sous-le-Vent. Les îles de Tahiti, Moorea et Bora Bora sont les plus connues.

Tahiti est formée de deux parties, Tahiti Nui et Tahiti Iti, qui sont reliées par une mince bande de terre, l'isthme de Taravao. Comme presque toutes les îles de la Polynésie française, Tahiti est d'origine volcanique. Les deux parties qui la composent sont surmontées de deux volcans éteints.

2 Tahiti

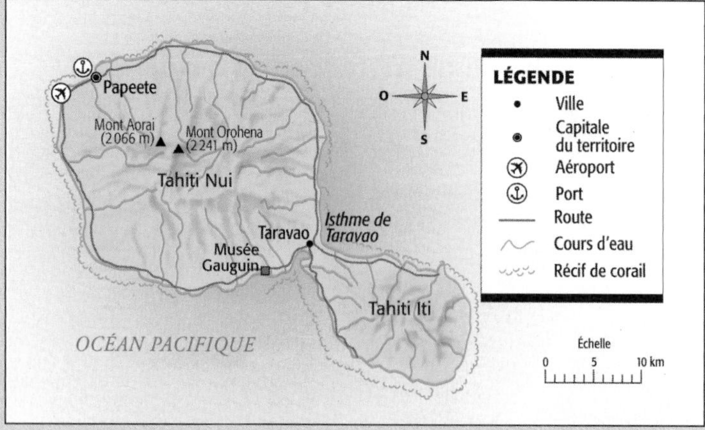

Les sommets du mont Orohena et du mont Aorai dominent la région de Tahiti. La capitale de la Polynésie française est Papeete, une ville de près de 30 000 habitants.

Le climat

Comme l'ensemble de la Polynésie française, Tahiti connaît un climat tropical, c'est-à-dire doux et chaud tout au long de l'année. Comme dans tous les pays de l'hémisphère Sud, l'été y commence en décembre et se termine en mars. Cette période est également la saison des pluies, qui sont très abondantes. L'hiver, plus sec, dure d'avril à novembre.

3 La température et les précipitations à Tahiti

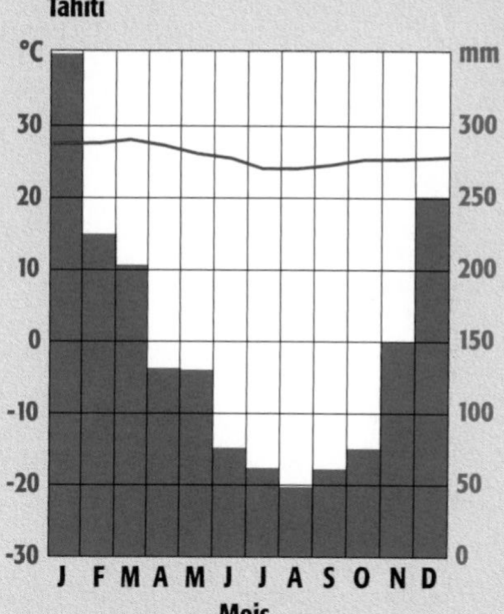

À Tahiti, la température moyenne est de 26,5 °C.

Les attraits

Le paysage de Tahiti, c'est d'abord la plage et la mer, dont la température se maintient entre 23 et 26 °C. C'est aussi le récif de corail qui ceinture l'île.

Le récif de corail, où vivent de nombreuses espèces animales et végétales, est la base de l'écosystème marin de Tahiti. Le corail est un organisme marin au squelette constitué de calcaire. Il édifie des récifs, c'est-à-dire des rochers émergés ou à fleur d'eau. Les coraux peuvent prendre la forme d'une barrière parallèle aux côtes ou d'un anneau plus ou moins circulaire qui isole en son centre un **lagon**.

Un lagon communique avec l'océan par des passes. Le récif de corail en forme d'anneau au centre duquel il y a un lagon est un atoll. La formation de la barrière de corail de Tahiti a débuté il y a 14000 ans. Cet environnement est très fragile; la reconstitution d'un récif de corail peut prendre jusqu'à 100 ans!

Le paysage de Tahiti présente une végétation luxuriante. On y trouve un millier d'espèces végétales, notamment des cocotiers, des vanilliers et des orchidées. Parmi ces espèces, 40% sont **endémiques**.

4 Un lagon formé par un récif de corail en Polynésie française

Les lagons sont des paysages naturels impressionnants que l'on peut voir en Polynésie française.

⑤ Les fonds marins

La faune marine est très riche en Polynésie française. Elle est composée de plus de 800 espèces de poissons.

La faune terrestre de Tahiti est plutôt pauvre. Elle se résume à 700 espèces d'insectes (alors qu'il y en a 50 000 en Australie) et à 120 espèces d'oiseaux. Les mammifères de l'île (porcs, chevaux, chèvres, bœufs) y ont presque tous été amenés par les colonisateurs.

En Polynésie française, les touristes sont attirés par les activités liées à la nature en général et à la mer en particulier. Le surf et la plongée sous-marine sont particulièrement populaires à Tahiti. En plongée, on peut observer des tortues et une multitude de poissons, dont des raies et des requins.

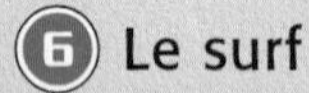

⑥ Le surf

À Tahiti, les vagues atteignent généralement 1 à 3 m de hauteur. Cependant, elles dépassent parfois 5 m, ce qui permet aux amateurs de surfer sur une distance de 50 à 200 m !

⑦ Le marché de Papeete

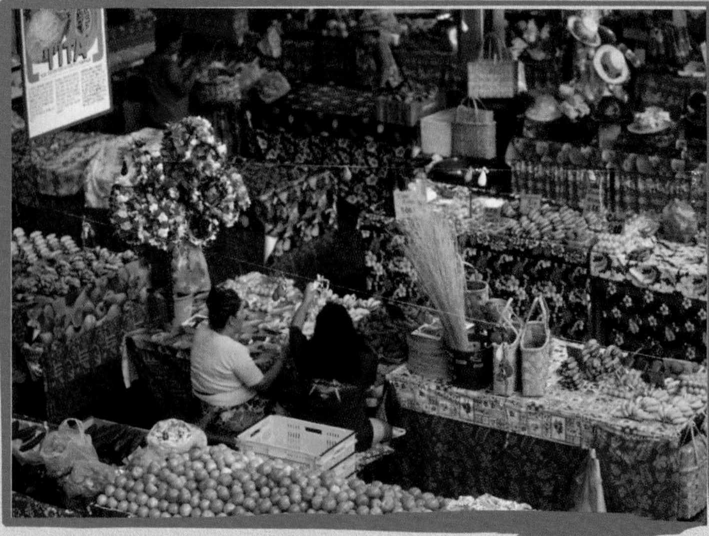

Le marché est le centre d'attraction majeur de Papeete, où l'on peut acheter les produits locaux et côtoyer les habitants de l'île.

Les traces du passé et la culture

Les Maoris, premiers habitants de la Polynésie française, sont arrivés par la mer il y a 3 000 ou 4 000 ans. Ils venaient des Philippines et de la Nouvelle-Guinée.

Les îles ont été visitées par les Européens à partir du 17e siècle. Cependant, c'est l'explorateur britannique James Cook qui en a fait la première description détaillée, après les avoir explorées entre 1769 et 1777. Avant l'arrivée des Européens, les Polynésiens étaient polythéistes, c'est-à-dire qu'ils vénéraient plusieurs dieux. Au cours de leurs cérémonies, ils portaient des costumes très colorés et des ornements variés : coiffures d'apparat, colliers, boucles d'oreilles en perles, en os, en corail et en coquillages, plumes, etc. Aujourd'hui, les descendants des Maoris composent 78 % de la population de Tahiti.

Comme ils ne savaient ni façonner le métal ni faire de la poterie, les ancêtres des Tahitiens ont inventé des techniques de tissage pour fabriquer les objets dont ils avaient besoin (chapeaux, paniers, toiles à pirogues, etc.). Cette activité traditionnelle, encore pratiquée aujourd'hui par certains Tahitiens, est très appréciée par les touristes qui souhaitent s'imprégner de culture locale.

Une grande partie de la vie et de l'œuvre du peintre français Paul Gauguin est liée à Tahiti. Le peintre, débarqué à Papeete à la fin du 19e siècle, a représenté de façon plus symbolique que réaliste l'atmosphère des plages de Tahiti dans ses portraits de vahinés (femmes de Polynésie française). De plus, il a participé à la vie sociale et politique du pays. Il est mort en Polynésie française, aux îles Marquises, en 1903. Un musée lui est dédié à Tahiti.

8 Une parure de tête traditionnelle

Cette parure de tête, le *ta'avaha,* a été confectionnée avec de nombreux coquillages et 500 plumes de coq.

9 Paul Gauguin

9A

Autoportrait, vers 1893-1894

Sur la toile *Femmes de Tahiti*, on reconnaît l'exotisme et les couleurs vives de la célèbre série de Gauguin sur les Tahitiennes.

9B

Femmes de Tahiti, 1819

Le tourisme de masse

Tahiti est devenue une colonie française en 1881, puis un territoire d'outre-mer de la France en 1946. C'est pour cette raison qu'un grand nombre de touristes français visitent ces îles.

En Polynésie française, le **tourisme** est la plus importante source de revenus, devant la culture de la perle noire et la pêche, deux activités traditionnelles des Maoris. En 2003, le tourisme y a généré des revenus de 570 millions de dollars CAN, ce qui représente 70 % des revenus du pays. Chaque année, près de 300 000 touristes se rendent en Polynésie française, et près de 90 % d'entre eux visitent Tahiti.

Les impacts du tourisme de masse sur l'environnement

Les touristes sont de plus en plus nombreux en Polynésie française, ce qui nécessite une augmentation des **aménagements** touristiques. Les autorités ont donc aménagé un aéroport et agrandi le port de Papeete. Pour bâtir les pistes de l'aéroport et la digue du port, on a détruit des coraux en les extrayant ou en les recouvrant. De plus, les aménagements effectués dans la zone urbaine de Papeete ont entraîné la destruction de 1,6 million de tonnes de coraux, ce qui équivaut à 20 % des récifs qui bordent la côte.

10 Une escale à Tahiti

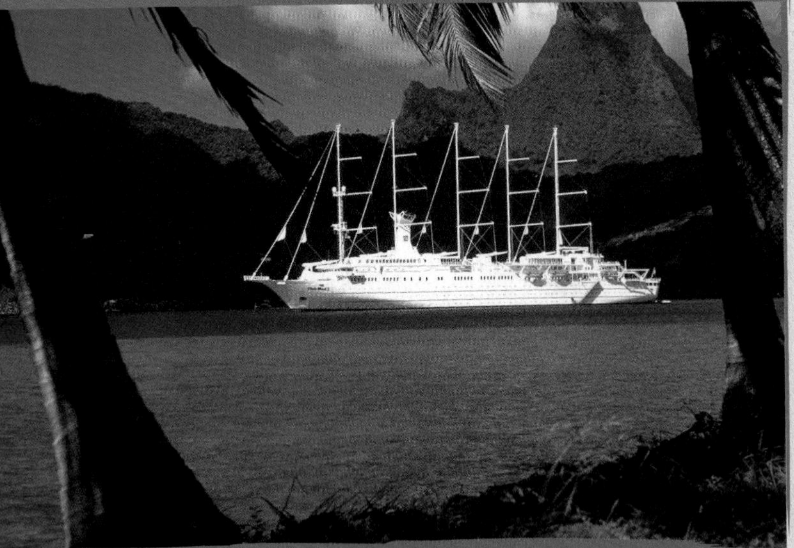

L'énormité des paquebots de croisière a nécessité l'agrandissement des ports de Tahiti.

11 Les coraux menacés

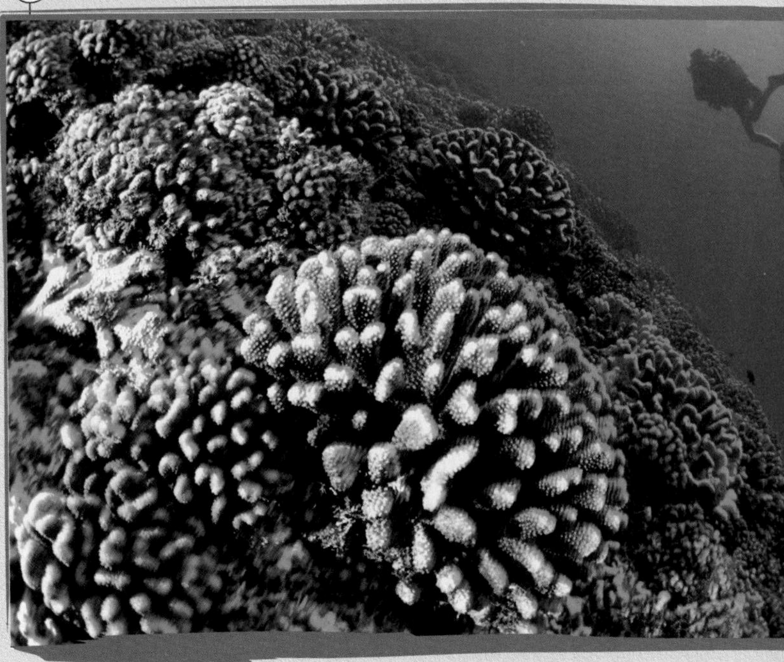

De nombreux touristes rapportent des morceaux de corail dans leurs bagages, contribuant ainsi à la destruction des récifs.

Tahiti fait face à un grave problème de pollution marine. Les déchets, dont une grande partie est liée au tourisme, sont difficiles à éliminer sur une île. Faute d'endroits où s'en débarrasser, une partie des déchets se retrouve souvent au fond des lagons.

Enfin, la pollution de l'eau et certaines activités sportives (moteurs des bateaux qui accrochent les récifs, plongeurs irrespectueux, etc.) peuvent détruire le corail.

En contribuant à la destruction des coraux et à la pollution des lagons, les touristes nuisent à l'environnement exceptionnel de Tahiti, qui constitue pourtant l'objectif principal de leur visite. Il est donc important de les sensibiliser à ce problème, de même que d'informer la population locale sur les conséquences de certains gestes.

Depuis quelques années, tout projet d'aménagement touristique doit faire l'objet d'une étude d'impact environnemental en Polynésie française. Entre autres effets, les autorités comptent ainsi préserver les récifs de coraux et améliorer le système de traitement des eaux usées dans les hôtels.

Les impacts du tourisme de masse sur la vie des habitants

Après s'être longtemps laissé envahir par la culture occidentale, les Polynésiens redécouvrent leur patrimoine et le mettent en valeur. C'est ainsi qu'on assiste au développement de l'artisanat, de l'archéologie, du tatouage et, surtout, de la danse tahitienne.

12 Un jeune Maori

Les jeunes Polynésiens aiment bien la mode occidentale.

13 La danse traditionnelle

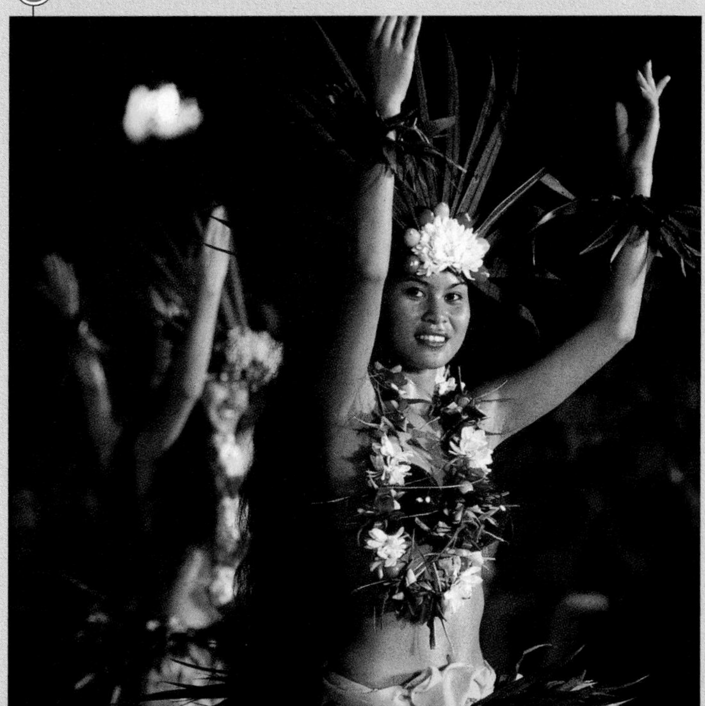

Les danses traditionnelles plaisent beaucoup aux touristes.

Ce retour aux sources correspond à un besoin essentiel, car les Maoris sont en train de perdre leur identité au profit de la culture occidentale des colonisateurs et des touristes. Les Occidentaux, par exemple, leur transmettent des modèles de vie (nourriture, vêtements, activités sportives, etc.) que les jeunes Maoris adoptent facilement.

Au moment où les jeunes Maoris occidentalisés commencent à reprendre contact avec leurs racines, les autorités de Tahiti mènent une campagne de sensibilisation au tourisme. Elle vise à démontrer aux Polynésiens que toute la population doit contribuer à l'essor économique du pays en participant à l'accueil des touristes.

Les Tahitiens célèbrent maintenant la fête du *Heiva*, qui fait partie de leurs anciennes traditions, uniquement pour les touristes. Cette célébration comporte des compétitions sportives accompagnées de danses et de chants. Les colliers de fleurs et les jupes en feuilles de cocotiers sont portés pour le plaisir des touristes. Dans la vie quotidienne, les jeunes tahitiens ont plutôt tendance à suivre la mode occidentale. Les effets de la **mondialisation** atteignent tous les coins de la planète...

La lagune de Venise	
Pays	Italie
Population de la lagune	312 000 hab.
Superficie de la lagune	551 km^2
Densité de population de la lagune	566 hab./km^2
PIB/hab. du pays	26 750 $
Climat	Méditerranéen

Source : *L'état du monde*, 2005.

LA LAGUNE DE

Le territoire

La ville de Venise est la capitale de la Vénétie, une région du nord-est de l'Italie baignée par la mer Adriatique. Elle s'étale sur un **archipel** composé de 118 îlots très rapprochés, dont les plus importants sont Venise, le Lido, Pellestrina, Murano, Burano et Torcello.

Venise est située au cœur d'une lagune, c'est-à-dire d'une étendue d'eau peu profonde délimitée par une bande de sable longue de 50 km. Cette bande de sable est entrecoupée par trois passes : le Lido, Malamocco et Chioggia. C'est par là qu'entre l'eau salée de la mer et que ressort l'eau saumâtre, un mélange d'eau douce et d'eau salée. Toutes les six heures, la marée assure un certain équilibre dans cet échange.

1 La lagune de Venise

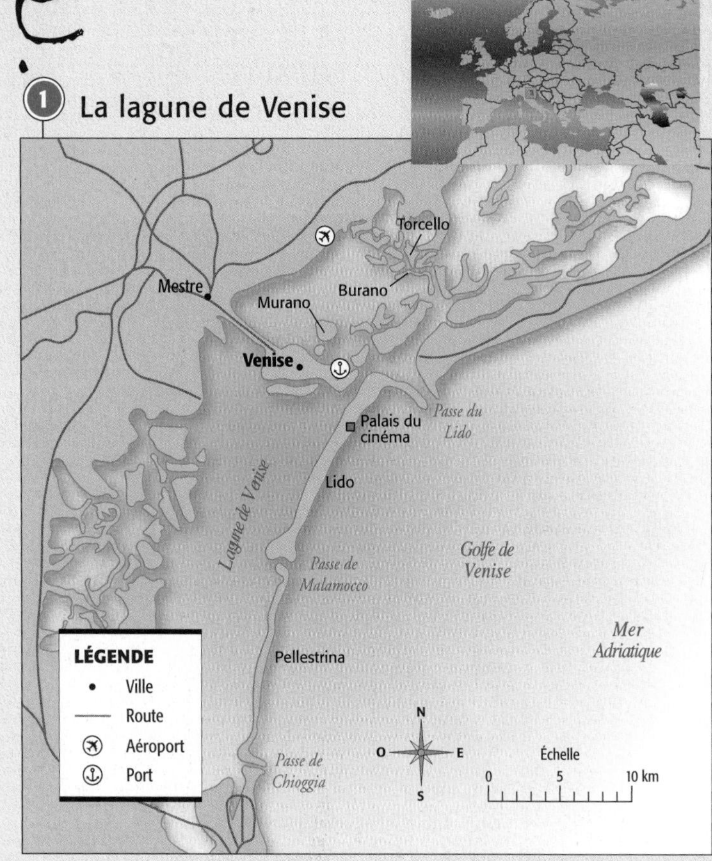

2 La ville de Venise

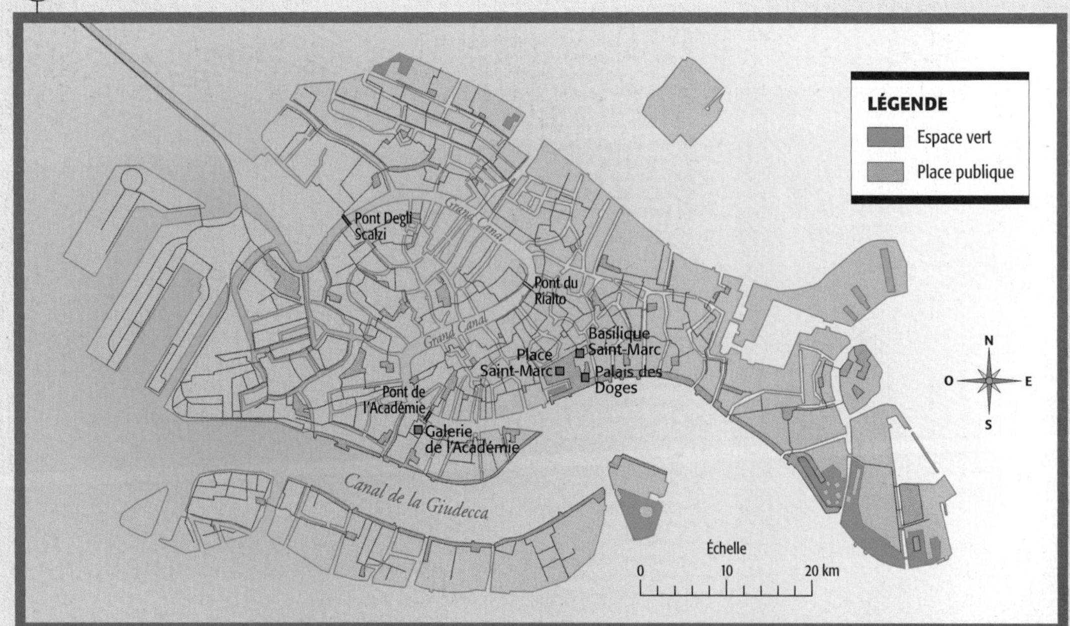

Les contours de la ville ont été façonnés pour une large part par les Vénitiens, qui ont installé dans la lagune des plateformes soutenues par des piliers de bois ancrés dans le sol.

Les îlots qui constituent Venise sont séparés par 160 canaux enjambés par 446 ponts de pierre, de fer ou de bois.

Le climat

À Venise, le climat est méditerranéen : les étés y sont donc chauds et les hivers doux. L'amplitude thermique y est moyenne : la température varie d'une vingtaine de degrés entre ces deux saisons. La ville ne connaît pas de saison sèche, car les **précipitations** sont réparties sur toute l'année.

④ La température et les précipitations

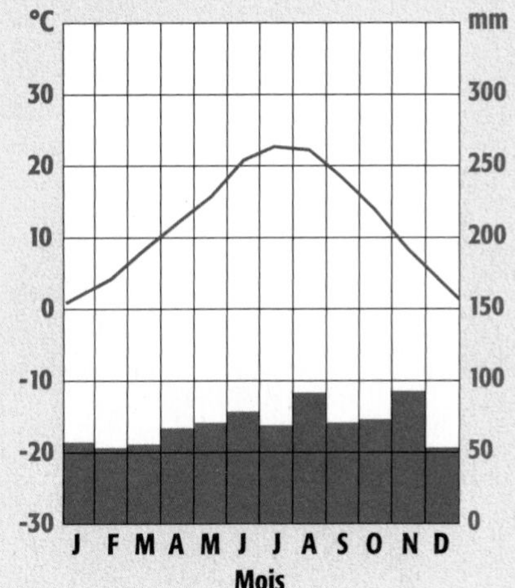

Située dans le golfe de Venise, la ville de Venise jouit d'un climat agréable.

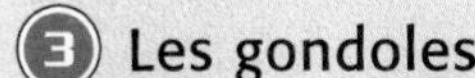

③ Les gondoles

La promenade romantique par excellence… si on oublie la pollution de l'eau, les canaux encombrés de gondoles et de bateaux de plaisance, et les milliers de touristes qui circulent dans les rues piétonnières.

Les attraits

Pour circuler sur les canaux de Venise, le moyen de transport le plus pratique et le plus populaire est le *vaporetto*, une sorte de bateau-bus. Toutefois, le plus célèbre et le plus cher est la gondole, une barque de forme allongée qu'on dirige à l'aide d'un aviron très long. Plus de 400 gondoles sillonnent les canaux de Venise. En vertu d'une loi adoptée en 1630, elles sont toutes de couleur noire.

L'île du Lido offre les plus belles plages de Venise. Le sable y est fin et doré, et la pente douce. Sur cette île se trouvent un casino, des hôtels et de somptueuses villas construites au début du 20e siècle. C'est aussi au Lido qu'a lieu chaque année la Mostra, un prestigieux festival de cinéma mondial.

 Le Lido

L'île du Lido est d'abord une station balnéaire, mais aussi un quartier résidentiel.

Les traces du passé et la culture

Au cours des 5e et 6e siècles, les habitants de l'actuelle Vénétie se sont fréquemment réfugiés dans les îlots de la lagune pour se protéger contre des envahisseurs venus du Nord. Au milieu de 6e siècle, ils se sont établis définitivement sur ce territoire.

À partir du 11e siècle, la ville de Venise est devenue une cité marchande très prospère et un véritable empire maritime. Les marchands vénitiens assuraient l'**importation** des marchandises d'Orient en Europe.

En parcourant le Grand Canal en *vaporetto,* on peut admirer 185 palais et une centaine d'églises datant du 12e siècle, de même que des boutiques, des hôtels et le casino de Venise. Trois ponts enjambent le Grand Canal : le pont Degli Scalzi, le pont du Rialto et le pont de l'Académie.

Le cœur historique et touristique de Venise se trouve place Saint-Marc. Sur cette magnifique place piétonnière, les plus célèbres bâtiments côtoient un nombre impressionnant de… pigeons ! Les coupoles de la basilique Saint-Marc, construite vers 1060, déploient leurs rondeurs au-dessus de la place.

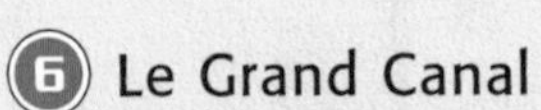 Le Grand Canal

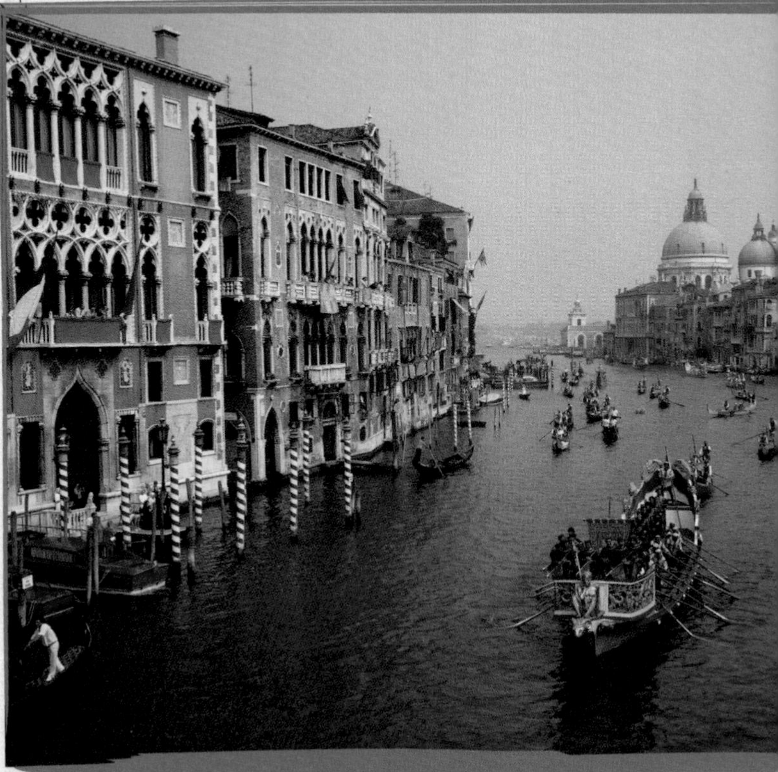

D'une longueur de près de 4 km, le Grand Canal est l'artère principale de Venise.

7 La basilique Saint-Marc

La basilique Saint-Marc est appelée « l'église d'or » à cause de l'abondance et de la splendeur de ses marbres et de ses mosaïques. L'intérieur de la basilique contient 500 colonnes de marbre et 4 000 m^2 de mosaïques.

8 Le palais des Doges

Le palais des Doges, érigé entre 1340 et 1441, voisine la basilique Saint-Marc. Ce palais doit son nom aux doges, les plus hauts magistrats de la république vénitienne de l'époque. Cet édifice a été le siège du gouvernement de Venise pendant plusieurs siècles.

Sur l'autre rive du Grand Canal, la galerie de l'Académie offre un impressionnant panorama de l'art vénitien du 14e au 18e siècle. On peut notamment y admirer les œuvres du célèbre peintre Canaletto, né en 1697 et mort en 1768.

9 Antonio Canaletto

Le peintre italien Canaletto a largement contribué à faire connaître les paysages de Venise. Dans cette œuvre de 1750 intitulée *Le retour du bucentaure au Môle le jour de l'Ascension*, l'artiste a représenté un paysage vénitien dans ses moindres détails.

Le tourisme de masse

Aujourd'hui, Venise est une véritable ville-musée, classée parmi les trésors du **patrimoine** mondial par l'**Unesco**. La ville accueille annuellement plus de 12 millions de visiteurs. La Vénétie, dont la lagune de Venise est le principal attrait, rapporte 13 % des revenus touristiques de l'Italie. À Venise, la moitié des emplois sont liés au **tourisme**. On y compte plus de 450 boutiques de souvenirs.

Les impacts du tourisme de masse sur l'environnement

Comme le tourisme est la principale activité économique de la lagune de Venise, la majorité des industries vénitiennes ont dû quitter la ville. Les seules industries traditionnelles qui profitent du tourisme sont celles du verre soufflé (île de Murano) et de la dentelle (île de Burano).

Pour faciliter l'accès des pétroliers, des cargos et des bateaux de croisière au port situé dans la lagune de Venise, il a fallu creuser la lagune jusqu'à une profondeur de 20 m. Ces énormes bateaux soulèvent des vagues qui, en détruisant l'**écosystème** de la lagune, la transforment progressivement en marécage. Les travaux effectués et le passage des bateaux contribuent à la pollution de l'eau et à l'accroissement de l'érosion, qui provoque la dégradation des fonds de la lagune et des fondations des bâtiments. Pour remédier à cette situation, les groupes locaux de défense de l'**environnement** ont proposé la construction de ports à l'extérieur de la lagune.

Pour fournir de l'eau potable aux usines de la région, aux habitants de la ville et aux touristes, on a pompé les eaux souterraines pendant une vingtaine d'années. Progressivement, le sol de la lagune s'est enfoncé d'environ 10 cm. Aujourd'hui, cette situation persiste même si on a cessé de puiser dans les eaux souterraines.

Chaque année, près d'un demi-million de mètres cubes de déchets et de boue s'accumulent dans les 50 km de canaux qui sillonnent Venise. Pour faciliter la circulation de l'eau des marées, qui assure un certain équilibre dans la composition de l'eau de la lagune, la société Insula a dragué près de 25 km de canaux et extrait 125 000 m^3 de déchets.

La présence des touristes contribue également à la pollution de l'air, qui détériore aussi les édifices. La plupart du temps, les chauffeurs des autobus qui se rendent jusqu'aux abords de Venise laissent tourner le moteur de leur véhicule afin de maintenir la fraîcheur de l'air climatisé pour le retour de leurs passagers.

10 Une croisière sur la lagune

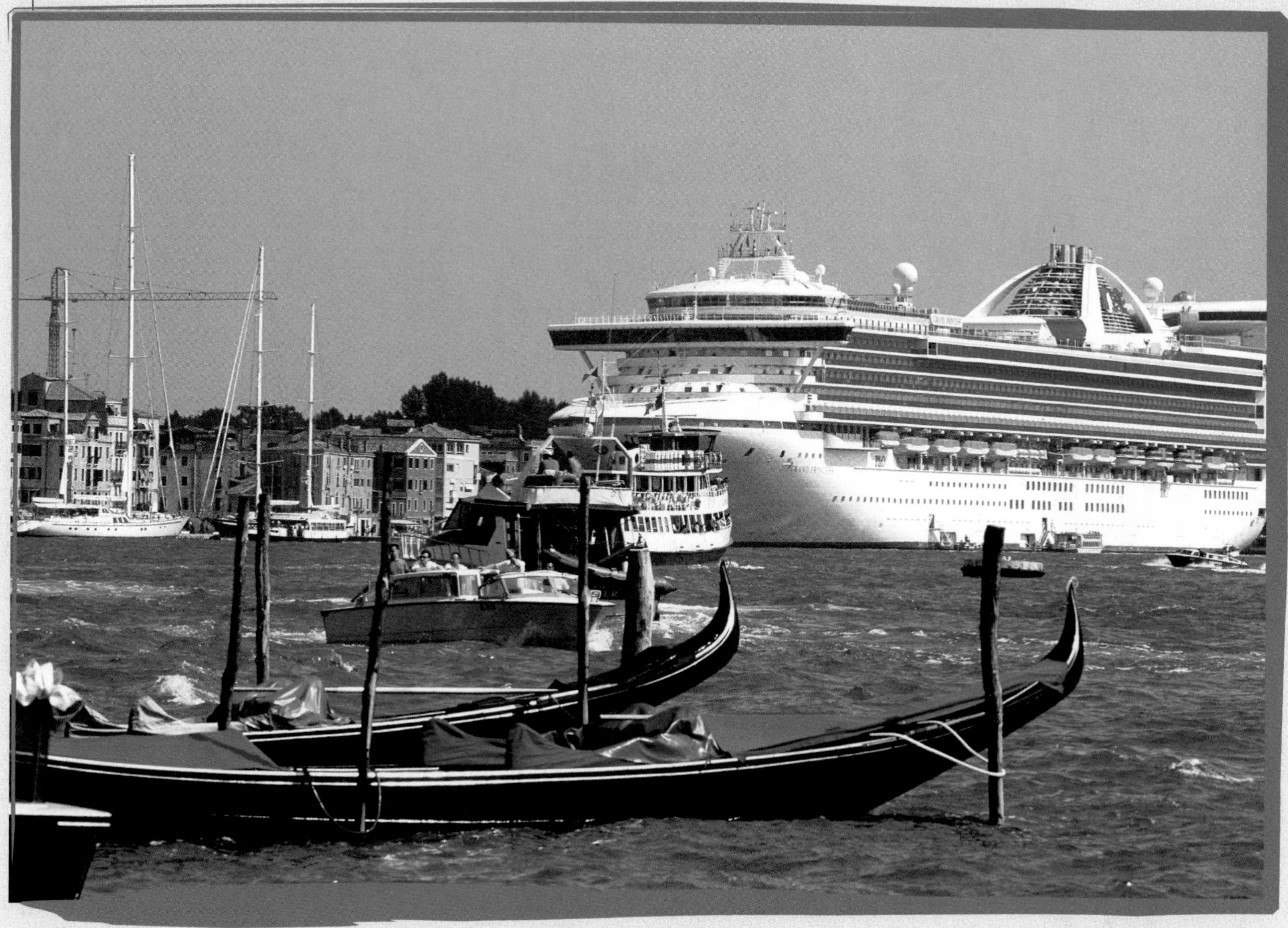

Les impacts du tourisme de masse sur les habitants

Chaque jour, il y a en moyenne 33 000 touristes à Venise, c'est-à-dire presque autant de visiteurs que de résidants. Au fil des ans, Venise se vide de sa population.

11 La diminution de la population de Venise

Année	Population
1951	175 000 hab.
1998	68 000 hab.
2005 (prévision)	40 000 hab.

Source : Unesco, 2000.

En 30 ans, Venise a perdu plus de 40 % de sa population. Les résidants quittent la ville pour trouver des loyers moins chers et un environnement plus sain et plus calme.

Les habitants de Venise considèrent que les touristes sont trop envahissants. De plus, 7 des 12 millions de touristes qui visitent annuellement la ville n'y passent que quelques heures. Ils ne contribuent donc pas vraiment à l'économie locale, car la plupart d'entre eux détiennent un forfait « tout compris » qui leur permet de dépenser un minimum d'argent.

Pour limiter le nombre de touristes et les inciter à séjourner plus longtemps à Venise, des citoyens ont proposé la création d'un réseau d'information sur les sites à visiter et une carte qui offrirait des réductions dans les musées et permettrait d'éviter les files d'attente. Cette stratégie pourrait favoriser le tourisme culturel et sensibiliser les visiteurs à un type de tourisme plus respectueux de l'environnement.

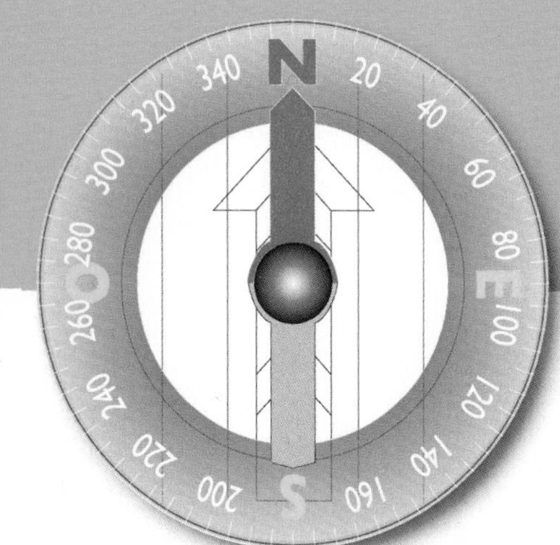

Table des matières

Ressources géo

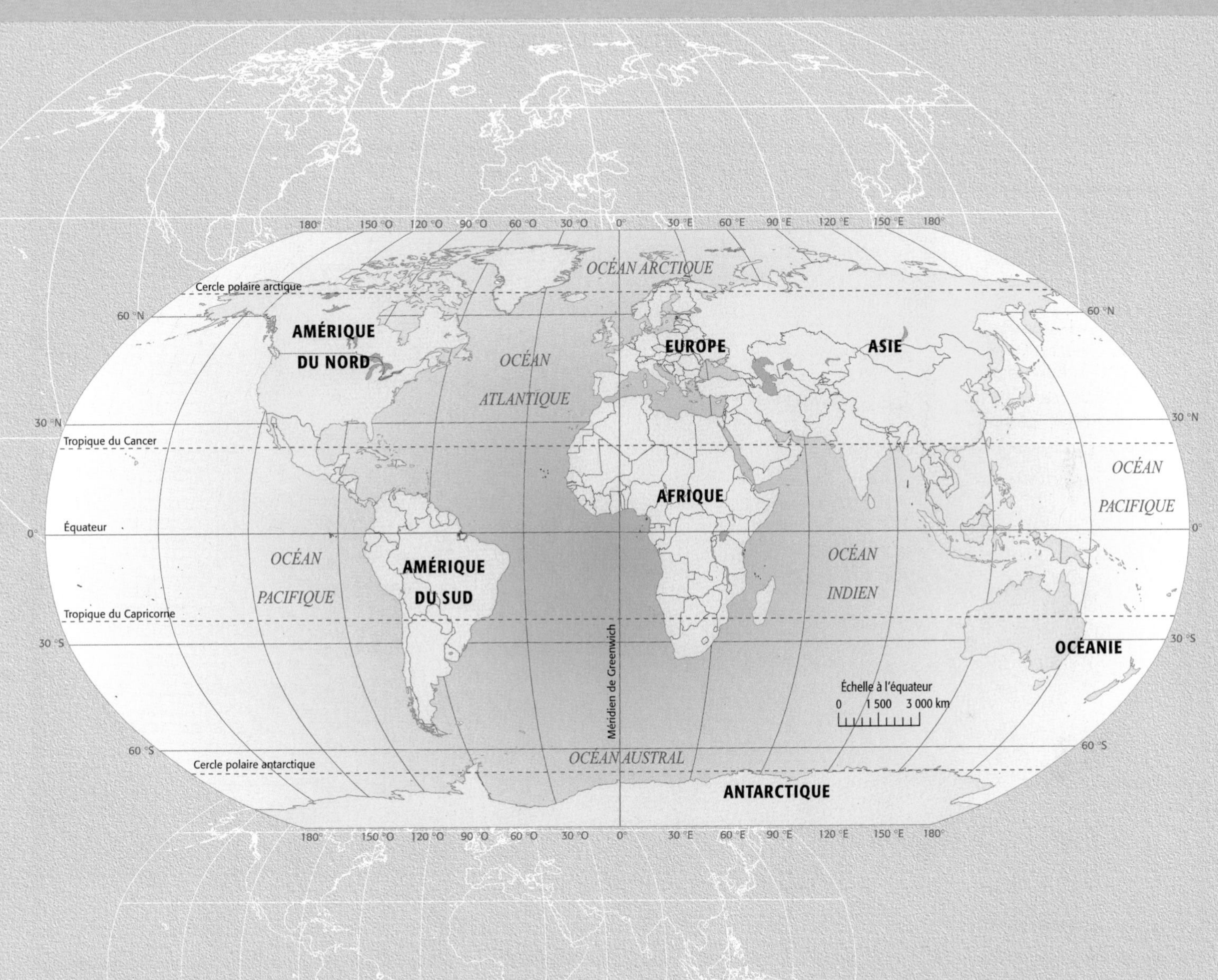

180°
150 °O
120 °O
90 °O
60 °O
30 °O
0°
30 °E
60 °E
90 °E
120 °E
150 °E
180°
OCÉAN ARCTIQUE
Cercle polaire arctique
60 °N
AMÉRIQUE
DU NORD
OCÉAN
ATLANTIQUE
EUROPE
ASIE
30 °N
Tropique du Cancer
OCÉAN
PACIFIQUE
AFRIQUE
Équateur
0°
OCÉAN
PACIFIQUE
AMÉRIQUE
DU SUD
OCÉAN
INDIEN
Tropique du Capricorne
30 °S
Méridien de Greenwich
OCÉANIE
Échelle à l'équateur
0
1 500
3 000 km
60 °S
Cercle polaire antarctique
OCÉAN AUSTRAL
ANTARCTIQUE

1 LES CARTES

Lire et interpréter une carte géographique

1 Observe cette carte géographique.

Le sud du Québec

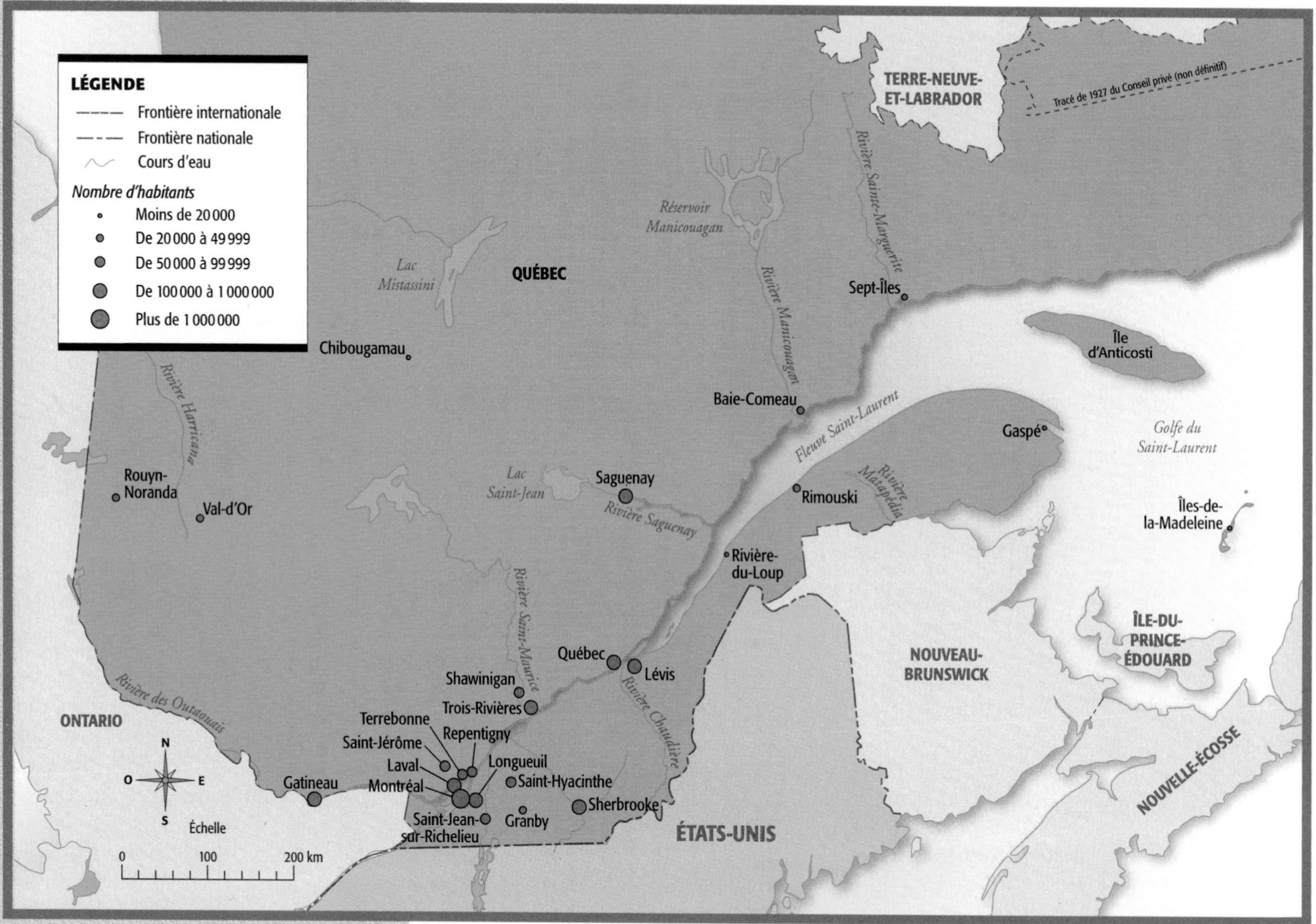

LÉGENDE

Frontière internationale
Frontière nationale
Cours d'eau

Nombre d'habitants

Moins de 20 000
De 20 000 à 49 999
De 50 000 à 99 999
De 100 000 à 1 000 000
Plus de 1 000 000

TERRE-NEUVE-ET-LABRADOR
Tracé de 1927 du Conseil privé (non définitif)
Réservoir Manicouagan
Rivière Sainte-Marguerite
Lac Mistassini
QUÉBEC
Rivière Manicouagan
Sept-Îles
Île d'Anticosti
Chibougamau
Rivière Harricana
Baie-Comeau
Fleuve Saint-Laurent
Gaspé
Golfe du Saint-Laurent
Rouyn-Noranda
Val-d'Or
Lac Saint-Jean
Saguenay
Rivière Saguenay
Rimouski
Rivière Matapédia
Îles-de-la-Madeleine
Rivière-du-Loup
Rivière Saint-Maurice
ÎLE-DU-PRINCE-ÉDOUARD
NOUVEAU-BRUNSWICK
Québec
Lévis
Shawinigan
Rivière des Outaouais
Trois-Rivières
Rivière Chaudière
ONTARIO
Terrebonne
Repentigny
Saint-Jérôme
Laval
Longueuil
Saint-Hyacinthe
Gatineau
Montréal
Sherbrooke
NOUVELLE-ÉCOSSE
Saint-Jean-sur-Richelieu
Granby
ÉTATS-UNIS
N
O
E
S
Échelle
0 100 200 km

2 Fais part de tes observations.

a Que trouves-tu sur cette carte ? Qu'est-ce qui te l'indique ?

b Comment cette carte est-elle orientée ?

c Comment pourrais-tu évaluer la distance entre deux lieux sur cette carte ?

d Quelle est la signification des couleurs et des symboles utilisés sur cette carte ?

3 Apprends à lire et à interpréter une carte géographique.

Une carte géographique est une représentation de la Terre ou d'une de ses parties à échelle réduite. Elle montre certains éléments que l'on trouve dans le monde ou dans une de ses parties. Elle peut aussi représenter des caractéristiques des populations et des sociétés.

Le titre

Le titre renseigne sur le contenu d'une carte.

La légende

La légende comprend l'ensemble des symboles utilisés sur une carte.

Le symbole d'orientation

Sur une carte, le nord se trouve souvent en haut. Par conséquent, le sud est en bas, l'est à droite et l'ouest à gauche, comme l'indique la rose des vents.

Sur certaines cartes, le nord géographique est désigné par une flèche. Exemple:

N

Le sud du Québec

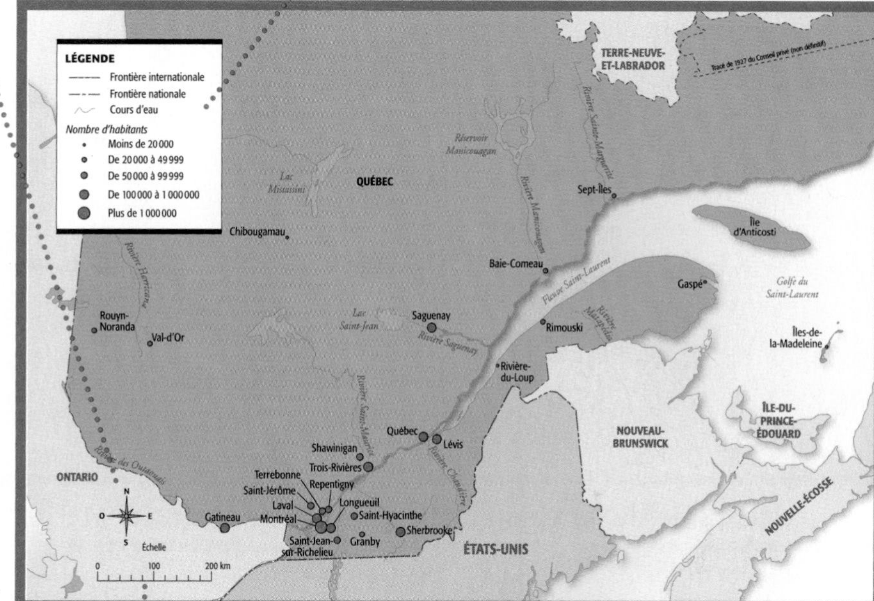

L'échelle

L'échelle indique le rapport entre une distance sur la carte et la distance réelle à la surface de la Terre.

Quelques symboles

- Les pictogrammes représentent un élément concret (lieu, activité, service, etc.). Exemples:

 Terrain de camping

 Activité de baignade

- Les symboles proportionnels décrivent le niveau d'importance d'un fait ou d'un phénomène. Exemples:
  - De 20 000 à 49 999 hab.
  - De 50 000 à 99 999 hab.
  - Plus de 100 000 hab.
- Les types de lettrage désignent divers éléments en révélant leur niveau d'importance. Exemples:

Montréal **ÉTATS-UNIS**

- Les zones de couleur désignent des espaces, des territoires ou des quantités. Exemple:

Étendue d'eau

- Les traits de couleur représentent le plus souvent des limites ou des frontières. Exemple:

 Frontière internationale

Les trois types d'échelles

- L'échelle verbale (ex.: 1 cm = 50 km)

  1 cm sur la carte correspond à 50 km à la surface de la Terre.

- L'échelle numérique ou fractionnaire (ex.: 1 : 1 000 000)

  1 cm sur la carte correspond à 1 000 000 cm (ou 10 km) à la surface de la Terre.

- L'échelle graphique

  0 50 100 150 200 km

  Chaque section de l'échelle correspond à une distance de 50 km à la surface de la Terre.

Les échelles et les cartes

Une carte à grande échelle représente en général un territoire de dimensions restreintes. Le rapport entre une distance sur une carte à grande échelle et la même distance sur la Terre est donc grand. Par exemple, une carte à échelle de 1 : 10 000 ou de 1 : 50 000 est à grande échelle. Ce type de carte convient bien à la représentation d'un quartier ou d'une ville, car on peut y faire figurer un grand nombre de détails.

Le centre-ville de Montréal (1 : 10 000)

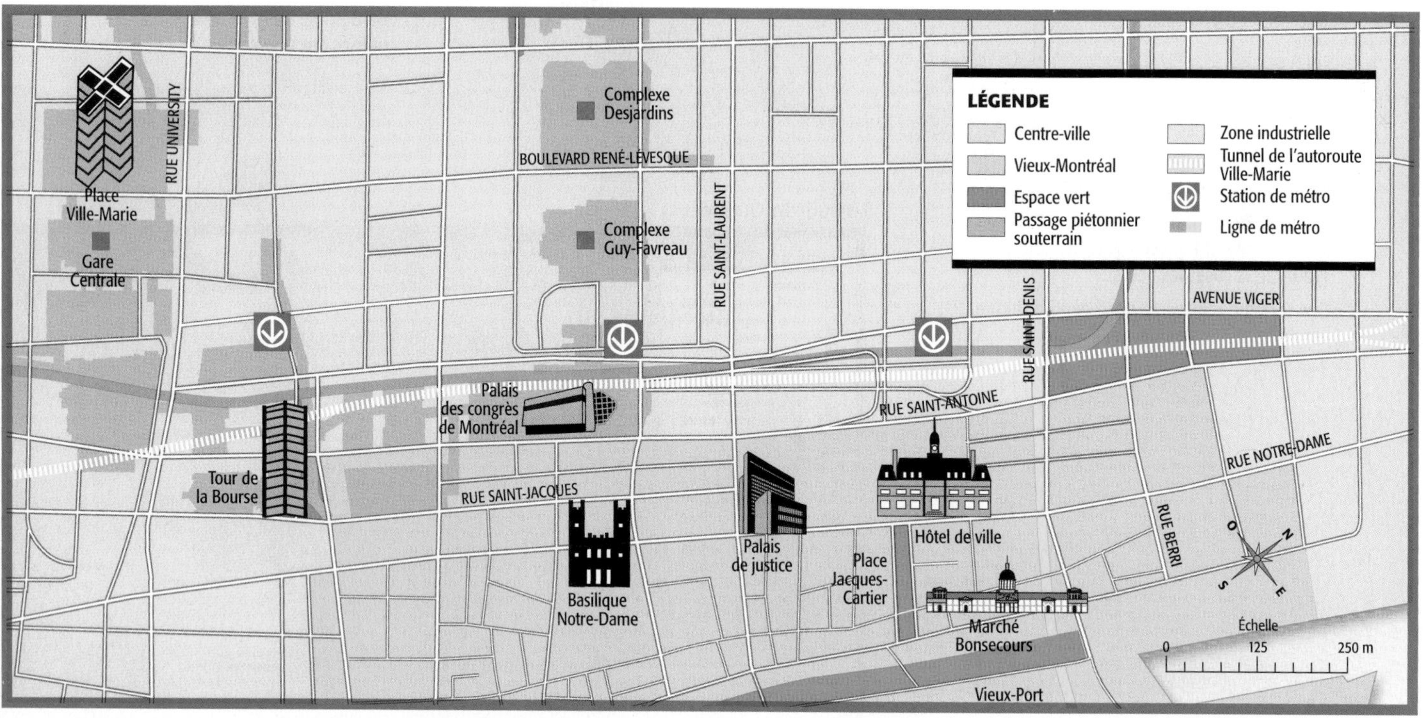

Une partie de la région métropolitaine de Montréal (1 : 50 000)

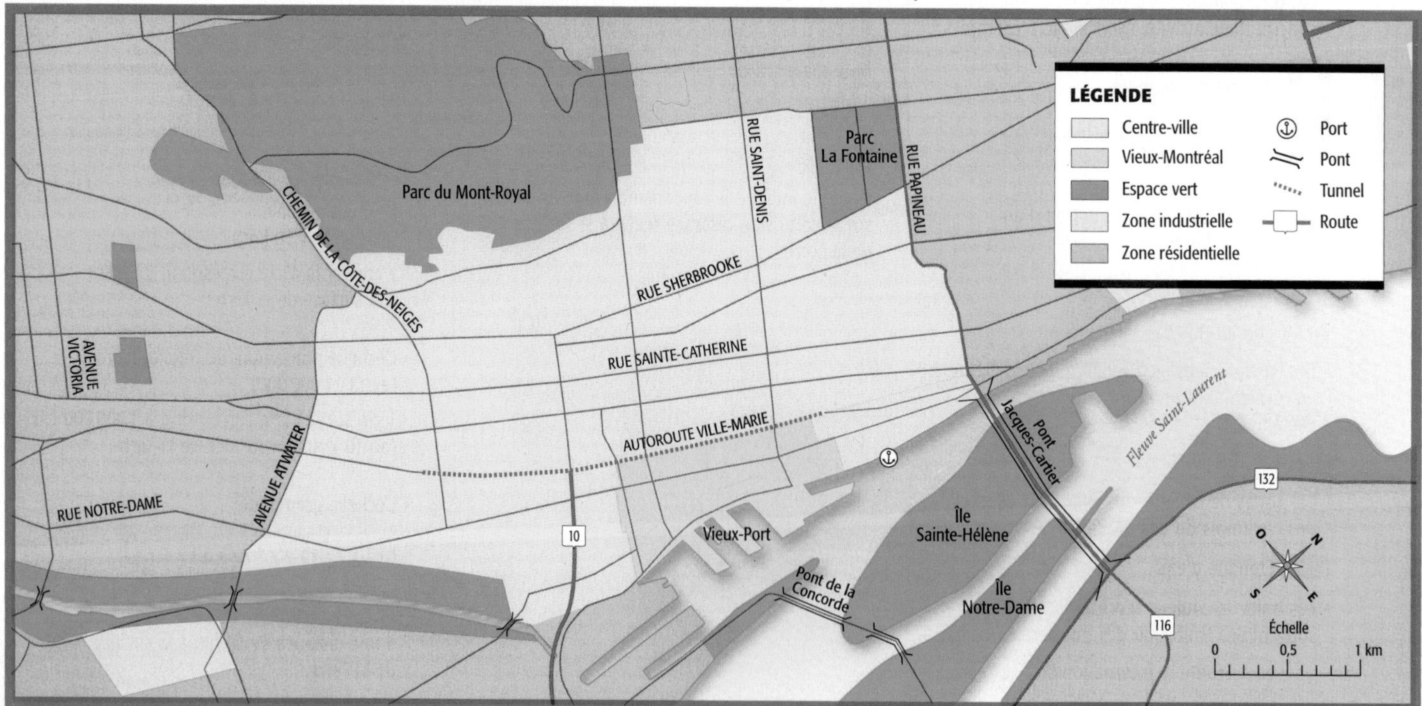

Une carte à petite échelle représente en général un vaste territoire. Le rapport entre une distance sur une carte à petite échelle et la même distance sur la Terre est donc petit. Par exemple, une carte à échelle de 1 : 25 000 000 ou de 1 : 80 000 000 est à petite échelle. Ce type de carte offre une vue d'ensemble de vastes territoires, de pays ou de grandes régions du monde et se prête moins bien à une représentation détaillée de ce que l'on y trouve.

La région métropolitaine de Montréal dans le Québec (1 : 25 000 000)

La région métropolitaine de Montréal dans l'Amérique du Nord (1 : 80 000 000)

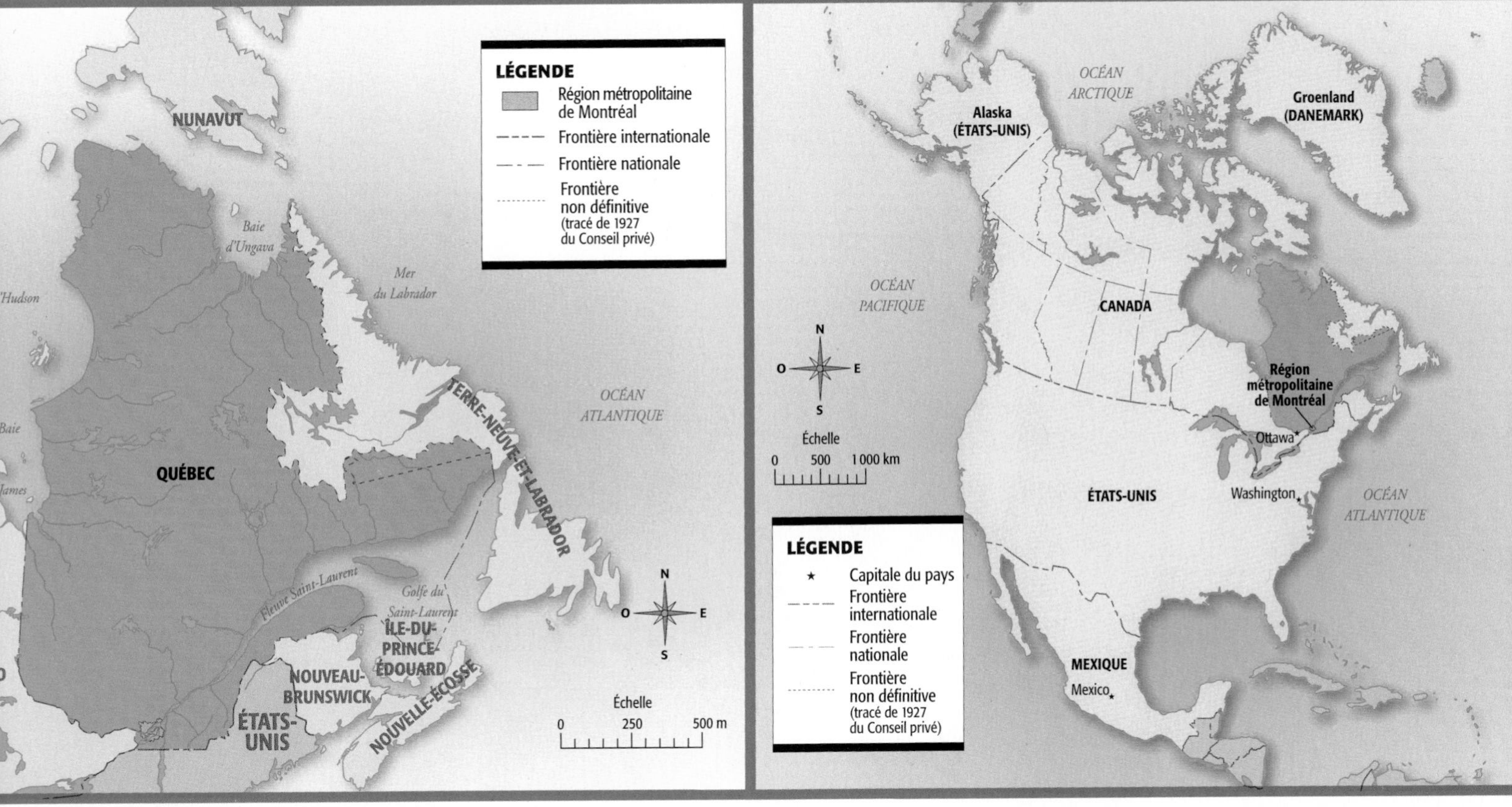

4 Vérifie ta compréhension.

a Dans ton manuel, trouve une carte à petite échelle et une carte à grande échelle. Comment sais-tu que chaque carte est à petite ou à grande échelle?

b As-tu besoin d'une carte à grande échelle ou à petite échelle pour situer un parc de la ville de Montréal? pour découvrir les grandes métropoles du monde? pour repérer les grandes villes du Québec?

Lire et interpréter un planisphère

1 Observe ce planisphère.

Le monde

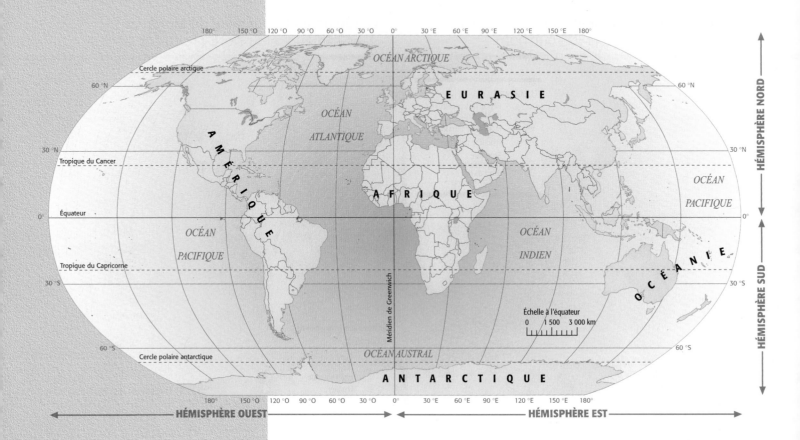

2 Fais part de tes observations.

a Que représente cette carte? Comment le sais-tu?

b Selon toi, pourquoi ce type de carte est-il appelé «planisphère»?

c Selon toi, est-ce une carte à petite ou à grande échelle? Justifie ta réponse.

3 Apprends à lire et à interpréter un planisphère.

Un planisphère est une représentation de l'ensemble du globe terrestre sur une surface plane.

Les continents
Les continents sont de grandes étendues de terre limitées par un ou plusieurs océans. Chaque continent constitue une ou des parties du monde.

Les océans
Les océans sont de vastes étendues d'eau salée qui couvrent une grande partie de la surface de la Terre.

Les parallèles
Les parallèles sont des cercles imaginaires qui entourent la Terre. L'équateur est un parallèle situé à égale distance du pôle Nord et du pôle Sud. Il sépare la terre en deux hémisphères. Les parallèles servent à déterminer la latitude d'un lieu, qui est exprimée en degrés.

Le monde

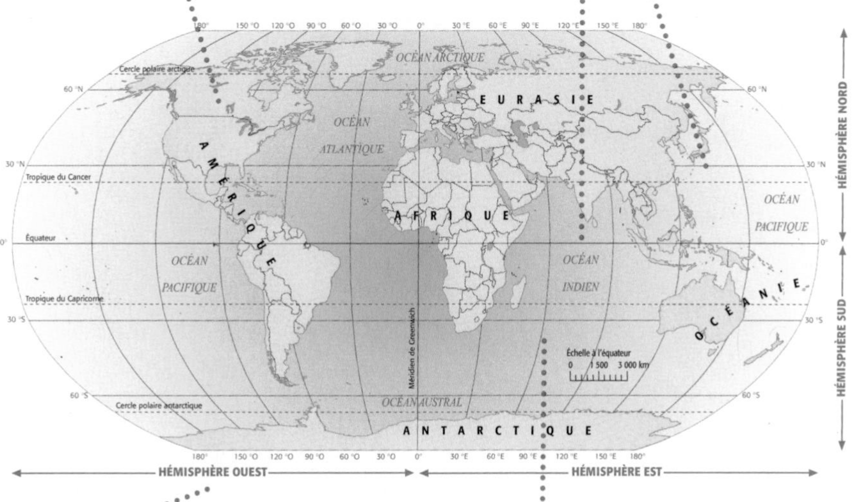

Les hémisphères
Les hémisphères correspondent à chacune des moitiés de la sphère terrestre. L'hémisphère Nord et l'hémisphère Sud sont séparés par l'équateur. L'hémisphère Est et l'hémisphère Ouest sont séparés par le méridien de Greenwich et le méridien 180°.

Les méridiens
Les méridiens sont des demi-cercles qui relient les deux pôles. Ils servent à déterminer la longitude d'un lieu, qui est aussi exprimée en degrés. Le méridien d'origine, situé à 0° de longitude, est appelé « méridien de Greenwich ».

Latitude : Position en degrés d'un lieu par rapport à l'équateur.

Longitude : Position en degrés d'un lieu par rapport au méridien de Greenwich.

4 Vérifie ta compréhension.

a Combien y a-t-il de continents sur la Terre ?

b Quel est le nom des océans ?

c Comment se nomme le parallèle 0° ?

d Comment se nomment les méridiens qui délimitent les hémisphères Est et Ouest ?

e Dans quels hémisphères se trouve le Canada ?

Lire et interpréter une carte du relief

1 Observe cette carte du relief du monde.

Le relief du monde

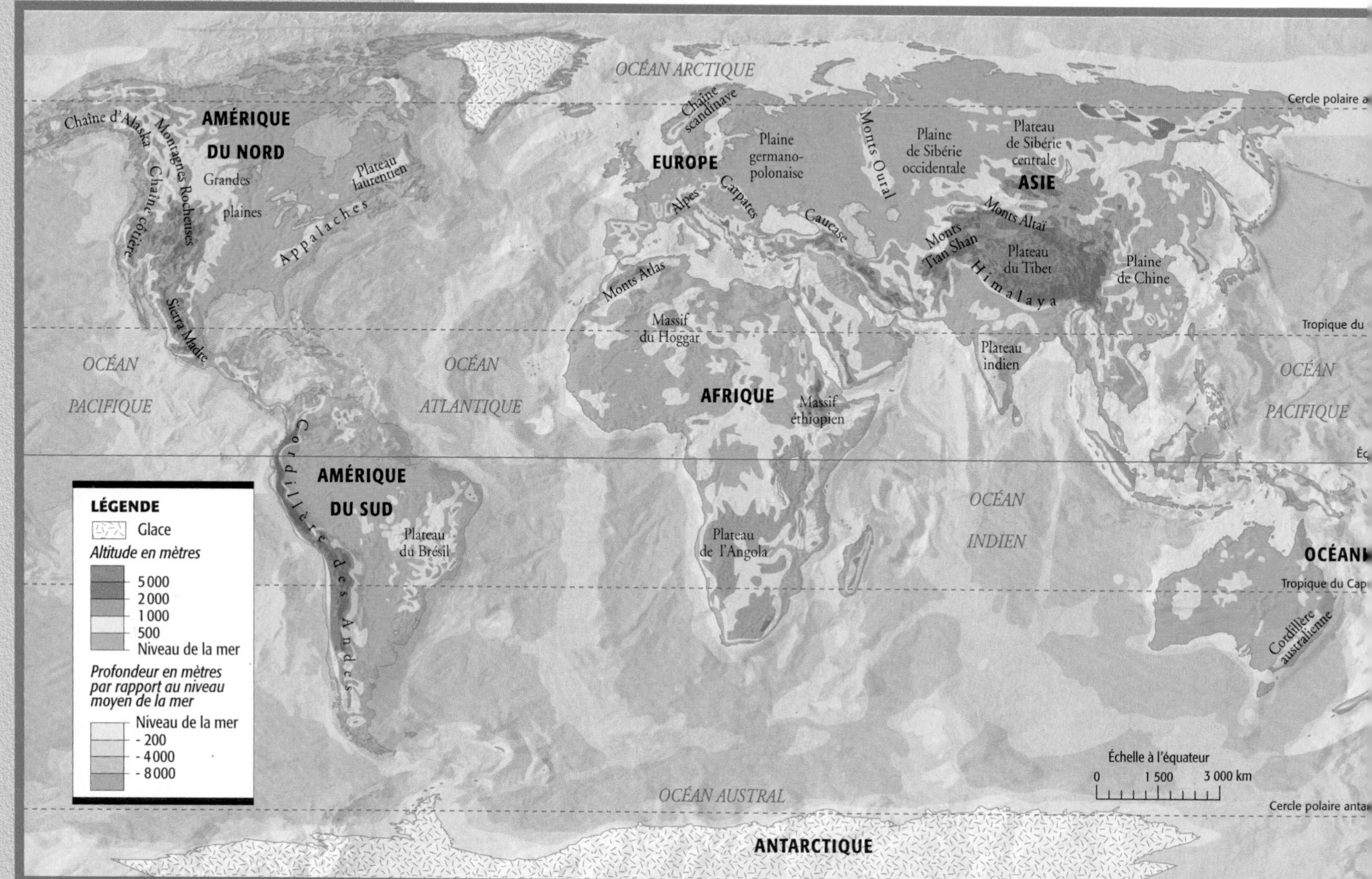

2 Fais part de tes observations.

a Quelles parties du monde reconnais-tu sur cette carte?

b Quelle information la légende te donne-t-elle?

c À ton avis, pourquoi est-ce une carte du relief?

3 Apprends à lire et à interpréter une carte du relief.

Une carte du relief présente l'altitude des ensembles d'un territoire à l'aide de couleurs, d'ombres ou des deux. Dans les grands ensembles de la Terre, on trouve des plaines, des plateaux, des collines, des montagnes et des vallées.

La cordillère des Andes
La montagne est une élévation de forte **altitude**.

Les Prairies canadiennes
La plaine est une étendue généralement plate et peu accidentée.

Le plateau du Tibet
Le plateau est une surface surélevée et légèrement ondulée.

Le relief du monde

Altitude : Élévation par rapport au niveau moyen de la mer.

Le mont Saint-Grégoire, au Québec
La colline est une forme arrondie d'une élévation de faible altitude.

Comme la colline est souvent isolée et que la vallée a une faible superficie, ces types de relief n'apparaissent pas sur une carte à petite échelle comme celle qui est présentée ci-dessus.

La vallée de la Matapédia, au Québec
La vallée s'étend entre deux régions de plus haute altitude et est souvent occupée par un cours d'eau.

4 Vérifie ta compréhension.

a Où sont situés les plus hauts sommets du monde ? Comment le sais-tu ?

b Quel type de relief domine l'Afrique ?

c Quels types de relief y a-t-il en Amérique du Nord ?

d Comment peux-tu décrire le relief du Québec ?

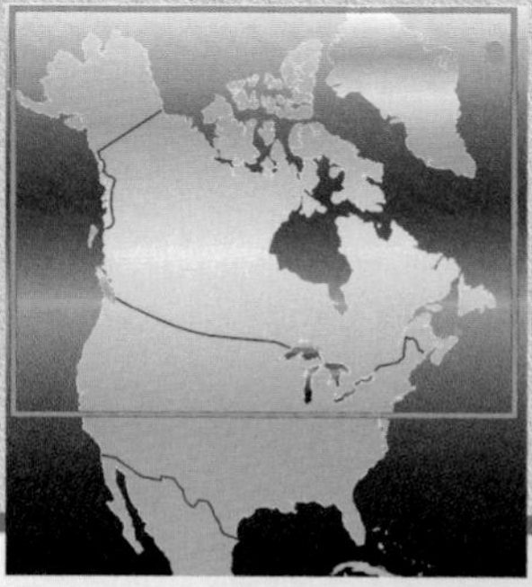

Lire et interpréter une carte politique

1 Observe cette carte politique.

Le Canada

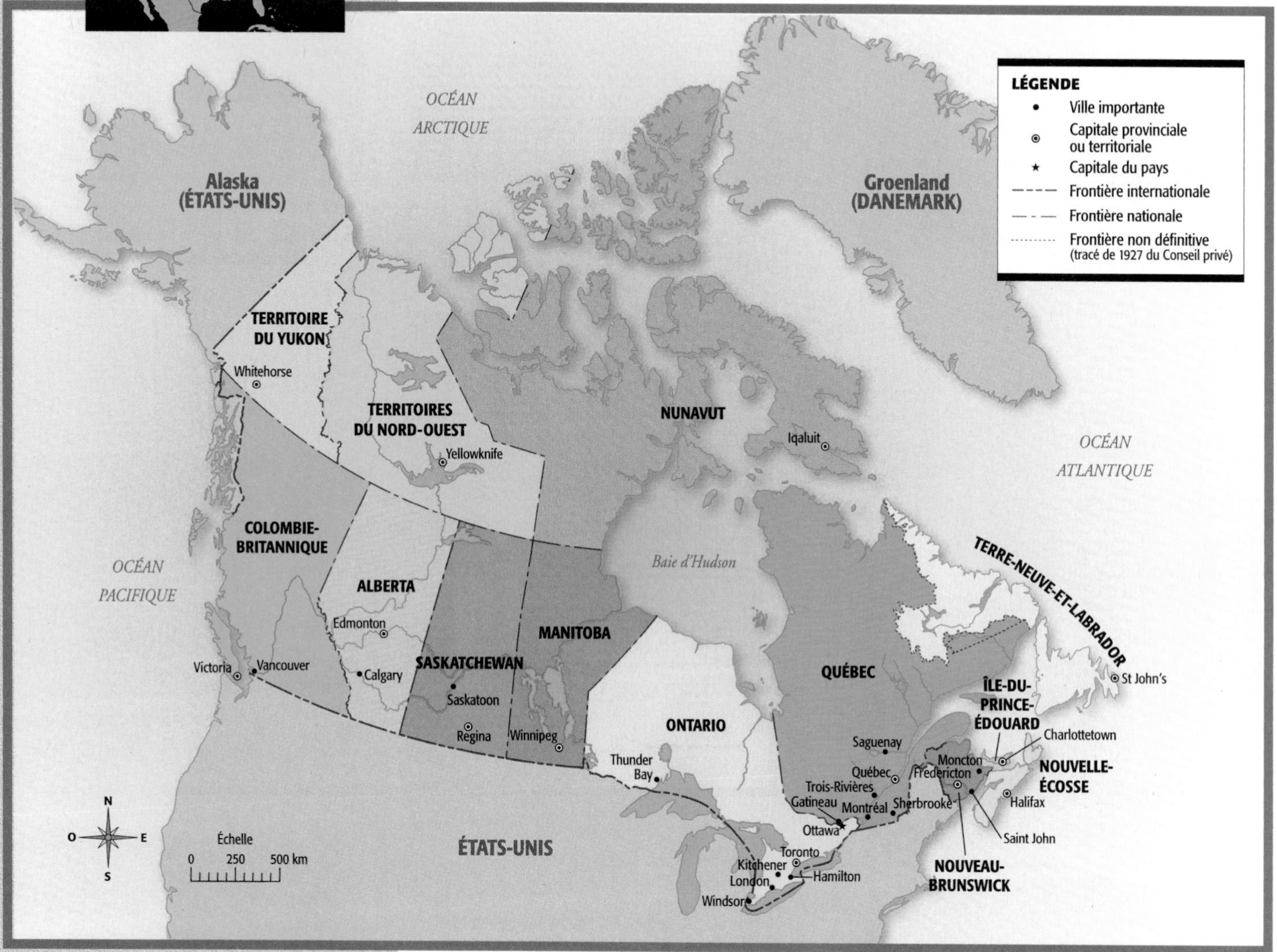

2 Fais part de tes observations.

a Que reconnais-tu sur cette carte?

b À ton avis, pourquoi est-ce une carte politique?

c Quels renseignements cette carte donne-t-elle?

3 Apprends à lire et à interpréter une carte politique.

Une carte politique présente le plus souvent les frontières nationales et les frontières internationales d'un territoire. Ce type de carte montre également des éléments tels que les capitales et les villes les plus importantes. La quantité d'informations fournies dépend de l'échelle de la carte.

Le carton
Le carton montre le territoire représenté sur une carte dans un ensemble (pays, partie du monde) beaucoup plus vaste. Il peut aider à mieux comprendre la carte.

Le titre
Le titre indique le territoire représenté.

La légende
La légende présente des symboles et des couleurs qui permettent l'interprétation de divers éléments de la carte : frontières, lieux (capitales, autres villes, etc.).

Le Canada

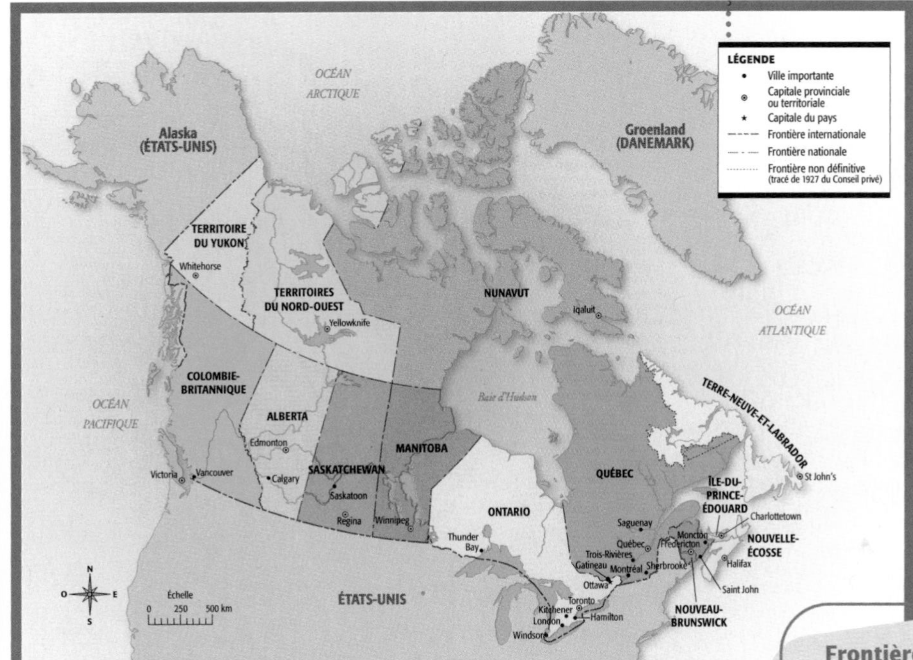

Frontière nationale : Limite territoriale à l'intérieur d'un pays (ex. : la frontière entre le Québec et l'Ontario).

Frontière internationale : Limite territoriale qui sépare deux pays (ex. : la frontière entre le Canada et les États-Unis).

4 Vérifie ta compréhension.

a Quel est le type de trait de la frontière internationale sur la carte ? Avec quel pays le Canada partage-t-il cette frontière ?

b Quelles sont les provinces voisines du Manitoba ?

c Choisis une province délimitée par des frontières nationales et internationales. Comment reconnais-tu ces deux types de frontières ?

d Trouve une carte politique dans ton manuel. Comment sais-tu qu'il s'agit d'une carte politique ?

Lire et interpréter une carte routière

1 **Observe cette carte routière.**

La Gaspésie

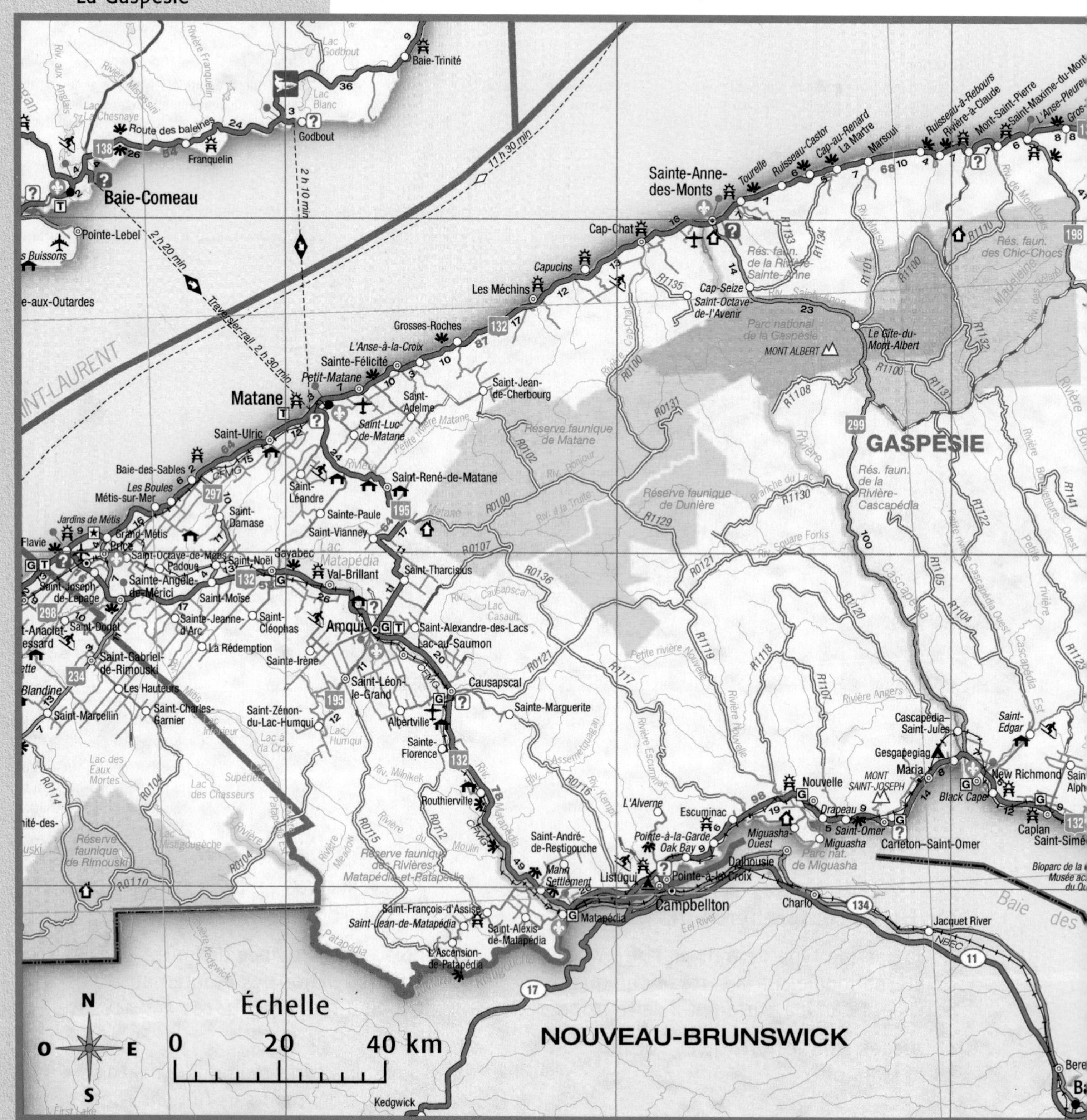

2 Fais part de tes observations.

a À ton avis, pourquoi est-ce une carte routière?

b Quels autres renseignements cette carte donne-t-elle?

c Quels éléments de la carte servent à calculer la distance entre deux villes?

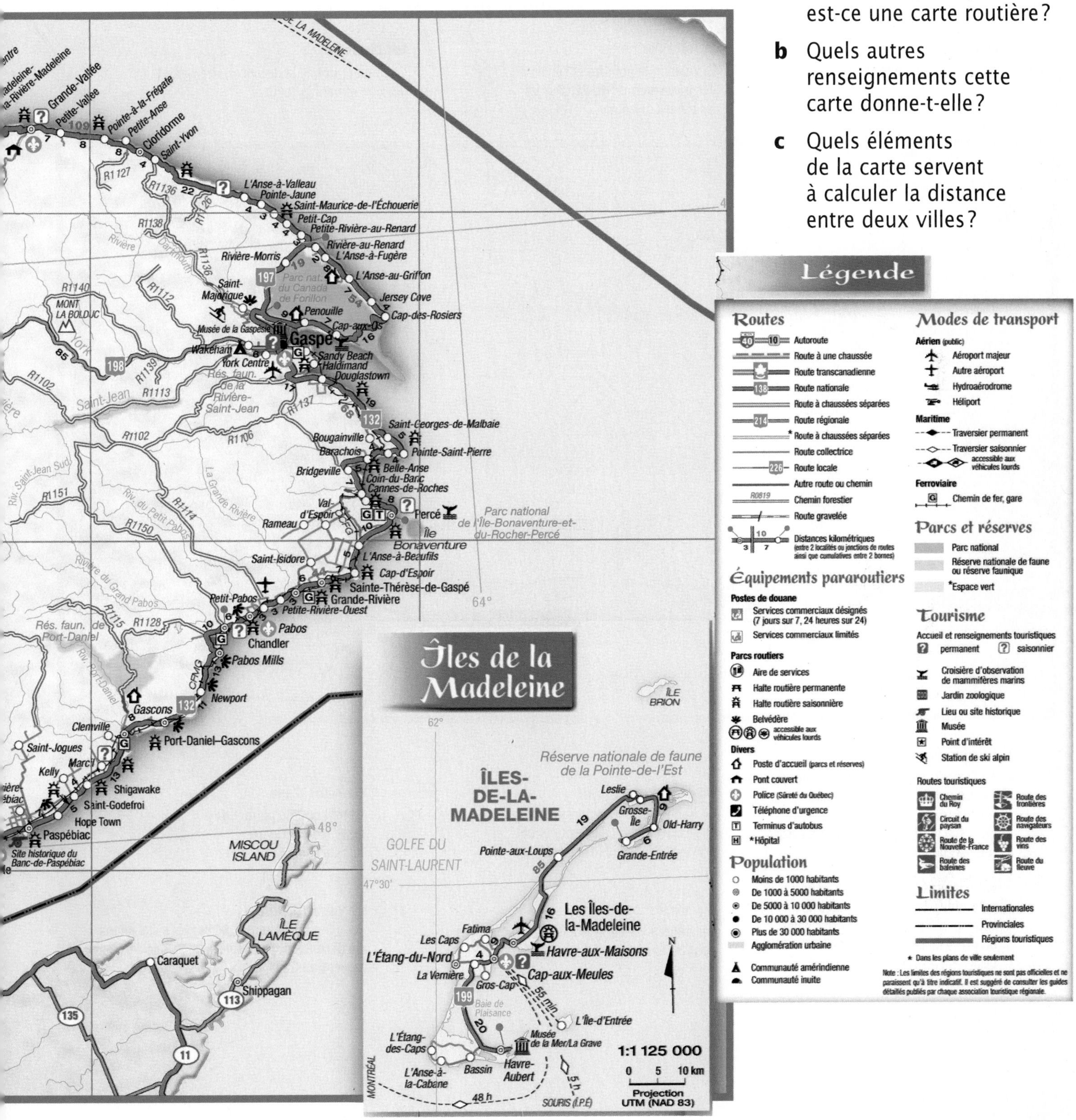

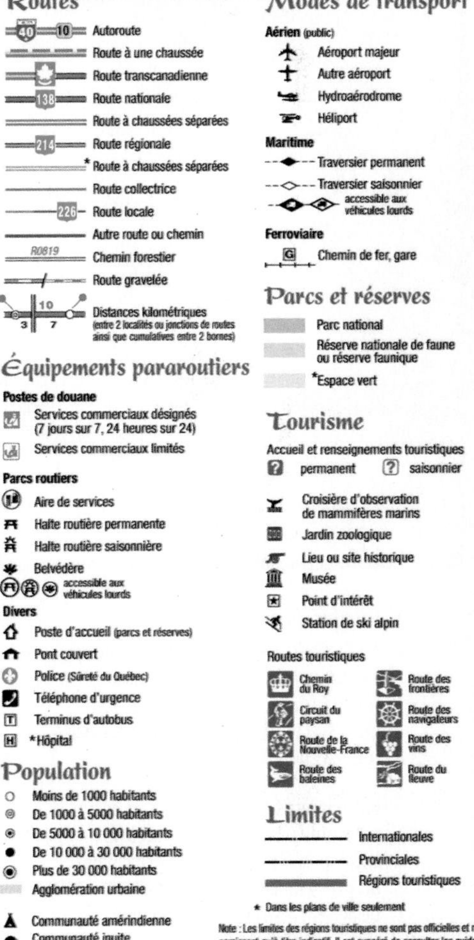

Légende
Routes
Autoroute
Route à une chaussée
Route transcanadienne
Route nationale
Route à chaussées séparées
Route régionale
Route à chaussées séparées
Route collectrice
Route locale
Autre route ou chemin
Chemin forestier
Route gravelée
Distances kilométriques (entre 2 localités ou jonctions de routes ainsi que cumulatives entre 2 bornes)
Équipements pararoutiers
Postes de douane
Services commerciaux désignés (7 jours sur 7, 24 heures sur 24)
Services commerciaux limités
Parcs routiers
Aire de services
Halte routière permanente
Halte routière saisonnière
Belvédère
accessible aux véhicules lourds
Divers
Poste d'accueil (parcs et réserves)
Pont couvert
Police (Sûreté du Québec)
Téléphone d'urgence
Terminus d'autobus
*Hôpital
Population
Moins de 1000 habitants
De 1000 à 5000 habitants
De 5000 à 10 000 habitants
De 10 000 à 30 000 habitants
Plus de 30 000 habitants
Agglomération urbaine
Communauté amérindienne
Communauté inuite
Modes de transport
Aérien (public)
Aéroport majeur
Autre aéroport
Hydroaérodrome
Héliport
Maritime
Traversier permanent
Traversier saisonnier
accessible aux véhicules lourds
Ferroviaire
Chemin de fer, gare
Parcs et réserves
Parc national
Réserve nationale de faune ou réserve faunique
*Espace vert
Tourisme
Accueil et renseignements touristiques
permanent
saisonnier
Croisière d'observation de mammifères marins
Jardin zoologique
Lieu ou site historique
Musée
Point d'intérêt
Station de ski alpin
Routes touristiques
Chemin du Roy
Route des frontières
Circuit du paysan
Route des navigateurs
Route de la Nouvelle-France
Route des vins
Route des baleines
Route du fleuve
Limites
Internationales
Provinciales
Régions touristiques
* Dans les plans de ville seulement
Note : Les limites des régions touristiques ne sont pas officielles et ne paraissent qu'à titre indicatif. Il est suggéré de consulter les guides détaillés publiés par chaque association touristique régionale.

3 Apprends à lire et à interpréter une carte routière.

La carte routière présente le réseau routier d'un territoire. De plus, elle donne des renseignements sur les équipements et les attraits touristiques (parcs, réserves, musées, centres d'interprétation, etc.), les lieux (villes et villages), les frontières, les cours d'eau, les principales montagnes, etc.

Le titre
Le titre indique le territoire représenté.

La Gaspésie

Le tracé des routes
La couleur, le nombre et l'épaisseur des tracés permet de différencier les classes de routes.

Les distances
Ce nombre donne la distance entre deux lieux en suivant la route.

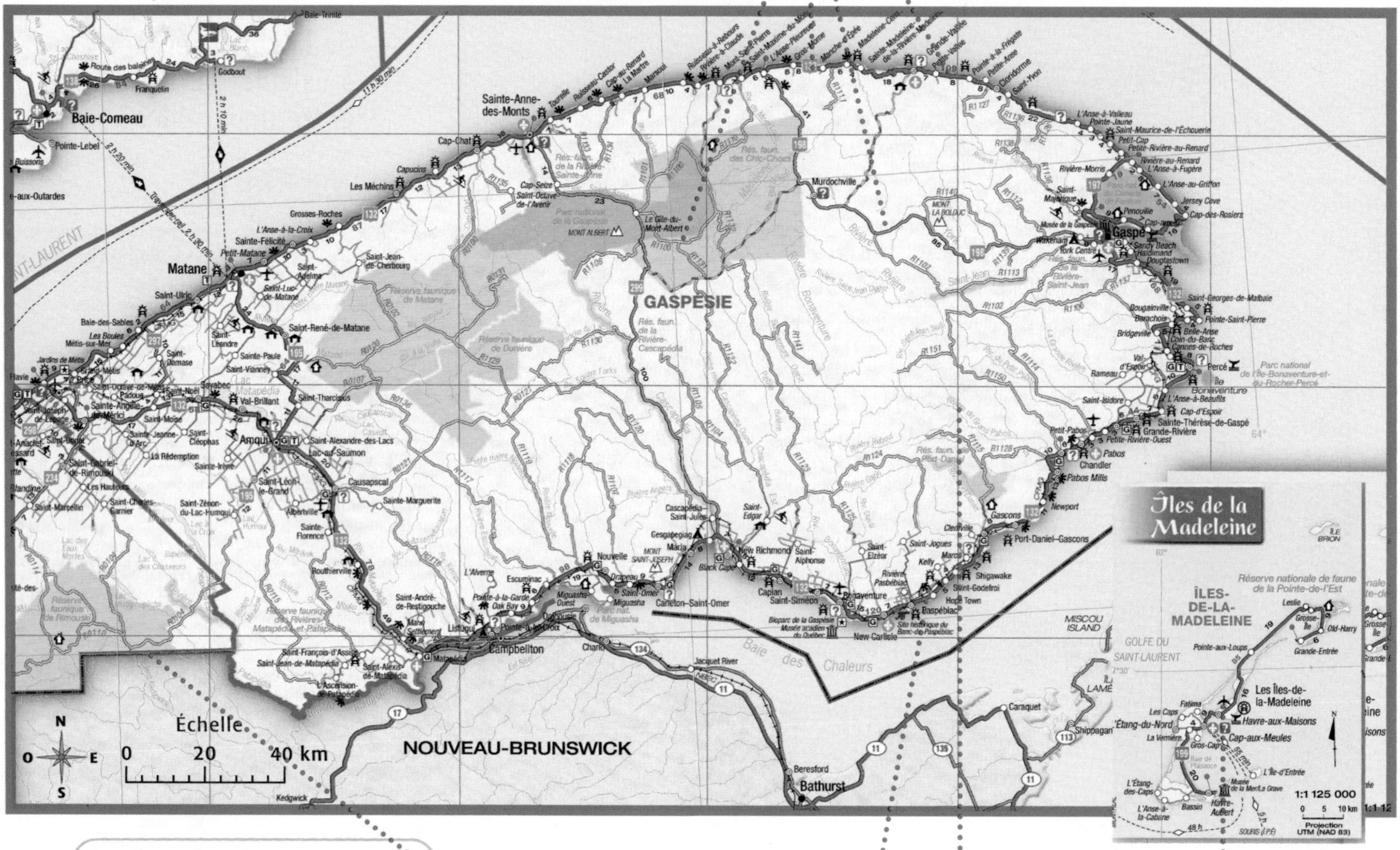

Les classes de routes
Au Québec, les routes qui vont du nord au sud ont des numéros impairs (ex. : la route 297) et celles qui vont de l'est à l'ouest ont des numéros pairs (ex. : la route 132).

Les numéros 1 à 99 sont réservés aux autoroutes. Les numéros 100 à 199 correspondent aux routes principales ou provinciales. Les numéros 200 à 300 désignent les routes secondaires ou régionales.

Les chiffres noirs dans un rectangle désignent les numéros des sorties d'autoroute. Chacun de ces numéros indique la distance en kilomètres entre cette sortie et le début de l'autoroute.

Les limites
Ce trait indique les limites territoriales entre une région (Gaspésie) et une province (Nouveau-Brunswick).

Les attraits touristiques
Ces indications désignent les lieux aménagés pour les touristes.

Les cours d'eau
Ce trait ondulé permet de situer les principaux cours d'eau.

Les infrastructures
Cette indication renseigne sur les installations qui permettent des déplacements par différents moyens de transport.

4 Apprends à évaluer les distances sur une carte routière.

Pour évaluer la distance entre deux lieux sur une carte routière, tu peux procéder de différentes manières. Tu peux mesurer une distance en ligne droite comme celle de Matane à Sainte-Anne-des-Monts. Tu peux aussi mesurer une distance dont le tracé est une ligne courbe ou irrégulière comme celui de Matane à Amqui.

Avec l'échelle graphique

Le tracé en ligne droite

a Sur la carte, dépose une feuille de papier de manière à joindre les deux points avec le bord de la feuille. Marque la position des deux points sur la feuille.

b Place le bord de la feuille de papier vis-à-vis de l'échelle de la carte. Assure-toi que le premier point marqué correspond au zéro de l'échelle. Indique sur la feuille l'endroit où se termine l'échelle, puis note la distance mesurée.

c Si la distance à mesurer est plus longue que l'échelle, répète l'opération précédente jusqu'à ce que tu atteignes la deuxième marque sur ta feuille de papier.

d Additionne les distances obtenues (40 + 40 = 80).

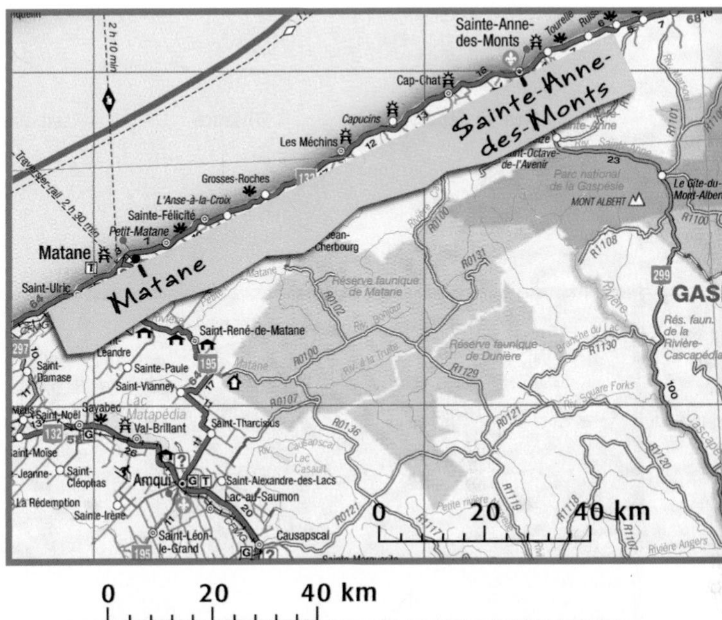

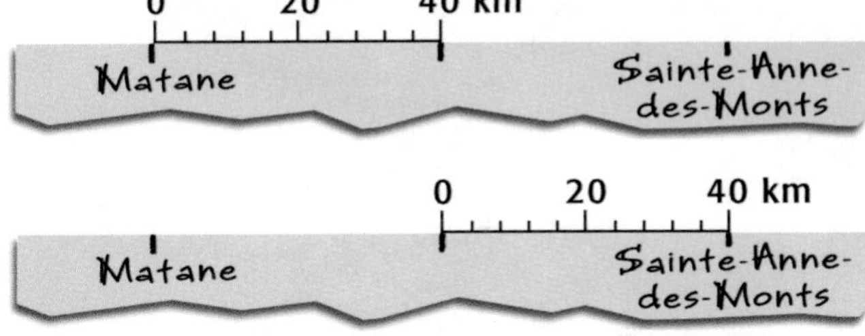

Le tracé en courbe ou irrégulier

a Superpose un bout de ficelle au tracé de la route.

b Sur la ficelle, marque le début et la fin du tracé à mesurer.

c Utilise l'échelle pour déterminer la distance qui sépare les deux marques que tu as faites sur la ficelle.

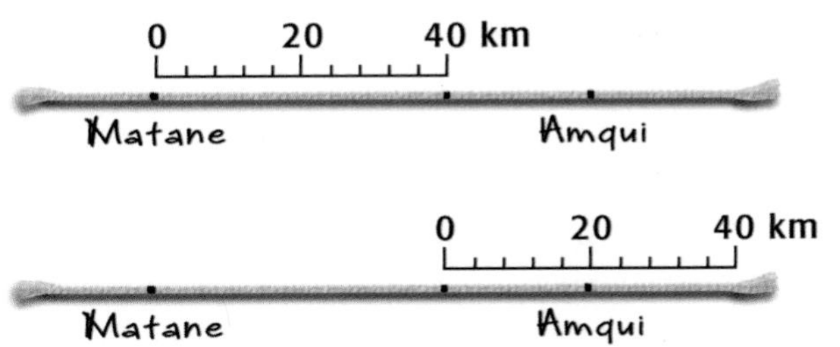

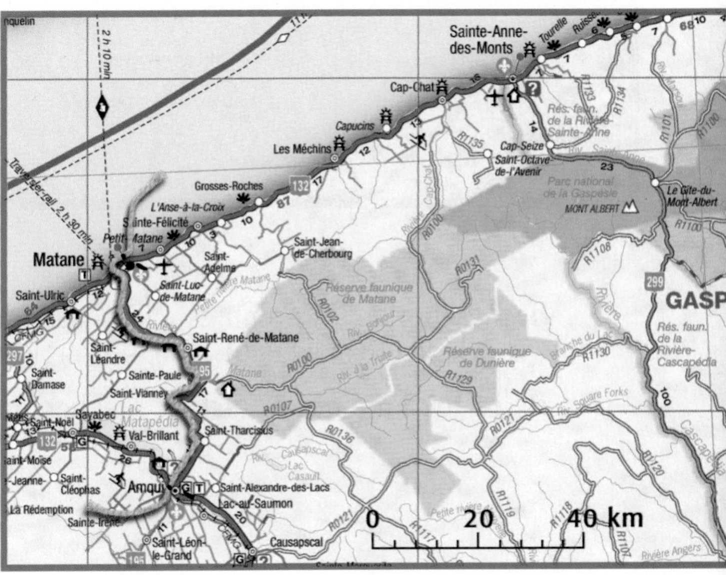

Avec les distances kilométriques

a Trouve sur la carte le lieu de départ (la municipalité de Sainte-Félicité) et le lieu d'arrivée (la ville de Cap-Chat). Repère les nombres inscrits en noir le long de la route qui relie ces deux lieux. Ces nombres indiquent la distance entre deux localités.

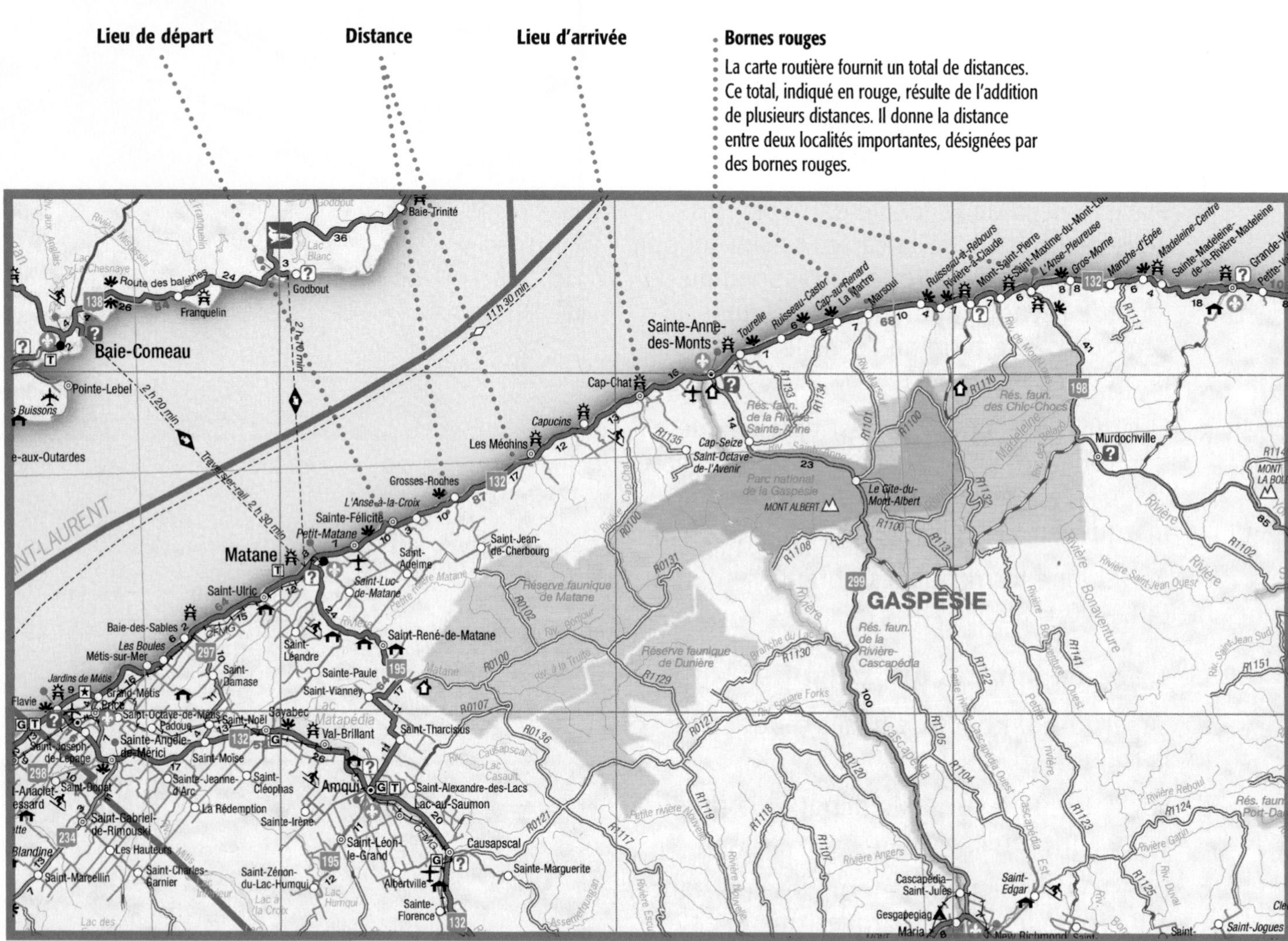

b Additionne les nombres en noir que tu as notés entre le lieu de départ et le lieu d'arrivée (3 + 10 + 17 + 12 + 13).

c Le total indique la distance recherchée : 55 km.

Avec la table des distances

a Trouve Montréal et Gaspé dans la table des distances.

b Cherche le point de rencontre entre ces deux localités dans les colonnes et les rangées de la table des distances. Le chiffre obtenu donne la distance qui les sépare (959 km) en suivant le chemin le plus court.

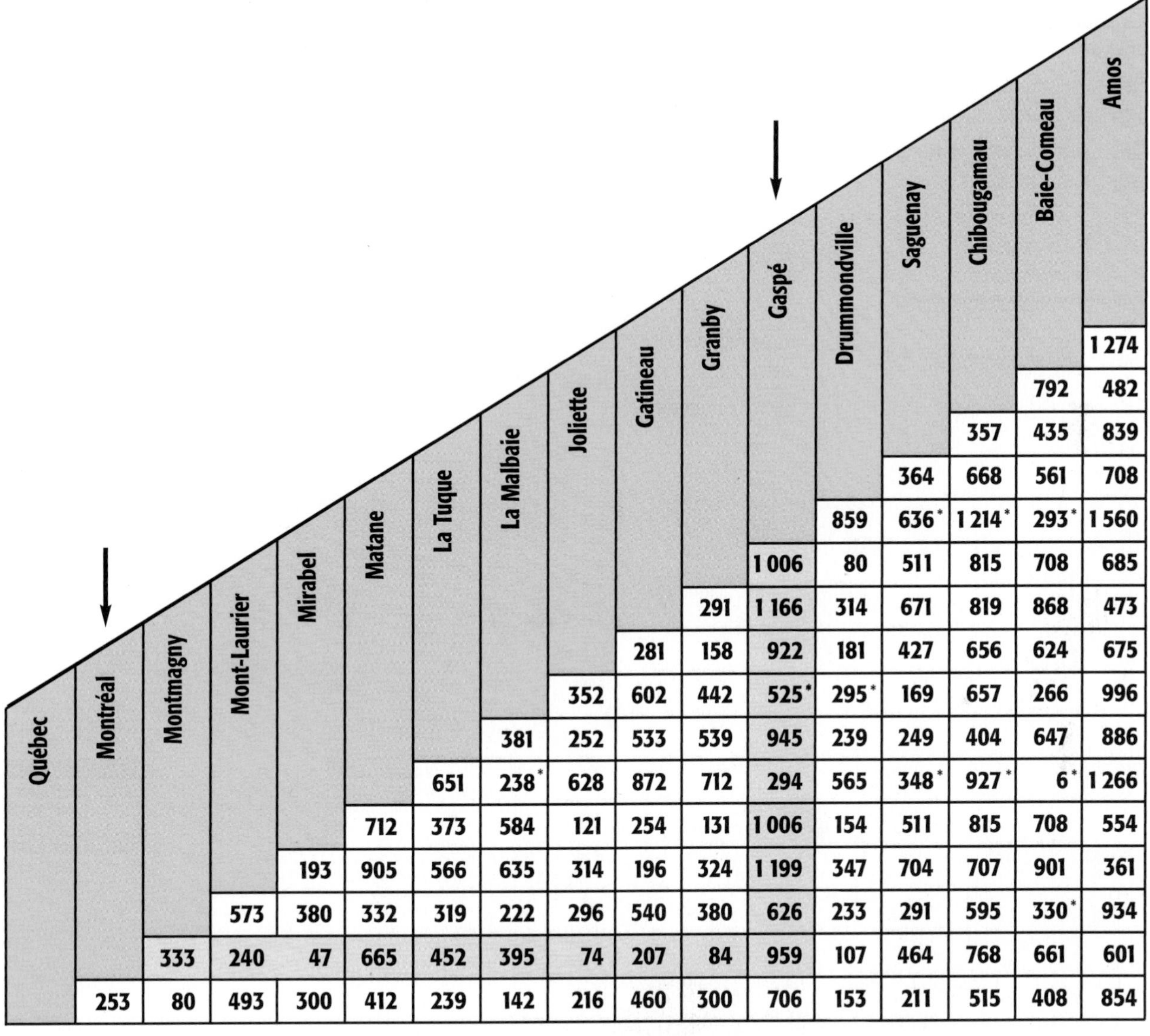

	Montréal	Montmagny	Mont-Laurier	Mirabel	Matane	La Tuque	La Malbaie	Joliette	Gatineau	Granby	Gaspé	Drummondville	Saguenay	Chibougamau	Baie-Comeau	Amos
Québec	253	80	493	300	412	239	142	216	460	300	706	153	211	515	408	854
Montréal		333	240	47	665	452	395	74	207	84	959	107	464	768	661	601
Montmagny			573	380	332	319	222	296	540	380	626	233	291	595	330*	934
Mont-Laurier				193	905	566	635	314	196	324	1 199	347	704	707	901	361
Mirabel					712	373	584	121	254	131	1 006	154	511	815	708	554
Matane						651	238*	628	872	712	294	565	348*	927*	6*	1 266
La Tuque							381	252	533	539	945	239	249	404	647	886
La Malbaie								352	602	442	525*	295*	169	657	266	996
Joliette									281	158	922	181	427	656	624	675
Gatineau										291	1 166	314	671	819	868	473
Granby											1 006	80	511	815	708	685
Gaspé												859	636*	1 214*	293*	1 560
Drummondville													364	668	561	708
Saguenay														357	435	839
Chibougamau															792	482
Baie-Comeau																1 274

* Il est nécessaire d'emprunter un traversier pour parcourir ces distances.

5 Vérifie ta compréhension.

a À partir de Gaspé, quel est le trajet le plus court pour se rendre à L'Anse-Pleureuse? Explique ta réponse.

b Les routes 132 et 198 respectent-elles la règle des numéros pairs et impairs? Pourquoi?

c À l'aide de la table des distances, trouve la distance entre Québec et Gaspé, entre Montréal et La Malbaie, puis entre Saguenay et Joliette.

d Sur la carte de la Gaspésie, repère, à l'aide de la légende, un attrait touristique de la ville de Bonaventure.

Lire et interpréter une carte thématique

1 Observe cette carte thématique.

Les aires protégées du sud du Québec

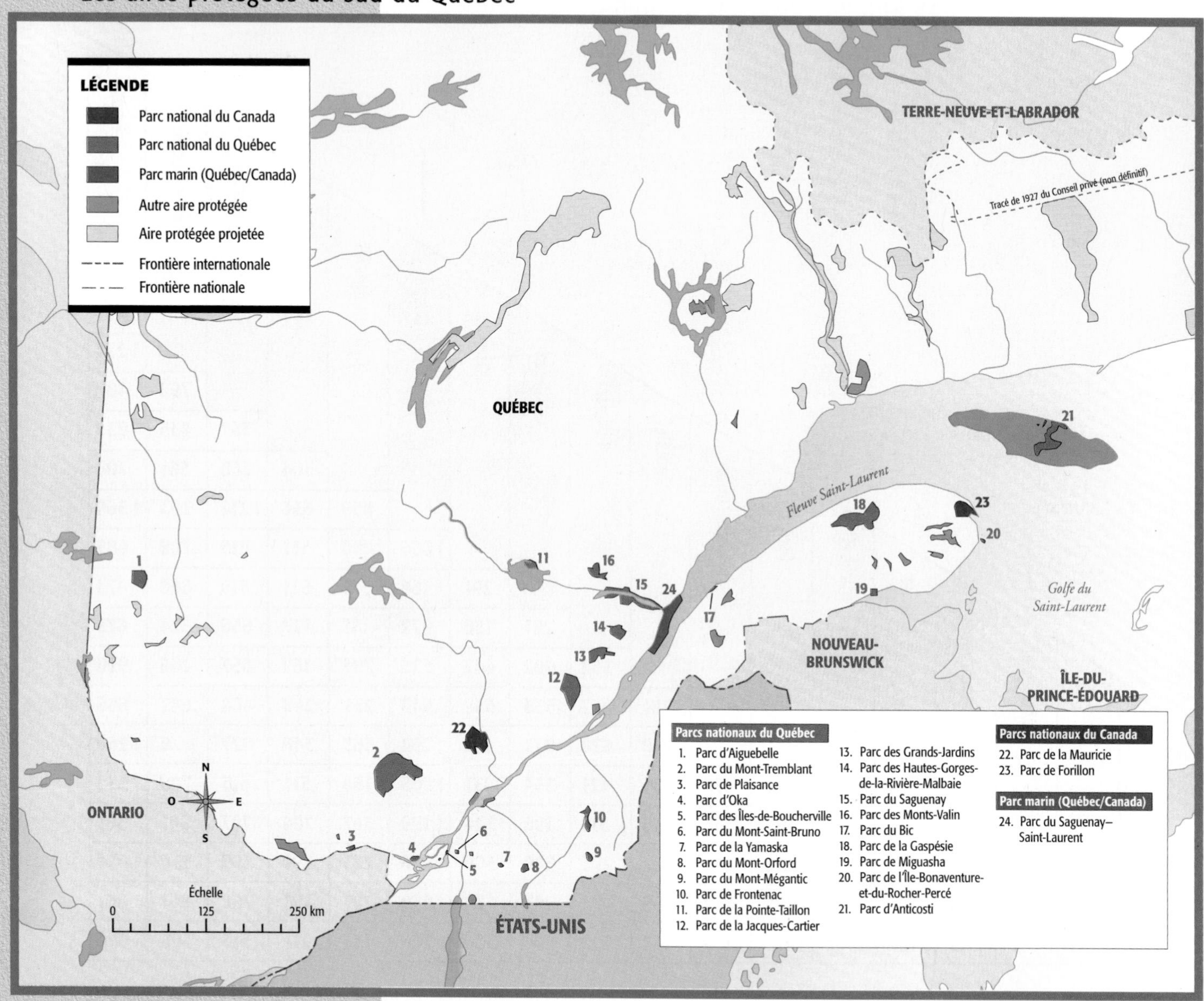

2 Fais part de tes observations.

a Que représente cette carte? Comment le sais-tu?

b De quoi est-il question sur cette carte?

c À ton avis, pourquoi est-ce une carte thématique?

3 Apprends à lire et à interpréter une carte thématique.

La carte thématique présente un thème et la répartition de ses données sur un territoire. Ce thème peut être le climat, la végétation, les ressources naturelles, l'aménagement du territoire, etc.

Pour mettre en évidence le thème et sa répartition, on omet d'indiquer certains éléments tels que des cours d'eau et des lieux qui pourraient surcharger la carte. On procède donc à une simplification de l'information pour laisser place au message principal de la carte.

Le titre

Le titre indique la nature du thème.

La légende

La légende groupe les symboles et les couleurs utilisés sur la carte thématique.

Les aires protégées du sud du Québec

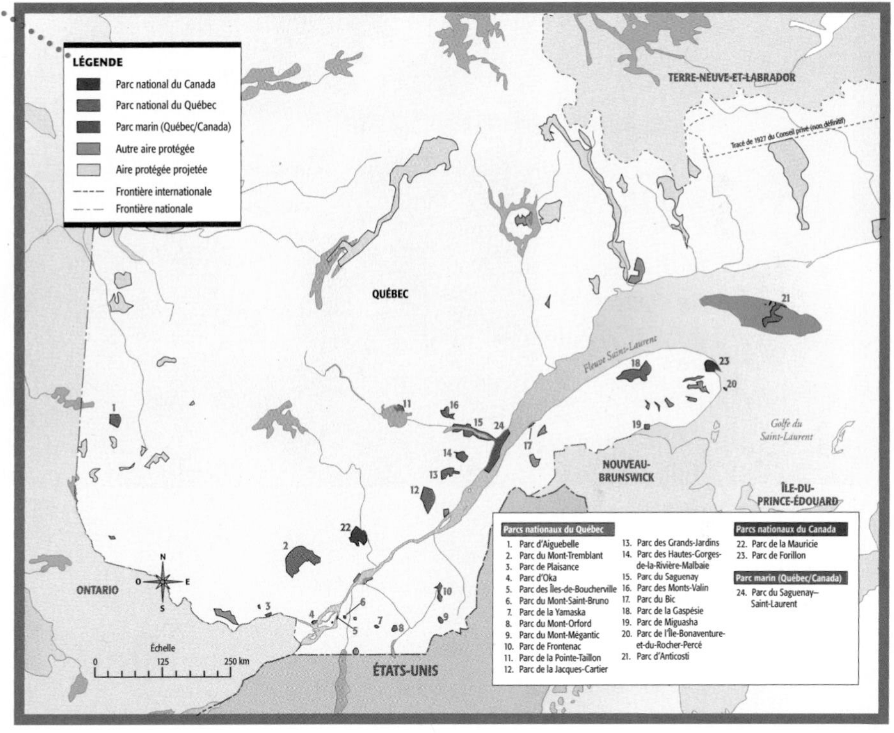

Les symboles des cartes thématiques peuvent être de différentes natures.	
Figurines, symboles conventionnels, figures géométriques	Ils signalent la présence de certains éléments : stations météorologiques, ressources naturelles, etc.
Figures de différentes tailles Faible importance – Grande importance	Elles expriment le niveau d'importance du thème.
Couleurs Hachures Dégradés de couleurs	Ils indiquent des qualités et des quantités.

4 Vérifie ta compréhension.

a Comment reconnais-tu les aires protégées sur la carte ?

b Indique où sont situées la plupart des aires protégées par rapport à l'ensemble du territoire québécois.

c Que penses-tu du nombre et de la localisation des territoires protégés au Québec ?

Réaliser une carte schématique

1 Observe cette carte schématique.

La population des grandes parties du monde

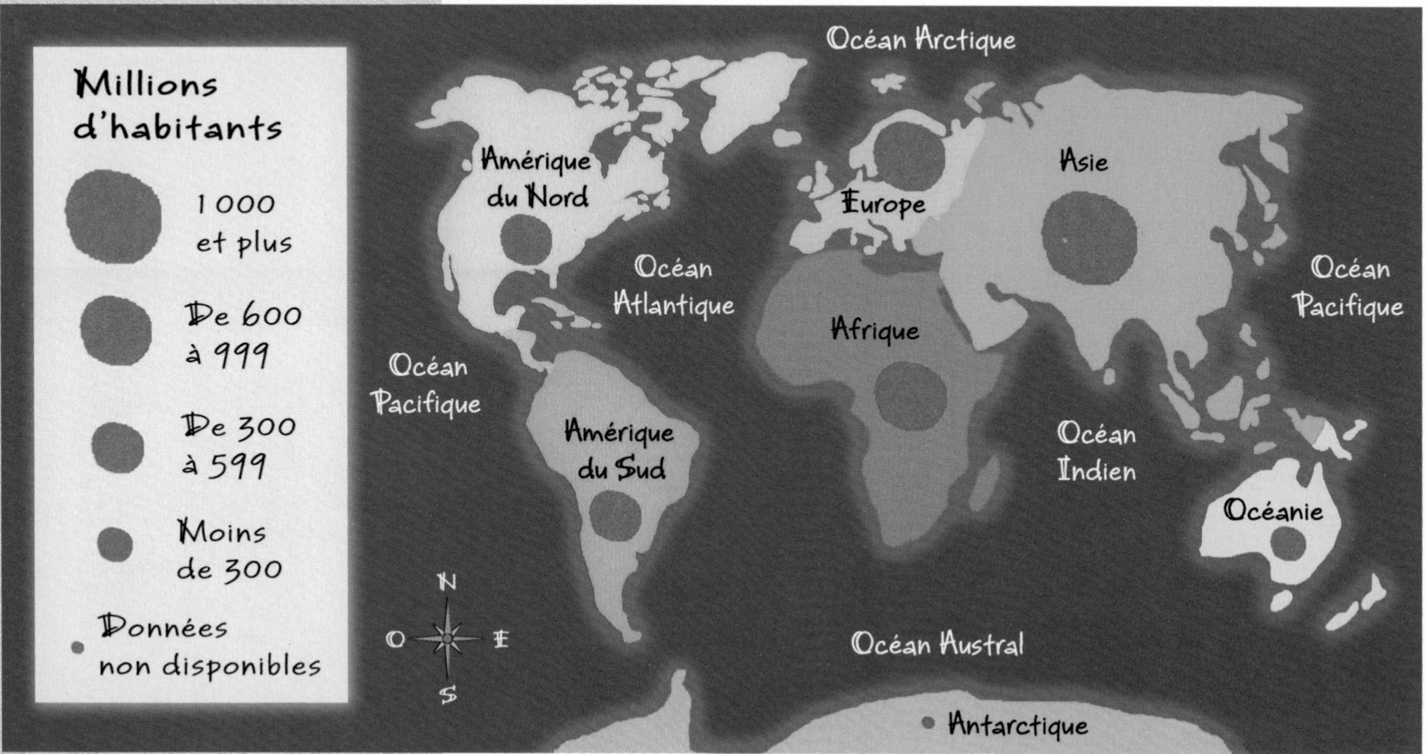

2 Fais part de tes observations.

a De quoi est-il question sur cette carte? Qu'est-ce qui te l'indique?

b Que représentent les différents éléments de la légende?

3 Apprends à réaliser une carte schématique.

Une carte schématique est un dessin d'un territoire exécuté de manière simple. Pour réaliser une carte schématique, on présente un thème et les données correspondantes sur ce territoire.

La démarche de réalisation d'une carte schématique

Avant de tracer ta carte

a Détermine ton intention pour choisir ce que tu veux représenter (ex.: montrer sur un planisphère la population des grandes parties du monde).

b Consulte différentes sources d'information (cartes, tableaux, statistiques).

c Sélectionne les renseignements les plus utiles, qui apparaîtront sur ta carte. Tu peux noter ces éléments sur une feuille de papier.

d Trouve une carte modèle qui te servira à tracer ta carte. Choisis les symboles et les couleurs que tu utiliseras.

LA POPULATION DES GRANDES PARTIES DU MONDE	
Partie du monde	Nombre d'habitants (millions)
Asie	1 000 et plus
Afrique	De 600 à 999
Amérique du Nord	De 300 à 599
Europe	De 600 à 999
Amérique du Sud	De 300 à 599
Océanie	Moins de 300
Antarctique	Données non disponibles

Pendant que tu traces ta carte

e Rappelle-toi ce que tu veux représenter sur cette carte.

f Intègre les informations recueillies à l'aide des couleurs ou des symboles que tu as choisis.

Après avoir tracé ta carte

g Donne-lui un titre.

h Indique l'orientation et la signification des couleurs et des symboles dans une légende.

Quelques symboles

Figurines, symboles conventionnels, figures géométriques	Figures de différentes tailles	Couleurs
● ■ ▲ ●	Faible importance — Grande importance	Hachures
		Dégradés de couleurs

4 Vérifie ta compréhension.

a Quand tu réalises une carte schématique, que dois-tu faire en premier? en dernier?

b Donne des exemples de symboles ou de couleurs utiles pour représenter différents climats de la planète.

c Quels symboles ou quelles couleurs utiliserais-tu si tu devais situer les principaux puits de pétrole du monde? les 10 plus grandes métropoles du monde?

Mettre en relation un texte et une carte

1 **Lis ce texte.**

Jeanne a fait 400 morts en Haïti

AFP – 21 septembre 2004

Port-au-Prince – Près de 400 personnes sont mortes en Haïti, selon un bilan provisoire effectué hier, après le passage de la tempête tropicale Jeanne ce week-end.

«J'ai survolé la savane désolée, une dizaine de kilomètres avant les Gonaïves, c'est une vaste mer. Il n'y a pas une seule maison dans la ville des Gonaïves qui ne soit inondée», a témoigné le premier ministre haïtien Gérard Latortue, qui a survolé la zone en hélicoptère.

Il a indiqué avoir déclaré le nord d'Haïti «zone sinistrée» et a décrété trois jours de deuil national en mémoire des nombreuses victimes des intempéries qui ont frappé le pays.

Aux Gonaïves, pas une seule maison n'a été épargnée. Plusieurs résidants se sont réfugiés sur le toit de leur habitation.

Source : Agence Reuters.

Plus de 300 personnes auraient trouvé la mort dans la seule ville des Gonaïves (ouest), selon un bilan partiel, mais non officiel, fourni par la Mission de stabilisation de l'ONU en Haïti (Minustah).

Les autorités haïtiennes sont d'autre part sans nouvelles de la deuxième plus grande île du pays, l'île de la Tortue, située au large de la ville de Port-de-Paix, qui compte 26 000 habitants.

Dimanche, des responsables de la Minustah qui avaient survolé en hélicoptère la zone où se trouve cette île de 180 km^2 n'ont pas réussi à la repérer.

Gérard Latortue a promis de fournir ultérieurement des informations plus précises sur la situation de cette île, qui pourrait être submergée.

Source : *Le Devoir*, 21 septembre 2004.

2 **Fais part de ta compréhension.**

a De quel phénomène est-il question dans cet article de journal ?

b Où cette tempête a-t-elle frappé ? Quels secteurs du pays ont été particulièrement touchés ?

c Que sais-tu des lieux dont parle cet article ?

d Qu'est-ce que la photo t'apprend de plus sur cette catastrophe ?

3 Apprends à mettre en relation un texte et une carte.

Un texte et une carte qui décrivent le même lieu peuvent se compléter.
Si tu les mets en relation, ils peuvent t'aider à mieux comprendre un sujet.

La démarche de mise en relation d'un texte et d'une carte

Les principales villes d'Haïti

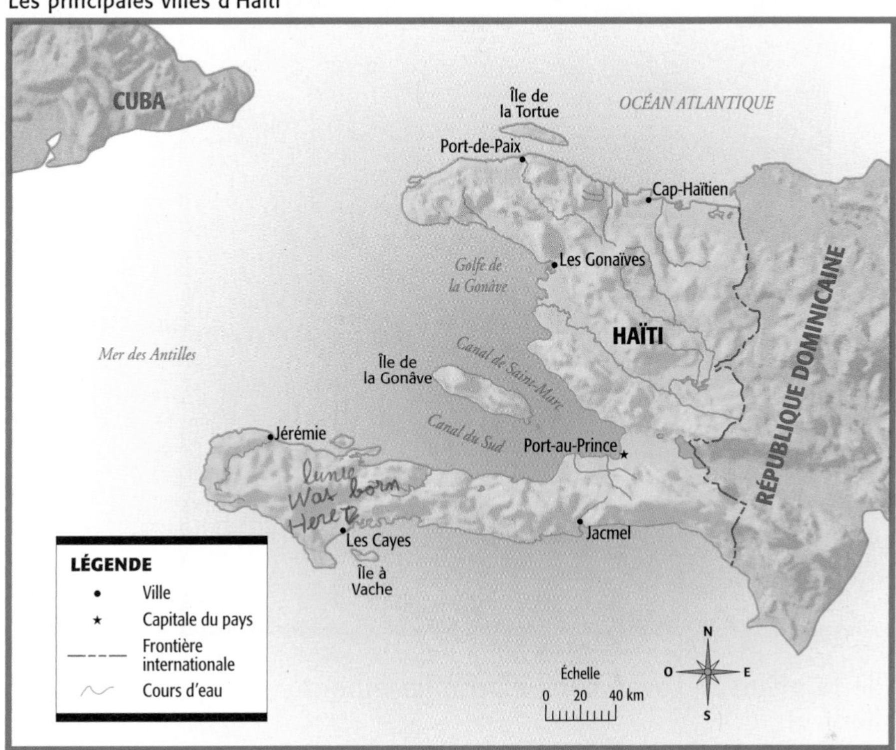

a Prête attention au titre et demande-toi si la carte traite des mêmes lieux que le texte.

b Trouve sur la carte les lieux dont parle le texte.

c Observe la carte pour trouver de nouvelles informations. Utilise ces informations pour mieux comprendre le texte (ex. : l'inondation a surtout affecté des zones situées entre les montagnes et la mer).

d Explique dans tes mots ce que tu comprends du texte et de la carte.

4 Vérifie ta compréhension.

a En quoi la carte t'a-t-elle aidé à mieux comprendre l'article de journal ?

b Dans quelle ville haïtienne la tempête tropicale a-t-elle fait le plus de sinistrés ? Où est située cette ville par rapport à Port-au-Prince ? par rapport à la mer ?

c Où est située l'île de la Tortue par rapport à la ville des Gonaïves ?

Lire et interpréter un plan de ville

1 Observe ces plans de ville.

L'arrondissement de Sainte-Foy–Sillery, dans la ville de Québec

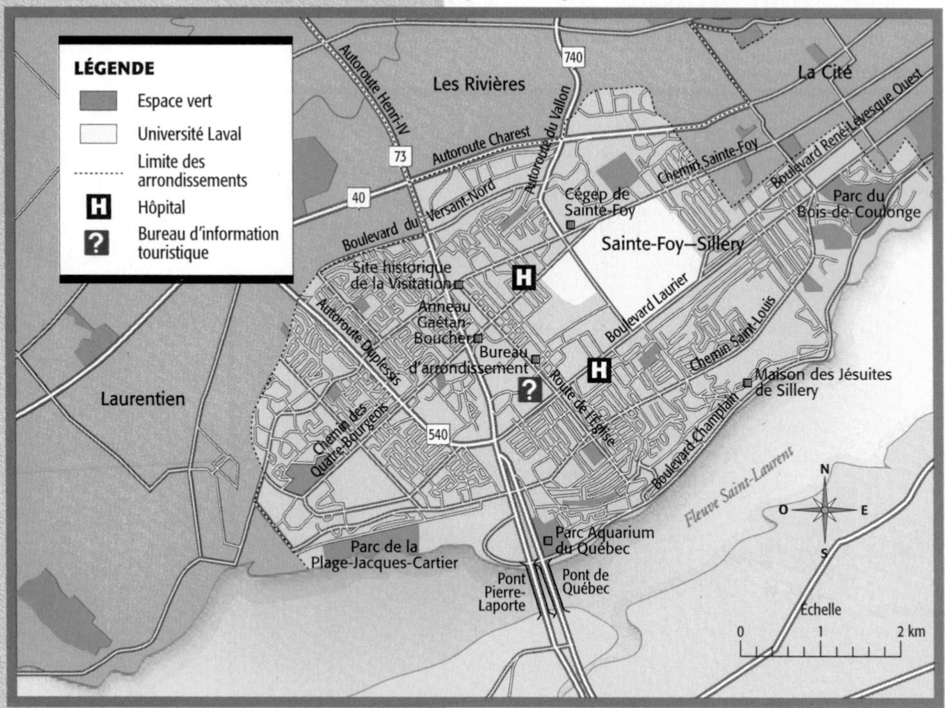

Les environs de l'Université Laval, dans l'arrondissement Sainte-Foy–Sillery

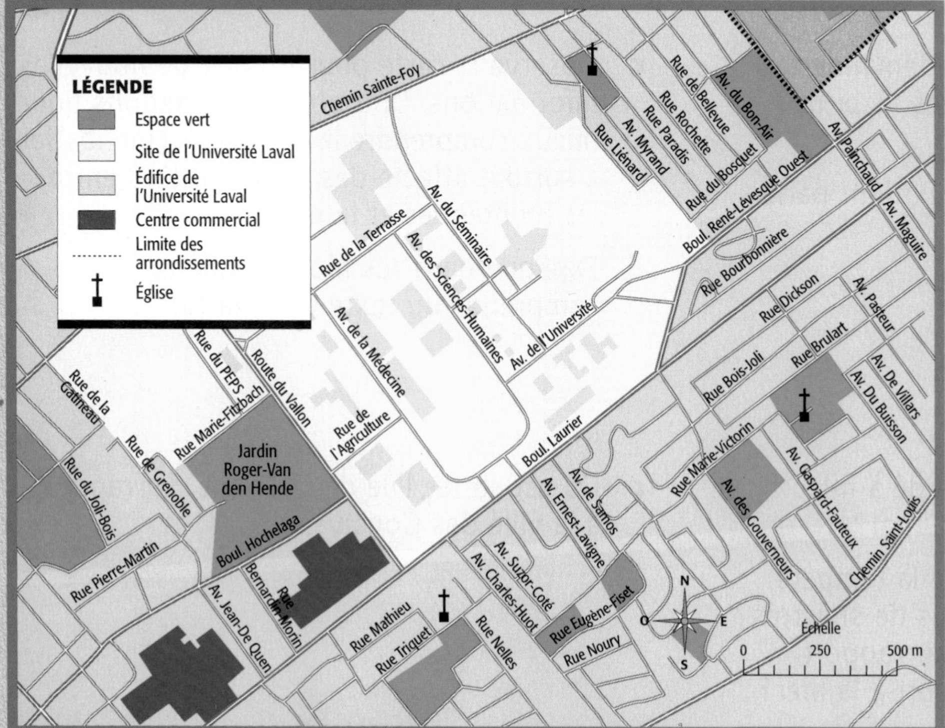

2 Fais part de tes observations.

a Quelles sont les principales différences entre ces deux plans de ville ?

b À quoi peut servir chacun de ces plans ?

c Quel plan de ville est à plus grande échelle ? Pourquoi ?

3 Apprends à lire et à interpréter un plan de ville.

Le plan de ville est une carte à très grande échelle. Il représente habituellement un petit territoire (quartier, arrondissement, ville). On y trouve surtout le réseau routier (autoroutes, boulevards, rues), les édifices publics, les espaces verts et la majorité des services publics. Un plan de ville peut être réalisé à différentes échelles selon l'information que l'on veut y mettre et l'utilisation de la carte.

Ce plan est très utile pour se repérer dans l'arrondissement de Sainte-Foy–Sillery ou y trouver des lieux précis, par exemple le cégep de Saint-Foy.

L'arrondissement de Sainte-Foy–Sillery, dans la ville de Québec

Ce plan est très utile pour repérer les rues à emprunter pour se rendre à l'Université Laval.

Les environs de l'Université Laval, dans l'arrondissement Sainte-Foy–Sillery

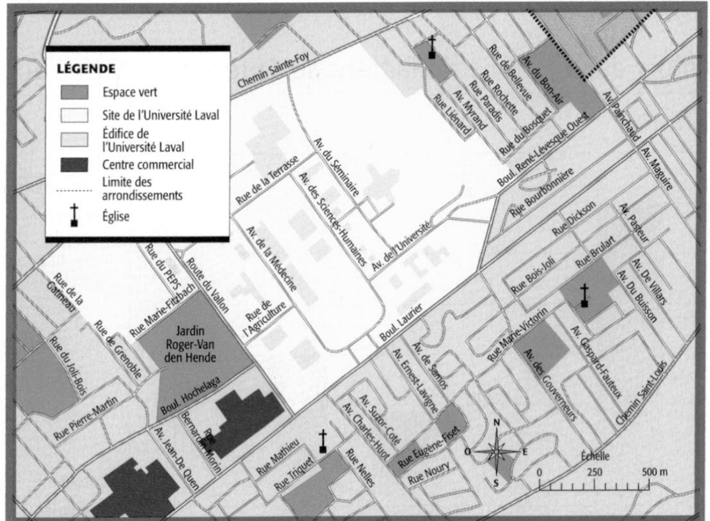

4 Vérifie ta compréhension.

a Qu'est ce que le plan de Sainte-Foy–Sillery t'apprend sur cet arrondissement?

b Quel plan utiliserais-tu pour situer les édifices de l'Université Laval? pour connaître les principales voies de circulation de l'arrondissement de Sainte-Foy–Sillery?

2 Les tableaux et les diagrammes

Lire et interpréter un tableau, un diagramme circulaire et un diagramme à bandes

1 Observe les documents suivants.

La superficie des plans d'eau douce dans les provinces et les territoires du Canada

Province ou territoire	Superficie totale de terre et d'eau (km²)	Superficie occupée par l'eau douce (km²)
Québec	1 542 056	176 928
Territoires du Nord-Ouest	1 346 106	163 021
Ontario	1 076 395	158 654
Nunavut	2 093 190	157 077
Manitoba	647 797	94 241
Saskatchewan	651 036	59 366
Terre-Neuve-et-Labrador	405 212	31 340
Colombie-Britannique	944 735	19 549
Alberta	661 848	19 531
Territoire du Yukon	482 443	8 052
Nouvelle-Écosse	55 284	1 946
Nouveau-Brunswick	72 908	1 458
Île-du-Prince-Édouard	5 660	0
Canada	9 984 670	891 163

Source : Ressources naturelles Canada, *Atlas du Canada,* Faits géographiques sur le Canada : superficie terres/eaux douces, Ottawa, 1999.

Les emplois dans l'industrie laitière au Québec

Nombre d'emplois
35 000
30 000
25 000
20 000
15 000
10 000
5 000
0
Domaines
Fermes
Usines de transformation
Distributeurs
Fournisseurs

Source : Statistique Canada, 2003.

L'utilisation du sol au Québec

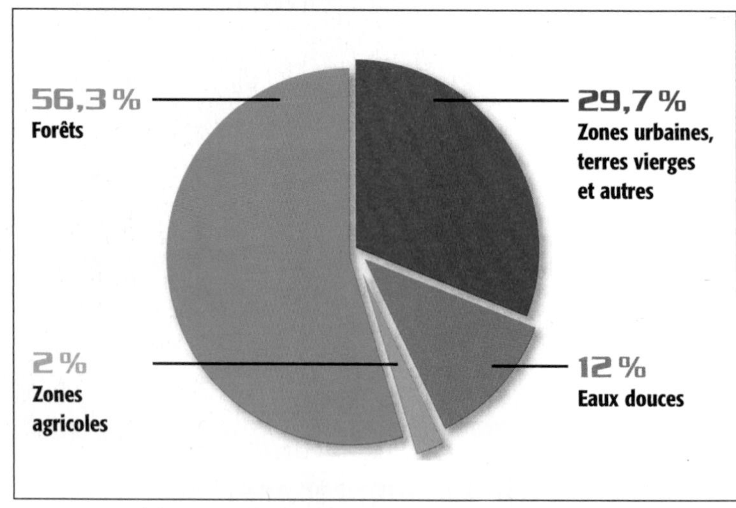

Source : Institut de la statistique du Québec, 2004

2 Fais part de tes observations.

Parmi ces documents, lequel est un tableau ? un diagramme circulaire ? un diagramme à bandes ?

3 Apprends à lire et à interpréter différents documents.

Les tableaux et les diagrammes présentent des informations classées et organisées. Ils sont faciles à consulter, car ils permettent de saisir l'ensemble d'une situation en un coup d'œil.

Le tableau

Le tableau contient des données disposées en rangées et en colonnes.

Les titres des colonnes et des rangées

Les titres des colonnes et des rangées du tableau désignent les éléments sur lesquels porte l'information.

La superficie des plans d'eau douce dans les provinces et les territoires du Canada

Provinces et territoires	Superficie totale (terre et eau, en km²)	Superficie occupée par l'eau douce (en km²)
Québec	1 542 056	176 928
Territoires du Nord-Ouest	1 346 106	163 021
Ontario	1 076 395	158 654
Nunavut	2 093 190	157 077
Manitoba	647 797	94 241
Saskatchewan	651 036	59 366
Terre-Neuve-et-Labrador	405 212	31 340
Colombie-Britannique	944 735	19 549
Alberta	661 848	19 531
Territoire du Yukon	482 443	8 052
Nouvelle-Écosse	55 284	1 946
Nouveau-Brunswick	72 908	1 458
Île-du-Prince-Édouard	5 660	0
Canada	9 984 670	891 163

Source : Ressources naturelles Canada, *Atlas du Canada*, Faits géographiques sur le Canada : superficie terres/eaux douces, Ottawa, 1999.

Le diagramme à bandes

Le diagramme à bandes présente des quantités à l'aide de bandes horizontales ou verticales. Ces quantités sont divisées en catégories.

Les axes

L'axe vertical et l'axe horizontal renseignent sur la graduation ou les classes utilisées. Ils informent aussi sur les éléments décrits et sur la signification des intervalles du diagramme.

Les bandes

La hauteur de la bande indique la quantité ou la valeur de chacune des catégories.

Les emplois dans l'industrie laitière au Québec

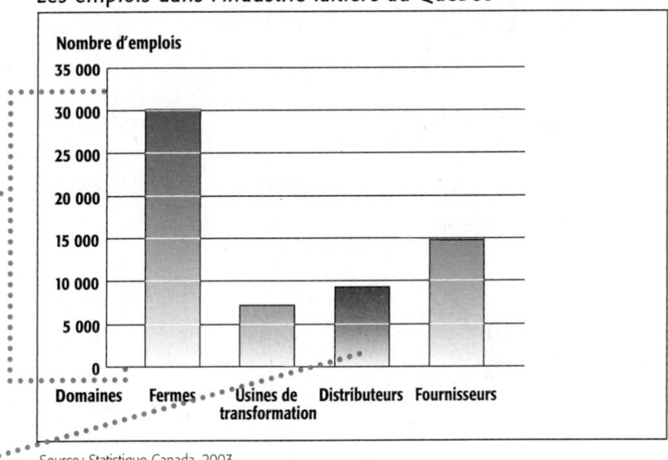

Source : Statistique Canada, 2003.

Le diagramme circulaire

Le diagramme circulaire illustre des données sous forme de disque partagé en sections.

Les sections

Chacune des sections représente une partie de l'ensemble formé par le diagramme. Le contenu de chaque section est habituellement exprimé en pourcentages ou en unités. La somme de tous les secteurs correspond donc à la superficie du cercle, soit à 100 % ou au total des unités.

L'utilisation du sol au Québec

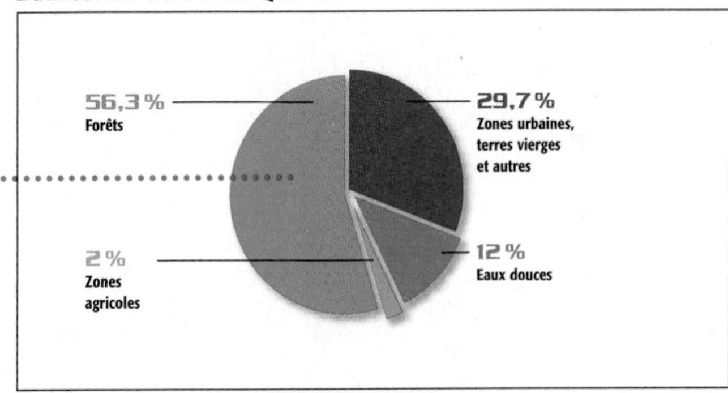

Source : Institut de la statistique du Québec, 2004.

4 Vérifie ta compréhension.

Lequel de ces documents te semble le plus facile à consulter ? Pourquoi ?

Lire et interpréter un histogramme et un diagramme à ligne brisée

1 Observe les documents suivants.

La distribution des aires protégées au Québec, en Colombie-Britannique et dans le monde

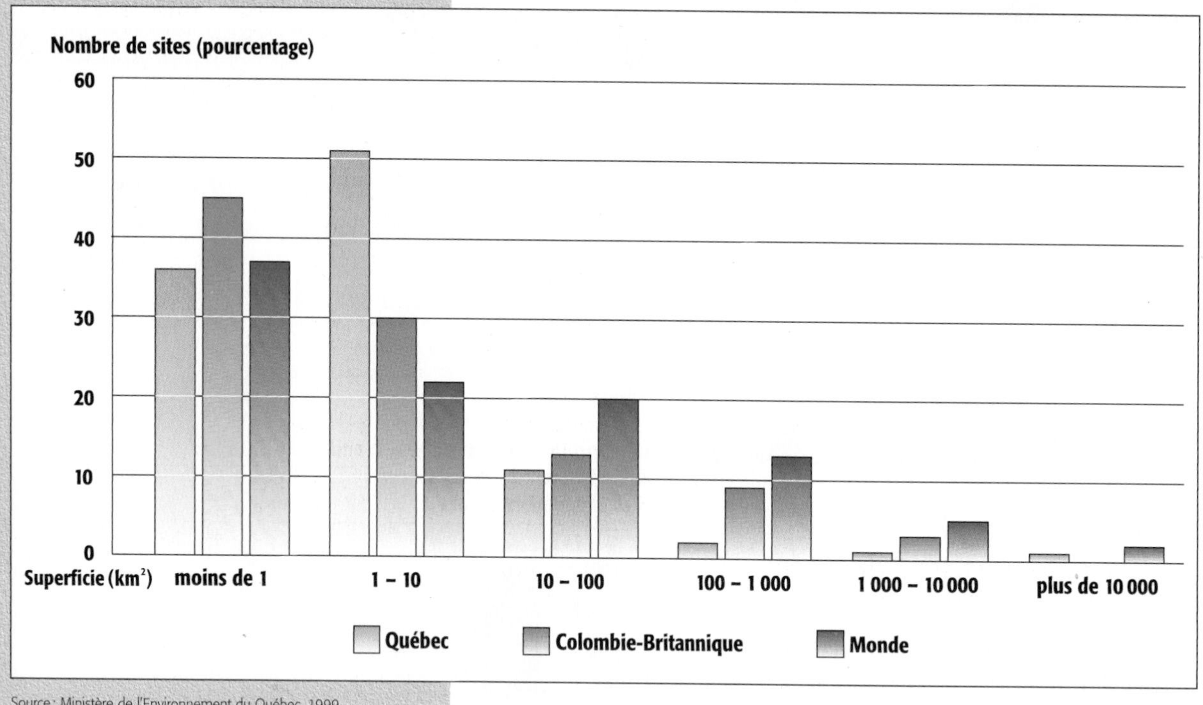

Source : Ministère de l'Environnement du Québec, 1999

Le bois récolté dans les forêts publiques du Québec

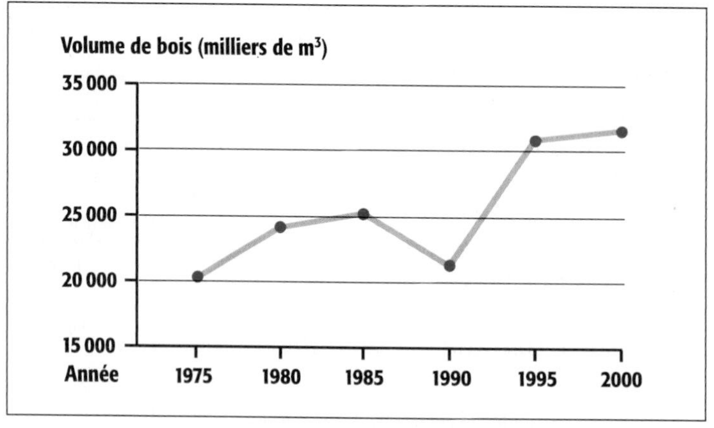

Source : Ministère des Ressources naturelles du Québec, 2005

2 Fais part de tes observations.

a À ton avis, quel document est un diagramme à ligne brisée ? un histogramme ? Explique tes réponses.

b Quelles sont les principales différences entre ces deux documents ?

3 Apprends à lire et à interpréter un histogramme et un diagramme à ligne brisée.

L'histogramme

Un histogramme indique combien de fois chaque classe d'un phénomène géographique apparaît. Il est formé de bandes rectangulaires.

La distribution des aires protégées au Québec, en Colombie-Britannique et dans le monde

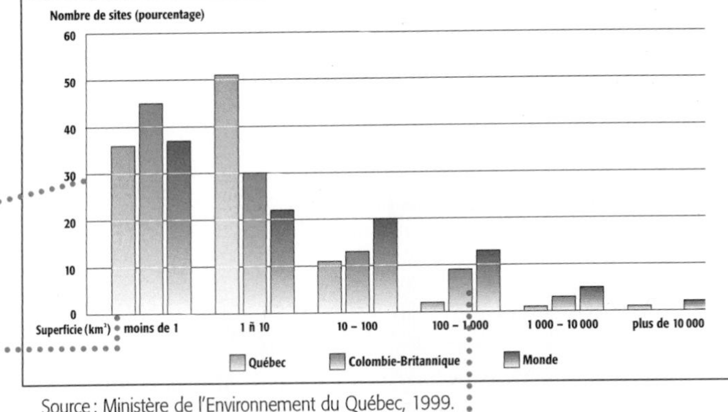

Source : Ministère de l'Environnement du Québec, 1999.

Les axes
L'axe vertical et l'axe horizontal informent sur les éléments mis en relation. Les axes de cet histogramme indiquent les classes de superficie et le nombre de sites d'aires protégées en pourcentage du nombre total.

Les bandes
Les bandes indiquent une valeur qui se trouve sur l'axe vertical. L'ensemble des bandes de cet histogramme montre la distribution des sites d'aires protégées en fonction de leur superficie.

Le diagramme à ligne brisée

Le diagramme à ligne brisée renseigne sur l'évolution d'un phénomène géographique. La ligne brisée est formée par les points reliés consécutivement sur le diagramme.

Le bois récolté dans les forêts publiques du Québec

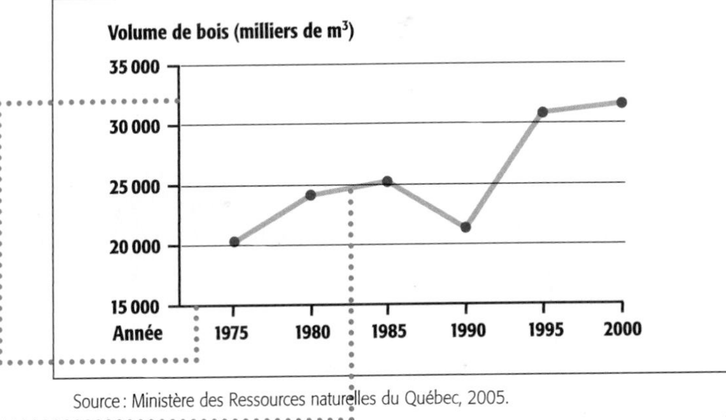

Source : Ministère des Ressources naturelles du Québec, 2005.

Les axes
L'axe vertical et l'axe horizontal renseignent sur les éléments mis en relation. Les axes de ce diagramme indiquent le volume de bois récolté au cours de certaines années comprises entre 1975 et 2000.

La ligne brisée
La ligne brisée est tracée à partir d'une suite de points. Les points correspondent ici au volume de bois récolté au Québec entre 1975 et 2000.

4 Vérifie ta compréhension.

a Quel pourcentage des aires protégées du Québec ont une superficie de 10 à 100 km^2?

b Dans quelle classe de superficie y a-t-il le plus grand nombre d'aires protégées au Québec?

c En quelle année notes-tu la plus faible récolte de bois dans les forêts publiques du Québec?

d À ton avis, quels liens peut-on établir entre les deux documents?

Lire et interpréter un climatogramme

1 Observe ces climatogrammes.

Singapour

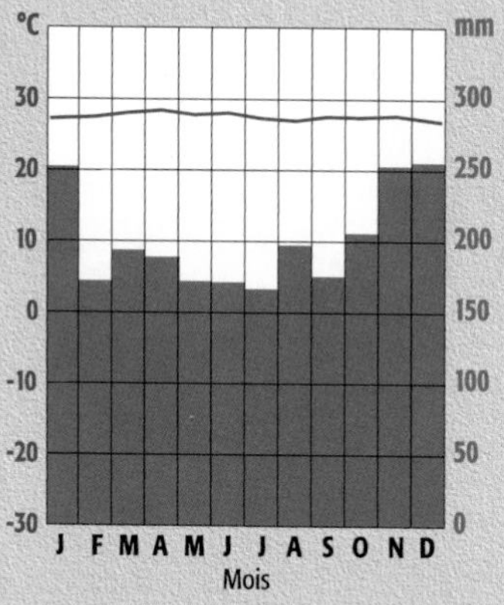

Climat équatorial

São Paulo, Brésil

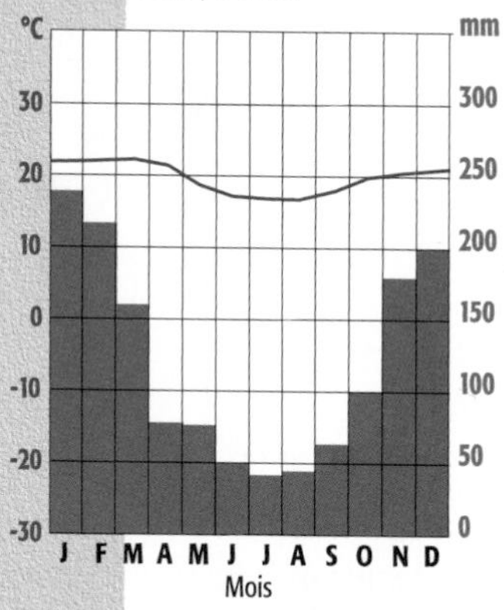

Climat tropical

Tamanrasset, Algérie

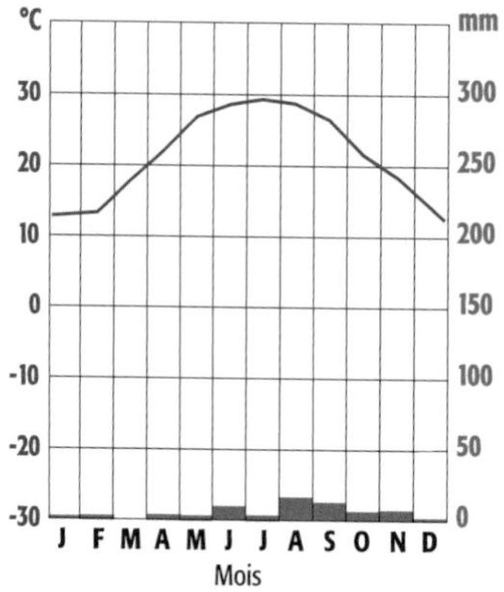

Climat désertique

Séville, Espagne

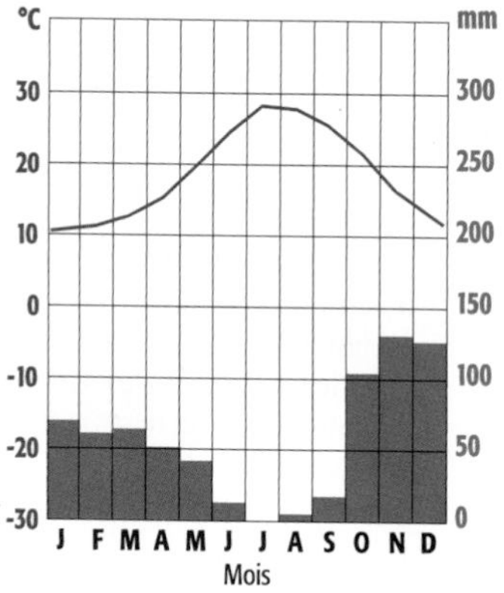

Climat méditerranéen

Londres, Royaume-Uni

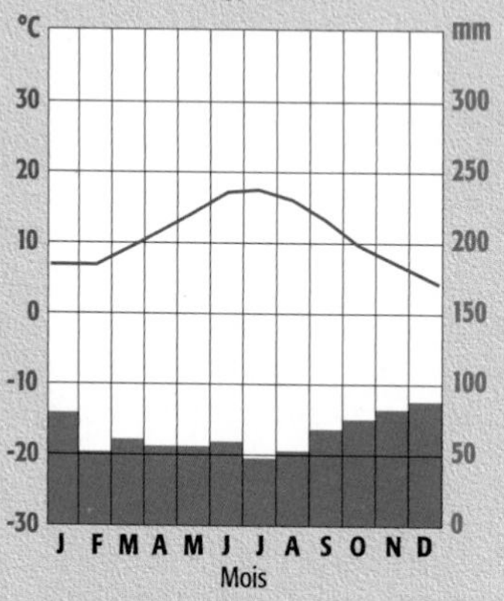

Climat océanique

Montréal, Canada

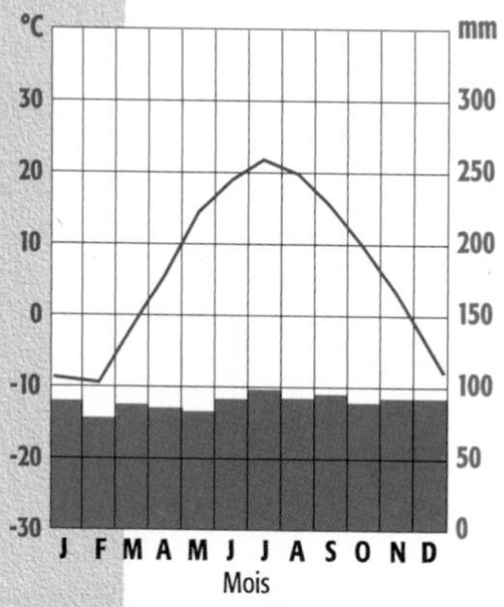

Climat continental

Iqaluit, Canada

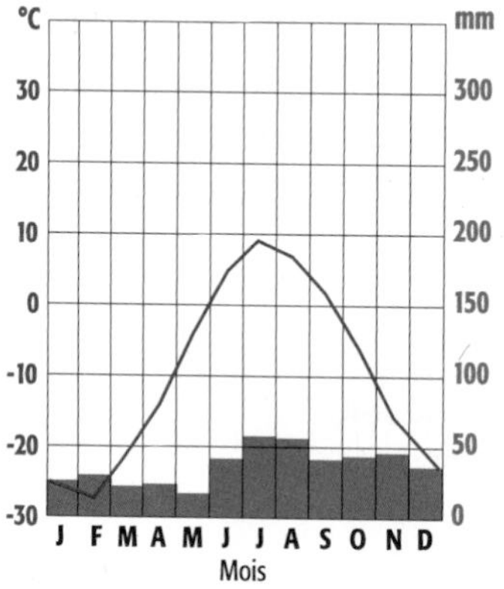

Climat polaire

La Paz, Bolivie

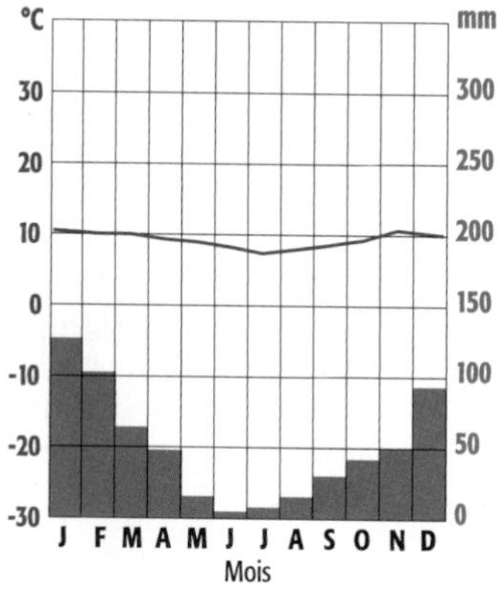

Climat de montagne

2 Fais part de tes observations.

a Quelles informations donne un climatogramme?

b Que représentent les bandes bleues dans chacun des climatogrammes?

c Qu'indique la courbe rouge dans chacun des climatogrammes?

d À quoi servent les chiffres et les lettres placés autour de chacun des climatogrammes?

3 Apprends à lire et à interpréter un climatogramme.

Un climatogramme aide à comprendre les caractéristiques d'un climat en indiquant les moyennes mensuelles des températures et des précipitations. Ces données sont enregistrées dans une station météorologique au cours d'une année.

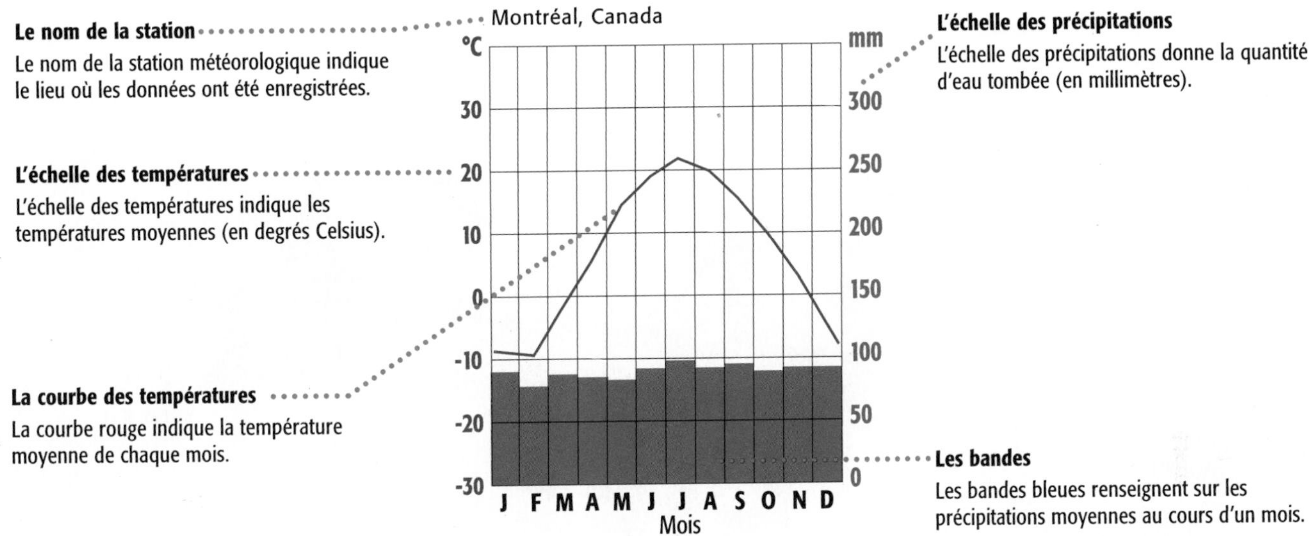

Le nom de la station
Le nom de la station météorologique indique le lieu où les données ont été enregistrées.
L'échelle des températures
L'échelle des températures indique les températures moyennes (en degrés Celsius).
La courbe des températures
La courbe rouge indique la température moyenne de chaque mois.
Montréal, Canada
°C
30
20
10
0
-10
-20
-30
J F M A M J J A S O N D
Mois
mm
300
250
200
150
100
50
0
L'échelle des précipitations
L'échelle des précipitations donne la quantité d'eau tombée (en millimètres).
Les bandes
Les bandes bleues renseignent sur les précipitations moyennes au cours d'un mois.

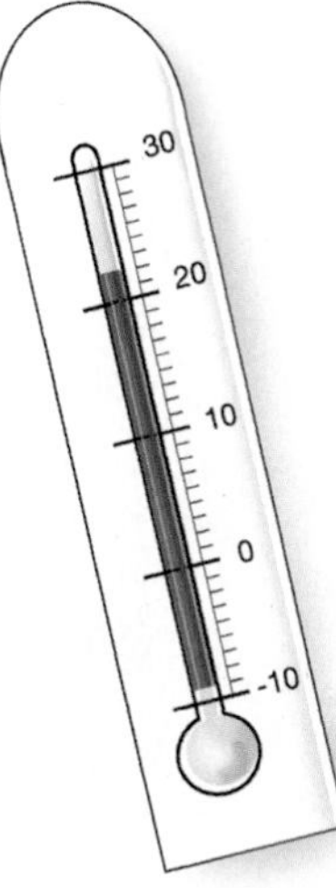

À partir d'un climatogramme, tu peux trouver l'amplitude thermique. L'amplitude thermique est l'écart absolu entre la température moyenne la plus chaude et la plus froide d'un lieu, au cours d'une année. Par exemple, pour obtenir l'amplitude thermique de Montréal, il faut trouver la différence entre 22 °C (juillet) et −9 °C (février). L'amplitude thermique de Montréal est de 31 °C.

Précipitations : Chutes d'eau provenant de l'atmosphère. Les chutes d'eau se manifestent sous diverses formes (pluie, grêle, brouillard, neige, etc.).

4 Vérifie ta compréhension.

a Quelle est la température mensuelle moyenne à Montréal, en juillet?

b Au cours de quel mois y a-t-il le plus de précipitations à Montréal?

c Observe les huit climatogrammes de la page précédente. Où trouve-t-on des précipitations abondantes (plus de 2000 mm/an) et des températures très élevées toute l'année (25 °C et plus)?

d Où l'amplitude thermique est-elle la plus faible? À ton avis, quelles conséquences cette faible amplitude thermique a-t-elle sur les habitants de cette ville?

3 LES PHOTOS

Observer une photo

1 **Observe cette photo.**

Montréal

2 **Fais part de tes observations.**

a À ton avis, de quel endroit cette photo a-t-elle été prise? Explique ta réponse.

b Quel est le sujet général de cette photo?

c Quels éléments y vois-tu?

3 Apprends à observer et à interpréter une photo.

La démarche d'observation d'une photo

a Examine la photo dans son ensemble. De quoi est-il question sur cette photo?

b Analyse la photo en observant chacun des plans.

L'arrière-plan
De quoi est composée la portion de paysage la plus éloignée?

Le plan moyen
Quels autres éléments un peu plus éloignés peux-tu reconnaître?

Le plan rapproché
Quels bâtiments ou quels éléments reconnais-tu facilement? Quels détails peux-tu voir?

Le château Frontenac, à Québec

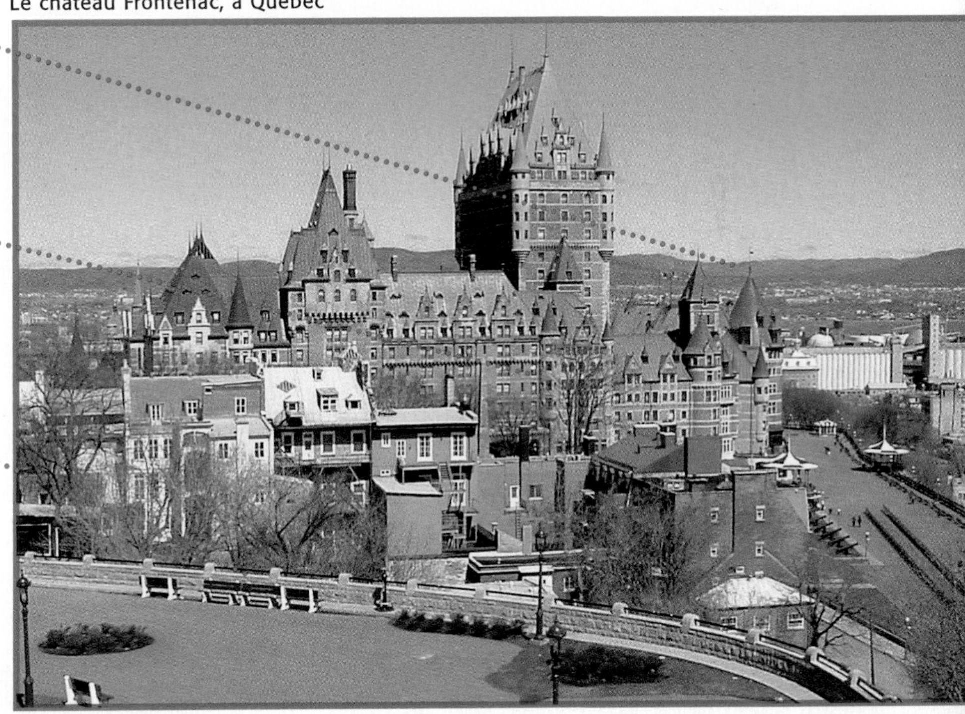

c Qu'est-ce que cette observation minutieuse t'a permis de découvrir sur la photo?

4 Vérifie ta compréhension.

a À ton avis, que désignent les expressions «plan rapproché»? «plan moyen»? «arrière-plan»?

b Sur une photo, dans quel plan peux-tu voir beaucoup de détails? peu de détails?

c Analyse la photo de la page 374 en utilisant cette démarche d'observation. Explique ta façon de procéder à une ou à un camarade.

Décrire un paysage à partir d'une photo aérienne

1 Observe les photos aériennes suivantes.

Il existe plusieurs types de photos aériennes.

L'image satellite

La vallée du Saint-Laurent dans la région de Québec (1 : 364 000)

La photo aérienne verticale

Manhattan, à New York, aux États-Unis (1 : 18 000)

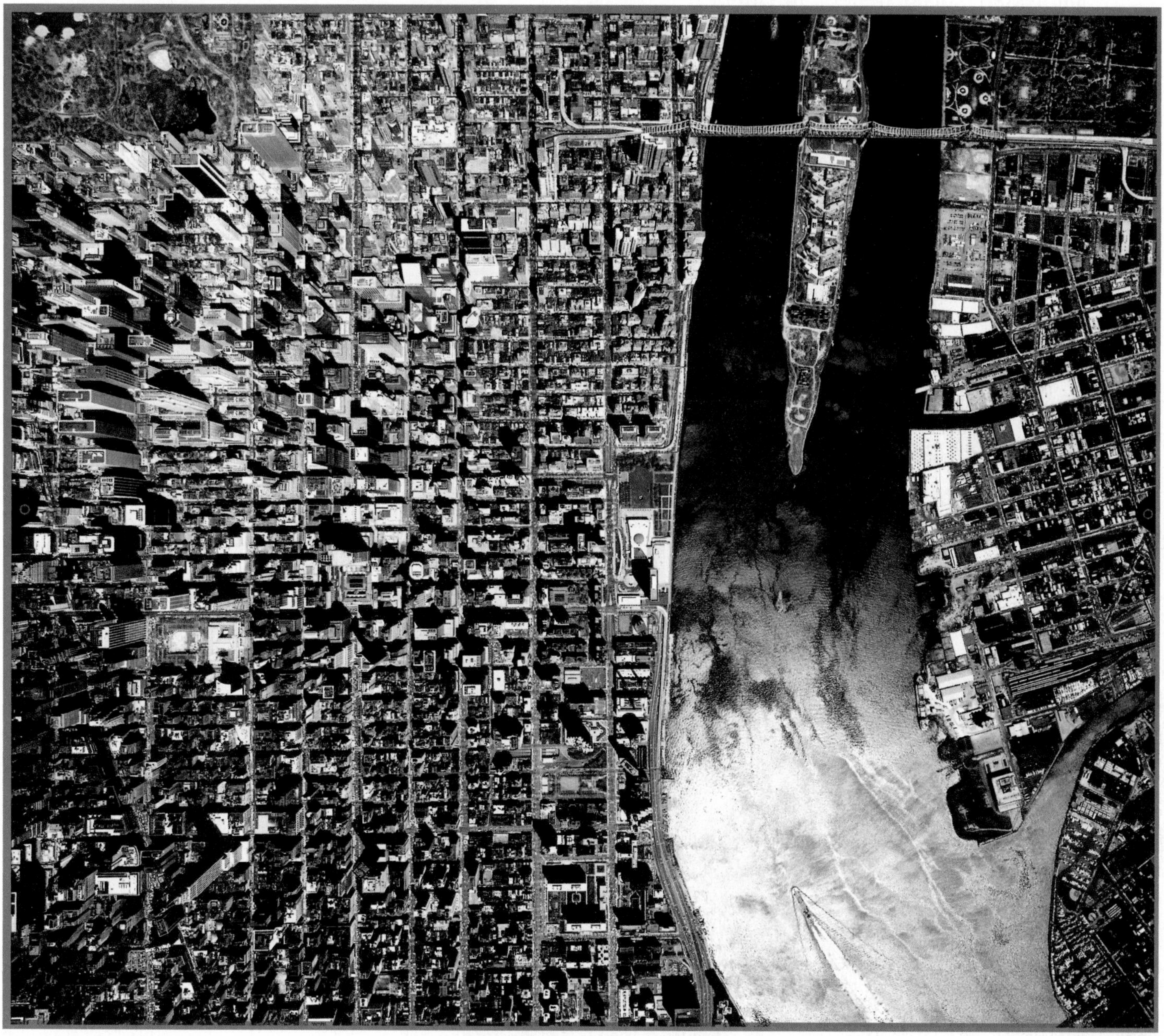

La photo aérienne verticale est prise à haute altitude à bord d'un avion, d'un hélicoptère ou d'une montgolfière. On peut y apercevoir de nombreux détails du territoire, mais ils sont parfois difficiles à interpréter, car on les voit sous un angle inhabituel. On utilise ce type de photo pour créer des plans ou des cartes géographiques.

L'image satellite montre un territoire photographié à partir d'un satellite en orbite dans l'espace. Ce type de photo permet d'observer l'occupation des sols sur de vastes territoires et différents autres phénomènes sur les continents, les mers et les océans. Par exemple, les images satellites donnent aux travailleurs forestiers des informations sur l'étendue des domaines boisés. Elles renseignent les météorologues sur les déplacements des masses d'air et leur permet ainsi de prédire le temps. Les cartographes s'en servent, entre autres, pour établir les cartes des fonds marins.

La photo aérienne oblique

Saint-Marc-sur-Richelieu, au Québec

Drummondville, au Québec

La photo aérienne oblique est prise en altitude à bord d'un avion, d'un hélicoptère ou d'une montgolfière. C'est ce type de photo qui est le plus facile à interpréter pour distinguer les éléments du paysage.

2 Fais part de tes observations sur les photos aériennes.

a Que vois-tu sur ces photos aériennes ?

b En quoi sont-elles semblables ? En quoi sont-elles différentes ?

3 Apprends à décrire un paysage à partir d'une photo aérienne oblique.

Les photos aériennes sont prises à partir d'un endroit qui n'est pas au sol (satellite, avion, hélicoptère ou montgolfière). Les photos qu'on peut prendre, par exemple, du haut de la tour du stade olympique de Montréal ou du haut d'une montagne ne sont donc pas des photos aériennes.

La démarche d'observation d'un paysage sur une photo aérienne

a Regarde chaque photo dans son ensemble.

- Quel type de paysage peux-tu observer sur chacune de ces photos? Comment le sais-tu?

b Décode le paysage de chacune des photos.

- Que peux-tu dire à propos de la densité de population?
- Quels éléments naturels (relief, hydrographie, végétation) vois-tu? Quels aménagements humains (bâtiments, routes, constructions, champs cultivés) vois-tu?
- Quelle activité pratique-t-on dans chacun de ces milieux?
  Quels éléments du paysage le montrent?
- La plupart des bâtiments sont-ils groupés? dispersés?
  Où sont-ils situés?

c Décris l'organisation du territoire.

- Que peux-tu dire sur l'organisation de ces deux territoires?

Saint-Marc-sur-Richelieu, au Québec

Drummondville, au Québec

4 Vérifie ta compréhension.

a Laquelle de ces photos montre un territoire urbain? un territoire rural? Explique ta réponse.

b Quels sont les avantages d'utiliser des photos aériennes obliques pour comprendre l'organisation d'un paysage?

Réaliser un croquis géographique

1 Observe ce croquis géographique.

La tempête Jeanne aux Gonaïves

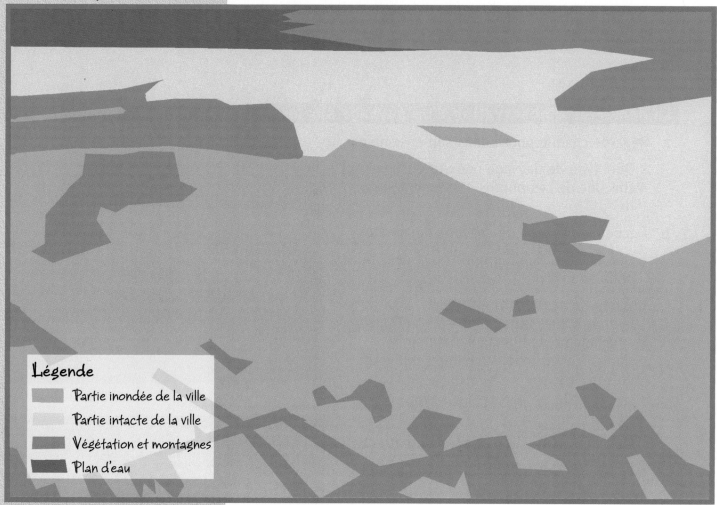

Légende
Partie inondée de la ville
Partie intacte de la ville
Végétation et montagnes
Plan d'eau

En Haïti, dans la ville des Gonaïves, la tempête tropicale Jeanne a laissé de vastes territoires inondés.

2 Fais part de tes observations.

a Dans quelles circonstances as-tu déjà fait des croquis ou en as-tu entendu parler?

b Comment t'y prendrais-tu pour réaliser un croquis?

c Que t'apprend le croquis ci-dessus?

3 Apprends à réaliser un croquis géographique.

Pour réaliser un croquis géographique, tu dois dessiner à main levée les principaux éléments d'un paysage. Un croquis géographique est toujours effectué dans un but précis. Il reflète la façon dont une personne décode un paysage.

La démarche de réalisation d'un croquis géographique

Avant de réaliser ton croquis

a Observe la photo ou le paysage que tu veux représenter sous forme de croquis géographique. Quel est le lieu représenté sur la photo? Que vois-tu au plan rapproché? au plan moyen? à l'arrière-plan?

b Précise ton intention en te demandant ce que tu veux représenter sur ton croquis (ex.: l'étendue du territoire inondé aux Gonaïves).

c Choisis les éléments essentiels de chacun des plans de la photo en fonction de ton intention pour que ton croquis soit simple.

Exemple:

- L'arrière-plan: le plan d'eau, la végétation, les montagnes
- Le plan moyen: la ville
- Le plan rapproché: une grande partie de la ville inondée

Les Gonaïves après le passage de la tempête tropicale Jeanne

Pendant que tu réalises ton croquis

d Rappelle-toi ce que tu veux y représenter.

e Dessine ton croquis en montrant les éléments essentiels.

f Choisis des couleurs et des symboles s'il y a lieu, puis ajoute la légende de ton croquis.

g Donne un titre qui traduit bien ton intention.

Après avoir réalisé ton croquis

h Vérifie si ton croquis a un titre et une légende. Regarde si sa présentation est soignée.

4 Vérifie ta compréhension.

a Regarde le croquis de la page précédente. Que peux-tu dire sur l'étendue du territoire inondé par rapport à l'ensemble de la ville?

b Quels éléments de la photo n'apparaissent pas sur le croquis? Pourquoi?

c Choisis une photo dans ton manuel et utilise-la pour réaliser un croquis géographique. Explique ensuite à une ou à un camarade la démarche que tu as utilisée pour tracer ton croquis.

4 LA RECHERCHE

Recourir à la démarche de recherche

Prends connaissance d'un problème

- Comment peux-tu expliquer ce problème dans tes mots?
- Que sais-tu déjà sur le sujet?
- Comment peux-tu t'y prendre pour trouver des solutions à ce problème?

Interroge-toi

- Quelles questions liées au problème te viennent spontanément en tête?
- Comment peux-tu grouper tes questions?

Si tu avais à refaire cette démarche de recherche, que ferais-tu différemment?

Organise l'information

- Quel moyen as-tu choisi pour transmettre l'information (ex.: travail écrit, illustration, exposé en classe, reportage, page Web, diaporama)?
- Quel est ton plan de travail pour organiser l'information recueillie et communiquer tes résultats?
- Quelles informations sont les plus importantes, à ton avis?
- Comment peux-tu présenter tes informations (ex.: textes, tableaux, listes, diagrammes)?

Communique les résultats de ta recherche

- De quel matériel as-tu besoin pour faire ta présentation?
- Comment peux-tu t'assurer de bien te faire comprendre?
- Que penses-tu des résultats de ta recherche? Qu'as-tu appris en la faisant?
- As-tu trouvé une solution satisfaisante au problème de départ? Quelles autres idées ta recherche te donne-t-elle?

Planifie ta recherche

- Quelle sera la première étape de ta recherche? Quelles seront les étapes suivantes?
- Où peux-tu trouver l'information nécessaire à ta recherche (ex.: livres, journaux, revues, Internet, cédéroms, reportages télévisés)?
- Comment noteras-tu cette information?

Comment lire une adresse Internet

Exemple: *www.vivelageographie.ca*

Les trois *w* signifient: World Wide Web (réseau mondial de communication).

Les lettres qui suivent les trois *w* indiquent le nom du site. Il peut s'agir d'un organisme, d'une école, d'un musée, d'un ministère, d'une entreprise, etc. Ce nom peut être complet ou abrégé.

La dernière partie de l'adresse désigne généralement le lieu d'où provient ce site. Exemples: *qc* désigne le Québec, *ca* le Canada et *fr* la France.

Comment écrire les mots dans la boîte de dialogue d'un moteur de recherche

Tape dans la boîte de dialogue des mots liés au sujet de ta recherche. Exemple: *Les séismes les plus destructeurs au cours des 10 dernières années en Asie.*

Élimine les mots inutiles (verbes, adjectifs, adverbes, pronoms). Tu obtiens: *Séismes Asie*

Écris tout en minuscules. Tu peux utiliser les accents s'il s'agit d'un moteur de recherche francophone. Tu obtiens: *séismes asie*

Utilise des guillemets pour effectuer la recherche par groupes de mots. Tu peux également employer le signe +. Ces deux techniques permettent de trouver rapidement de l'information. Tu obtiens:
« les séismes les plus destructeurs en asie »
ou
« les séismes les plus destructeurs » + « asie »

Quel mot écrire pour lancer une recherche dans Internet

Un nom qui désigne une personne (politicien, scientifique, géographe, etc.)
Un nom géographique (lieu, phénomène, etc.)
Un nom d'association (ONU, OTAN, Greenpeace, etc.)
Un terme général (ville, séisme, pollution, etc.)

Les sites les plus fiables

Les sites des organismes, des gouvernements, des maisons d'enseignement, des associations et des musées sont les plus fiables.

Les adresses de ces sites se terminent, par exemple, par:

.gouv ou .gov (gouvernement);
.u ou .univ (université);
.org (organisation).

Recueille et traite l'information

- Pourquoi as-tu sélectionné ces informations plutôt que d'autres?
- Comment peux-tu classer l'information?
- Comment peux-tu consigner tes sources?

Comment distinguer un fait d'une opinion

On peut vérifier ou prouver l'authenticité d'un fait. Exemple: Au cours de la nuit du 18 au 19 septembre 2004, la ville des Gonaïves a subi une terrible inondation.

Une opinion exprime un point de vue, un parti pris ou un sentiment. On peut reconnaître un texte d'opinion à la présence de certains pronoms personnels (je, me, moi, nous, etc.) et de certains verbes (croire, penser, aimer, détester, etc.). Exemple: Nous croyons que les parcs naturels québécois ne sont pas assez protégés.

Comment reconnaître un document pertinent

Les documents pertinents sont directement liés au sujet.

Un document n'est pas pertinent s'il contient des statistiques dépassées alors que ton sujet nécessite des statistiques récentes. Il n'est pas non plus pertinent si tu as de la difficulté à comprendre l'information qu'il contient.

5 LES ATLAS

Utiliser un atlas

1 Observe ces parties d'un atlas.

La table des matières

L'index

2 Fais part de tes observations.

a De quelle façon sont classées les informations dans la table des matières ? Comment sont présentées ces informations ?

b De quelle façon sont classées les informations dans l'index ?

3 Apprends à utiliser un atlas.

Un atlas est un recueil de cartes géographiques: cartes politiques, cartes du relief, cartes thématiques, cartes schématiques, etc. On y trouve aussi des données statistiques présentées sous forme de tableaux, de diagrammes, de schémas, etc.

La table des matières

Le contenu de la table des matières est d'abord classé par parties du monde, puis par sujets ou par thèmes.

Pour utiliser la table des matières

a Établis le lieu de ta recherche (ex.: l'Amérique du Sud).

b Établis le sujet de ta recherche (ex.: le climat et la végétation naturelle).

c Repère la page de référence.

L'Amérique du Nord
Les cartes topographiques

Les États-Unis	62-63
La Californie	64
Le nord-est des États-Unis	65
Le Mexique, l'Amérique centrale et les Antilles	66-67

L'Amérique du Sud
Les cartes thématiques

Politique	68
Physique	69
Le climat et la végétation naturelle	70
L'économie et la population	71

Le monde
Les cartes thématiques

Politique	110-111
Physique	112-113
Le climat	114-115
Les régions climatiques	116-117
Les données climatiques	118
Les risques naturels	119
La végétation naturelle	120-121
La tectonique des plaques	122-123

L'index

Le contenu de l'index est classé par ordre alphabétique en fonction des toponymes (noms de lieux). Chaque toponyme physique est suivi du type d'entité qu'il représente, par exemple *riv.* (rivière), *î.* (île), *fl.* (fleuve) et *mt* (mont). Chaque toponyme politique est suivi du nom de l'entité où il est situé. Dans certains atlas, l'index comporte deux sections: une pour le principal pays exploré et une pour le monde.

Pour utiliser l'index

a Établis le lieu de la recherche à l'aide de son toponyme (ex.: la rivière Azoum, au Tchad).

b Repère la page de référence.

c Repère la coordonnée alphanumérique (lettre et chiffre) de ce lieu.

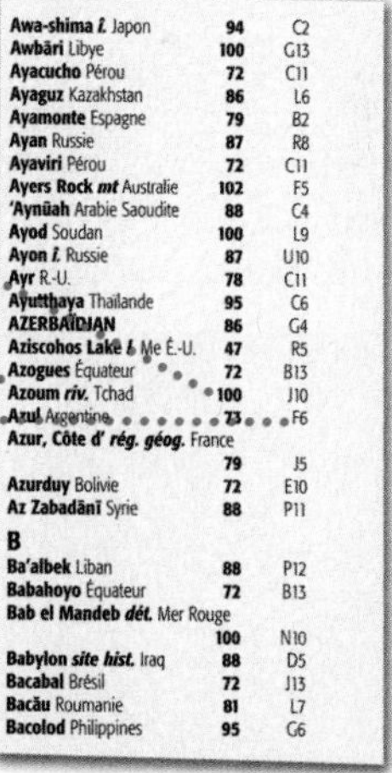

Awa-shima ***î.*** Japon	**94**	C2
Awbāri Libye	**100**	G13
Ayacucho Pérou	**72**	C11
Ayaguz Kazakhstan	**86**	L6
Ayamonte Espagne	**79**	B2
Ayan Russie	**87**	R8
Ayaviri Pérou	**72**	C11
Ayers Rock ***mt*** Australie	**102**	F5
'Aynūah Arabie Saoudite	**88**	C4
Ayod Soudan	**100**	L9
Ayon ***î.*** Russie	**87**	U10
Ayr R.-U.	**78**	C11
Ayutthaya Thaïlande	**95**	C6
AZERBAÏDJAN	**86**	G4
Aziscohos Lake ***l.*** Me É.-U.	**47**	R5
Azogues Équateur	**72**	B13
Azoum ***riv.*** Tchad	**100**	J10
Azul Argentine	**73**	F6
Azur, Côte d' ***rég. géog.*** France	**79**	J5
Azurduy Bolivie	**72**	E10
Az Zabadānī Syrie	**88**	P11
B		
Ba'albek Liban	**88**	P12
Babahoyo Équateur	**72**	B13
Bab el Mandeb ***dét.*** Mer Rouge	**100**	N10
Babylon ***site hist.*** Iraq	**88**	D5
Bacabal Brésil	**72**	J13
Bacău Roumanie	**81**	L7
Bacolod Philippines	**95**	G6

4 Vérifie ta compréhension.

a À quelle page du manuel se trouve la carte des régions climatiques dans le monde?

b À quelle page se trouve la carte topographique de la Californie?

c À quelle page se trouve le mont Ayers Rock, en Australie? Quelle coordonnée alphanumérique permet de le situer?

d À quelle page se trouve la ville de Bacabal, au Brésil?

CARTE DE RÉFÉRENCE

Les niveaux de développement des pays du monde

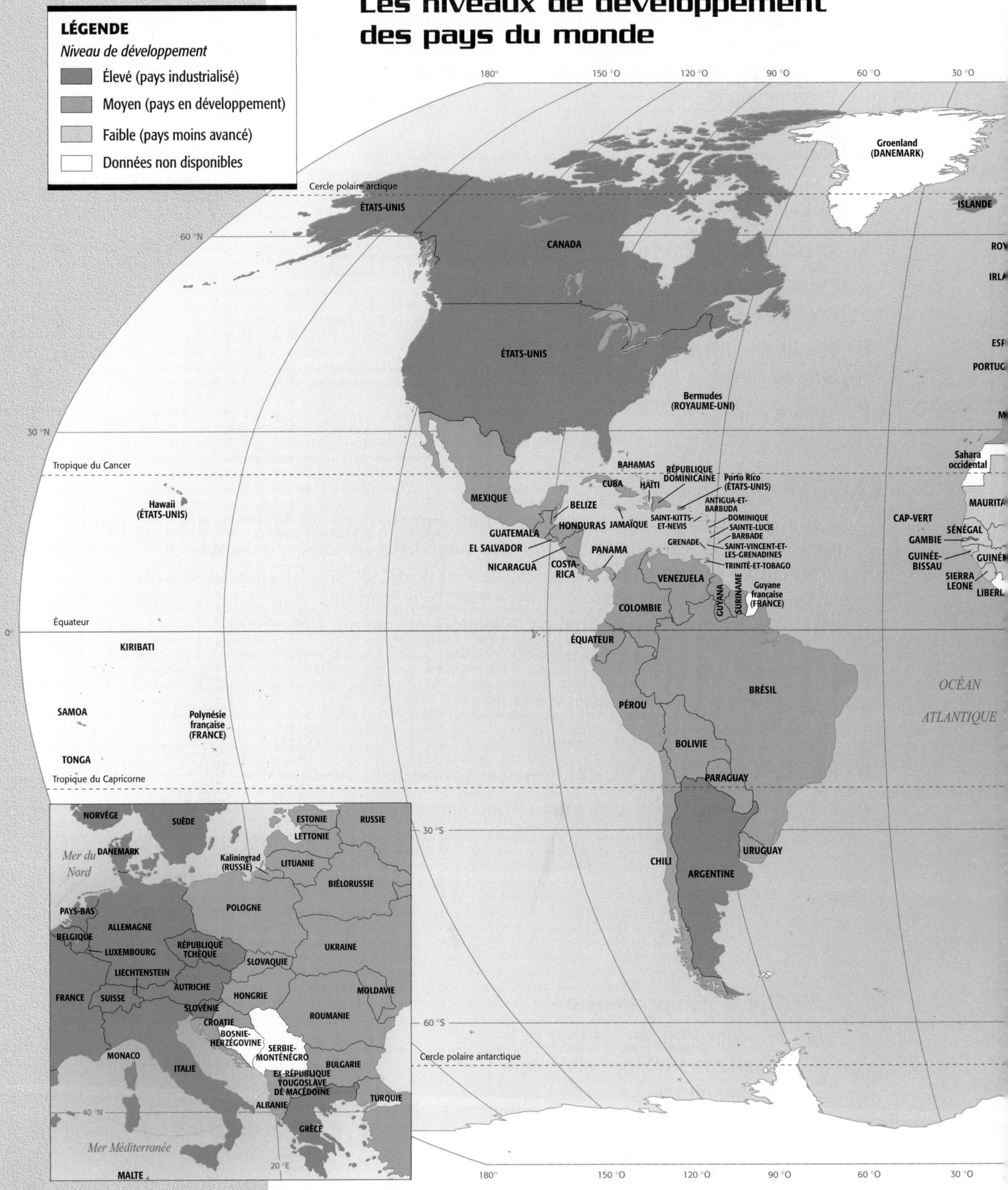

LÉGENDE

Niveau de développement

- Élevé (pays industrialisé)
- Moyen (pays en développement)
- Faible (pays moins avancé)
- Données non disponibles

180° 150 °O 120 °O 90 °O 60 °O 30 °O

Groenland (DANEMARK)
ISLANDE
Cercle polaire arctique
ÉTATS-UNIS
60 °N
CANADA
ROY
IRLA
ÉTATS-UNIS
ESP
PORTUG
Bermudes (ROYAUME-UNI)
30 °N
Sahara occidental
Tropique du Cancer
BAHAMAS
RÉPUBLIQUE DOMINICAINE
CUBA
HAÏTI
Porto Rico (ÉTATS-UNIS)
Hawaii (ÉTATS-UNIS)
MEXIQUE
BELIZE
ANTIGUA-ET-BARBUDA
MAURITA
CAP-VERT
SAINT-KITTS-ET-NEVIS
DOMINIQUE
SAINTE-LUCIE
BARBADE
SÉNÉGAL
GAMBIE
GUATEMALA
HONDURAS
JAMAÏQUE
GRENADE
SAINT-VINCENT-ET-LES-GRENADINES
GUINÉE-BISSAU
GUINÉ
EL SALVADOR
PANAMA
TRINITÉ-ET-TOBAGO
NICARAGUA
COSTA-RICA
VENEZUELA
GUYANA
SURINAME
Guyane française (FRANCE)
SIERRA LEONE
LIBERI
COLOMBIE
Équateur
0°
KIRIBATI
ÉQUATEUR
OCÉAN ATLANTIQUE
BRÉSIL
PÉROU
SAMOA
Polynésie française (FRANCE)
BOLIVIE
TONGA
Tropique du Capricorne
PARAGUAY
30 °S
URUGUAY
CHILI
ARGENTINE
60 °S
Cercle polaire antarctique

NORVÈGE
SUÈDE
ESTONIE
RUSSIE
LETTONIE
Mer du Nord
DANEMARK
Kaliningrad (RUSSIE)
LITUANIE
BIÉLORUSSIE
POLOGNE
PAYS-BAS
ALLEMAGNE
BELGIQUE
RÉPUBLIQUE TCHÈQUE
UKRAINE
LUXEMBOURG
SLOVAQUIE
LIECHTENSTEIN
AUTRICHE
MOLDAVIE
FRANCE
SUISSE
HONGRIE
SLOVÉNIE
ROUMANIE
CROATIE
BOSNIE-HERZÉGOVINE
SERBIE-MONTÉNÉGRO
MONACO
BULGARIE
ITALIE
EX-RÉPUBLIQUE YOUGOSLAVE DE MACÉDOINE
TURQUIE
ALBANIE
40 °N
GRÈCE
Mer Méditerranée
20 °E
MALTE

180° 150 °O 120 °O 90 °O 60 °O 30 °O

30 °E
60 °E
90 °E
120 °E
150 °E
180°
OCÉAN ARCTIQUE
FINLANDE
RUSSIE
60 °N
KAZAKHSTAN
AZERBAÏDJAN
ARMÉNIE
GÉORGIE
MONGOLIE
OUZBÉKISTAN
TURKMÉNISTAN
KIRGHIZISTAN
TADJIKISTAN
TURQUIE
CHYPRE
SYRIE
LIBAN
ISRAËL
JORDANIE
IRAQ
IRAN
AFGHANISTAN
PAKISTAN
CHINE
CORÉE DU NORD
CORÉE DU SUD
JAPON
TUNISIE
LIBYE
ÉGYPTE
KOWEÏT
BAHREÏN
QATAR
NÉPAL
BHOUTAN
30 °N
ARABIE SAOUDITE
OMAN
INDE
MYANMAR
Taiwan (CHINE)
LAOS
BANGLADESH
THAÏLANDE
VIÊTNAM
TCHAD
SOUDAN
ÉRYTHRÉE
YÉMEN
ÉMIRATS ARABES UNIS
DJIBOUTI
ÉTHIOPIE
SOMALIE
OCÉAN PACIFIQUE
PHILIPPINES
ÎLES MARSHALL
CAMEROUN
RÉPUBLIQUE CENTRAFRICAINE
SRI LANKA
CAMBODGE
BRUNEI
PALAOS
MICRONÉSIE
MALAISIE
KIRIBATI
OUGANDA
KENYA
MALDIVES
SINGAPOUR
0°
GABON
CONGO
RÉPUBLIQUE DÉMOCRATIQUE DU CONGO
RWANDA
BURUNDI
INDONÉSIE
NAURU
TANZANIE
SEYCHELLES
PAPOUASIE-NOUVELLE-GUINÉE
ÎLES SALOMON
TUVALU
OCÉAN INDIEN
TIMOR ORIENTAL
ANGOLA
ZAMBIE
COMORES
FIDJI
MALAWI
VANUATU
NAMIBIE
ZIMBABWE
BOTSWANA
MADAGASCAR
MAURICE
MOZAMBIQUE
Nouvelle-Calédonie (FRANCE)
AUSTRALIE
AFRIQUE DU SUD
SWAZILAND
LESOTHO
30 °S
NOUVELLE-ZÉLANDE
Échelle à l'équateur
0
1 500
3 000 km
60 °S
OCÉAN AUSTRAL
ANTARCTIQUE
30 °E
60 °E
90 °E
120 °E
150 °E
180°

Glossaire

Acculturation : Assimilation partielle ou totale d'une culture au contact d'une autre.

Agglomération : Territoire urbain qui comporte une ville et l'espace urbanisé des **banlieues** environnantes.

Agriculture : Ensemble des travaux par lesquels on transforme le milieu naturel pour la production de végétaux et d'animaux utiles aux êtres humains.

Agriculture commerciale : Agriculture dont la production est destinée à la vente et non à la consommation de la famille propriétaire de la ferme. Dans ce cas, la distribution des produits est assurée par des intermédiaires (grossistes, marchands, etc.).

Agriculture de subsistance : Agriculture dont l'objectif principal est de nourrir la famille propriétaire d'une ferme.

Agriculture mixte : Agriculture consacrée à la fois à la culture (ex. : céréales) et à l'élevage (ex. : porcs).

Altitude : Élévation par rapport au niveau moyen de la mer.

Aménagement : Modification du territoire faite par les êtres humains pour le rendre habitable et exploitable (ex. : rues, ponts, parcs, résidences, etc.).

Archipel : Groupe d'îles qui forment un ensemble.

Aride : Qui manque d'eau.

Arrondissement : Division administrative d'une ville.

Banlieue : Zone urbanisée éloignée du centre-ville.

Banque mondiale : Organisation internationale dont la mission principale est de combattre la pauvreté dans les **pays en développement** en y offrant divers services (prêts, conseils, assistance technique et partage d'expertise).

Bidonville : Groupement d'habitations faites de matériaux récupérés (bois, métal, carton) qui abritent les populations démunies.

Biodiversité : Diversité des espèces vivantes présentes sur un territoire.

Canton : Mode de division des terres en carrés d'environ 16 km de côté.

Catastrophe naturelle : Effets désastreux liés au déclenchement d'un **risque naturel**.

Centre-ville : Partie centrale d'une ville, généralement la plus vieille, où se concentrent les activités économiques et politiques.

Coalition : Groupement de personnes qui ont pour but une action commune.

Collecte sélective : Collecte de certains déchets industriels et ordures ménagères en fonction de leur composition.

Combustibles fossiles : Matières non renouvelables qui peuvent brûler et fournir de l'énergie (ex. : charbon, pétrole, gaz naturel).

Commerce spécialisé : Commerce qui s'exerce dans un domaine particulier (ex. : boutique de vêtements de haute couture, restaurant de cuisine marocaine).

Commercialisation : Action de mettre en marché un produit ou un service.

Concentration : Grand nombre d'éléments dans un espace déterminé.

Confluent : Rencontre de deux cours d'eau.

Conservation : Protection d'un milieu naturel pour prévenir sa dégradation.

Couronne : Partie d'une région métropolitaine en périphérie du centre d'une ville. Dans la grande région de Montréal, il y a une couronne sur la rive nord du fleuve et une couronne sur la rive sud.

Croissance : Augmentation d'un phénomène (ex. : la croissance démographique est la croissance de la population).

Crue : Montée soudaine du niveau d'un cours d'eau à la suite de fortes précipitations ou de la fonte de la neige.

Culture en ruban : Culture perpendiculaire à une pente, pratiquée pour empêcher l'érosion.

Culture maraîchère : Culture des légumes.

Culture vivrière : Produits destinés à l'alimentation de la population locale.

Défoliant : Puissant herbicide destiné à détruire la végétation.

Delta : Zone de terres fertilisées par les sédiments transportés par un fleuve, là où il se jette dans la mer.

Densité : Rapport entre le nombre d'éléments et la superficie (ex. : il y a 200 habitants par km^2 dans cette région).

Déséquilibre : Inégalité entre des êtres humains et des milieux de vie (ex. : riches et pauvres, milieu urbain très dense par rapport à un milieu rural presque vide).

Distribution : Ensemble des opérations (chargement, transport, livraison, etc.) effectuées par les producteurs ou par les intermédiaires (grossistes, marchands, épiciers, etc.) pour acheminer des produits et des services aux consommateurs.

Drainage : Action de retirer l'eau d'un sol trop humide.

Écosystème : Ensemble des organismes vivants et de leur milieu de vie. Une forêt, un lac et une rivière sont des écosystèmes.

Émigration : Mouvement de personnes qui quittent un pays pour un autre.

Endémique : Caractère d'une espèce animale ou végétale qui ne vit qu'à un endroit sur la Terre.

Environnement : Cadre de vie comprenant des éléments naturels et humains.

Équité : Juste partage.

Espérance de vie : Nombre d'années qu'une personne peut espérer vivre à partir de sa naissance.

Glossaire

Étalement urbain : Expansion du territoire urbain en périphérie d'une ville. Cet étalement est dû au développement des **banlieues** et à la construction des autoroutes.

Exploitation commerciale : Entreprise dont les produits sont destinés à l'industrie et à la vente.

Exportation : Vente de produits à d'autres pays.

FAO : Organisation des Nations Unies pour l'alimentation et l'agriculture. Cet organisme lutte contre la faim et la pauvreté dans le monde.

Flux touristique : Déplacement de touristes d'un lieu à un autre.

Foyer de population : Partie du monde où il y a une importante **concentration** de population.

Foyer touristique : Région présentant un ou plusieurs attraits touristiques qui attirent des millions de visiteurs chaque année.

Frontière internationale : Limite territoriale qui sépare deux pays (ex. : la frontière entre le Canada et les États-Unis).

Frontière nationale : Limite territoriale à l'intérieur d'un pays (ex. : la frontière entre le Québec et l'Ontario).

ha : Voir **hectare**.

Hectare (ha) : Unité de mesure agraire de 10 000 m^2, équivalente à la surface d'un terrain de soccer.

Homogénéisation : Procédé par lequel on répartit le gras dans le lait en empêchant la séparation de ces deux composantes.

Immigrant : Personne qui s'établit dans un pays différent de son pays d'origine (ex. : de nombreux immigrants italiens sont établis au Québec).

Immigration : Déplacement de populations qui s'établissent dans un pays différent de leur pays d'origine.

Importation : Achat de produits à d'autres pays.

Instabilité : Caractère imprévisible des phénomènes naturels et humains.

Irrigation : Procédé qui permet l'apport d'eau aux plantes cultivées quand les **précipitations** sont insuffisantes. Cet apport se fait sous forme d'arrosage, d'écoulement dirigé ou de pompage des eaux souterraines.

Lagon : Étendue d'eau salée située au centre d'un anneau de récifs coralliens.

Latitude : Position en degrés d'un lieu par rapport à l'équateur.

Longitude : Position en degrés d'un lieu par rapport au méridien de Greenwich.

Magnitude : Force d'un phénomène naturel. La force des séismes est évaluée en fonction de l'échelle de Richter, qui va de 1 à 9, du plus faible au plus fort.

Malnutrition : Alimentation non équilibrée (ex. : une personne qui s'alimente presque exclusivement de céréales).

Mégalopole : Vaste ensemble groupant plusieurs **métropoles**. Les banlieues des métropoles finissent par se rejoindre et s'étendent parfois sur des centaines de kilomètres (ex. : Tōkyō, au Japon, et New York, aux États-Unis).

Ménage : Personne ou groupe de personnes qui habitent à la même adresse (appartement, maison, etc.).

Métropole : Ville qui a une influence sur un vaste territoire.

Migration : Mouvement qui mène un grand nombre de personnes à quitter un endroit pour un autre.

Migrer : Se déplacer d'un endroit à un autre (pays, ville) pour y vivre.

Mise en marché : Ensemble des opérations (emballage, publicité, distribution, etc.) nécessaires à la vente de produits ou de services.

Mode de culture : Ensemble des techniques utilisées en **agriculture**. Lorsque le mode de culture vise un rendement élevé, on l'appelle agriculture intensive. Quand il est peu productif, on le désigne sous le nom d'agriculture extensive.

Mondialisation : Étendue des activités commerciales et des communications à toute la planète, sans égard aux frontières.

Monoculture : Culture d'un seul produit agricole.

Multiethnicité : Caractéristique d'une population composée de personnes d'origines variées (ex. : Égyptiens, Espagnols, Irlandais).

Multinationale : Entreprise qui pratique des activités commerciales dans plusieurs pays.

Niveau de développement : Le niveau de développement d'un pays est déterminé par son **PIB/hab.**, par **l'espérance de vie** de ses habitants et par leur **taux d'alphabétisation**.

Nutriment : Substance nutritive nécessaire aux organismes vivants.

Obésité : Excédent de graisse entraînant des conséquences néfastes pour la santé.

Paludisme : Maladie des régions chaudes propagée par un moustique. Cette maladie, aussi appelée malaria, se manifeste surtout par de fortes fièvres.

Parallèle équateur : Ligne imaginaire qui sépare la Terre en deux hémisphères (Nord et Sud).

Pasteurisation : Procédé par lequel on purifie le lait et prolonge sa période de conservation.

Patrimoine : Objet, ensemble d'objets ou éléments naturels qu'une société souhaite protéger, mettre en valeur et transmettre aux générations futures.

Patrimoine bâti : Constructions anciennes qui témoignent du mode de vie de nos ancêtres.

Pays en développement : Pays où la majorité de la population travaille à l'exploitation des **ressources** naturelles et n'atteint pas un niveau de vie convenable.

Glossaire

Pays industrialisés : Pays où la majorité de la population travaille à la production de biens et de services et gagne un salaire convenable.

Pays moins avancés : Pays les plus pauvres parmi les **pays en développement.**

Phénomènes géothermiques : Ensemble de manifestations provenant des eaux chauffées par la température interne de la Terre qui remontent à la surface.

PIB : Voir **produit intérieur brut par habitant**.

Plaque tectonique : Chacune des parties mobiles de l'écorce terrestre sur lesquelles reposent les continents et les océans.

Précipitations : Chutes d'eau provenant de l'atmosphère. Les chutes d'eau se manifestent sous diverses formes (pluie, grêle, brouillard, neige, etc.).

Prévention : Ensemble des mesures prises pour prévenir une catastrophe.

Productivité : Rendement par **hectare** de terre cultivée.

Produit intérieur brut par habitant (PIB/hab.) : Montant total de la production d'un pays divisé par le nombre de ses habitants. Un PIB/hab. élevé signifie généralement que la population d'un pays a un bon niveau de vie.

Quartier : Partie d'une ville qui se distingue par certaines caractéristiques (ex. : quartier chinois, quartier des affaires) ; milieu de vie et d'activités.

Rang : Mode de division des terres en lots rectangulaires longs et étroits (200 m x 2 000 m).

Région administrative : Division du territoire québécois en fonction de ses particularités sociales et culturelles.

Région métropolitaine de recensement (RMR) : Région composée d'un très grand centre urbain et de régions urbaines et rurales adjacentes. La population d'une RMR compte au moins 100 000 habitants.

Réglementation : Ensemble des règles qui imposent des obligations aux gens.

Ressource : Élément naturel, humain ou économique qui fait la richesse d'une région.

Risque naturel : Danger lié à un phénomène naturel, auquel est exposée une population.

Rizière : Terre où l'on cultive du riz.

RMM : Région métropolitaine de Montréal.

Ruralité : Espace caractérisé par une **densité** de population faible dont l'activité économique est dominée par la culture, l'élevage et la mise en valeur des forêts et des plans d'eau.

Saison végétative : Nombre de jours où la température atteint plus de 5 °C. Cette saison permet la pratique de l'**agriculture** si elle est d'une durée minimale de 100 jours.

Service spécialisé : Service qui s'exerce dans un domaine particulier (ex : orthodontie, chirurgie esthétique).

Sida : Maladie contagieuse qui entraîne une diminution de la capacité de défense de l'organisme. Cette maladie infectieuse mortelle est la dernière phase de l'infection causée par le **VIH**.

Sismographe : Appareil qui enregistre et mesure les mouvements du sol lors d'une éruption volcanique ou d'un séisme.

Smog : À l'origine, le terme *smog*, formé des mots anglais *smoke* et *fog*, désignait un brouillard très dense. Maintenant, il désigne un mélange de polluants atmosphériques dangereux pour la santé (gaz et particules). Ce mélange se manifeste souvent sous l'aspect d'une épaisse fumée jaune brunâtre ou gris blanchâtre.

Sous-alimentation : Alimentation insuffisante. L'Organisation mondiale de la santé recommande 2 600 calories par jour pour un ou une adulte de taille moyenne.

Taux d'alphabétisation : Pourcentage de la population âgée de 15 ans et plus qui sait lire et écrire.

Tourisme : Activité des gens qui séjournent à 80 km ou plus de leur domicile pendant plus de 24 heures pour le plaisir, les affaires ou d'autres motifs.

Tourisme de masse : Voyages accessibles à un grand nombre de personnes. Cette situation entraîne un grande fréquentation de certains lieux touristiques.

Tuberculose : Maladie infectieuse contagieuse qui affecte les poumons. Cette maladie est transmise par de fines gouttelettes qui voyagent dans l'air.

Unesco : Organisation des Nations Unies pour l'éducation, la science et la culture.

Urbanisation : Processus de croissance de la population urbaine et d'expansion des villes.

VIH : Virus d'immunodéficience humaine à l'origine du **sida**.

Zonage : Division d'un territoire en zones où certaines activités sont permises.

Index

Index

Index

Liste des cartes

Module 1

Module 2

Module 3

Liste des cartes

Module 4

Module 5

Ressources géo

Liste des repères culturels

Module 1

Montréal

Le Caire

Mexico

New York

Sydney

Module 2

Le territoire agricole du Québec

Le territoire agricole de la Californie

Le territoire agricole du Japon

Module 3

Quito

San Francisco

Manille

Liste des repères culturels

Module 4

Les Îles Galápagos

Un parc naturel du Québec ou du Canada

Module 5

Une région touristique du Québec ou du Canada

Les grands lacs africains

L'Île-de-France

La Savoie

Tahiti

La lagune de Venise

Sources des photographies

Abréviations			
M	Module	E	Enjeu
C	Chapitre	D	Dossier
B	Bloc commun	RG	Ressources géo

ACDI/CIDA
M2, C2, B, doc. 10 A, doc. 10 B • Roger Lemoyne ; M2, C2, E2, doc. 13 • Michael Wild

AFP
M3, C2, B, doc. 6 • Guillermo Legaria

Agence métropolitaine de Montréal
M1, C1, E1, doc. 11

Agence Stock
M5, C1, B, doc. 6 B • © Norman Blouin

Aidan O'Rourke
M3, C2, E3, doc. 2

Air Imex
M1, C1, B, doc. 1, doc. 11, doc. 15 ; M2, C1, B, doc. 10 ; M2, C1, B, doc. 11 (à droite)

AKG-images
M4, C2, E1, doc. 3

Alain Dion
M3, C2, B, doc. 12

Alpha Presse
Couverture (en bas, à gauche) • © Pierre Dunnigan ; M1, C1, B, doc. 10 C ; M1, C1, E2, doc. 5 • © Pascale Simard ; M1, C1, E1 • Mathieu Lamarre ; M1, C2, B, doc. 7 A • Mark Edwards ; M1, C2, B, doc. 18 A • Hartmut Schwarzbach ; M1, C2, E2, p. 63 (à gauche) • Angelo Doto/UNEP ; M1, C2, E1, doc. 15 • Argus ; M1, C2, E2, doc. 7 • UNEP ; M1, 4e D, p. 81 (en haut) • Paul Duval/Hoaqui ; M1, 1er D, doc. 2 • NRSC ; M1, 1er D, doc. 8 • Lineair ; M1, 1er D, doc. 9 • Andr. Riedmiller ; M1, 1er D, doc. 10 • Hartmut Schwarzbach ; M2, C2, B, doc. 4 B • Friedrich Stark ; M2, C2, B, doc. 4 E • Russell Gordon ; M2, C2, E1, doc. 16 B • Jean-Léo Dugast/ Lineair ; M2, C2, E2, doc. 3 • F. Ardito/UNEP ; M2, C2, E2, doc. 11 • Jean-Claude Tessier ; M2, 1er D, doc. 12 • Philippe Giraud/Bios ; M2, 2e D, doc. 12 • Binsyo Yoshida/UNEP ; M3, C1, B, doc. 17 • Olivier Samson-Arcand ; M3, C2, E1, p. 212 • Jean-Denis Joubert/Hoaqui ; M3, C2, E2, p. 213 (à gauche) • Phil Schermeister/Peter Arnold ; M3, C2, E3, p. 213 (à droite) • Jorgen Schytte ; M4, C1, B, doc. 9 • Guy Boily ; M4, C2, B, doc. 7 • Kevin Schafer ; M4, C2, B, doc. 9 E • Maurice Krafft/Hoaqui ; M5, C1, E1, p. 285, doc. B • Pierre Dunnigan ; M5, C1, E1, doc. 4 (en bas), doc. 6 • Pierre Dunnigan ; M5, C2, B, doc. 8 • © Santa Clara/Photononstop ; M5, C2, E1, doc. 4 • © Jean-Marc Lecerf/Hoaqui ; M5, C2, E1, doc. 9 • © Brigitte Merle/Photononstop ; M5, 3e D, doc. 6 • © Jean-Paul Garcin/Photononstop ; M5, 3e D, doc 8, doc. 9 • © Christian Arnal/Photononstop ; M5, 1er D, doc. 5 • Claude Pavard/Hoaqui ; M5, 1er D, doc. 7 • Michel Denis-Huot/Bios ; M5, 2e D, doc. 6 • Roger Rozencwajg/Photononstop ; M5, 2e D, doc. 9 • © Rosine Mazin/Photononstop ; M5, 2e D, doc. 3 • © Xavier Richer/ Photononstop ; M5, 2e D, doc. 5 • © Roger Rozencwajg/Photononstop ; M5, 4e D, doc. 7, doc. 11 • © J.-C. & D. Pratt/Photononstop ; M5, 4e D, doc. 13 • Renaudeau Michel/Hoaqui ; RG, p. 377 • NRSC

Altitude
M1, C2, B, doc. 6 ; M2, C2, B, doc. 14 ; M2, 2e D, doc. 8 • Yann Arthus-Bertrand ; M5, C2, E1, doc. 2 • Guido Alberto Rossi ; M5, 5e D, p. 310-311 (en bas, à droite) • Yann Arthus-Bertrand

AP/Wide World Photos
M1, C2, B, doc. 14, doc. 16 ; M1, C2, E1, doc. 16 A ; M1, 2e D, doc. 11 ; M1, 4e D, doc. 8 ; M2, C2, E2, p. 151 ; M2, C2, E1, doc. 14 ; M3, C1, B, doc. 3, doc. 8, doc. 10 ; M3, C1, B, doc. 16 ; M3, C2, B, doc. 2 A ; M3, C2, B, doc. 11 A ; M3, C2, B, doc. 13 ; M3, C2, E2, doc. 6, doc. 7 A ; M3, C2, E3, doc. 5 ; M3, C2, E3, doc. 6 ; M5, D3, doc. 7 ; M5, 2e D, doc. 10 ; RG, p. 381

Archives nationales du Canada
M1, C1, B, doc. 23

Archives Ville de Laval
M2, C1, E1, doc. 2

Benoit Gosselet
M3, C2, E2, doc. 8

Bernard Fournel
M5, 3e D, p. 310-311(en haut, à droite) ; M5, 3e D, doc. 4, doc. 5, doc. 10, doc. 11

Calabayne resort
M5, C2, E2, doc. 4

Canadasmountains.com
M4, C2, E2, doc. 3 • Tim L. Helmer

Carnaval de Québec
M5, C1, B, doc. 6 A

Comité international de la Croix-Rouge (CICR)
M3, C2, B, doc. 14 • T. Gassmann/ref. ID-E-00030

Convention du patrimoine mondial
M4, C2, B, doc. 1

Corbis
Couverture (en haut, à gauche) • © Reuters ; Couverture (en bas, à droite) • © Paul Steel ; M1, C2, B • Liba Taylor ; M1, C2, B, doc. 7 B • © Barnabas Bosshart ; M1, C2, B, doc. 12 • © David Ball ; M1, C2, B, doc. 18 B • © Ed Bock ; M1, C2, E1, doc. 6 • © James L. Amos ; M1, 2e D (au centre) • Randy Faris ; M1, 3e D, p. 80-81 (en bas, au centre) • © Alan Schein Photography ; M1, 1er D, doc. 5 • © Angelo Hornak ; M1, 1er D, doc. 11 • © Peter Turnley ; M1, 2e D, doc. 2 • © Randy Faris ; M1, 2e D, doc. 6 • © Danny Lehman ; M1, 2e D, doc. 10 • © Janet Jarman ; M1, 2e D, doc. 12 • © Ted Spiegel ; M1, 3e D, doc. 2 • © Royalty-Free ; M1, 3e D, doc. 3 • © Michael S. Yamashita ; M1, 3e D, doc. 7 A • © Reuters ; M1, 3e D, doc. 6 B © Jim Zuckerman ; M1, 3e D, doc. 13 • © James Leynse ; M1, 3e D, doc. 12 • Roger Wood ; M1, 4e D, doc. 2 • © Dave G. Houser ; M1, 4e D, doc. 5 • © Peter M. Fisher ; M2, C1, B, doc. 8 • © Gehl Company ; M2, C2, E1, doc. 9 • © Reuters ; M2, C2, E1, doc. 10 • © Thierry Gouegnon/Reuters ; M2, C2, E1, doc. 16 • Buddy Mays ; M2, C2, E2, doc. 5 • Danny Lehman ; M2, C2, E2, doc. 14 • © Royalty-Free ; M2, C2, E2, doc. 15 • Richard T. Nowitz ; M2, 1er D, p. 172 • © Craig Lovell ; M2, 1er D, doc. 2 • © ML Sinibaldi ; M2, 1er D, doc. 3 • © Greg Probst ; M2, 1er D, doc. 9 • © Royalty-Free ; M2, 1er D, doc. 11 • © Larry Lee Photography ; M2, 1er D, doc. 13 • © Ed Young ; M2, 2e D, doc. 5 • © Tom Wagner/SABA ; M2, 2e D, doc. 10 • © Michael S. Yamashita ; M3, C1, B, doc. 1 B • © Alfio Scigliano/Sygma ; M3, C1, B, doc. 1 C • © Reuters ; M3, C1, doc. 1 A • © Annie Griffiths Belt ; M3, C2, doc. 2 B • © Reuters ; M3, C2, doc. 4 • © Roger Ressmeyer ; M3, C2, E1, doc. 2 • © Pablo Corral ; M3, C2, E3, doc. 7 • © Alberto Garcia ; M4, C1, B, doc. 2 C • © Bill Ross ; M4, C1, B, doc. 2 E • © John Heseltine ; M4, C1, B, doc. 12 • © Dean Conger ; M4, C2, B, doc. 3 B • © David Muench ; M4, C2, B, doc. 3 C • © Alison Wright ; M4, C2, B, doc. 3 D • © George D. Lepp ; M4, C2, B, doc. 9 A • © Royalty-Free ; M4, C2, B, doc. 9 C • © Kennan Ward ; M4, C2, B, doc. 9 F • © Theo Allofs ; M4, C2, B, doc. 10 B • © Lester Lefkowitz ; M4, C2, B, doc. 10 C • © Bob Rowan/ Progressive Image ; M4, C2, E1, p. 258-259 (à gauche) • © Stephen Frink ; M4, C2, E2, p. 259 (à droite) • © Pete Saloutos ; M4, C2, E1, doc. 9 E • © Wolfgang Kaehler ; M4, C2, E1, doc. 9 G • © Craig Lovell ; M4, C2, E1, doc. 11 • © Kevin Schafer ; M4, C2, E2, doc. 5 A • © Gunter Marx ; M4, C2, E2, doc. 5 B • © Paul A. Souders ; M4, C2, E2, doc. 7 • © Gunter Marx ; M4, C2, E2, doc. 10 • © Tim Thompson ; M5, p. 275 • © Free Agents Limited ; M5, C1, B, doc. 4 • © Alan Schein Photography ; M5, C1, E1, doc. 8 • © Kevin Schafer ; M5, C2, B, doc. 3 B • © Alan Schein Photography ; M5, C2, B, doc. 3 C • © Dave Bartruff ; M5, C2, B, doc. 3 D • © Patrick Ward ; M5, C2, E1, p. 300 • © Adam Woolfitt ; M5, C2, E1, p. 301 (à gauche) Strauss/Curtis ; M5, C2, E1, doc. 1 • © Stephen Frink ; M5, C2, E2, doc. 4 • © Simon Pietri Christian ; M5, 1er D, p. 310-311 (en haut, à gauche) • © Paul Almasy ; M5, 2e D, p. 310-311 (en bas, à gauche) • © Louie Psihoyos ; M5, 3e D, doc. 3 • © Tim Thompson ; M5, 1er D, doc. 3 C • © Joe McDonald ; M5, 1er D, doc. 6 • © Brian A. Vikander ; M5, 1er D, doc. 8 • © Dave Bartruff ; M5, 2e D, doc. 7 • © Mike Southern/Eye Ubiquitous ; M5, 2e D, doc. 3 C • © Jose Fuste Raga ; M5, 4e D, doc. 4 • © Yann Arthus-Bertrand ; M5, 4e D, doc. 9 A, doc 9 B • © Archivo Iconografico, S.A. ; M5 4e D, doc. 10 • © Philippe Giraud ; M5, 4e D, doc. 12 • © Wolfgang Kaehler ; M5, 5e D, doc. 4 • © Rolf Bruderer ; M5, 5e D, doc. 5 • © Yann Arthus-Bertrand ; M5, 5e D, doc. 7 • © William Manning ; M5, 5e D, doc. 8 • © Angelo Hornak ; M5, 5e D, doc. 9 Alexander Burkatovski ; RG, p. 351 (en haut, au centre) • © Robert Holmes ; RG, p. 351 (en haut, à droite) • © Tiziana and Gianni Baldizzone ; RG, p. 351 (en haut, à gauche) • © Richard List ; RG, p. 351 (en bas, à gauche) • © Wolfgang Kaehler

Corel Disc
M1, 3e D, doc. 6 A ; M1, 4e D, doc. 6 ; M2, C2, B, doc. 4 C ; M4, C2, E1, doc. 9 B ; M4, C2, E1, doc. 9 F

CP Photo
M2, C2, B, doc. 9 ; M2, C2, E1, doc. 6 • Larry MacDougal ; M3, C1, B, doc. 13 • Jacques Boissinot ; M3, C2, B, doc. 11 D • Belleville Intelligencer/Luke Hendry ; M5, C1, B, doc. 5 B • Archives Place Jacques-Cartier

David Wasserman
M4, C2, E2, doc. 11

Department of Terrestrial Magnetism/Carnegie Institution of Washington
M3, C2, B, doc. 10

Digital Globe
M3, p. 186-187 (en haut et en bas)

Direction des communications de la Ville de Longueuil
M1, C1, E1, doc. 10 D

Eric Hanauer
M5, 4e D, doc. 5

FAO
M2, C2, E1, doc. 13 • G. Diana ; M2, C2, B, doc. 15 • Yemen20860/R. Messori ; M2, C2, E2, doc. 7 • 12657/F. McDougall ; M2, C2, E2, doc. 9 C • 20955/R. Faidutti

Fédération des producteurs de porcs du Québec
M2, C1, E2, doc. 4, doc. 8

Festival international de jazz de Montréal
M1, C1, B, doc. 25

Festival Juste pour rire
M1, C1, B, doc. 25

Festival Montréal en lumière
M1, C1, B, doc. 25

Firstlight
M2, 2e D, doc. 10 • Stephano Cellai/Foto Stock M5, C1, B, doc. 7 B • Yves Marcoux ; M5, C1, E1, p. 285, doc. D et doc. 9 • John Sylvester ; M5, C2, B, doc. 2 • © Doug Scott/Age Fotostock ; M5, 4e D, p. 310-311 (en bas, au centre) • A.G.E. Foto Stock ; M5, 2e D, doc. 8 • A.G.E. Foto Stock ; M5, 2e D, doc. 3 B • A.G.E. Foto Stock ; M5, 4e D, doc. 8 • A.G.E. Foto Stock ; M5, 5e D, doc. 10 • A.G.E. Foto Stock

Sources des photographies

Fonds pour l'environnement mondial
M2, C2, E2, doc. 10

FRAPRU, « Dossier noir : logement et pauvreté au Québec », janv. 2004
M1, C1, E2, doc. 8 ▪ Jean Tremblay ; M1, C1, E2, doc. 9 ▪ François Roy

Gamma Ponopresse
M1, 2e D, doc. 9 ▪ Raphael Gaillarde ; M1, 3e D, doc. 7 B ▪ Allan Tannenbaum ; M3, C2, E3, doc. 8 ▪ © Aventurier-Loviny ; M5, C2, E2, doc. 5 ▪ © Li Peng/Xinhua

Gaston Côté
M1, 1er D, p. 80 ; M1, 3e D, doc. 9 ; M1, 3e D, doc. 10 ; M1, 4e D, doc. 7 ; M1, 4e D, doc. 11 ; M1, 4e D, doc. 10 ; M3, C2, E2, doc. 9 ; M4, p. 228-229 ; M5, C1, E1, p. 285, doc. C ; M5, C1, E1, doc. F

Getty
M4, C2, B, doc. 12 ▪ © Image Bank

Ginette Lambert
M3, C2, E2, doc. 4 ; M5, C2, E2, doc. 2

Ginette Létourneau
M4, C2, E1, doc. 8 ; M4, C2, E1, doc. 9 H ; M5, 1er D, doc. 9

Global Aware
Couverture (en haut, à droite) ▪ © Brian Atkinson ; M1, C2, E1, p. 62 ▪ Brian Atkinson ; M2, C2, E1, p. 150 ▪ © John Robinson

Gouvernement du Québec
M2, C1, E1, doc. 3 A et doc. 3 B ; RG, p. 376

Hilary Tarrant
M4, C1, B, doc. 17

Hoaqui
M2, C2, E1, doc. 17 C ▪ Guedj P.

Iberimage
M2, C2, B, doc. 4 A ▪ Heinz Hebeisen ; M5, C2, E1, doc. 8 ▪ Miguel Raurich

IFAD
M2, C2, E2, doc. 17 ▪ R. Faidutti

Imagemore/SuperStock
M2, 2e D, p. 173

Insectarium de Montréal
M2, C2, E2, doc. 15 ▪ René Limoges

Institut de technologie agroalimentaire de La Pocatière
M2, C1, E2, doc. 9 ▪ André Vézina

Jean-Guy Lavoie
M4, C1, B, doc. 19

Jean-Roch de Susanne
M4, C2, E1, doc. 6 ; M4, C2, E1, doc. 15

Jocelyn Michel
M1, 1er D, doc. 6

Joel Sartory Photography
M4, C2, E2, doc. 8

Land Info
M1, 2e D, doc. 3 ▪ Image courtesy of Land Info Worldwide Mapping LLC, Includes material © Space Imaging LLC, all rights reserved.

LandSAT 7 ETM+data 2000
M1, C1, B, p. 10-11 ▪ Received by the Canada Centre for Remote Sensing (CCRS). Processed and distributed by RADARSAT International under licence from CCRS.

La Presse
M1, C1, E2, p. 31 (au centre) ▪ © Ivanoh Demers (Photo modifiée afin que la personne ne puisse être identifiée)

La Terre de chez nous
M2, C1, E2, p. 125

Le Québec en images
M1, C1, B, doc. 13 ▪ Gilles Potvin ; M1, C1, E3, doc. 2 ▪ Denis Chabot ; M5, C1, E1, p. 284-285, doc. A, doc. E ▪ Denis Chabot ; RG, p. 375 ▪ Pierre Gignac ; RG, p. 378 (en bas) ▪ Guy Gauthier.

Liane Montplaisir
M1, C1, E2, doc. 2

Louis-Marie Saint-Pierre
M1, C1, B, doc. 12

Magnum photos
M4, C2, E1, doc. 5 ▪ © Stuart Franklin ; M4, C2, E1, doc. 12 ▪ © Stuart Franklin

Megapress/Abboud
RG, p. 374

Mélissa Desrosiers
M1, C1, E3, doc. 1

Menzelphoto.com
M2, C2, E1, doc 5 A, doc. 5 B, doc. 5 C ▪ © 2005 Peter Menzel

Michel Verrault
M2, C1, B, doc. 16 F

Minerva Nolte
M4, C2, E2, doc. 4 B

Ministère de l'Éducation du Québec
M2, C2, B, doc. 13

Ministère de l'Environnement de l'Ontario
M1, C2, E2, doc. 4 C ;

Ministère de l'Environnement du Québec
M2, C1, E2, doc. 3 ▪ Reproduction autorisée par Les Publications du Québec, © Gouvernement du Québec, ministère de l'Environnement

Musée des beaux-arts de Montréal
M2, C1, B, doc. 7 ▪ 1943.817, Marc-Aurèle de Foy Suzor-Coté, Arthabaska (Québec) 1869 – Daytona Beach (Floride) 1937, *La moisson*, 1912, Huile sur toile, 147,3 x 274,3 cm. Don de Mme A. Millman à la mémoire de Louis Millman, photo de Christine Guest

NASA
M1, C2, E1, p. 64

NHPA
M4, C1, B, doc. 2 D ▪ Jonathan & Angela Scott ; M4, C2, E1, doc. 9 A ▪ Kevin Schafer ; M4, C2, E1, doc. 9 D ▪ Bill Coster ; M4, C2, E1, doc. 9 C ; M4, C2, E2, doc. 5 D ▪ John Shaw ; M5, C2, E1, doc. 7 ▪ Nigel J. Dennis ; M5, 1er D, doc. 3 A ▪ Daryl Balfour ; M5, 1er D, doc. 3 B ▪ Martin Harvey ; M5, 1er D, doc. 4 ▪ Martin Harvey

Nicolas Drolet
M1, C1, B, doc. 10 B

Nuance Photo
M1, C2, B, doc. 9 B ; M1, C2, E1, doc. 5 ; M2, C1, B, doc. 16 E ; M2, C1, B, doc. 20

Office féderal suisse des eaux et de la géologie (OFEG)
M3, C2, B, doc. 8 ▪ Thomas Wenk, Zurich

Oxford Scientific
M4, C2, E1, doc. 7 ▪ Godfrey Merlen

Parcs Canada
M4, C1, B, doc. 1 ▪ Barrett & MacKay ; M4, C1, B, doc. 15 ▪ Y. Boivin et C. Harvey ; M4, C1, B, doc. 10 ▪ J. Pleau ; M4, C1, B, doc. 21 ▪ J.-F. Bergeron /nvirofoto

Parc national du Mont-Orford
M4, C1, B, doc. 22

Point du Jour Aviation Ltée
M2, C1, B, doc. 12 ▪ Jean-Daniel Cossette

Publications du Québec
M4, C1, B, doc. 2 A ; RG, p. 354-355

Publiphoto
M2, p. 106-107 ; M2, C1, B, doc. 4 ▪ Paul G. Adam ; M2, C1, E1, p. 124 ▪ Paul G. Adam ; M2, C2, B, doc. 4 D ▪ Chris Sattlberger/SPL ; M2, C2, E1, doc. 4 A ▪ D. Munns/SPL ; M3, C1, B, doc. 5 ▪ S. Lowther/SPL ; M4, C1, B, doc. 2 B ▪ F Gohier/Photo Researchers ; M4, C2, B, doc. 3 A ▪ D. Flaherty/Photo Researchers ; M4, C2, B, doc. 9 B ▪ Gregory G. Dimijian, M. D./Photo Researchers ; RG, p. 378 (en haut) ▪ Paul G. Adam

RATP
M5, 2e D, doc. 11 ▪ Jean-François Mauboussin

René Lortie
M4, C1, B, doc. 2 F

Reuters
M3, C2, E3, doc. 10 ; RG, p. 364 ▪ Sophia Paris

Rob Gordon
M4, C2, E2, doc. 4 A

Roger Lacoste
M1, C1, E3, p. 31 (à droite)

Search4Stock
M1, C1, E1, p. 30 ; M1, C1, B, doc. 22 ▪ Jean-François O'Kane ; M1, C1, E3 ; M2, C1, doc. 5 ▪ Louise Tanguay ; M2, C1, B, doc. 9 ▪ Alex Legault ; M2, C1, B, doc. 11 (à gauche) ; M2, C1, B, doc. 16 B ▪ Alex Legault ; M2, C1, B, doc. 16 B, 16 C, 16 D ; M2, C2, E2, doc. 8 ; M4, C2, E2, doc. 5 E ▪ John Marriott ; M5, C1, B, doc. 3 ▪ Louise Tanguay ; RG, p. 351 (en bas, à gauche) ▪ Michel Gingras

Spaceshots
M2, 1er D, doc. 10

Station touristique du Mont-Temblant
M4, C1, B, doc. 20

Steve Skjold
M1, 3e D, doc. 11

SuperStock
M2, 2e D, doc. 2 ▪ Steve Vidler ; M5, C2, B doc. 3 A ▪ © Yoshio Tomii ; M5, 5e D, doc. 6 ▪ © Kurt Scholz

Sylvain Coste
M2, C2, E2, doc. 12

Tim McKenna.com
M5, 4e D, doc. 6

Toronto District School Board
M1, C2, E2, doc. 4 D

Toronto Star
M1, C2, E2, doc. 4 A ▪ Carla Jones

Transports Québec
M5, C1, B, doc. 5 A ; RG, p. 345 (pictogrammes camping et baignade)

Viewpoints West Photofile
M4, C2, E2, doc. 5 C

Ville de Montréal. Gestion des documents et des archives
M1, C1, B, doc. 24 ; M1, C1, E3, p. 47

Ville de Québec
M1, C1, B, doc. 14 ; M1, C2, E1, doc. 11

Ville de Westmount
M1, C2, B, doc. 9 A

Visuals Unlimited
M4, C 2, B, doc. 9 D ▪ © Charles McRae ; M5, C1, E1, doc. 4 (en haut) ▪ © John Gerlach

Volcreole.com
M5, C2, E1, doc. 6

Wayne Lynch
M4, C1, B, doc. 16

Wayne Towriss
M4, C1, B, doc. 14

Woodfin Camp and Associates, Inc.
M1, 2e D, doc. 8 ▪ Stephanie Maze

Yanning Zhou
M1, C1, B, doc. 10 A